LANGENSCHEIDTS
UNIVERSAL-WÖRTERBUCH

ITALIENISCH

ITALIENISCH-DEUTSCH
DEUTSCH-ITALIENISCH

LANGENSCHEIDT
BERLIN · MÜNCHEN · WIEN · ZÜRICH

Inhaltsverzeichnis
Indice

Auflage: 19. 18. 17. 16. 15. | *Letzte Zahlen*
Jahr: 1990 89 88 87 86 | *maßgeblich*

© *1959, 1965, 1976 Langenscheidt KG,*
Berlin und München
Druck: Druckhaus Langenscheidt, Berlin-Schöneberg
Printed in Germany · ISBN 3-468-18181-7

Abkürzungen

Abbreviazioni

Die Tilde (∼, bei veränderter Schreibung: ℒ) ersetzt entweder den ganzen Titelkopf oder den vor dem Strich (|) stehenden Teil davon, z. B. **accenn|are** ...; **∼o** = accenno; **abmess|en** ...; **ℒung** = Abmessung.

a auch, anche

A, acc Akkusativ, accusativo

Abk Abkürzung, abbreviazione

adj Adjektiv (Eigenschaftswort), aggettivo

adv Adverb (Umstandswort), avverbio

Agr Ackerbau, agricoltura

Anat Anatomie, anatomia

Arch Baukunst, architettura

Arith Arithmetik, aritmetica

art Artikel (Geschlechtswort), articolo

Astr Sternkunde, astronomia

b bei, presso

Bgb Bergbau, miniere

Bot Botanik, botanica

bsd besonders, specialmente

Chem Chemie, chimica

Chir Chirurgie, chirurgia

cj Konjunktion (Bindewort), congiunzione

compr Komparativ, comparativo

D, dat Dativ, dativo

ea einander, l'un l'altro

El, Elektr Elektrizität, elettricità

e-m einem, a uno

e-n einen, uno

e-r einer, uno, d'una, ad una

e-s eines, d'uno

Esb Eisenbahn, ferrovia

et, et. etwas, qualche cosa

f weiblich, femminile

F familiär, famigliare

fig figürlich, bildlich, (in senso) figurato

Flgw Flugwesen, aviazione

Fot Fotografie, fotografia

f/pl weibliche Mehrzahl, femminile plurale

G, gen Genitiv, genitivo

Geogr Erdkunde, geografia

Geom Raumlehre, geometria

Ggs im Gegensatz, in senso opposto

Gr Grammatik, grammatica

Hdl Handel, commercio

4

j, j-m, j-n, j-s jemand(em, -en, -es, di, a) qualcuno
jur juristisch, giuridico
Kartensp Kartenspiel, gioco delle carte
Kfz Kraftfahrzeug, automezzo
Kl Kleidung, vestito
Kochk Kochkunst, arte culinaria
Lit Literatur, letteratura
m männlich, maschile
Mal Malerei, pittura
Mar Marine, marina; Schiffahrt, marineria
Math Mathematik, matematica
Mech Mechanik, meccanica
Med Medizin, medicina
mil militärisch, militare
Min Mineralogie, mineralogia
m/pl männliche Mehrzahl, maschile plurale
mst meist(ens), per lo più
Mus Musik, musica
n sächlich, neutro
nom Nominativ, nominativo
n/pl sächliche Mehrzahl, neutro plurale
od oder, o(d), oppure
Opt Optik, ottica
P, pop. populär, Volkssprache, (lingua) popolare
Phys Physik, fisica
pl Mehrzahl, plurale
poet poetisch, poetico

Pol Politik, politica
Postw Postwesen, poste
pron Pronomen (Fürwort), pronome
prp Präposition, preposizione
qc. etwas, qualche cosa
qu. jemand, qualcuno
Rdf Rundfunk, radio
Rel Religion, religione
s siehe, vedi
sg Einzahl, singolare
s-n seinen, suo
Sp Sport, sport
su Substantiv (Hauptwort), sostantivo (kann hinter Wörtern beiderlei Geschlechts stehen può stare dopo parole di genere comune)
sup Superlativ, superlativo
Tech Technik, tecnica
Tel Fernsprechwesen, telefonia
Telegr Telegrafie, telegrafia
Thea Theater, teatro
Typ Typographie, tipografia
u und, e(d)
usw und so weiter, eccetera
v von, vom, di, da
vgl vergleiche, confronta
v/i intransitives Verb, verbo intransitivo
v/t transitives Verb, verbo transitivo
Zo Zoologie, zoologia
zs. zusammen, insieme
Zssgn Zusammensetzungen, parole composte

Erklärung der Aussprachebezeichnung

a) Vokale

a	kurzes helles *a* wie in *Last*	pietà [pie'ta] Mitleid
a:	langes helles *a* wie in *Wagen*	anima ['a:nima] Seele
ɛ	kurzes offenes *e* wie in *ändern*	inerte [i'nɛrte] untätig
ɛ:	langes offenes *e* wie in *während*	collega [kol-'lɛ:ga] Kollege
e	kurzes geschlossenes *e* wie in *steh!*	vendere ['vendere] verkaufen
e:	langes geschlossenes *e* wie in *See*	vena ['ve:na] Vene
i	kurzes helles *i* wie in *Kind*	invitare [invi'ta:re] einladen
i:	langes helles *i* wie in *Krieg*	fine ['fi:ne] Ende
ɔ	kurzes offenes *o* wie in *offen*	notte ['nɔt-te] Nacht
ɔ:	langes offenes *o* wie in *Nord*	noto ['nɔ:to] bekannt
o	kurzes geschlossenes *o* wie in *Ofen*	orario [o'ra:rio] Fahrplan
o:	langes geschlossenes *o* wie in *ohne*	ora ['o:ra] Stunde
u	kurzes *u* wie in *unten*	purità [puri'ta] Reinheit
u:	langes *u* wie in *Schule*	puro ['pu:ro] rein

b) Konsonanten

s	scharfes s wie *Hast, dies*	senso ['senso] Sinn
z	weiches s wie in *Sonne*	rosa ['rɔːza] Rose
ʃ	deutsches *sch* wie in *schön*	sciocco ['ʃɔk-ko] dumm
v	deutsches *w* wie in *Weg*	vaso ['vaːzo] Gefäß
ŋ	deutsches *n* vor *g* oder *k*, wie in *Menge, Anker*,	lungo ['luŋgɔ] lang
ɲ	wie *gn* in *Champagner, Kognak*	cagna ['kaːɲa] Hündin
ʎ	mouilliertes *l*, ähnlich wie in *Familie*	famiglia [fa'miːʎa] Familie
ʒ	wie *g* in *Genie, Dragee*; kommt im Italienischen nur in der Lautverbindung dʒ vor	genio ['dʒeːɲo] Genius
r	Zungenspitzen-*r*	ritirare [riti'raːre] zurückziehen

c) Konsonantenverbindungen

ts	deutsches *z* wie in *Zahn*	zitto ['tsit-to] still
dz	*d* mit weichem *s*	zero ['dzeːro] Null
tʃ	*t* mit deutschem *sch*, wie in *Tschako*	cencio ['tʃentʃo] Lumpen
dʒ	*d* mit französischem *g* (wie in *Genie, Dragee*)	gengiva [dʒen'dʒiːva] Zahnfleisch

d) Zusätzliche Zeichen

Vokaldehnung wird durch : hinter dem betreffenden Vokal bezeichnet, die Tonstelle zwei- und mehrsilbiger Wörter durch ' vor der betonten Silbe.

A

a in, nach, zu, an, mit; a **Roma** in (nach) Rom; a **casa** nach (zu) Hause; **alle quattro** um vier Uhr

ab|ate m Abt; ~badessa f Äbtissin

abbaglio [-ʎo] m Flimmern n (Auge)

abbaiare bellen

abbaino m Dachfenster n

abbaio m Bellen n

abbandonare ver-, überlassen; preis-, auf-geben

abbass|amento m Sinken n; Senkung f; Erniedrigung f; ~are herunterlassen; niedriger machen; herabsetzen; fig erniedrigen; ~o unten; hin-, her-unter

abbastanza genug

abbàtt|ere niederwerfen; Flgw abschießen; fig niederschlagen; ~ersi verzagen

abbazia f Abtei

abbell|imento m Verschönerung f; ~ire verschönern

abbiamo wir haben

abboccare anbeißen; (Faß) vollfüllen

abbonamento m Abonnement n; Zeitkarte f; ~ al teléfono Fernsprechanschluß; ~ mensile Monatskarte f; ~ settimanale Wochenkarte f

abbon|arsi abonnieren (a auf acc); ~ato m Abonnent; Tel Teilnehmer

abbond|ante reichlich; ~anza f Überfluß m

abbonire beruhigen

abbord|àbile zugänglich; ~aggio [-dʒo] m Entern n; ~are Mar anlegen; ~are qu. a j-n herantreten

abbordo m Anlegen n

abbottonare zuknöpfen

abbozz|are entwerfen, skizzieren; ~o m Skizze f

abbracci|amento [-tʃa-], ~o [-tʃo] m Umarmung f; ~are [-tʃa-] umarmen

abbrevi|amento m Abkürzung f; ~are ver-, ab-kürzen; ~azione f Abkürzung

abbronzarsi braun werden

abbronzire braun werden

abbuiare verdunkeln

abdicare abdanken

abete m Tanne f

abietto verworfen

abiezione f Verworfenheit

àbile geschickt, fähig (a zu)

abilità f Geschicklichkeit

abisso m Abgrund

abit|ante su Einwohner (-in f) m; ~are (be)wohnen; ~azione f Wohnung

àbito m Kleid n; Anzug;
~ estivo Sommerkleid n;
~ di lana Wollkleid n; ~
da lutto Trauerkleid n;
da sera Abendkleid n,
Abendanzug; ~ da spiaggia Strandanzug

abitu|ale gewohnt; ~are
gewöhnen (a an acc)

abitùdine f Gewohnheit

abolire abschaffen

aborrire verabscheuen

Abruzzi m/pl Abruzzen

àbside f Astr, Arch Apsis

abus|are di qc. et. mißbrauchen; ~o m Mißbrauch

acacia [-tʃa] f Akazie

accadèmia f Akademie;
~èmia di belle arti
Kunstakademie; ~èmico
akademisch; m Akademiker

accad|ere geschehen; ~uto
m Vorfall

accanto 1. ~ a neben; 2.
daneben; (lì) ~ nebenan

accappatoio m Bademantel

accarezzare liebkosen

accatt|are betteln; ~onaggio [-dʒo] m Bettelei f;
~one m Bettler

acceleramento [-tʃ-] m Beschleunigung f

acceler|are [-tʃ-] beschleunigen; Auto: Gas geben;
~ato m (od. treno m ~ato)
beschleunigter Personenzug; ~atore m Auto: Gaspedal n

accèndere [-tʃ-] anzünden;

einschalten; Hdl eröffnen
(Konten); fig entzünden

accendisigar|li, ~o [-tʃ-] m
Feuerzeug n

accenn|are [-tʃ-] winken;
hindeuten (a auf acc); ~are
di fare qc. Miene machen
et. zu tun; ~o m Wink;
Anspielung f

accensione [-tʃ-] f Zündung

accent|o [-tʃ-] m Akzent;
~uare betonen

accerchiare [-tʃerk-] umzingeln

accert|amento [-tʃ-] m
Feststellung f; ~are versichern

acceso [-tʃ-] feurig

access|ibile [-tʃ-] zugänglich; ~o m Zugang; Med
Anfall

accessor|io [-tʃ-] adj. nebensächlich; m Nebensächliche(s) n; ~i m/pl
Zubehör n u m

accetta [-tʃ-] f Handbeil
n

accett|àbile [-tʃ-] annehmbar; ~are annehmen;
(Wechsel) akzeptieren

acchiapp|amosche [akkiap-pamoske] m Fliegenfänger; ~are erwischen

acciabattare [-tʃa-] pfuschen

acciai|are [-tʃa-] stählen;
~eria f Stahlwerk n; ~o m
Stahl

acciden|tale [-tʃ-] zufällig;
~te m Vorfall; Unfall;
Med Schlaganfall

accìngersi [-tʃindʒ-] sich anschicken

acciò [-tʃɔ], acciocché [-tʃɔk-ke] damit

acciottol|are [-tʃ-] beschottern; ~ato m Steinpflaster n.

acciuff|are [-tʃu-] packen; ~arsi sich in die Haare geraten

acciuga [-tʃu-] f Anschovis

acclam|are qu. j-m zujubeln; j-n durch Zuruf wählen; ~azione f Beifall m

acclimatare akklimatisieren

accl|ùdere beifügen; ~usa f Anlage; ~uso beiliegend

accoglienza [-ʎe-] f Aufnahme; Empfang m

accògliere [-ʎe-] aufnehmen; genehmigen

accomodamento m Anordnung f; Beilegung f; Vergleich

accomod|are ausbessern; ~arsi Platz nehmen; si accòmodi! bitte, nehmen Sie Platz!

accompagn|amento [-ɲ-] m Begleitung f; ~are begleiten; ~arsi (zs.-)passen

acconciare [-tʃa-] zurichten; ausputzen

acconsentire einwilligen (a in acc)

accontentare befriedigen

acconto m Anzahlung f

accorci|atura [-tʃ-] f Verkürzung; ~are (ver)kürzen

accord|are bewilligen;

Mus stimmen; ~o m Einklang; èssere d'~o übereinstimmen

accòrgersi [-dʒ-] (di) bemerken

accòrrere herbeilaufen

accort|ezza f Schlauheit; ~o umsichtig; schlau

accost|amento m Annäherung f; Anlehnung f; ~are nähern; (*Tür*) anlehnen; ~o angelehnt (*Tür*); neben; gancio m d'~o Bootshaken

accostumare gewöhnen (a an acc)

accozzaglia [-ʎa] f Gemisch n

accredit|amento m Beglaubigung f; Kredit; ~are gutschreiben; beglaubigen

accréscere [-ʃ-] vermehren

accudire a qc. sich kümmern um, achten auf et.

accumul|are vermehren; ~atore m Akkumulator

accuratezza f Sorgfalt

accurato sorgfältig

accus|a f Beschuldigung; ~are beschuldigen; ~are ricevuta den Empfang bestätigen

acerbità [-tʃ-] f Herbheit

acerbo [-tʃ-] herb; unreif

ácero [-tʃ-] m Ahorn

acet|o [-tʃ-] m Essig; ~oso säuerlich

ácido [-tʃ-] sauer; m Säure f

acqua f Wasser n; ~ corrente fließendes Wasser; ~ distillata destilliertes Wasser; ~ fresca frisches Wasser; ~ minerale Mineralwasser *n*; ~ potàbile Trinkwasser *n*; ~ di Colonia Kölnisch Wasser; ~ di mare Meerwasser *n*; ~ di raffreddamento Auto: Kühlwasser *n*; ~ di Seltz Sodawasser *n*

acquario *m* Aquarium *n*

acqua|ta *f* Regenguß *m*; ~vite *f* Branntwein *m*, Schnaps *m*

acquazzone *m* Platzregen

acque *f/pl* Heilquelle *sg*

acquerello *m* Aquarell *n*

acquietare beruhigen

acqui|stare erwerben; ~sto *m* Erwerbung *f*; Kauf

acre herb, scharf

acrèdine *f* Schärfe

acuire schärfen; *fig* verschärfen

acùleo *m* Stachel

acume *m* Scharfsinn

acùstic|a *f* Akustik; ~o akustisch

acutezza *f* Schärfe

acuto scharf; spitzig; *Mus* hoch; schrill; *Med* akut

ad = a (*vor Vokalen*)

adagio [-dʒo] langsam

adattamento *m* Anpassung *f*

adatt|arsi passen (zu *od* für); ~o passend, tauglich

addaziare verzollen

addebitare beschuldigen; ~ di belasten mit

addèbito *m* Beschuldigung *f*; Debet *n*

addens|amento *m* Verdichtung *f*; ~arsi sich zs.-ziehen

addentrarsi eindringen

addestrare (*Tier*) abrichten

adetto zugehörig; ~ *m* commerciale Handelsattaché; ~ *m* al rifornimento Tankwart

addietro zurück

addio adieu, lebe (leben Sie) wohl; ~ *m* Lebewohl *n*

addir|ittura geradezu; ~izzare gerade machen

addiz|ionare addieren; ~ione *f* Addition

addobbare ausschmücken

addolc|imento [-tʃ-] *m* Versüßung *f*; *fig* Milderung *f*; ~ire versüßen; mildern

addomesticarsi zahm werden

addominale Unterleibs...

addorment|are einschläfern; ~arsi einschlafen

addossare auflegen; aufbürden

addottorarsi Doktor werden, promovieren

adeguare gleichmachen; anpassen

ad|émpiere, ~empire erfüllen; ~empimento *m* Erfüllung *f*

adenite *f* Drüsenentzündung

aderente zugehörig (a an)

aderire anhängen; (*e-m Verein*) beitreten; (*e-r Ansicht*) beistimmen

adesso jetzt

adiacente [-tʃ-] anliegend

Àdige [-dʒe] *m* Etsch *f*; Alto ~ Oberetsch *f*

adirare erzürnen
àdito m Zugang; *fig* Veranlassung f
adolesc|ente [-ʃ-] jugendlich; **.enza** f Jugend
adombrare beschatten; *Mal* schattieren
adoper|àbile brauchbar; **.are** (ge)brauchen
ador|are anbeten; **.azione** f Anbetung
adorn|amento m Schmuck; **.are** schmücken; **.o** geschmückt
adott|àbile annehmbar; **.amento** m Annahme f; Adoptierung f; **.are** adoptieren; (*Theorie*) annehmen
Adriàtico m Adriatisches Meer n
adulare: **.** qu. j-m schmeicheln
adulterio m Ehebruch
adulto erwachsen; m Erwachsene(r)
adunanza f Versammlung
adunare versammeln
adunque also
aerazione f Lüftung
aère|o luftig; **ferrovia** f **.a** Schwebebahn; **flotta** f **.a** Luftflotte; **posta** f **.a** Flugpost
aerodinàmico stromlinienförmig
aerò|dromo m Flugplatz
aero|nàutica f Flugwesen n; **.nave** f Luftschiff n; **.plano** m Flugzeug n
aeroporto m Flughafen
. **di arrivo** Zielflughafen

aeròstato m *Flgw* Luftballon
afa f Schwüle
aff|àbile leutselig; **.abilità** f Leutseligkeit
affaccendarsi [-tʃ-] sich viel zu schaffen machen
affamare aushungern
affann|are bekümmern; **.ato** atemlos; **.o** m Kummer; Atemnot f; **.oso** keuchend; sorgenvoll
affar|e m Geschäft n; Angelegenheit f; **ministro** di degli **.i èsteri** Minister des Äußeren
affascinare [-ʃ-] bezaubern
affaticare anstrengen
affatto durchaus; **niente .** durchaus nicht
affatturare verfälschen
afferm|are behaupten; bestätigen; bejahen; **.ativo** bejahend; **.azione** f Bestätigung; Behauptung; Bejahung
afferr|are ergreifen; (*Ufer*) erreichen; **.arsi** sich anklammern
affettato geziert; verstellt; m kalter Aufschnitt
affett|o m Zuneigung f; Liebe f; **.uoso** herzlich
affezion|ato anhänglich; **.e** f Zuneigung
affibbiare zuschnallen
affid|amento m Vertrauen n; **.are** anvertrauen; **.arsi** sich verlassen (**a** auf *acc*)
affìggere [-dʒ-] anschlagen
affilare aufreihen; schärfen
affinché [-ke] damit

affinità f Verwandtschaft

affiorare sich an der Oberfläche zeigen

affiss|are heften; fest anblicken; **~o** m Anschlag (-zettel), Plakat m

affitt|àbile vermietbar; **~are** vermieten; verpachten

affitto m Vermietung f; Miete f; **dare in ~** vermieten

affl|ìggere [-dʒ-] betrüben; **~izione** f Betrübnis

affiu|ente m Nebenfluß; **~enza** f Andrang m; **~ire** zufließen

afflusso m Zufluß; **~ di sangue** Blutandrang

affogare ersticken (a j-n); ertrinken; ertränken

affoll|amento m Gedränge n; **~are** drängen; **~ato** gedrängt voll, überfüllt

affondare versenken; versinken

affrancare frankieren

affrancatura f Porto n

affr|escare Fresko malen; **~esco** m Freskogemälde n

affretter|e beschleunigen; **~si** sich beeilen

affrontare: **~ qu.** j-m entgegentreten

affronto m Beleidigung f

affumic|are räuchern; **~ato** geräuchert

afoso schwül

Àfrica f Afrika n

àgave f Agave

agenda [-dʒ-] f Notizkalender m

agente [-dʒ-] wirkend; Agent; **~ di cambio** Makler; **~ di polizia, di pùblica sicurezza** Polizeibeamte(r); **~ investigativo** Kriminalbeamte(r)

agenzia [-dʒ-] f Agentur f; **~ alloggi** Wohnungsnachweis m; **~ (di) viaggi** Reisebüro n; **~ d'informazioni** Auskunftsbüro n; **~ navale** Schiffsagentur

agevolare [-dʒ-] erleichtern

agévole [-dʒ-] leicht

agevolezza [-dʒ-] f Gefälligkeit

agganci|abottoni [-tʃa-] m Schuhknöpfer; **~are** zuhaken

aggettivo [-dʒ-] m Adjektiv n

agghiacciare [-tʃa-] gefrieren

aggio [-dʒo] m Aufgeld n

aggiornare [-dʒo-] vertagen; Tag werden

aggiùngere [-dʒundʒ-] hinzufügen

aggiun|ta [-dʒu-] f Zusatz m; **~are** zs.-nähen; **~to** m Amtsgehilfe

aggiustare [-dʒu-] ausbessern

aggranchirsi [-k-] erstarren

aggrappar|e fest packen; **~si** sich anklammern

aggrav|amento m Verschlimmerung f; **~are** belasten; verschlimmern

aggregare vereinigen

aggressivo angreifend

aggrinzire zerknittern

aggruppare gruppieren

agguato m Hinterhalt; **stare in ~** auf der Lauer liegen

aghettare zuschnüren

aghetto m Schnürsenkel

aghiforme nadelförmig

agiatezza [-dʒa-] f Wohlhabenheit

agiato [-dʒa-] wohlhabend

àgile [-dʒ-] flink

agilità [-dʒ-] f Behendigkeit

agio [-dʒo] m Bequemlichkeit f

agire [-dʒ-] handeln; wirken

agit|are [-dʒ-] schwenken; aufwiegeln; **~ato** unruhig, bewegt (Meer)

aglio [-ʎo] m Knoblauch

agnello [-ɲ-] m Lamm m

agnellotto [-ɲ-] m Teigklößchen n mit Fleischfüllung

ago m Nadel f; Zunge f (Waage); **~ (da cucire)** Nähnadel f

agonìa f Todeskampf m

agosto m (Monat) August

agrario landwirtschaftlich

agricolt|ore m Landwirt; **~ura** f Landwirtschaft

agrumi m/pl säuerliche Früchte f/pl

aguzz|are schärfen; (Appetit) anregen; **~o** spitz

ah! ach!; ahi! weh!

ahimè! o weh!

Aia f: **l'~** Den Haag m

airone m Reiher

aiuola f Beet n

aiut|ante m Gehilfe; Adjutant; **~are qu.** j-m helfen

aiuto m Hilfe f

aizzare hetzen

ala f Flügel m

alabastro m Alabaster

alacrità f Eifer m

alb|a f Morgendämmerung; **~eggiare** [-dʒa-] dämmern, tagen

alberg|are beherbergen; **~atore** m Gastwirt; Herbergsvater (Jugendherberge)

albergo m Hotel n; **~ di lusso** Luxushotel n; **~ per la gioventù** [dʒo-] Jugendherberge f

àlbero m Baum; Mar Mastbaum; Auto: **~ a camme** Nockenwelle f

albicocc|a f Aprikose; **~o** m Aprikosenbaum

albume m Eiweiß n

àlcole m Alkohol

àlcool m Alkohol

alc|òlici [-tʃi] m/pl. alkoholische Getränke n/pl; **~òlico** alkoholisch

alcun|o irgendein; jemand; **~i** einige

alfabètico alphabetisch

alfabeto m Alphabet n

alga f Alge

alic|e [-tʃe] f Sardelle; **~i** [-tʃi] f/pl piccanti Sardellen in pikanter Soße

aliment|are ernähren; **gèneri** [dʒ-] m/pl **~ari** Nahrungsmittel n/pl; **~azione** f di rete Netzanschluß m alimento *m* Nahrung *f*

alinea *f* Typ Absatz *m*

àlito *m* Hauch

allacciare [-tʃa-] zuschnüren

allardare spicken

allarg|amento *m* Erweiterung *f*; ~are erweitern; (*Arme*) ausbreiten

allarmare alarmieren; *fig* beunruhigen; erschrecken

allarme *m* Alarm; *fig* Besorgnis *f*; corda *f* (*segno m*) d'~ Notleine (Notsignal *n*)

allatt|amento *m* Stillen *n*; ~are nähren, stillen

alle|anza *f* Bündnis *m*, Bund *m*; ~ato verbündet; *m* Verbündete(r)

alleg|are beifügen; (*Grund*) anführen; legieren; ~ato *m* Anlage *f*

alleggerire [-dʒ-] erleichtern

allegr|ìa *f* Fröhlichkeit; ~o lustig, heiter

allen|amento *m* Trainieren *n*; ~are stärken; *Sport*: trainieren; ~atore *m* Trainer

allent|are lockern; verlangsamen; ~ato lose, locker

allergia [-dʒ-] *f* Allergie

allettare verlocken

allevare erziehen; (*Säugling*) nähren, stillen

allietare erfreuen

allievo *m* Zögling; Schüler

alline|amento *m* Aufstellung *f*; ~are aufstellen

allòdola *f* Lerche

alloggi|are [-dʒa-] beherbergen; wohnen; ~o [-dʒo] *m* Wohnung *f*; Unterkunft *f*

allontan|amento *m* Entfernung *f*; ~are entfernen

allora dann; damals; d'~ in poi von da an

allorché [-ke] als

alloro *m* Lorbeer; foglie [-ʎe] *f/pl* d'~ Lorbeerblätter *n/pl*

allottare auslosen

allucin|are [-tʃ-] blenden; täuschen; ~azione *f* Sinnestäuschung

allùdere anspielen (a auf acc)

all|ume *m* Alaun; ~umina *f* Tonerde; ~uminio *m* Aluminium *n*

allung|amento *m* Verlängerung *f*; ~are verlängern

allusione *f* Anspielung

alluvione *f* Überschwemmung

almeno wenigstens

alpestre bergig

Alpi: le ~ *f/pl* die Alpen

alpin|ismo [-zmo] *m* Bergsteigen *n*; ~ista *su* Bergsteiger(in *f*) *m*

alpino Alpen...; Berg...

alquant|o etwas; ~i einige

altalena *f* Schaukel

altare *m* Altar

alter|àbile veränderlich; *fig* leicht erregbar; ~are verändern; fälschen; erregen

alter|ezza *f* Stolz *m*; ~igia [-dʒa] *f* Hochmut *m*

altern|are abwechseln; ~a-
tivo, ~o abwechselnd
altero stolz   [Hoheit}
altezza f Höhe;   Titel:}
altipiano m Hochebene f
altitùdine f Höhe
alto hoch; laut; dall'~ von
  oben; in ~ hinauf, nach
  oben; più ~ höher; l'Alta
  Italia f Oberitalien n
altoparlante m Lautspre-
  cher
altrettanto gleichfalls
altrimenti sonst
altro anderer; ~ che [ke]!
  und wie!; l'~ anno voriges
  Jahr; ieri l'~ vorgestern;
  senz'~ ohne weiteres; l'un
  l'~ einander
altrove anderswo
altrui der anderen
altura f Anhöhe
alunno m Schüler
alveare m Bienenstock
alz|are er-, (auf-)heben;
  (Preis) erhöhen; ~arsi aufstehen; aufsteigen
amàbile liebenswürdig
amabilità f Liebenswür-
  digkeit
amaca f Hängematte
amare lieben
amar|ena f Weichselkir-
  sche; ~etto m Makrone f;
  ~ezza f Bitterkeit
amaro bitter
ambasciat|a [-ʃa-] f Bot-
  schaft; ~ore m Botschafter
ambedue beide
ambiente m Umgebung f
ambiguità f f Zweideutig-
  keit

ambìguo zweideutig
àmbito m Bereich m u
  n
ambizione f Ehrgeiz m
ambizioso ehrgeizig
ambul|ante wandernd;
  ~anza f Krankenwagen m;
  ~atorio adj ambulant; m
  Ambulatorium n
amen|ità f Lieblichkeit; ~o
  lieblich
Amèrica f Amerika n
americano adj. amerika-
  nisch; m Amerikaner
ami|ca f Freundin; ~chè-
  vole [-k-] freundschaft-
  lich; ~cizia [-tʃ-] f Freundschaft; ~co m Freund
àmido m (Mehl-)Stärke
ammaccatura f Beule
ammaestrare abrichten
ammal|are, ~arsi erkran-
  ken; ~ato krank; m Kran-
  ke(r)
ammarare wassern (Flug-
  zeug)
ammassare ansammeln
ammazzare   totschlagen;
  (Tiere) schlachten
ammenda f Geldstrafe
amméttere zulassen; an-
  nehmen
amministr|are verwalten;
  verabreichen;   ~azione f
  Verwaltung;   m
  doganale Zollverwaltung
ammiràbile bewunderns-
  wert
ammiraglio [-ʎo] m Ad-
  miral
ammir|are bewundern;
  ~ato verwundert; ~azione

f Bewunderung; **∼évole** bewunderungswürdig

ammis|sibile zulässig; **∼sione** *f* Zulassung; Aufnahme

ammobili|amento *m* Möblierung *f*; **∼are** möblieren

ammogliare [-ʎa-] verheiraten

ammollare einweichen

ammon|imento *m* Ermahnung *f*; Verweis; **∼ire** ermahnen

ammont|are anhäufen; sich belaufen (**a** auf); **∼icchiare** [-k-] aufhäufen

ammort|amento *m* Amortisierung *f*; **∼izzare** amortisieren; **∼izzatore** *m* (d'urto) Stoßdämpfer

ammost|are zu Most keltern; **∼atoio** *m* Kelter *f*

ammucchiare [-k-] aufhäufen

ammuffire schimmeln

ammutinamento *m* Meuterei *f*

ammutolire verstummen

amnist|ia *f* Straferlaß *m*; **∼iare** die Strafe erlassen

amo *m* Fischangel *f*

amore *m* Liebe *f*

amorfo gestaltlos

amor|ino *m* Mal Amorette *f*; **∼oso** liebevoll

amperaggio [-dʒo] *m* Stromstärke *f*

ampi|ezza *f* Weite; **∼o** weit; geräumig; weitläufig

ampli|are, **∼ficare** erweitern; *Radio:* verstärken;

∼ficatore *m* Radio: Verstärker

ampoll|a *f* Flasche; **∼e** *f/pl* Öl- u. Essigflasche *f*; **∼iera** *f* Öl- u. Essigständer *m*

ampolloso schwülstig

amput|are amputieren; **∼azione** *f* Amputation

anàgrafe *f* Einwohnermeldeamt *n*

analfabeta *su* 'Analphabet (-in *f*) *m*

analgèsico: rimedio *m* **∼** schmerzstillendes Mittel *n*

anàlisi *f* Analyse

analìtico analytisch

ananasso *m* Ananas *f*

anarchìa [-k-] *f* Anarchie

anàrchico [-k-] anarchisch; *m* Anarchist

anatèma *m* Bannfluch

anatomìa *f* Anatomie

ànatra *f* Ente

anca *f* Hüfte

anche [-ke] auch

anchilosi [-k-] *f* Gelenklähmung

ancona *f* Altarbild *n*

ancora noch

àncora *f* Anker *m*; **salpare l'∼** den Anker lichten

and|amento *m* Gang; Verlauf; **∼ante** gehend; *Mus* gemäßigt

andare gehen; (*mit Fahrzeug*) fahren; **∼ a cavallo** reiten; **∼ in bicicletta** radfahren; **∼ in giro** umherstreichen; **come va?** wie geht es?

andàrsene weggehen

andata *f* Hinfahrt; **bi-**

glietto *m* di ~ **e ritorno** Rückfahrkarte *f*

andato gegangen

andiamo wir gehen

àndito *m* Korridor, Gang

androne *m* Hausflur

anèddoto *m* Anekdote *f*

anelare keuchen; ~ **a qc.** et. herbeisehnen

anello *m* Ring

an|emìa *f* Blutarmut; **~è-mico** blutarm

aneto *m* Dill

anfiteatro *m* Amphitheater *n*

ànfora *f* Krug *m*

angèlico [-dʒ-] engelhaft

àngelo [-dʒ-] *m* Engel

angina [-dʒ-] *f Med* Angina

angiporto [-dʒ-] *m* Sackgasse *f*

anglìstica *f* Anglistik

angolare wink(e)lig

àngolo *m* Winkel; Ecke *f*

angoloso eckig

ang|oscia [-ʃa] *f* Kummer *m*, Angst; **~osciare** [-ʃa-] ängstigen; **~oscioso** [-ʃo-] ängstlich

anguilla *f* Aal *m*; ~ **affumicata** Räucheraal *m*

anguria *f* Wassermelone

angustia *f* Enge; *fig* Angst

ànice [-tʃe] *m* Anis

ànima *f* Seele

animal|e *m* Tier *n*; ~ **di gomma** Gummitier *n*; **~i** *m/pl* **marini** Seetiere *pl*

anim|are beleben; **strada** *f* **~ata** belebte Straße

ànimo *m* Gemüt *n*; Seele *f*; Mut; **fare** ~ Mut einflößen

anim|osità *f* Erbitterung; **~oso** mutig; erbittert

ànitra *f* Ente

annacquare (*Wein*) verdünnen; *fig* abschwächen

annaf|fiare begießen; **~fiatoio** *m* Gießkanne *f*

annali *m/pl* Jahrbücher *n/pl*

annata *f* Jahrgang *m*

annebbiare umnebeln

annegare ertränken; ertrinken

annerire schwärzen

anness|i *m/pl* Zubehör *n*; **~ione** *f* Annektierung

annèttere annektieren

annid|are nisten; **~arsi** sich einnisten

anniversario *m* Jahrestag

anno *m* Jahr *n*; **capo** *m* **d'~** Neujahr *n*; **buon ~!** Prosit Neujahr!; ~ **compiuto** vollendetes Lebensjahr *n*; **quanti anni hai?** wie alt bist du?

annodare zs.-knoten; *fig* knüpfen

annoi|are langweilen; belästigen; **~ato** blasiert

annoso bejahrt

annotare aufschreiben; mit Anmerkungen versehen

annottare Nacht werden

annu|ale jährlich; *m* Jahrestag; **~ario** *m* Jahrbuch *n*; Adreßbuch *n*

annull|amento *m* Annullierung *f*; **~are** annullieren; für ungültig erklären

annun|ciare [-tʃa-], **~ziare** ankündigen; *j-n* melden; **~ciatore** [-tʃa-] *m* Radio:

Ansager; ~ciatrice [-tʃa-tri:tʃe] f Ansagerin; ~cio [-tʃo], ~zio m Ankündigung f; (An-)Meldung f; Anzeige f

ànnuo jährlich

annusare riechen; wittern (Tiere)

annuvol|amento m Bewölkung f; ~ato bewölkt

anòfele f (Malaria-)Mücke

anònim|o ungenannt; società f ~a Aktiengesellschaft

anorak m Anorak

anormale regelwidrig

ansa f Henkel m

ansare keuchen

ansia f, ansietà f Angst; Sehnsucht

ansioso begierig; sehnsüchtig

antagonismo [-zmo] m Gegensatz

ante... vor...

ante|cedente [-tʃ-] vorhergehend; ~cèdere [-tʃ-] vorangehen; ~cessore [-tʃ-] m Vorgänger; ~guerra m Vorkriegszeit f; ~nato m Vorfahr; ~riore vordere; (zeitlich) vorhergehend

anti... gegen...

anti|càmera f Vorzimmer n; ~chità [-k-] f Altertum n; Altertümlichkeit; ~co alt; m Antike f

anticip|ato [-tʃ-] im voraus; ~azione f Vorschuß m

anticongelante [-dʒ-] m Frostschutzmittel n

antìdoto m Gegengift n

antifurto m Sicherheitsschloß n

antimeridiano Vormittags...

anti|pasto m Vorspeise f; ~patia f Abneigung; ~pàtico unsympathisch

antiquaria f Altertumskunde

antro m Höhle f

antropòfago m Menschenfresser

anulare ringförmig; m Ringfinger

anzi vielmehr; im Gegenteil

anzianità f Dienstalter n

anziano älter; m Älteste(r)

anzidetto besagt

aorta f (große) Schlagader

apatia f Gleichgültigkeit

apàtico gleichgültig

ap|e f Biene; ~iaio m Imker; ~iario m Bienenhaus n

aperitivo m Aperitif

aper|to offen; m Freie n; ~tura f (Er-)Öffnung

apòlide su Staatenlose(r)

apoplessia f Schlaganfall m; ~ cerebrale Gehirnschlag m

apostòlico apostolisch

apòstolo m Apostel

appacchettare [-k-] zs.-packen

appaiamento m Paarung f

appaltare Arbeiten vergeben

appannarsi sich trüben; beschlagen (Glas)

apparato m Apparat

apparecchi|are [-k-] vorbereiten; *(Tisch)* decken; ~o m Vorbereitung *f*; Gerät *n*; Apparat; ~o **fotogràfico** Fotoapparat; ~o a **pellicola cinematogràfica** Schmalfilmkamera *f*; ~o a reazione Düsenflugzeug *n*

appar|ente scheinbar; ~enza *f* Schein *m*; Äußeres *n*

appariamo wir erscheinen

appar|ire erscheinen; ~isco ich erscheine; ~isce [-ʃe] er erscheint

apparso erschienen

appart|amento *m* Wohnung *f*, Appartement *n*; ~enenza *f* Zugehörigkeit; ~enere an-, zu-gehören

appassionato leidenschaftlich

appassire verwelken

appell|arsi sich berufen (a auf *acc*); ~o *m* Aufruf; Berufung *f*

appena kaum; ~ che [ke] sobald

appèndere aufhängen

appen|dice [-tʃe] *f* Anhang *m*; ~dicite [-tʃ-] *f* Blinddarmentzündung

Appennino *m* Apennin

appetito *m* Appetit; Lust *f*; ~so appetitlich

appianare ebnen

appiattire platt machen

appiccare aufhängen; *(Feuer)* anlegen; *(Streit)* beginnen

appicc|are [-tʃ-] ankleben; *fig* j-m et andrehen; ~arsi sich anklammern

appicciolire [-tʃo-] verkleinern

appiè am Fuße

appieno völlig

appigionare [-dʒo-] vermieten

app|igliarsi [-ʎa-] sich halten (a an); ~iglio [-ʎo] *m* Vorwand

appiombo senkrecht

applau|dire Beifall klatschen; ~so *m* Beifall

applic|àbile anwendbar; ~are auflegen; *(Regeln)* anwenden; ~arsi sich befleißigen; ~azione *f* Anwendung; *fig* Beflissenheit

appoggi|are [-dʒa-] unterstützen; ~arsi [-dʒa-] sich lehnen; *fig* ~arsi (a qu.) sich (auf j-n) verlassen; ~atura [-dʒa-] *f* *Mus* Vorschlag *m*; ~o [-dʒo] *m* Stütze *f*; *fig* Unterstützung *f*   [ger]

apportatore *m* Überbrin-

apporto *m* Beitrag

appòsito besondere(r)

apposizione *f* Beifügung

apposta absichtlich; gerade

appost|amento *m* Hinterhalt; ~are j-m auflauern

ap|prèndere lernen; erfahren; ~prendista *m* Lehrling

apprensione *f* Besorgnis

apprensivo ängstlich

appresso neben; darauf

appretto *m* Appretur *f*

apprezz|àbile schätzbar; ~amento *m* Schätzung *f*; ~are schätzen appr|odare *Mar* landen; (*Hafen*) anlaufen; **~odo** *m* Landung(splatz *m*) *f*

approfittare Nutzen ziehen (**di** aus)

approfondire vertiefen; *fig* ergründen

approntare bereithalten

appropri|are anpassen; **~arsi** (**di**) sich aneignen; **~ato** geeignet [hernd]

approssimativo annä-

approv|are billigen; **~azione** *f* Billigung; Versetzung

approvvigionare [-dʒo-] verproviantieren

appunt|amento *m* Verabredung *f*; **~are** aufschreiben; anstecken; anspitzen; **~ato**, **~ito** spitz

appunto *m* Notiz *f*; *adv* (**a per l'~**) gerade, eben deshalb; gewiß

appurare nachprüfen

apri|bottiglie [-ʎe] *m* Flaschenöffner; **~scàtole** *m* Büchsenöffner

aprile *m* April

aprire öffnen

àquila *f* Adler *m*

aragosta *f* Hummer *m*, Languste

aran|ceto [-tʃ-] *m* Orangengarten; **~cia** *f* Orange, Apfelsine; **~ciata** [-tʃa-] *f* Orangeade; **~cio** [-tʃo] *m* Apfelsinenbaum; **~cione** [-tʃo-] orange(farben)

ar|are pflügen; **~atro** *m* Pflug

arazzo *m* Gobelin

arbitr|aggio [-dʒo] *m* Schiedsspruch; **~ario** willkürlich; **~io** *m* Willkür *f*; **libero ~io** freier Wille

àrbitro *m* Schiedsrichter

arbusto *m* Strauch

arca *f* Arche

arcàico veraltet

arcàngelo [-dʒ-] *m* Erzengel

arcata *f* Bogengang *m*, Arkade; *Mus* Strich *m*

arche|ologia [-keolodʒ-] *f* Archäologie; **~ològico** [-keɔlɔːdʒ-] archäologisch; **~òlogo** [-k-] *m* Archäologe

archetto [-k-] *m* *Mus* Bogen

archi|tetto [-k-] *m* Architekt; **~tettura** *f* Architektur

arci|prete [-tʃ-] *m* Erzpriester; **~vescovado** *m* Erzbistum *n*; **~véscovo** *m* Erzbischof

arco *m* Bogen; **~baleno** *m* Regenbogen

arcuato krumm; gebogen

ardente brennend; *fig* feurig; glühend

àrdere (ver)brennen

ardesia *f* Schiefer *m*

ard|ire wagen; **~ito** kühn

ardore *m* Glut *f*

àrea *f* Fläche(ninhalt *m*)

aren|a *f* Sand *m*; Kampfplatz *m*; **~oso** sandig

argentare [-dʒ-] versilbern

argènteo [-dʒ-] silbern

argento [-dʒ-] *m* Silber *n*; **~ vivo** Quecksilber *n*

arruffare

argil|la [-dʒ-] f Min Ton m; **~loso** tonhaltig

àrgine [-dʒ-] m Damm

argo|mentare schließen, folgern; **~mento** m Argument n

arguzia f Scharfsinn m

aria f Luft; Miene; Mus Arie; **per ~** in der Luft; **all'~ aperta** ins (im) Freie(n); **~ compressa** Druckluft

àrido dürr; fig trocken

arieggiare [-dʒa-] lüften

aringa f Hering m

arioso luftig

àrista f Schweinsrücken m

aristocr|àtico aristokratisch; m Aristokrat; **~azia** f Aristokratie

aritmètica f Rechenkunst

arma f Waffe

armadio m Schrank

arm|amento m Rüstung f; **~are** bewaffnen; rüsten; **~ata** f Armee

arme f Waffe; Wappen n

arm|erìa f Zeughaus n; **~istizio** m Waffenstillstand

arm|onìa f Harmonie; **~ònica** f **da bocca** Mundharmonika; **~onioso** wohlklingend

arnese m Werkzeug n; **~ per pulire le unghie** Nagelreiniger

arnione m Niere f (v. Tier)

arom|a m Aroma n; Duft; Blume f (des Weines); **~àtico** aromatisch; **~atizzare** würzen

arpa f Harfe

arpista su Harfenspieler(in f) m

arrab|biarsi zornig werden; **~biato** wütend; toll (Hund)

arraffare raffen, entreißen

arred|are ausstatten; **~o** m Gerät n; Hausrat; **~i** pl **sacri** Kirchengerät n

arrenare stranden; fig scheitern

arrendévole nachgiebig

arrest|are anhalten; verhaften; **~arsi** stehenbleiben; **~o** m Verhaftung f

arretrato rückständig; m Rückstand

arricchire [-k-] bereichern

arricciare [-tʃa-] kräuseln; (Nase) rümpfen

arridere zulächeln

arrivare ankommen

arrivederci [-tʃi]!, **arrivederla**! auf Wiedersehen!

arrivo m Ankunft f; Flgw Anflug; Sport: Ziel n

arrog|ante anmaßend; **~anza** f Anmaßung; **~arsi** sich anmaßen

arross|are rot machen; **~ire** erröten

arrost|ire rösten; braten; **~ito** geröstet; **ben ~ito** durchgebraten; **~ito sulla graticola** gegrillt

arrosto geröstet; gebraten; m Braten

arrot|are schleifen; **~olare** zs.-rollen

arrotondare abrunden

arruff|are verwirren; zer-

zausen; **~arsi** sich raufen; **~ato** wirr; zerzaust
arrugginirsi [-dʒ-] rosten
arruvidire rauh machen
arsenale *m* Zeughaus *n*
arsiccio [-tʃo] versengt, ausgetrocknet
arte *f* Kunst; Handwerk *n*; **~fatto** künstlich, gekünstelt
artéfice [-tʃe] *m* Handwerker
artemisia *f Bot.* Beifuß *m*
arteria *f* Schlagader
articol|are 1. Gelenk...; **2.** deutlich aussprechen; **~ato** artikuliert
articolazione *f* Gelenk *n*; **~ della mascella** [-ʃ-] Kiefergelenk *n*
artìcolo *m* Artikel; **~ di prima necessità** Bedarfsartikel; **~ di sport** Sportartikel
artificial|e [-tʃa-] künstlich; **fuochi** *m/pl* **~i** Feuerwerk *n*
artigiano [-dʒa-] *m* Handwerker
artiglierìa [-ʎe-] *f* Artillerie
artiglio [-ʎo] *m* Kralle *f*
artista *su* Künstler(in *f*) *m*
artìstico künstlerisch
artrite *f Med* Gicht
arzillo rüstig; prickelnd (*Wein*)
ascella [aʃ-] *f* Achselhöhle
ascendente [aʃ-] aufsteigend
ascéndere [aʃ-] be-, aufsteigen
ascensione [aʃ-] *f* Aufstieg *m*; (Berg-)Besteigung; ♀ Himmelfahrt (*Christi*)
ascensore [aʃ-] *m* Fahrstuhl
ascesso [aʃ-] *m* Abszeß, (Zahn-)Geschwür *n*
ascia [aʃa] *f* Axt; Beil *n*
asciug|acapelli [aʃu-] *m* Haartrockner; **~amano** *m* Handtuch *n*; **carta** *f* **~ante** Löschblatt *n*; **~are** (ab-) trocknen
asciutto [aʃu-] trocken; herb (*Wein*)
ascolt|are (an)hören; **~o** *m* Gehör *n*; **dare ~o** Gehör schenken
ascrìvere zuschreiben
ascrizione *f* Aufnahme (*als Mitglied*)
Asia *f* Asien *n*; **~ Minore** Kleinasien *n*
asilo *m* Asyl *n*; Zufluchtsort; **~ infantile** Kindergarten
asinaio *m* Eseltreiber
àsino *m* Esel
asma [azma] *m* Asthma *n*
aspàrago *m* Spargel
aspèrgere [-dʒ-] besprengen; bestreuen
asper|sione *f* Besprengung; **~sorio** *m* Weihwedel
aspett|are erwarten, warten auf *acc*; **~o** *m* Aussehen *n*; Anblick; Gesichtspunkt; **sala** *f* **d'~o** Wartesaal *m*
aspir|ante *m* Bewerber; **~apólvere** *m* Staubsauger; **~are** einatmen
aspirina *f* Aspirin *n*

23 assordamento

aspro rauh; herb; scharf

assaggiare [-dʒa-] kosten; prüfen

assai viel; sehr; genug

assalire überfallen; angreifen; (*Festung*) bestürmen

assalto *m* Überfall; Angriff

assass|inare ermorden; **~i-nio** *m* Mord; **~ino** mörderisch; *m* Mörder

asse *f* Brett *n*; *m* Achse *f*; **~ oscillante** Schwingachse

assedi|are belagern; *fig* bestürmen; **~o** *m* Belagerung *f*

assegn|amento [-ɲ-] *m* Anweisung *f*; Rente *f*; **~are** anweisen; **~azione** *f* Zuweisung; Bestimmung

assegno [-ɲo] *m* Scheck; **~ bancario** Bankscheck; **~ turistico** Reisescheck; **(contro) ~** (gegen) Nachnahme *f*

assemblea *f* Versammlung

assembrare versammeln

assente abwesend

assent|imento *m* Einwilligung *f*; **~ire** zustimmen

assenza *f* Abwesenheit

assenzio *m* Absinth

asserire behaupten

assessore *m* Beisitzer; **~ municipale** Stadtrat

assetato durstig; *fig* gierig

assicur|are (ver)sichern; befestigen; **~arsi** sich versichern; sich vergewissern; **~ata** *f* Wertbrief *m*; **~ato contro tutti i rischi** [-ki] vollkaskoversichert

assicurazione *f* Versiche-

rung; **~ di responsabilità civile** Haftpflichtversicherung

assiderare erfrieren

assiduità *f* Ausdauer

assiduo emsig; *m* Stammgast

assieme zusammen

assiepare umzäunen

assillo *m* Stechfliege *f*

Assise *f*/*pl* Schwurgericht *n*

assist|ente beistehend; *su* Assistent(in *f*) *m*; **~enza** *f* Beistand *m*

assistere (j-m) beistehen; beiwohnen

asso *m* As *n*

associ|are [-tʃa-] vereinigen; beitreten (*e-r Gesellschaft*); **~ato** [-tʃa-] *m* Teilnehmer; **~azione** [-tʃa-] *f* Vereinigung

assoggettare [-dʒ-] unterwerfen

assolare der Sonne aussetzen

assoldare anwerben

assol|utamente *adv* durchaus; unbedingt; **~uto** unbeschränkt; **~uzione** *f* Freisprechung; *Rel* Absolution

assòlvere freisprechen; (*Schule*) beendigen; (*Aufgabe*) erfüllen

assomigli|anza [-ʎa-] Ähnlichkeit; **~are** [-ʎa-] vergleichen; **~arsi** (sich) ähneln

assonanza *f* Anklang *m*

assorbire einsaugen

assord|amento *m* Betäubung f; ~are, ~ire betäuben; taub werden

assort|imento m Sortiment n; Auswahl f; ~ire sortieren [dünnen]

assottigliare [-ʎa-] ver-]

assue|fare gewöhnen (a an acc); ~fazione f Gewohnheit

assùmere an-, übernehmen

assunzione f Mariä Himmelfahrt

assurdo unsinnig

asta f Schaft m; mil Lanze; Schrift: Grundstrich m; Zirkel: Schenkel m; (a ~ pùbblica) Versteigerung

astenersi da sich enthalten

àstero m Aster f

astin|ente enthaltsam; m Abstinenz|ler m; ~enza f Enthaltsamkeit

astio m Haß

astore m Habicht

astr|arre absehen; ~atto abstrakt; zerstreut

astringente [-dʒ-] stopfend

astringere [-dʒ-] zwingen; Med stopfen

astr|o m Gestirn n; ~ologìa [-dʒ-] f Astrologie; ~onave f Weltraumschiff n; ~ò- nomo m Astronom

astuccio [-tʃo] m Etui n; Futteral n

astl|uto verschmitzt; listig; ~uzia f Schlauheit; List

atlante m Geogr Atlas

atlàntico: Ocèano ~ ♀ Atlantische(r) Ozean

atleta m Athlet; ~ leggero [-dʒ-] Leichtathlet

atlètica f: ~ leggera [-dʒ-] Leichtathletik

atmosfera f Atmosphäre

àtomo m Atom n

atòmic|o atomisch; bomba f ~a Atombombe

atrio m Vorhalle f; Hotelhalle f; Thea Foyer n

atroce [-tʃe] gräßlich; entsetzlich

attac|apanni m Kleiderhaken; ~are anhängen; ankleben; anspannen; (Gespräch) anknüpfen; mil angreifen

attacco m Angriff; Med Anfall; Elektr Kontakt; Schi: Bindung f

atteggi|amento [-dʒa-] m Haltung f; ~arsi sich gebärden als

attèndere (er)warten; (Geschäften) nachgehen

attendìbile zuverlässig

attenersi a qc. sich halten an et.

attent|are einen Anschlag machen auf (acc); ~arsi wagen; ~ato m Attentat n; ~atore m Attentäter

attento aufmerksam

attenuare abschwächen; mildern

attenzione f Aufmerksamkeit; ~! Achtung!

atterr|aggio [-dʒo] m Flgw Landung f; ~are zu Boden werfen; Flgw landen

attesa f Erwartung

attest|are bezeugen; ~ato m Zeugnis n; Med Attest n

attiguo anstoßend

attillato enganliegend (*Kleid*)

àttimo *m* Augenblick

attin|ente zugehörig; ~**enza** *f* Beziehung; Bindung

attìngere [-dʒ-] schöpfen

attirar|e anziehen; ~**e l'attenzione** die Aufmerksamkeit lenken (su auf *acc*); ~**si qc.** sich et. zuziehen

attitùdine *f* Haltung

att|ività *f* Tätigkeit; ~**ivo** tätig; handelnd; *m* Aktiv *n*

attizzare anschüren

att|o fähig; *m* Tat *f*; Gebärde *f*; *Thea* Akt; ~**i** *pl* Akten *f*/*pl*

attònito erstarrt

attore *m* Schauspieler

attorno herum; *s.* **intorno**

attr|arre anziehen; ~**attiva** *f* Reiz *m*; Anziehungskraft; ~**attivo** anziehend

attraversare durchqueren

attraverso durch; qua

attrazione *f* Anziehung

attrezzare ausrüsten; *Mar* auftakeln

attrezz|o *m* Gerät *n*; Werkzeug *n*; ~**i** *pl* *Mar* Takelwerk *n*; *Thea* Requisiten *pl*

attribuire zuschreiben

attributo *m* Kennzeichen *n*

attrice [-tʃe] *f* Schauspielerin

attrito zerknirscht

attrupparsi sich zs.-rotten

attu|ale gegenwärtig; ~**alità** *f*/*pl* neueste Nachrichten; ~**are** verwirklichen, ausführen

aud|ace [-tʃe] kühn; ~**acia** [-tʃa] *f* Kühnheit; Verwegenheit

auditorio *m* Zuhörerschaft *f*; Hörsaal

augurare wünschen

augurio *m* Glückwunsch

augusto erhaben, hehr

aumentare vermehren; zunehmen; (*Preis*) steigern

aumento *m* Steigerung *f*; ~ **stagionale** Saisonzu-}

àureo golden [schlag]

aurèola *f* Glorienschein *m*

aurora *f* Morgenröte

ausili|are Hilfs...; *m* Hilfsverb *n*; ~**o** *m* Hilfe *f*

àuspice [-tʃe] *m* Schutzherr

auster|ità *f* Strenge; ~**o** streng

Australia *f* Australien *n*

Àustria *f* Österreich *n*

austriaco österreichisch; *m* Österreicher

autentic|are beglaubigen; ~**azione** *f* Beglaubigung

autèntico echt; glaubwürdig

autista *m* Chauffeur

auto *f* Auto *n*

auto... Selbst...; ~**biografia** *f* Selbstbiographie

àutobus *m* Autobus; ~ **diretto** Schnellbus; ~ **di collegamento** Zubringerbus

auto|carro *m* Lastauto *n*; ~**crazia** *f* Alleinherrschaft; ~**grafare** vervielfältigen

autogràfic|o: **màchina** ~**a** Vervielfältigungsapparat *m*

autòma *m* Automat

automàtico selbsttätig

auto|mezzo *m* Kraftfahrzeug *n*; **~mòbile** *f* Kraftwagen *m*, Auto *n*; **~mobilismo** [-zmo] *m* Kraftfahrwesen *n*; **~mobilista** *su* Autofahrer(in *f*) *m*; **~motrice** [-tʃe] *f* Triebwagen *m*

autopsìa *f* Leichenschau; Obduktion

autopullman *m* Reiseomnibus

aut|ore *m* Verfasser; Täter; **~orévole** angesehen; maßgebend

autorimessa *f* Garage

autor|ità *f* Gewalt; *Pol* Behörde; Ansehen *n*; **~izzare** ermächtigen; **~izzazione** *f* **speciale** Sondergenehmigung

auto|scafo *m* Motorboot *n*; **~soccorso** *m* Abschleppdienst; **~strada** *f* Autostraße, Autobahn; **~strada circolare** Autobahnring *m*; **~traghetto** [-g-] *m* Autofähre *f*; **~treno** *m* Lastzug; **~veicolo** *m* Kraftfahrzeug *n*; **~vettura** *f* Personenauto *n*

autunnale herbstlich

autunno *m* Herbst

avallare bürgen

avam|braccio [-tʃo] *m* Unterarm; **~posto** *m* mil Vorposten

avanguardia *f* Vorhut

avannotto *m* Fischbrut *f*; *fig* Grünschnabel

avanti vor; vorher; voran;

weiter; vorn; **~ che** [ke] bevor; **~!** herein!; vorwärts!; **andare ~** vorgehen (*Uhr*); **~ m** (*Sport*) Stürmer

avantieri vorgestern

avanz|amento *m* Fortschritt; Beförderung *f*; **~are** übriglassen; j-n befördern; vorrücken

avanz|o *m* Rest; **~i** *m/pl* Überreste

avareggiare [-dʒa-] geizen

avar|ia *f* Defekt *m*; **~iato** beschädigt; **~izia** *f* Geiz *m*

avaro geizig; *m* Geizhals

avemmo wir bekamen

avena *f* Hafer *m*

aver|e haben; erhalten, bekommen; *m* Vermögen *n*; **~i** *m/pl* Habseligkeiten *f/pl*

avest|e ihr bekamt; **~i** du bekamst

avete ihr habt

avev|a er hatte; **~amo** wir hatten

avévano sie hatten

avevate ihr hattet

avev|i du hattest; **~o** ich hatte

avia|tore *m* Flieger; **~zione** *f* Flugwesen *n*

avidità *f* Habsucht

àvido gierig; habgierig

aviolinea *f* Fluglinie

avorio *m* Elfenbein *n*

avr|à er wird haben; **~ai** du wirst haben; **~anno** sie werden haben; **~emo** wir werden haben; **~ete** ihr werdet haben; **~ò** ich werde haben

avvallamento *m* Senkung *f*

avvantaggi|are [-dʒa-] begünstigen; **~arsi** vorwärtskommen; **~arsi di qc.** aus et. Nutzen ziehen

avvedersi di qc. et. (be-) merken, wahrnehmen

avvelen|amento *m* Vergiftung *f*; **~are** vergiften

avven|ente anmutig; **~enza** *f* Anmut

avven|imento *m* Ereignis *n*; **~ire** geschehen; *m* Zukunft *f*

avvent|are schleudern; **~arsi** sich stürzen; **~ato** unüberlegt; **~izio** unvermutet

avvent|ore *m* Kunde; **~ura** *f* Abenteuer *n*; **~urare** wagen; **~urato** glücklich; **~uriere** *m* Abenteurer; **~uroso** abenteuerlich

avverarsi sich bewahrheiten

avverbi|ale adverbial; **~o** *m* Adverb *n*, Umstandswort *n*

avver|sario *m* Gegner; **~sione** *f* Abneigung; **~sità** *f* Widerwärtigkeit; **~so** abgeneigt; ungünstig

avvert|enza *f* Bemerkung; Warnung; Vorwort *n*; **~imento** *m* Warnung *f*; **~ire** warnen; benachrichtigen

avvezzare gewöhnen (a an *acc*)

avvezzo gewöhnt

avviamento *m* Starter

avvi|are einleiten; einführen; **~arsi** sich auf den Weg machen; **~atore** *m* Anlasser

avvicinare [-tʃ-] nähern

avvil|imento *m* Demütigung *f*; **~ire** demütigen; (*Preise*) herabdrücken; **~irsi** sich erniedrigen

avviluppare ein-, verwickeln

avvisare benachrichtigen; warnen

avviso *m* Bekanntmachung *f*; Anzeige *f* (*Zeitung*); Anschlag(zettel); Warnung *f*; **èssere d'~** der Meinung sein

avvitare an-, auf-schrauben

avvocato *m* Rechtsanwalt

avvòlgere [-dʒ-] umwickeln; einhüllen; *fig* umgarnen

avvol|tare aufwickeln; **~tolarsi** sich herumwälzen

azalea *f* Azalie

azienda *f* Betrieb *m*; Geschäft *n*; **~ di cura e soggiorno** Kurverwaltung; **~ di soggiorno** Verkehrsamt *n*

azion|e *f* Handlung; Tat; Aktie; **~ista** *m* Aktionär

azoto *m* Stickstoff

azzard|are, **~arsi** wagen; **~o** *m* Wagnis *n*; **giuoco** *m* **d'~** Glücksspiel *n*

azzoppire lahm werden

azzurro blau; **~ chiaro** hellblau; **~ cupo** dunkelblau

babbo 28

B

babbo *m* Papa, Vater

babordo *m* Backbord *n*

bacato wurmstichig

bacca *f* Beere

baccalà *m* Stockfisch

bacc|anale *m* Trinkgelage *n*; ~ano *m* Heidenlärm

bacchetta [-k-] *f* Rute; Taktstock *m*

Bacco *m* Bacchus; per ~! zum Donnerwetter!

bachicul|tore [-k-] *m* Seidenraupenzüchter; ~tura *f* Seidenraupenzucht

baciamano [-tʃa-] *m* Handkuß

baciare [-tʃa-] *m* küssen

bacillo [-tʃ-] *m* Bazillus

bacino [-tʃ-] *m* Becken *n*

bacio [-tʃo] *m* Kuß

baco *m* Wurm; ~ da seta Seidenraupe *f*

badare hüten; achtgeben (a auf *acc*)

ba|dessa *f* Äbtissin; ~dìa *f* Abtei

baffi *m/pl* Schnurrbart *m*

bagagliaio [-ʎa-] *m* Gepäckwagen

bagaglio [-ʎo] *m* Gepäck *n*; ~ a mano Handgepäck *n*; ~ di viaggio Reisegepäck *n*

bagliore [-ʎo-] *m* Schimmer

bagn|aiuola [-ɲ-] *f* Badefrau; ~aiuolo *m* Bademeister; ~ante *m* Badegast; ~are naß machen;

anfeuchten; (Straßen) besprengen; ~arsi naß werden; baden; ~ato naß; ~ino *m* Bademeister

bagno [-ɲo] *m* Bad *n*; ~ medicinale Heilbad *n*; ~ minerale Mineralbad *n*; ~ all'aperto Freibad *n*; ~ di sole Sonnenbad *n*; ~ a vapore Dampfbad *n*; fare il ~ baden

bagnuolo [-ɲ-] *m* nasse(r) Umschlag

baia *f Geogr* Bucht

balbettare stottern

Balcani *m/pl* Balkan *m*

balcone *m* Balkon

balena *f* Walfisch *m*

balen|are blitzen; *fig* aufblitzen; ~ìo *m* Wetterleuchten *n*; ~o *m* Blitz

balìa *f* Gewalt

bàlia *f* Amme

balla *f* Warenballen *m*

ball|are tanzen; ~ata *f* Tanzlied *n*; ~erina *f* Tänzerin; *Zo.* Bachstelze; ~erino *m* Tänzer; ~etto *m* Ballett *n*

ballo *m* Tanz, Ball; *Thea* corpo *m* di ~ Balletttruppe *f*

balneario Bade...; stabilimento *m* ~ Badeanstalt *f*

balsàmico balsamisch

bàlsamo *m* Balsam

Bàltico *m* (a Mare ~) Ostsee *f*

balzare springen

balzo m Sprung

bambin|a f (kleines) Mädchen n; ~aia f Kindermädchen n; ~o m Kind n

bàmbola f Puppe

bambù m Bambus

banan|a f Banane; ~o m Bananenbaum

banc|a f Bank; casa f ~aria Bankhaus n; ~arotta f Bankrott m

banch|ettare [-k-] schmausen; ~etto m Festmahl n

banchiere [-k-] m Bankier

banchina [-k-] f Kai m

banco m Bank f; Ladentisch; ~ di sabbia Sandbank f; ~ del lotto Lottobüro n; ~giro [-dʒ-] f Giroverkehr m; ~nota f Banknote

banda f Bande; (Musik-) Kapelle; Streifen m; ~ verde Grünstreifen m

bandiera f Fahne, Flagge

bandire kundtun; (j-n) verbannen

bandito m Bandit

bar m Bar f; ~ notturno Nachtbar f

bara f Bahre

baracca f Baracke, Bude

barba f Bart m; ~ piena Vollbart m; ~ a punta Spitzbart m; fare la ~ a qu. j-n rasieren

barbabiètola f rote Rübe

bàrbaro barbarisch; m Barbar

barbiere m Barbier

barca f Boot n; ~ da pesca Fischerboot n; ~ di salva-

taggio Rettungsboot n; ~ a vela Segelboot n

barcaiuolo m Schiffer

barcarola f Gondellied n

barella f Tragbahre

barile m Faß n

barista su Barbesitzer(in f) m; Barmixer m

barlume m Dämmern n

barocco barock

baròmetro m Barometer n

barone m Baron

baronessa f Baronin

barr|a f Stange; ~icare verrammeln; ~iera f Schranke

basco baskisch; m Baskenmütze f

base f Basis, Grundlage

basette f/pl Koteletten

bassa f Niederung; Ebbe

bassezza f Niedrigkeit

bass|o niedrig; Mus tief; più ~ o tiefer (Richtung); ~ a voce leise; ~o m Baß

basso|piano m Tiefebene f; ~rilievo m Flachrelief n; ~ventre m Unterleib

basta genügend

bastardo unehelich; m Bastard

bastare genügen, reichen

bastimento m Schiff n

bastione m Bollwerk n

baston|are prügeln; ~ata f Stockschlag m

bastone m Stock

batista f Batist m

battaglia [-ʎa-] f Schlacht

battaglione [-ʎo-] m Bataillon n

battelliere m Bootsführer

battello *m* (kleines) Schiff
n; ~ *m* pneumàtico
Schlauchboot *n*

battente *m* (Tür-, Fenster-)
Flügel; Türklopfer

bàttere schlagen; fallen
(*Strahlen*); klopfen; ~ **le
mani** mit den Händen
klatschen; ~ **i denti** mit
den Zähnen klappern; ~
bàttersela sich aus dem
Staube machen

batteria *f* Batterie; *Mus*
Schlagzeug *n*; *Elektr* ~ **a
secco** Trockenbatterie

bat|tésimo *m* Taufe *f*;
~**tezzando** *m* Täufling;
~**tezzare** taufen

batticuore *m* Herzklopfen *n*

battista *m* Täufer

battistero *m* Taufkapelle *f*

battitoio *m* *Mus* Taktstock

battuta *f* Schlag *m*; *Mus*
Takt *m*

baule *m* Koffer

bavarese bay(e)risch; *su*
Bayer(in *f*) *m*

bàvero *m* (Rock-)Kragen

Baviera *f* Bayern *n*

bazza *f* *Kartensp.* Stich *m*

bazzotto weichgekocht (*Ei*)

be' = bene na!

beat|itùdine *f* Seligkeit;
Glückseligkeit; ~**o** selig

bebè *m* Baby *n*

beccaccia [-tʃa-] *f* *Zo*
Schnepfe

beccare picken

beccheggiare [-ked-dʒa-]
stampfen (*Schiff*)

becchime [-k-] *m* Vogel-
futter *n*

becco *m* Schnabel; (Lam-
pen-)Brenner; ~ **a gas**
Gashahn

beffa *f* Spott *m*; **farsi ~ di
qu.** j-n zum besten haben

beff|ardo höhnisch; *m*
Spötter; ~**arsi di qu.** j-n
verspotten

belare blöken

belga belgisch; *m* Belgier

Belgio [-dʒo] *m* Belgien *n*

bellezza *f* Schönheit

bèllico Kriegs...

bellicoso kriegerisch

bellino niedlich, hübsch

bello schön; *m* Schöne *n*;
bell'e fatto bereits getan;
Bel Paese ~ Weichkäse

beltà *f* Schönheit

belva *f* wildes Tier *n*

belvedere *m* Aussichts-
punkt

benché [-ke] obwohl

benda *f* Binde; ~ **elàstica**
Elastikbinde

bend|aggi [-dʒi] *m/pl* Ver-
bandszeug *n*; ~**are** zubinden

bene gut; wohl; ~**!** schön!;
m Gut *n*; Wohl *n*

benedetto gesegnet, geweiht

bene|dìcite [-tʃ-] *m* Tisch-
gebet *n*; ~**dìre** segnen;
~**dizione** *f* Segen *m*

beneducato wohlerzogen

bene|fattore *m* Wohltäter;
~**ficenza** [-tʃ-] *f* Wohltä-
tigkeit; ~**ficio** [-tʃo] *m*
Wohltat *f*

benèfico wohltätig

benemèrito wohlverdient

benèssere m Wohlsein n

bene|stante wohlhabend; **~volenza** f Wohlwollen n

benèvolo wohlwollend

ben|igno [-ɲo] gütig; **~ino** ziemlich gut; **~inteso** wohlverstanden; **~one** sehr gut; **~portante** rüstig

bensì aber

benvenuto willkommen; m Willkommen n; **dare il ~ a qu.** j-n willkommen heißen

benzina f Benzin n; **~ normale** Normalbenzin n; **serbatoio m di ~** Benzintank

bere trinken

berlina f Limousine

berlinese berlinisch; su Berliner(in f) m

Berlino f Berlin n

Berna f Bern n

berr|etta f, **~etto** m Mütze f, Kappe f

bersagliere [-ʎɛ-] m Scharfschütze

bersaglio [-ʎo] m Zielscheibe f

bestemmi|a f Fluch m; **~are** fluchen

besti|a f Tier n; **~ale** tierisch; **~ame** m Vieh n

bèttola f Kneipe

betulla f Birke

bevand|a f Getränk n; **~e** f/pl alcoòliche Spirituosen pl

bev|ìbile trinkbar; **~itore** m Trinker; **~uta** f Trunk m

bezzicare picken; fig stricheln

biada f Hafer m

biancastro weißlich

biancheria [-k-] f Wäsche; **~ intima** Unterwäsche; **~ da letto** Bettwäsche

bianco weiß; **cavallo m ~** Schimmel; **lasciare in ~** unbeschrieben lassen; **girata f in ~** offenes Giro m

biancospino m Weißdorn

biasimare tadeln

biàsimo m Tadel

bìbbia f Bibel

bìbita f Getränk n; **~ tònica** Tonic m

bìblico biblisch

biblioteca f Bibliothek

bicarbonato m di soda (od di sodio) doppeltkohlensaures Natron n

bicchiere [-k-] m (Trink-) Glas n; **~ per l'acqua** Wasserglas n; **~ da birra** Bierglas n; **~ da vino** Weinglas n

bicicletta [-tʃ-] f Fahrrad n

bidone m Kanister; **~ di benzina** Benzinkanister

biella f Pleuelstange

biforc|arsi sich gabeln; **~azione** f Gabelung

bigio [-dʒo] beige; aschgrau

bigliett|ario [-ʎɛ-] m Kartenverkäufer (-kontrolleur); Schaffner; **~eria** f Fahrkartenschalter m

biglietto [-ʎɛ-] m Fahrkarte f; Fahrschein; Eintrittskarte f; Zettel; Brief; **~ aèreo** (od di volo) Flugkarte f; **~ circolare** Rundreisekarte f; **~ sém-**

plice einfache Fahrkarte *f*, einfacher Fahrschein; ~ di (andata e) ritorno Rückfahrkarte *f*; ~ di coincidenza Umsteiger; ~ d'ingresso ai binari" Bahnsteigkarte *f*; ~ a itinerario combinàbile (zusammenstellbares) Fahrscheinheft *n*; ~ per posto prenotato Platzkarte *f*; ~ di banca Banknote *f*

bigodini *m/pl* Lockenwickler

bilan|cia [-tʃa] *f* Waage; *Hdl* Bilanz; ~ciare [-tʃa-] ausgleichen; ~cio [-tʃo] *m* Bilanz *f*

bile *f* Galle

biliardo *m* Billard *n*

bìlico *m* Gleichgewicht *n*

bimba *f* kleines Mädchen *n*

bimotore zweimotorig

binario *m* Gleis *n*

binòccolo *m* Fernglas *n*; ~ (da teatro) Opernglas *n*

biografia *f* Biographie

biologia [-dʒ-] *f* Biologie

biondo blond

birbone *m* Spitzbube

birichino [-k-] *f* schelmisch

birra *f* Bier *n*; ~ chiara helles Bier; ~ scura dunkles Bier; ~ in bottiglie Flaschenbier *n*; ~ in scàtole Dosenbier *n*; ~ al malto Malzbier *n*; ~ di marzo Bockbier *n*; ~ Pilsen Pilsner *n*

bis! noch einmal!; chièdere il ~ da capo rufen

bisbètico [-zb-] launisch

bisbigli|are [-zbiʎa-] flüstern; ~o [-zbi:ʎo] *m* Gezischel *n*

bisca *f* Spielhölle

biscottini *m/pl* Plätzchen

biscott|o *m* Zwieback; ~o rotolato Biskuitrolle *f*; ~i *pl* Gebäck *n* (jahr *n*)

bisestile: anno *m* ~ Schalt-

bislungo [-zl-] länglich

bisognare [-ɲ-] nötig sein; mi bisògna(no) ich brauche; bisogna (mit *inf*) man muß

bisogno [-ɲ-] *m* Bedürfnis *n*; Not *f*; al ~ im Notfall; avere ~ di qc. et. brauchen; ~so bedürftig

bistecca *f* Beefsteak *n*; ~ ai ferri Rumpsteak *n*; ~ alla milanese Schnitzel *n*

bitter *m* Magenbitter

bivio *m* Scheideweg; Straßenkreuzung *f*

bizz|arro wunderlich; a ~effe in Hülle und Fülle

blando gelinde

blocc|are absperren; ~ato verstopft; gesperrt

blocco *m* Block; Sperre *f*; Blockade *f*; ~ di case Häuserblock; ~ da disegno Zeichenblock

blu blau; ~astro bläulich

blusa *f* Bluse

bobina *f* Spule

bocca *f* Mund *m*; Maul *n*; Mündung

boccetta [-tʃ-] *f* Fläschchen

bocchino [-k-] *m* Mundstück *n*; Zigarrenspitze *f*

bocci|a [-tʃa] f Karaffe;
Kugel (Spiel); Bot Knospe; **~are** [-tʃa-] die Kugel
werfen; **~are bocciato**
(im Examen) durchfallen

bocc|one m Bissen; **~oni**
auf dem Bauch liegend

boia m Henker

boicott|aggio [-dʒo] m
Boykott; **~are** boykottieren

boll|are stempeln; fig betrügen; **carta ~ata** Stempelpapier n

bollente heiß, kochend

boll|etta f di spedizione
Paketkarte; **~ettino m meteorològico** Wetterbericht

boll|icina [-tʃ-] f Bläschen
n; **~ire** kochen; fig wallen

bollo m Stempel(marke f)

bollore m Sieden n

Bolzano f Bozen n

bomba f Bombe; **~ all'idrògeno** Wasserstoffbombe, H-Bombe; **~ atòmica** Atombombe

bómbola f per gas Gasflasche

bonaccia [-tʃa] f Windstille

bonario gutmütig

bonificare vergüten

bonomìa f Gutmütigkeit

bontà f Güte

bora f starker, kalter Wind m

borbottare murren

borchia [-k-] f Metallbeschlag m

bordo m (Schiffs-)Bord;
fig di alto **~** hochgestellt

bòrea m Norden; Nordwind

borgata f Ortschaft

borghese [-g-] f bürgerlich;
in ~ in Zivil

borgo m Weiler; Vorstadt f

bòrico m Borsäure f

borotalco m Körperpuder

borsa f Beutel m; (Hand-,
Akten-) Tasche; Hdl Börse; **~ da viaggio** Reisetasche; **~ di plàstica** Plastikbeutel m; **~ di studio**
Stipendium n

borsaiuolo m Taschendieb

bos|caiuolo m Holzhauer;
~co m Wald; **~coso** waldig

bòssolo m Buchsbaum;
Würfelbecher; Almosenbüchse f

botànica f Pflanzenkunde

bott|a f Schlag m; **~aio** m
Böttcher; **~e** f Faß n

bottega f Laden m

botteghino m del teatro
Theaterkasse f

bottiglia [-ʎa] f Flasche

bottiglieria [-ʎe-] f Weinhandlung

bottone m Knopf; Bot
Knospe f; **~ automàtico**
Druckknopf; **~ da camicia** Hemdenknopf; **~ da polsino** Manschettenknopf

box m Box f

bozza f Entwurf m

bòzzolo m Kokon

braccialetto [-tʃa-] f Armband n

bracci|o [-tʃo] m Arm;
~uolo [-tʃu-] m Armlehne f

braciere [-tʃɛ-] m Kohlenbecken n

bram|a f Sehnsucht; **~are** begehren; **~oso** begierig

branda f Feldbett n

bravo tüchtig; gut

bretelle f/pl Hosenträger m/pl

brev|e kurz; **~etto** m Patent n; **~ità** f Kürze

brezza f Brise

bricco m (Kaffee-, Tee-) Kanne f

briciola [-tʃo-] f Krume

brig|antaggio [-dʒo] m Räuberunwesen n; **~ante** m (Straßen-)Räuber

briglia [-ʎa] f Zaum m; Zügel m

brill|ante glänzend; m Brillant; **~are** glänzen

brina f (Tau) Reif m

brindare toasten

brindisi m Trinkspruch

briscola f Kartensp Trumpf m

brivid|o m Schauder; **~i** pl Schüttelfrost m

brizzolato graumeliert

brocca f Krug m

brodo m Fleischbrühe f; **~ di pollo** Hühnerbrühe f; **~ all'uovo** Fleischbrühe f mit Ei

bromuro m Bromsalz n

bron|chi [-ki] m/pl Bronchien f/pl; **catarro** m **~chiale** [-k-] Bronchialkatarrh; **~chite** [-k-] f Bronchitis

brontol|are brummen; **~one** m Brummbär

bronz|are bronzieren; **~o** m Bronze f

brossura f Broschüre

bru|ciare [-tʃa-] (ver)brennen; **~ciore** [-tʃo-] m di **stòmaco** Sodbrennen n

bruco m Raupe f

brulicare wimmeln

brunire polieren; bräunen

bruno braun; m Trauer f

brusco herb; barsch

brut|o roh; **~alità** f Roheit

brutt|ezza f Häßlichkeit; **~o** häßlich

buca|l f **delle lèttere** Briefeinwurf m; **~are** durchlöchern

bucato m Wäsche f; **dare in ~** in die Wäsche geben

buccia [-tʃa] f Schale; Haut

buco m Loch n

budello m Darm

budino m Pudding

bue m (pl **buoi**) Ochse

bufera f Sturm m

buffè m Erfrischungsraum

buff|o komisch; **~one** m Hanswurst

bugia [-dʒ-] f Lüge

bugiardo [-dʒa-] lügnerisch; m Lügner

bugno [-ɲo] m Bienenstock

buio dunkel

Bulgaria f Bulgarien n

bulletta f Zwecke; Zettel m; Schein m; **~ino** m Tagesbericht

bùngalow m Bungalow

buono gut; **a buon mercato** billig; **~ m (di benzina** Benzin-)Gutschein

burattino m Hampelmann

burl|a f Schabernack m;

~arsi di qu. sich über j-n lustig machen; **~esco** scherzhaft
burocràtico bürokratisch
burrasca f Sturm m
burro m Butter f
burrone m Schlucht f
bussare klopfen

bùssola f Kompaß m
busta f Futteral n; (Brief-) Umschlag m; **~ per posta aèrea** Luftpostumschlag m
busto m Brustbild n; Büste f; Korsett n
buttare ausschlagen; **~ sangue** bluten

C

cabina f Kabine; **~ singola** Einzelkabine; **~ doppia** Doppelkabine; **~ esterna** Außenkabine; **~ interna** Innenkabine; **~ telefònica** Fernsprechzelle
cablogramma m Kabelbericht
cacao m Kakao
cacci|a [-tʃa] f Jagd; **~amosche** [-tʃamoske] m Fliegenwedel; **~are** [-tʃa-] jagen; (j-n) vertreiben; **~atore** [-tʃa-] m Jäger; **~avite** [-tʃa-] m Schraubenzieher
cacio [-tʃo] m Käse
cad|àvere m Leichnam; **~ente** hinfällig; **stella** f **~ente** Sternschnuppe; **~enza** f Tonfall m; Mus Takt m; **~ere** fallen
caduta f Fall m; Sturz m; **~ dei capelli** Haarausfall m; **~ di sassi** Steinschlag m
caffè m Kaffee; Café n; **~ nero** schwarzer Kaffee; **~ alla crema** Kaffee mit Sahne; **~ al gelato** Eiskaffee m
caff|elatte m Kaffee mit

Milch; **~ettiera** f Kaffeekanne; Kaffeemaschine
cagione [-dʒo-] f Ursache
cagna [-ɲa] f Hündin
cala f kleine Bucht
Calàbria f Kalabrien n
calam|aio m Tintenfaß n; **~aretto** m, **~aro** m Tintenfisch; **~ità** f Unglück n; **~ita** f Magnet m; **~ago** m **~itato** Magnetnadel f
calapranzi m Speiseaufzug
calare herablassen; (Segel) streichen; sinken (Preise, Wasser)
calca f Gedränge n
calcagno [-ɲo] m Ferse f
calce [-tʃe] f Kalk m
calciatore [-tʃa-] m Fußballspieler
calcin|a [-tʃ-] f Mörtel m; **~oso** kalkig
calcio [-tʃo] m Fußtritt; Chem Kalzium n; Sport: Fußball (Spiel); **~ di punizione** Strafstoß m; **~ di rigore** Freistoß
calco m Abdruck
calcolare rechnen; berechnen

càlcolo *m* Rechnung *f*;
Med ~ biliare Gallen-
stein; ~ renale Nierenstein
caldaia *f* Kessel *m*
caldo warm; heiß; *m* Wärme *f*; Hitze *f*; ho ~ mir ist
warm
calendario *m* Kalender
càlibro *m* Kaliber *n*
càlice [-tʃe] *m* Kelch
calle *m* Gasse *f* (*Wasser-
gasse in Venedig*)
calligrafìa *f* (Hand-)
Schrift
callo *m* Hühnerauge *n*;
Schwiele *f*
callotta *f* (Uhr-)Deckel *m*
calma *f* Stille; Ruhe
calm|ante *m* Beruhigungs-
mittel *n*; ~are beruhigen
calmo ruhig; still
cal|ore *m* Wärme *f*; Hitze *f*;
~orìfero *m* Zentralheizung
f
caloscia [-ʃa] *f* Gummi-
schuh *m*
calpestare zerstampfen
calunni|a *f* Verleumdung;
~are verleumden
calvo kahl(köpfig)
calza *f* Strumpf *m*; ~
elàstica Gummistrumpf
m; ~maglia [-ʎa] *f*
Strumpfhose
calz|atoio *m* Schuhanzie-
her; ~atura *f* Schuhwerk
n; ~erotto *m*, ~ino *m*
Socke *f*
calzol|aio *m* Schuhmacher;
~erìa *f* Schuhmacherei;
Schuhgeschäft *n*
calz|oncini [-tʃ-] *m*/*pl* da

bagno [-ɲo] Badehose *f*;
~oni *m*/*pl* Hose *f*
cambiadischi [-ki] *m* Platt-
tenwechsler
cambi|ale *f* Wechsel *m*;
~amento *m* Änderung *f*;
~are (um)wechseln; ~are
treno umsteigen
cambiavalute *m* Geld-
wechsler; Wechselstube *f*
càmbio *m* Wechsel;
Tausch; Umtausch;
Kurs; *Tech* Getriebe *n*;
~ automàtico automa-
tisches Getriebe *n*; ~ delle
marce *Auto*: Gangschal-
tung *f*; ~ dell'olio Öl-
wechsel; in ~ statt des-
sen
càmera *f* Zimmer *n*; ~
sìngola Einzelzimmer *n*;
~ doppia Doppelzimmer
n; ~ privata Privatzimmer
n; ~ da letto Schlafzim-
mer *n*; ~ a due letti Zwei-
bettzimmer *n*; ~ d'aria
(Luft-)Schlauch *m*; senza
~ d'aria schlauchlos (*Reifen*)
camer|iera *f* Zimmermäd-
chen *n*; Kellnerin; Ste-
wardeß (*Schiff*); ~iere *m*
Kellner; Steward; ~ino *m*
Umkleideraum; Klosett *n*
camic|erìa [-tʃ-] *f* Hem-
dengeschäft *n*; ~etta *f*
Bluse
camicia [-tʃa] *f* (Ober-)
Hemd *n*; ~ sportiva Sport-
hemd *n*; ~ con màniche
corte Hemd mit kurzen

Armeln; **~ da notte** Nachthemd n

camiciuola [-tʃu-] f Unterhemd n

camino m Kamin

cammin|are gehen; **~ata** f Spaziergang m

cammino m Weg

camomilla f Kamille

camoscio [-ʃo] m Gemse f; Wildleder n; **color ~** chamois

campagna [-ɲa] f Land n; mil Feldzug m

campan|a f Glocke; **~ello** m (kleine) Glocke f; Klingel f; **sonare il ~ello** klingeln; **~ile** m Glockenturm

camp|eggiare [-dʒa-] lagern; zelten; **~eggio** [-dʒo] m Lager n; Camping n; Zelt-, Campingplatz f

campestre ländlich, Feld...

campionari|o m Musterkarte f; **fiera f ~a** Mustermesse

campionato m Meisterschaft f

campione m Muster n; Sport: Meister

campo m Feld n; Lager n; fig Gebiet n; **~ sportivo** Sportplatz; **~ di calcio** Fußballplatz; **~ di minigolf** Minigolfplatz; **~ di tennis** Tennisplatz

camposanto m Friedhof

canal|e m Kanal; Meerenge f; **~izzazione** f Kanalisierung

cànapa f Hanf m

cànapo m Tau n

canarino m Kanarienvogel

cancell|are [-tʃ-] auslöschen; ausstreichen; ausradieren; **~eria** f Kanzlei; **~iere** m Gerichtsschreiber; Pol Kanzler

cancello [-tʃ-] m Gitter n

cancro m Med Krebs

candel|a f Kerze; **~a d'accensione** Zündkerze; **~abro** m Armleuchter; **~iere** m Leuchter

candidato m Kandidat

càndido schneeweiß

candire einzuckern

cane m Hund

canestro m Korb

cànfora f Kampfer m

cann|a f Rohr n; Spazierstock m; (Flinten-)Lauf m; **~ella** f Abflußrohr n; (Faß-)Hahn m; Kochk Zimt m; **~ello** m Röhrchen n

cannocchiale [-k-] m Fernrohr n, Fernglas n; **~ di puntamento** Zielfernrohr n

cannone m Kanone f

canònico m Domherr

canoro tonreich

canottaggio [-dʒo] m Rudern n

canotto m ~ **pneumàtico** Schlauchboot n; **~ smontàbile** Faltboot n

cant|àbile singbar; **~ante** su Sänger(in f) m; **~are** singen; (Messe) lesen; krähen (Hahn); gackern (Henne); **~erino** m Singvogel cantiere *m* Baustelle *f*; ~ navale Werft *f*

cantina *f* Keller *m*

canto *m* 1. Gesang; Lied *n*; ~ popolare Volkslied *n*; 2. Ecke *f*, Kante *f*; Seite *f*; dal ~ mio meinerseits

cantoniere *m* Straßenaufseher; *Esb* Bahnwärter

cantuccio [-tʃo] *m* Winkel

canzone *f* Lied *n*; ~oniere *m* Liederbuch *n*

capace [-tʃe] *fig* fähig; imstande; ~ità [-tʃ-] *f* Rauminhalt *m*; Fähigkeit

capanna *f* Hütte

capello *m* Haar *n*; ~i *pl* Haar(e *pl*) *n*; ~i grassi fettes Haar; ~i secchi trockenes Haar

capelluto behaart

cap|igliatura [-ʎa-] *f* Haarwuchs *m*; ~illare haarförmig

capire verstehen

capitale hauptsächlich; *f* Hauptstadt; *m* Kapital *n*

capitano *m* Hauptmann; *f* Kapitän

capitare (*zufällig*) kommen; vorkommen (*Ereignis*)

capitolo *m* Kapitel *n*

capo *m* Kopf; Haupt *n*; Führer; Chef; *Geogr* Kap *n*; ~ d'anno Neujahr *n*; ~ di bestiame Stück *n* Vieh; ~ della direzione turistica Chefreiseleiter; ~ di un gruppo turistico Reiseleiter; da ~ noch einmal;

in ~ alla strada am Anfang der Straße

capocameriere *m* Oberkellner; ~ di bordo Obersteward

capocchia [-k-] *f* Nagelkopf *m*

capo|comitiva *m* Reiseleiter; ~danno *m* Neujahr *n*; ~fàbbrica *m* Werkmeister; ~giro [-dʒ-] *m* Med Schwindel; ~lavoro *m* Meisterwerk *n*; ~linea *m* Endstation *f*, Endhaltestelle *f*

capo|rale *m* Aufseher; *mil* Gefreite(r); ~stazione *m* Bahnhofsvorsteher; ~treno *m* Zugführer; ~vòlgersi [-dʒ-] umkippen

cappella *f* Kapelle

cappell|aio *m* Hutmacher; ~eria *f* Hutgeschäft *n*; ~iera *f* Hutschachtel

cappello *m* Hut; ~ di paglia *m* Strohhut *m*; méttersi il ~ den Hut aufsetzen; tògliersi il ~ den Hut abnehmen

càppero *m* Kaper *f*

cappio *m* Schleife *f*

cappone *m* Kapaun

cappotta *f* Auto: Verdeck *n*

cappotto *m* Mantel

cappuccino [-tʃ-] *m* Kaffee mit schaumiger Milch

cappucci|o [-tʃo] *m* Kapuze *f*; insalata *f* ~a Kopfsalat

capr|a *f* Ziege; ~aio *m* Ziegenhirt; ~etto *m* Böckchen *n*; Zicklein *n* capr|iccio [-tʃo] *m* Laune *f*; ~iccioso [-tʃo-] launisch

càpsula *f* Kapsel; Zündhütchen *n*

carabiniere *m* Karabiniere (*italienischer Gendarm*)

caraffa *f* Karaffe

caramella *f* Bonbon *m*, *n*

caràttere *m* Charakter; Schrift *f*; *Thea* Rolle *f*

carbonato *m* kohlensaures Salz *n*

carbone *m* Kohle *f*

carbònico kohlensauer; àcido *m* ~ Kohlensäure *f*

carburante *m* Brennstoff, Treibstoff

carburatore *m* Vergaser

carburo *m* Karbid *n*

carcer|are [-tʃ-] einkerkern; ~ato *m* Sträfling

càrcere [-tʃ-] *n* Gefängnis *n*

carceriere [-tʃ-] *m* Gefängniswärter

carciofin|o [-tʃo-] *m*: ~i *pl* e funghetti sott'olio junge Artischocken *f/pl* und Pilze in Öl   [schocke *f*\
carciofo [-tʃo-] *m* Arti-/

cardinale *m* Kardinal; *adj.*: nùmero *m* ~ Grundzahl *f*; punto *m* ~ Himmelsrichtung *f*

càrdine *m* (Tür-)Angel *f*

cardite *f* Herzentzündung

cardo *m* Distel *f*

caren|a *f* Kiel *m*; ~aggio [-dʒo] *m* Schiffsüberholung *f*

carezza *f* Liebkosung

cariato hohl (*Zahn*)

càrica *f* Amt *n*; Ladung

caric|are (be)laden; aufbürden; (*Uhr*) aufziehen; ~arsi auf sich laden; ~atura *f* Karikatur

càrico beladen; *m* Last *f*; Fracht *f*; Ladung *f*

carino hübsch; lieb

carità *f* Barmherzigkeit; per ~! um Gottes willen!

carminio *m* Karminrot *n*

carnagione [-dʒo-] *f* Hautfarbe

carne *f* Fleisch *n*; ~ fredda kaltes Fleisch; ~ salata Pökelfleisch *n*

carn|éfice [-tʃe] *m* Henker; ~evale *m* Karneval

caro teuer; lieb

carota *f* Mohrrübe; ~ corta Karotte

carovana *f* Karawane

carpentiere *m* Zimmermann

carpione *m* Karpfen

carponi auf allen vieren

carr|ata *f* Fuhre; ~eggiata [-dʒa-] *f* Fahrbahn; Fahrdamm *m*; ~eggio [-dʒo] *m* Rollgeld *n*; ~ello *m* Fahrwerk *n*; ~etta *f*, ~etto *m* Karren *m*; ~iera *f* Lauf *m*; *fig* Laufbahn; ~iola *f* Schubkarren *m*

carro *m* Fuhrwerk *n*; Karren; ~ a cavalli Pferdefuhrwerk *n*

carrozza *f* Wagen *m*; *Esb* ~ diretta Kurswagen *m*; ~ a cuccette Liegewagen *m*

carrozz|ella *f* Kinderwagen *m*; **⁓erìa** *f* Karosserie; **⁓etta** *f*, **⁓ino** *m* Beiwagen *m* am Motorrad

carruba *f* Johannisbrot *n*

carta *f* Papier *n*; **⁓ bollata** Stempelpapier *n*; **⁓ carbone** Kohlepapier *n*; **⁓ geogràfica** Landkarte; **⁓** Toilettenpapier *n*; **⁓ lùcida** Glanzpapier *n*; **⁓ moneta** Papiergeld *n*; **⁓ stradale**, **⁓ turìstica** Straßenkarte; **⁓ sugante** Löschpapier *n*; **⁓ verde di assicurazione** grüne Versicherungskarte; **⁓ d'identità** Ausweis *m*; **⁓ di giuoco** Spielkarte; **⁓ da lèttere** Briefpapier *n*; **⁓-assegno** [-ɲo] *f* Scheckkarte

cartapècora *f* Pergament *n*

cart|ella *f* Mappe; Aktentasche; **⁓ellino** *m* Zettel; Etikett *n*; Schild *n*

cartello *m* Plakat *n*; **⁓ stradale** Verkehrsschild *n*

cart|iera *f* Papierfabrik; **⁓ina** *f Med* Dosis; Brief *m* (*Nadeln*); **⁓occio** [-tʃo] *m* Tüte *f*; **⁓olaio** *m* Papierhändler; **⁓olerìa** *f* Schreibwarengeschäft *n*

cartolina *f* (*a.* **⁓ postale**) Postkarte; **⁓ illustrata** Ansichtskarte; **⁓ sémplice** gewöhnliche Postkarte; **⁓ con risposta pagata** Postkarte mit bezahlter Antwort; **⁓ per l'interno** Inlandspostkarte; **⁓ di saluti** Grußkarte

carton|e *m* Pappe *f*; Karton; **⁓i** *m/pl* **animati** Trickfilm *m*

cartuccia [-tʃa] *f* Patrone

casa *f* Haus *n*; **⁓ di salute** Heilanstalt; **a ⁓** zu Hause, nach Hause; **a mia ⁓** bei mir (*zu Hause*); **⁓ unifamiliare** Einfamilienhaus *n*

casalin|ga *f* Hausfrau; **⁓go** häuslich; **cucina ⁓ga** Hausmannskost; **artìcoli ⁓ghi** Haushaltswaren *f/pl*

cascata *f* Wasserfall *m*

casco *m* Helm

casella *f* Fach *n*; **⁓ postale** Postfach *n*

caserma *f* Kaserne

casetta *f* **per il fine settimana** Wochenendhaus *n*

casinò *m* Spielkasino *n*

caso *m* Zufall; *Gr* Fall; **per ⁓** zufällig; **a ⁓** aufs Geratewohl; **⁓ che** falls

cas|olare *m* einsames, armes Haus *n*; **⁓otto** *m* Bude *f*; Schilderhaus *n*

càspita! Donnerwetter!

cassa *f* Kasten *m*; Kiste; Kasse; (Uhr-)Gehäuse *n*; Sarg *m*; Trommel; **⁓ di risparmio** Sparkasse; **⁓ degli utensili** Werkzeugkasten *m*

cassa|forte *f* Geldschrank *m*; **⁓panca** *f* Truhe

cassare ausstreichen

cassata *f* Cassata (*Eis mit kandierten Früchten*)

casseruola *f* Kasserolle

cassetta *f* Kästchen *n*; Kassette; ~ postale Briefkasten *m*

cass|etto *m* Schublade *f*; ~ettone *m* Kommode *f*

cassiere *m* Kassierer

castagn|a [-ɲa] *f* Kastanie; ~eto [-ɲ-] *m* Kastanienwald; ~o [-ɲo] kastanienbraun; *m* Kastanienbaum

castello *m* Burg *f*, Schloß *n*; *Mech* Gestell *n*; ~ in aria Luftschloß *n*

castig|are strafen; züchtigen; ~o *m* Strafe *f*

cast|ità *f* Keuschheit; ~o keusch

castoro *m* Biber

casuale zufällig

catàlogo *m* Katalog

cataplasma [-zma] *m* (Brei-)Umschlag

catarifrangente [-dʒ-] *m* Rückstrahler, Katzenauge *n*

catarro *m* Katarrh; ~ intestinale Darmkatarrh

catàstrofe *f* Katastrophe

catechismo [-kizmo] *m* Katechismus

categorìa *f* Kategorie; Rang *m*

caten|a *f* Kette; ~e *f*/*pl* da neve Schneeketten

cateratta *f* Schleuse; Wasserfall *m*; *Med* grauer Star *m*

catètere *m* Sonde *f*

catinelli|a *f* Waschbecken *n*; piove a ~e es regnet in Strömen

catram|are teeren; ~e *m* Teer

càttedra *f* Katheder *n*

cattedrale *f* Dom *m*

cattivo schlecht; böse

cattòlico katholisch; *m* Katholik

cattura *f* Verhaftung

cauccìù [-tʃu] *m* Kautschuk

causa *f* Ursache; *fig* Sache; far ~ einen Prozeß anstrengen; a ~ di wegen

caus|ale *f* Beweggrund *m*; ~are verursachen

cautela *f* Vorsicht

cauto vorsichtig

cauzione *f* Kaution

cava *f* Grube; Steinbruch *m*; ~tango *m* Bagger

cavalc|are reiten; ~ata *f* Ritt *m*; ~atore *m* Reiter

cavalcioni [-tʃo-]: a ~ rittlings

cavaliere *m* Reiter; Ritter

cavall|a *f* Stute; ~etta *f* Heuschrecke; ~etto *m* Gestell *n*; Stativ *n*; *Mal* Staffelei *f*

cavallo *m* Pferd *n*; ~ da corsa Rennpferd *n*; ~ da sella Reitpferd *n*; andare a ~ reiten

cavallo-vapore *m* Pferdestärke *f*

cavare herausnehmen; (Zahn) ausziehen

cava|stivali *m* Stiefelknecht; ~tappi *m* Korkenzieher

cavern|a *f* Höhle; ~oso hohl

cavia *f* Meerschweinchen *n*

caviale *m* Kaviar

caviglia [-ʎa] f Pflock m;
Anat Fessel

cavità f Höhlung; Höhle

cavo Kohl; m Kabel n; ~
d'accensione Zündkabel
n; ~ **di rimorchio** Abschleppseil n

cavolfiore m Blumenkohl

càvolo m Kohl; ~ **rapa**
Kohlrabi; ~ **verzotto** Wirsingkohl; ~ **di Brusselle**
Rosenkohl

cazzuola f Maurerkelle

cece [tʃeːtʃe] m Erbse f

cecità [tʃetʃi-] f Blindheit

Cecoslov|acchia [tʃe-
kozlovak-k-] f Tschechoslowakei; 2**acco** [tʃekozl-]
m Tschechoslowake

cèdere [tʃ-] abtreten; übertragen; zurückweichen

ced|évole [tʃ-] nachgiebig;
~ibile übertragbar

cèdola f Abschnitt m;
~ **d'assicurazione** Krankenschein m

cedro [tʃ-] m Zeder f

ceffo [tʃ-] m Schnauze f

celare [tʃ-] verbergen

celebèrrimo [tʃ-] s **cèlebre**

celebr|are [tʃ-] preisen;
~azione f feierliche Begehung

cèlebre [tʃ-] berühmt

celebrità [tʃ-] f Berühmtheit

cèlere [tʃ-] schnell

celerità [tʃ-] f Geschwindigkeit

celeste [tʃ-] himmlisch;
himmelblau

celia [tʃ-] f Scherz m;
Spaß m

celiare [tʃ-] spaßen

celibato [tʃ-] m Zölibat n

cèlibe [tʃ-] m Junggeselle

cella [tʃ-] f Zelle

cèllula [tʃ-] f Zellgewebe n

cement|are [tʃ-] verkitten;
fig befestigen; **~o** m Zement; **~o m armato** Eisenbeton

cen|a [tʃ-] f Abendessen n;
~àcolo m Speisesaal; Mal
Abendmahl n; **~are** zu
Abend essen

cencio [tʃentʃo] m Lappen;
Lumpen; **cappello** m a **~**
Schlapphut

cénere [tʃ-] f Asche; **le
Céneri** Aschermittwoch m

cenno [tʃ-] m Zeichen n;
fare ~ winken

cens|o [tʃ-] m Vermögen n;
Rente f; **~agne** einschätzen; **~ura** f Zensur

cent|enario [tʃ-] hundertjährig; **~èsimo** hundertste; m Hundertstel n;
~igrado m Grad Celsius;
~imetro m Zentimeter n;
~inaio m Hundert n

centr|ale [tʃ-] zentral; f
Hauptgeschäft n; **~alino** m
telefònico Telefonzentrale f

centro [tʃ-] m Mittelpunkt;
(Stadt-)Zentrum n; Innenstadt f

ceppo [tʃ-] m Klotz; fig
Stamm

cera [tʃ-] f Wachs n;
(Stiefel-)Wichse; Ausse-

hen *n*; **avere buona (cattiva)** ~ gut (schlecht) aussehen; **lacca** *f* Siegellack *m*

cer|àmica [tʃ-] *f* Keramik; **~ata** *f* Wachstuch *n*

cercare [tʃ-] suchen

cerchi|a [tʃerk-] *f fig* Kreis *m*; **~are** bereifen; **~atura** *f* Bereifung; **~o** *m* Kreis; **~one** *m* Felge *f*; Reifen; **~one di ricambio** Ersatzreifen

cereali [tʃ-] *m/pl* Getreide *n*

cèreo [tʃ-] wächsern

ceretta [tʃ-] *f* Wichse *f*

cerimòni|a [tʃ-] *f* Zeremonie; **~e** *f/pl* Umstände *m/pl*

cerimoni|ale [tʃ-] zeremoniell; **~oso** umständlich

cerino [tʃ-] *m* Wachszündholz *n*

cero [tʃ-] *m* Altarkerze *f*

cerotto [tʃ-] *m* Heftpflaster *n*

certezza [tʃ-] *f* Gewißheit

certific|are [k-] bestätigen; bescheinigen; **~ato** *m* Zeugnis *n*; **~ato di vaccinazione** Impfpaß

certo [tʃ-] *f* gewiß; sicher

cervellata [tʃ-] *f* Zervelatwurst

cervello [tʃ-] *m* Gehirn *n*; *Kochk* Hirn *n*; *fig* Verstand

cervo [tʃ-] *m* Hirsch *f*

cesellare [tʃ-] ziselieren

cespuglio [tʃespuːʎo] *m* Strauch

cess|are [tʃ-] aufhören; **~ione** *f* Abtretung

cesso [tʃ-] *m* Abort

cestino [tʃ-] *m* Körbchen *n*; Papierkorb; ~ **da viaggio** Lunchpaket *n*

cesto [tʃ-] *m* Korb

ceto [tʃ-] *m* Klasse *f*, Stand

cetra [tʃ-] *f* Zither

cetriolo [tʃ-] *m* Gurke *f*

chassis [ʃa-] *m* Fahrgestell *n*

che [ke] welche(r), welches; was für ein; der, die das; **ciò** ~ das, was ...: *cj* daß; *(nach dem compr)* als

checché [kek-ke] was auch immer

chet|are [k-] beruhigen; **~o** still

chi [ki] wer; *(acc)* wen; **di** ~? wessen?; **a** ~? wem?

chiàcchier|a [kiak-k-] *f* Geschwätz *n*; **far due** ~**e** ein Plauderstündchen halten

chiacchier|are [kiak-k-] plaudern; **~ata** *f* Plauderei

chiam|are [k-] rufen; nennen; *Tel* anrufen; **~arsi** heißen; **~ata** *f* telefònica Telefonanruf *m*

Chianti [k-] *m* (toskanischer) Rotwein

chiar|ezza [k-] *f* Helligkeit; *fig* Klarheit; **~ificare** (ab)klären; **~ire** aufklären; **~o** klar; deutlich; **~o** Licht *n*; **~o d'uovo** Eiweiß *n*; **~oscuro** *m* Zwielicht *n*

chiasso [k-] *m* Lärm; **fare** ~ *fig* Aufsehen erregen

chiave [k-] *f* Schlüssel *m* (*a Mus*); ~ **d'automòbile**, ~ **della màcchina** Auto-,

Wagen-schlüssel *m*; **~ fissa a tubo** Steckschlüssel *m*; **~ per viti**, **~ inglese** Schraubenschlüssel *m*

chiav|etta *f* **d'accensione** *Auto:* Zündschlüssel *m*; **~istello** *m* Riegel

chiazzato [k-] gefleckt

chicco [k-] *m* (Kaffee-)Bohne *f*; Hagelkorn *n*

chièdere [k-] verlangen; fragen (**di** nach); bitten

chiesa [k-] *f* Kirche

chilo [k-] *m* Kilo; **mezzo ~** halbes Kilo; **~grammo** *m* Kilogramm *n*

chilòmetro [k-] *m* Kilometer; **~ quadrato** Quadratkilometer

chilovatt [k-] *m* Kilowatt *n*

chìmic|a [k-] *f* Chemie; **~o** chemisch; *m* Chemiker

chin|a [k-] *m* Abhang *m*; **alla ~a** abwärts; **~are** neigen; **~arsi** sich bücken; *fig* sich fügen

chincaglie [kiŋka:ʎe], **~rìe** *f/pl* Kurzwaren

chinino [k-] *m* Chinin *n*

chino [k-] gebeugt

chiòcciola [kiot-tʃo-] *f* (Weinberg-)Schnecke *f*; **scala** *f* **a ~** Wendeltreppe

chiodo [k-] *m* Nagel

chioma [k-] *f* Mähne

chiosco [k-] *m* Kiosk

chiostro [k-] *m* Kloster *n*

chirur|gia [kirurdʒ-] *f* Chirurgie; **~go** *m* Chirurg

chissà [k-] wer weiß; vielleicht

chitarra [k-] *f* Gitarre

chiùdere [k-] (ein)schließen

chiunque [k-] wer auch immer

chius|a [k-] *f* Schleuse; Schluß *m*; Talenge; **~ura** *f* (Ver-)Schluß *m*; **~ura lampo** Reißverschluß *m*

ci [tʃi] (*pron*) uns; (*adv*) hier(her), dort(hin); **~ penso** ich denke daran

ciabatta [tʃa-] *f* Hausschuh *m*

cialda [tʃa-] *f* Waffel

ciambella [tʃa-] *f* Brezel

ciao [tʃao] tschau!; Servus!

ciarla [tʃa-] *f* Geschwätz *n*

ciarpa [tʃa-] *f* Schärpe

ciascuno [tʃa-] jeder(mann)

cib|o [tʃi-] *m* Speise *f*; Nahrung *f* (*a fig*); **~i** *m/pl* **vegetariani** vegetarische Kost *f*; **~i** *m/pl* **a dieta** Diätkost *f*

cicala [tʃi-] *f* Zikade

cicatrice [tʃikatri:tʃe] *f* Narbe

cicca [tʃ-] *f* Stummel *m* (*Zigarette, Zigarre*)

cicerone [tʃitʃ-] *m* Fremdenführer

cicl|ismo [tʃiklizmo] *m* Radsport; **~ista** *su* Radfahrer(in *f*) *m*, Radsportler(in *f*) *m*; **~opista** *f* Radfahrweg *m*

cicogna [tʃiko:ɲa] *f* Storch *m*

cicoria [tʃ-] *f* Chicorée, Zichorie

cieco [tʃ-] blind; **vìcolo** *m* **~** Sackgasse *f*; **~** *m* Blinde(r)

cielo [tʃɛ-] *m* Himmel

cifra [tʃ-] f Ziffer; ~ **d'af-**
fari Umsatz m

ciglio [tʃiːʎo] m Wimper f

cigno [tʃiːɲo] m Schwan

ciliegi|a [tʃiliːedʒa] f Kir-
sche; ~o [-dʒo] m Kirsch-
baum

cilin|drata [tʃ-] f Hubraum
m; ~dro m Zylinder; Zy-
linderhut; *Mech* Walze f

cima [tʃ-] f Spitze; Gipfel
m; da ~ a fondo von oben
bis unten

cìmice [tʃiːmitʃe] f Wanze;
Reißnagel m, Heftzwecke

ciminiera [tʃ-] f Schornstein m, Esse

cimitero [tʃ-] m Friedhof

Cina [tʃ-] f China n

cinegiornale [tʃinedʒo-] m
Wochenschau f

cìnema [tʃ-] m, **cinemató-**
grafo m Kino m [mera]

cinepresa [tʃ-] f Filmka-

cinèreo [tʃ-] aschfarbig

cinese [tʃ-] chinesisch; *su*
Chinese m, Chinesin f

cìngere [tʃindʒ-] umgür-
ten; umgeben

cinghi|a [tʃiŋ-] f Riemen
m; Gurt m; ~a **trape-**
zoidale Keilriemen m;
~ale m Wildschwein n

cinquantenario [tʃ-] m
fünfzigster Jahrestag

cinta [tʃ-] f Einfriedigung

cintura [tʃ-] f Gürtel m; ~
di salvataggio Schwimm-
gürtel m; ~ **di sicurezza**
Sicherheitsgurt m

ciò [tʃ-] das, dies; a ~ hierzu; daran

ciocca [tʃɔ-] f Büschel n;
~ **di capelli** Haarteil n

cioccol|ata [tʃo-] f Schoko-
lade; ~**ata con gelato**
Eisschokolade; ~**atino** m
Schokoladenplätzchen n

cioè [tʃoɛ], a ~ **a dire** das
heißt

cióndolo [tʃo-] m Anhänger
(*Schmuck*)

ciottolato [tʃo-] m Stein-
pflaster n

ciòttolo [tʃo-] m Kieselstein

cipoll|a [tʃ-] f Zwiebel;
~**ina** f Schnittlauch m

cipresso [tʃ-] m Zypresse f

cipria [tʃ-] f Puder m

circa [tʃ-] ungefähr

circo [tʃ-] m Zirkus

circolare [tʃ-] **1.** verkehren; umlaufen; **2.** kreis-
förmig; **viaggio** m ~ Rundreise f; **biglietto** m ~
Rundreisefahrkarte f; (**lèt-**
tera f) ~ f Rundschreiben n

circolazione [tʃ-] f Verkehr
m; Umlauf m; ~ (**del**
sangue) (Blut-)Kreislauf
m

circolo [tʃ-] m Kreis;
Klub; Gesellschaft f

circonvallazione [tʃ-] f
Umwallung; Umgehungs-
straße; **ferrovia** f **di** ~
Ringbahn

circostanza [tʃ-] f Um-
stand m; Lage

circùito [tʃ-] m (Strom-)
Kreis; **corto** ~ Kurzschluß

cistifèllea f Gallenblase

citare [tʃ-] zitieren; *jur*
vorladen

città [tʃ-] f Stadt; ~ **giardino** Gartenstadt; ~ **vecchia** Altstadt

cittadin|anza [tʃ-] f Staatsangehörigkeit; ~o städtisch; m Städter; Staatsbürger

ciuffo [tʃu-] m Schopf

civetta [tʃ-] f Eule

cìvico [tʃ-] städtisch

civile [tʃ-] bürgerlich; gesittet; zivilisiert; **guerra** f ~ Bürgerkrieg m; **stato** m ~ Standesamt m

civiltà [tʃ-] f Kultur

clacson m Autohupe f

clam|ore m Geschrei n; ~oroso lärmend

classe f Klasse; ~ **cabine** Kabinenklasse; ~ **turistica** Touristenklasse; **prima** ~ erste Klasse

clàssico klassisch; m Klassiker

clava f Keule

clavicola f Schlüsselbein m

clem|ente mild; gnädig; ~enza f Milde; Gnade

clero m Geistlichkeit f

cliché [-ʃe] m Klischee n

cliente su Kunde m, Kundin f; ~ **abituale** Stammkunde m

clientela f Kundschaft

clim|a m Klima n; ~àtico klimatisch; **stazione** f ~àtica Luftkurort m

clìnica f Klinik

clip m Clip; ~ **per orecchini** Ohrclip

cloaca f Kloake

cloro m Chlor n

clorosi f Bleichsucht

club m Klub

coabitare zusammenwohnen

co|aderente zusammenhängend; ~adiuvare mithelfen

coagularsi gerinnen

coalizione f Koalition

cocchiere [-k-] m Kutscher

cocci [-tʃi] m/pl Küchengeschirr n

cocci|a [-tʃa] f Muschelschale; ~o [-tʃo] m Scherbe f; ~uto [-tʃu-] starrköpfig

cocco m Kokosnuß f

coccodrillo m Krokodil (-leder) n

cocente [-tʃ-] brennend

cocktail m **di latte** Milchmischgetränk n

cocómero m Wassermelone f

coda f Schwanz m; Schleppe; Astr Schweif m; Zopf m; **piano m a** ~ Flügel; **fare la** ~ Schlange stehen; **in** ~ am Ende (des Zuges)

codesto der (die, das) da

còdice [-tʃe] m Gesetzbuch n; ~ **stradale**, ~ **della strada** Straßenverkehrsordnung f, Verkehrsregeln f/pl

coe|rede m Miterbe; ~rente zs.-hängend; konsequent

còfano m Schrein; Auto: Motorhaube f; ~ **portabagagli** Kofferraum m

coffa f Mastkorb m

coffeina *f* Koffein *n*; **senza ~** koffeinfrei

cògl|iere [-ʎe-] *f* pflücken; *(Gelegenheit)* benutzen; **~iersi** qc. sich et. *(acc)* zuziehen

cognàc [-ɲ-] *m* Kognak

cogn|ata [-ɲ-] *f* Schwägerin; **~ato** *m* Schwager

cògnito [-ɲ-] bekannt

cognizione [-ɲ-] *f* Kenntnis

cognome [-ɲ-] *m* Familienname

coincidenza [-tʃ-] *f* Esb Anschluß

coke *m* Koks

cola *f* Sieb *n*

colà da; dahin

colare durchseihen

colazione *f* Frühstück *n*; **far ~** frühstücken

colei die da

colera *m* Cholera *f*

còlica *f* Kolik

colla *f* Leim *m*, Klebstoff *m*; **~ attaccatutto** Alleskleber *m*

collabor|are mitarbeiten; **~atore** *m* Mitarbeiter

coll|ana *f* Halskette; **~are** *m* Halsband *n*; Ordenskette *f*

colle *m* Hügel

collega *m* Kollege; *f* Kollegin

colleg|amento *m* Verbindung *f*; **~are** verbinden

collegi|ale [-dʒa-] kollegial; *m* Zögling; **~o** [-dʒo] *m* Internat *n*; Kollegium *n*

còllera *f* Zorn *m*; **andare in ~** in Zorn geraten

collèrico jähzornig

collett|a *f* Sammlung; **~are** einsammeln; **~ivo** zusammenfassend

colletto *m* (Hemd-)Kragen

collezione *f* Sammlung

collina *f* Hügel *m*

collinoso hügelig

collisione *f* Zusammenstoß *m*

collo *m* Hals; Hdl Ballen

colloc|amento *m* Aufstellung *f*; Unterbringung *f*; **~are** setzen; unterbringen

collòquio *m* Unterredung *f*

colloso klebrig

collutorio *m* Mundwasser *n*

colmo voll; *m* Gipfel

colomb|a *f* Taube; **~ario** *m* Grabkammer *f*

col|onia *f* Kolonie; **~oniale** Kolonial...

colonna *f* Säule

colonnello *m* Oberst

color|are, **~ire** färben; **~ato** farbig, bunt

colore *m* Farbe *f*

coloro die da

colp|a *f* Schuld; **~évole** schuldig

colpire treffen; schlagen

colpo *m* Schlag; Stich; Schuß; **~ di sole** Sonnenstich; **~ di Stato** Staatsstreich

colposo fahrlässig

coltellata *f* Messerstich *m*

coltello *m* Messer *n*

coltiv|are bestellen; bebauen; *fig* pflegen; **~azione** *f* Agr Bebauung

colto gebildet; gepflückt

coltre *f* Bettdecke

coltrone *m* Steppdecke *f*

coltura *f* Agr Anbau *m*

colui der da; jener

comand|amento *m* Befehl; Rel Gebot *n*; **~ante** *m* Befehlshaber; **~are** befehlen; Hdl bestellen

comando *m* Befehl; Mech Antrieb

comare *f* Patin

com|battere (be)kämpfen; **~battimento** *m* Kampf

combin|abile vereinbar; zusammenstellbar; **~are** verbinden; vereinbaren; zusammenpassen; **~azione** *f* Zusammenstellung; fig Zufall *m*

combustibile brennbar; *m* Brennstoff

come wie; **~ me** wie ich; **~ se** als ob; **~ mai?** wieso?

cometa *f* Komet *m*

còmico komisch

comignolo [-ɲ-] *m* Giebel

cominciare [-tʃa-] anfangen, beginnen

comino *m* Kümmel

comit|ato *m* Ausschuß; **~iva** *f* Gesellschaft

commèdia *f* Lustspiel *n*, Komödie

commemor|are festlich begehen; **~ativo** Gedenk-

commentare erläutern

commentatore *m* Kommentator

commerci|ale [-tʃa-] Handels...; **~ante** [-tʃa-] *m* Kaufmann; **~are** [-tʃa-] Handel treiben

commercio [-tʃo] *m* Handel; **~ èstero** Außenhandel

commesso *m* Verkäufer; **~ viaggiatore** Handelsreisende(r)

commestibili *m/pl* Eßwaren *f/pl*

commèttere Hdl bestellen; (Verbrechen) begehen

commiss|ariato *m* di Pùbblica Sicurezza Polizeirevier *n*; **~ario** *m* Kommissar; giuria *f* Kommission; Hdl Auftrag *m*

commisto vermischt

committente *m* Auftraggeber

comm|ovente rührend; **~ozione** *f* Rührung; **~uòvere** bewegen; rühren

commut|are umwandeln; **~azione** *f* Elektr Umschaltung

comò *m* Kommode *f*

comod|are passen; **~ino** *m* Nachttisch; **~ità** *f* Bequemlichkeit

còmodo bequem; passend

compagnia [-ɲ-] *f* Gesellschaft; **~ di navigazione** Schiffahrtsgesellschaft, Reederei

compagno [-ɲo] *m* Kamerad; Hdl Teilhaber; Partner

compar|àbile vergleichbar; **~are** vergleichen; **~azione** *f* Vergleich *m*; Gr Steigerung

compare *m* Pate

comparire erscheinen

compartecip|are [-tʃ-]

teilnehmen; **~azione** *f* Teilnahme

compartimento *m* Abteilung *f*; Bezirk; *Esb* Abteil *n*; **~ per (non) fumatori** (Nicht-)Raucherabteil *m*

compassi|one *f* Mitleid *n*; **~onévole** mitleidig

compasso *m* Zirkel

compatriota *m* Landsmann

compendi|are kurz zusammenfassen; **~o** *m* Auszug

com|pensare ausgleichen; **~penso** *m* Entschädigung *f*; Belohnung *f*

com|petente maßgebend; zuständig; **~petenza** *f* Zuständigkeit; **~pètere** wetteifern

compiac|ente [-tʃ-] gefällig; **~enza** *f* Wohlgefallen *n*; Gefälligkeit; **~ere** gefällig sein

com|piàngere [-dʒ-] bedauern; **~pianto** *m* Bedauern *n*

cómpiere vollenden; vollbringen

compilare zusammenstellen; verfassen

comp|imento *m* Vollendung *f*; Erfüllung *f*; **~ire** *s* cómpiere

compitare buchstabieren

compito vollendet

còmpito *m* Aufgabe *f*

compleanno *m* Geburtstag

complementare Ergänzungs...

compless|ione *f* Körper-

bau *m*, Konstitution; **~ivo** Gesamt...; allgemein

complesso *m* Gesamtheit *f*; Komplex (*a Med*)

com|pletare vervollständigen; **~pleto** vollständig; vollzählig; *Esb* besetzt

complic|are verwickeln; **~ato** kompliziert

còmplice [-tʃe] *su* Mittäter(in *f*) *m*

complim|entare begrüßen; (*j-m*) Komplimente machen; **~enti** *m*/*pl* Umstände

comp|onimento *m* *jur* Schlichtung *f*; **~orre** zs.-setzen; komponieren; **~orsi** bestehen (**di** aus)

comport|àbile erträglich; **~are** vertragen; **~arsi** sich betragen

compos|itore *m* Setzer; Komponist; **~izione** *f* Zusammensetzung; Aufsatz *m*; *Mus* Komposition

comp|osta *f* Kompott *n*; **~ostiera** *f* Kompottschale; **~osto** zs.-gesetzt; geordnet

compr|a *f* (Ein-)Kauf *m*; **~are** kaufen; **~atore** *m* Käufer

comprèndere begreifen; umfassen, enthalten

compren|sibile begreiflich; **~sione** *f* Verständnis *n*

compreso: tutto ~ alles einbegriffen

compress|a *f* Umschlag *m*; Tablette; **~ione** *f* Druck *m*; Verdichtung

comprìmere verdichten

comprométtere(*j-n*) bloßstellen

comprov|àbile beweisbar; **~are** bestätigen

compunto zerknirscht

comput|àbile berechenbar; **~are** be-, an-rechnen

còmputo *m* Berechnung *f*

comunale städtisch; **consiglio** *m* ~ Gemeinderat

comune gewöhnlich; gemeinsam; allgemein; **in** ~ gemeinschaftlich

comunic|are mitteilen; verbunden sein; **~arsi** *Rel* das Abendmahl empfangen

comunicazione *f* Mitteilung; *Esb, Tel* Verbindung; **~ interurbana** Ferngespräch *n*

comunione *f* Gemeinschaft; Gemeinde; *Rel* Abendmahl *n*

comunque wie auch immer

con mit; durch

còncavo hohl

concèdere [-tʃ-] zugeben; gewähren

concentr|are [-tʃ-] zs.-ziehen; **~arsi** sich konzentrieren; **~azione** *f* Konzentration

concep|ìbile [-tʃ-] denkbar; **~ire** auffassen

conceria [-tʃ-] *f* Gerberei

concèrnere [-tʃ-] betreffen

concertare [-tʃ-] verabreden; ein Konzert geben

concerto [-tʃ-] *m* Konzert *n*

concessione [-tʃ-] *f* Zugeständnis *n*; Konzession

concetto [-tʃ-] *m* Begriff; Gedanke

conchiglia [-ki:ʎa] *f* Muschel

conchiùdere [-k-] *s* **conclùdere**

conci|a [-tʃa] *f* Lohe; Gerberei; **~atore** *m* [-tʃa-] *m* Gerber

concili|are [-tʃ-] (**~arsi** sich) versöhnen; **~azione** *f* Versöhnung; **~o** *m* Konzil *n*

conciso [-tʃ-] kurz, gedrängt

concitare [-tʃ-] erregen

concittadino [-tʃ-] *m* Mitbürger

concl|ùdere beschließen; abschließen; folgern; **~usione** *f* Schluß *m*; Abschluß *m*; **~usivo** entscheidend

concord|anza *f* Übereinstimmung; **~are** verabreden; vereinbaren; übereinstimmen

concordia *f* Eintracht

concorr|ente *m* Mitbewerber; **~enza** *f* Konkurrenz

concórrere beitragen (**a** zu); sich bewerben (**a** um)

concorso *m* Wettbewerb

concussione *f* Erpressung

condanna *f* Verurteilung

condann|àbile strafbar; **~are** verurteilen (**a** zu); verwerfen

condens|are verdichten; **~atore** *m* Kondensator

cond|imento *m* Würze *f*; **~ire** würzen; **~ito** gewürzt

condisc|endente [-ʃ-]

nachgiebig; willfährig;
∼éndere nachgeben
condiscépolo [-ʃ-] *m* Mitschüler
condizionale bedingt; *Gr* Konditional
condizione *f* Bedingung; Zustand *m*; Lage; **a ∼ che** unter der Bedingung, daß
condoglianze [-ʎa-] *f/pl* Beileid *n*
condolersi: ∼ con qu. j-m sein Beileid aussprechen
condotta *f* Benehmen *n*; Führung; Leitung
con|ducente [-tʃ-] *m* Kraftfahrer; **∼durre** führen; **∼dursi** sich benehmen; **∼duttore** *m* Führer; *Esb* Zugführer; *Hdl* Geschäftsführer; *Phys* Leiter; *jur* Mieter; **∼duttura** *f* (**della benzina** Benzin-)Leitung
confedera|le Bundes...; **∼arsi** sich verbünden; **∼ato** *m* Verbündete(r); **∼azione** *f* Bund(esstaat) *m*
confer|enza *f* Besprechung; Vortrag *m*; **∼enziere** *m* Vortragende(r)
conferm|a *f* Bestätigung; **∼are** bestätigen; *Rel* einsegnen; **mi confermo ...** *Brief:* ich verbleibe ...
confess|are gestehen; **∼arsi** beichten; **∼ione** *f* Geständnis *n*; Beichte; **∼o** gestanding; **∼ore** *m* Beichtvater
confetti|o *m* Bonbon, Zucker; **∼ura** *f* Konfitüre
confezionare zubereiten

confezione *f* Konfektion
confid|are anvertrauen; vertrauen (**in auf** *acc*); **∼enza** *f* Vertrauen *n*; **∼enziale** vertraulich
configgere [-dʒ-] annageln; *fig* einprägen
configurare darstellen
confin|are angrenzen (**con an** *acc*); **∼ario** Grenz...
confine *m* Grenze *f*
confisc|a *f* Beschlagnahme; **∼are** beschlagnahmen
conflitto *m* Konflikt
conflu|ente *m* Nebenfluß; **∼ire** zs.-fließen
confóndere verwirren; verwechseln
conformare anpassen
conforme übereinstimmend; **∼ a** gemäß
confortare stärken, trösten
confort|o *m* Stärkung *f*; Trost; **∼i** *m/pl* Komfort *m*
confronto *m* Vergleich
conf|usione *f* Verwirrung; Verwechslung; **∼uso** verworren; verlegen
conged|are [-dʒ-] verabschieden; entlassen; **∼o** *m* Abschied; Urlaub
congelarsi [-dʒ-] gefrieren; gerinnen
congestione *f* Blutandrang *m*; Stockung
congetturare [-dʒ-] vermuten
congiùng|ere [-dʒund-ʒ-] verbinden; **∼ersi** sich vereinigen
congiunt|ivite [-dʒu-] *f*

Bindehautentzündung; **~i-vo** *m* Konjunktiv

congiunto [-dʒu-] verbunden; *m* Verwandte(r)

congiun|tura [-dʒu-] *f* Verbindung(sstelle); *Hdl* Konjunktur; *Anat* Gelenk *n*; **~zione** *f* Verbindung; *Gr* Bindewort *n*

congiur|arsi [-dʒu-] *f* Verschwörung; **~are** sich verschwören

congratul|arsi gratulieren (**con qu. per qc.** j-m zu et.); **~azione** *f* Gratulation; Glückwunsch *m*

congresso *m* Kongreß

congruente übereinstimmend

congruente übereinstimmend

coniare prägen; *fig* erfinden

cònico kegelförmig

conifere *f/pl* Nadelhölzer *n/pl*

coniglio [-ʎo] *m* Kaninchen *n*

conio *m* Gepräge *n*

coniug|are konjugieren; **~azione** *f* Konjugation

connessione *f* Zs.-hang *m*

connotato *m* Kennzeichen *n*

cono *m* Kegel

conosc|ente [-ʃ-] *m* Bekannte(r); **~enza** *f* Kenntnis; Bekanntschaft

conóscere [-ʃ-] kennen(lernen)

conoscitore [-ʃ-] *m* Kenner

conqu|ista *f* Eroberung; **~istare** erobern; **~ista-tore** *m* Eroberer

consacr|are weihen; widmen; **~azione** *f* Weihe

consanguíneo blutsverwandt

consapévole bewußt; unterrichtet (**di** von)

consecutivo aufeinanderfolgend

consegna [-ɲa] *f* Übergabe; (Ab-)Lieferung; **~ bagagli** Gepäckausgabe

consegnare [-ɲa-] übergeben; (aus)liefern; aufgeben (*Brief, Gepäck*)

consegu|ente herrührend; konsequent; **~enza** *f* Folge; **~ire** folgen, sich ergeben

consenso *m* Zustimmung *f*

consentire zugeben

conserv|a *f* *Kochk* Konserve; **~are** aufbewahren

consider|àbile beträchtlich; **~are** betrachten; erwägen; **~azione** *f* Betrachtung; Überlegung; Ansehen *n*; **~évole** beträchtlich

consigli|are [-ʎa-] raten; beraten; **~ere** [-ʎɛ-] *m* Ratgeber; Rat

consiglio [-ʎo] *m* Rat; Ratschlag

consistenza *f* Bestand *m*; Haltbarkeit

consistere bestehen (**in, di** aus)

consocio [-tʃo] *m* Mitinhaber

consol|are trösten; *fig* stärken; **~ato** *m* Konsulat *n*; **~azione** *f* Trost *m*; Freude

cónsole *m* Konsul

consolidare (be)festigen

consonante gleichlautend; *f* Konsonant *m*

consorte *su* Gatte *m*, Gattin *f*

constare: ~ di bestehen aus

constatare feststellen

consueto gewohnt

consuetùdine *f* Gewohnheit

consult|are um Rat fragen; ~azione *f* Beratung

con|sumare verbrauchen; verzehren (*a fig*); ~sumo *m* Verbrauch

consunto abgezehrt

contàbile *m* Buchhalter

contabilità *f* *Hdl* Buchhaltung

contachilòmetri [-k-] *m* Kilometerzähler

contad|ina *f* Bäuerin; ~ino bäurisch; *m* Bauer

contagioso [-dʒo-] ansteckend

contant|e bar; ~i *m/pl* Bargeld *m*; in ~i bar

contare zählen; rechnen; gelten   [Kontakt]

contatto *m* Berührung *f*;⟩

conte *m* Graf

conteggiare [-dʒa-] (be-)rechnen

conteggio [-dʒo] *m* Abrechnung *f*

contempl|are betrachten; beschauen; ~azione *f* Betrachtung

contemporàneo gleichzeitig; *m* Zeitgenosse

contèndere streitig machen

conten|ere enthalten; ~ersi sich beherrschen

content|are befriedigen; ~arsi sich begnügen (**di** mit)

contento zufrieden (**di** mit)

contenuto *m* Inhalt

contesa *f* Streit *m*

contessa *f* Gräfin

contestare anfechten; bestreiten

contiguo anstoßend

contin|ente *m* Kontinent; Festland *n*; ~enza *f* Enthaltsamkeit *f*

continuare fortsetzen; andauern, fortfahren

continuazione *f* Fortsetzung; ~ **del viaggio** Weiterfahrt

continuo fortdauernd; di ~ fortwährend

conto *m* Rechnung *f*; Konto *n*; rèndere ~ Rechenschaft ablegen; rèndersi ~ di qc. sich über et. im klaren sein; in fin dei conti schließlich; ~ corrente postale Postscheckkonto *n*

contòrcere [-tʃ-] verdrehen

contorn|o *m* Umriß *f*; *Kochk* Beilage *f*; ~i *m/pl* Umgebung *f*

contrabbando *m* Schmuggel

contrac|cambiare vergelten; (*Grüße*) erwidern; ~cambio *m* Vergeltung *f*; Erwiderung *f*

contrada *f* Gegend; Straße

contraddire widersprechen

contraf|fare nachmachen;

fälschen; **~farsi** sich verstellen

contrap|peso *m* Gegengewicht *n*; Balancierstange *f*; **~porre** entgegensetzen

contrari|are widersprechen; durchkreuzen; **~età** *f* Widerspruch *m*; *fig* Widerwärtigkeit

contrario entgegengesetzt; schädlich; **èssere ~** dagegen sein; **al ~** im Gegenteil

contrarre zusammenziehen; *(Freundschaft)* schließen

contr|astare entgegentreten; einen Gegensatz bilden; **~asto** *m* Widerstand, Gegensatz

con|trattare (ver)handeln; **~tratto** *m* Vertrag

contrav|veleno *m* Gegengift *n*; **~venire** zuwiderhandeln; **~venzione** *f* Übertretung; Geldstrafe

contri|buire beitragen; **~buto** *m* Beitrag; **~buzione** *f* Beitrag *m*; Steuer

contro gegen; wider

control|lare kontrollieren; **~o** *m* Kontrolle *f*; **~ore** *m* Schaffner; Kontrolleur

contum|ace [-tʃe] trotzig; *jur* abwesend; **~acia** [-tʃa] *f* *jur* Abwesenheit; Quarantäne

contusione *f* Quetschung

convalesc|ente [-ʃ-] genesend; *m* Rekonvaleszent; **~enza** *f* Genesung; **~enziario** *m* Erholungsheim *n*

convalid|are bestätigen; **~azione** *f* Bestätigung

convegno [-ɲo] *m* Zusammenkunft *f*; Stelldichein *n*

conven|évole, ~iente passend; **~ienza** *f* Anstand *m*; **~ire** zusammenkommen; übereinkommen; zugeben; **~irsi** sich schicken

convento *m* Kloster *n*

convenzionale konventionell **[fen]**

convèrgere [-dʒ-] zs.-lau-

convers|are sich unterhalten; **~azione** *f* Unterhaltung; **~ione** *f* Umwandlung; *Rel*, *Pol* Bekehrung

convert|ire um-, verwandeln; *Rel*, *Pol* bekehren; *Hdl* konvertieren; **~ito** *m* Bekehrte(r)

convesso konvex

con|vincere [-tʃ-] überzeugen; **~vinzione** *f* Überzeugung

conv|ito *m* Gastmahl *n*; **~itto** *m* Internat *n*

convivere zs.-leben

convocare einberufen

convoglio [-ʎo] *m* Geleit *n*

convul|sione *f* Krampf *m*; **~sivo** krampfhaft

cooper|are mitwirken; **~ativa** *f* Genossenschaft

coordin|are beiordnen; **~azione** *f* Beiordnung

coperchio [-k-] *m* Deckel

copert|a *f* (Stoff-)Decke; *Mar* Deck *n*; *fig* Deckmantel *m*; **~a di lana** Wolldecke; **~ina** *f* kleine Decke; Buchdeckel *m* cop|erto bedeckt; *fig* verhüllt; *m* Gedeck *n*; ~ertone *m* Gummireifen; Zeltbahn *f*

copia *f* Menge; Abschrift; Exemplar *n*; *Mal* Kopie; *Fot* Abzug *m*; bella ~ Reinschrift; ~lèttere *m* Kopier-buch *n*, -presse *f*

copi|are abschreiben; nachbilden; ~ativo Kopier...; matita ~ativa Kopierstift *m*; ~one *m* Drehbuch *n*

coppa *f* Becher *m*; Pokal *m*; ~ di gelato (con frutta) Eisbecher *m* (mit Früchten); ~ copriruota *Tech* Radkappe

coppia *f* Paar *n*

copri|re bedecken; ~tetto *m* Dachdecker

copulare vereinigen; verbinden

coraggio [-dʒo] *m* Mut; ~so mutig

corale Chor...; *m* Choral

corallo *m* Koralle *f*

corazza *f* Panzer *m*

corda *f* Seil *m*; Leine; Schnur; Sehne; *Mus.* Saite; ~ vocale Stimmband *n*

cord|ame *m* Seilerwaren *f*|*pl*; *Mar* Tauwerk *n*; ~ellina *f* Schnur

cordial|e herzlich; ~ità *f* Herzlichkeit

cordonare schnüren; *m*

cordone *m* Schnur *f*; (Ordens-)Band *n*; Kabel *n*

coricarsi sich hinlegen; zu Bett gehen; untergehen (*Sonne*)

corista *su* Chorsänger(in *f*) *m*; *m* Stimmgabel *f*

cornatura *f* Geweih *n*

còrnea *f* Hornhaut

corn|etta *f* Hörnchen *n*; *Auto:* Hupe; ~etto *m* Hörnchen *n*

corn|ice [-tʃe] *f* Rahmen *m*; Gesims *n*; ~icetta [-tʃ-] *f* per diapositive Diarähmchen *n*

corniciare [-tʃa-] einrahmen

corno *m* Horn *n*; Geweih *n*; Beule *f* (*Stirn*); ~ da scarpe Schuhanzieher

coro *m* Chor

coron|a *f* Krone; Kranz *m*; ~are krönen; bekränzen; ~azione *f* Krönung

corpo *m* Körper

corp|orale körperlich; ~ulenza *f* Korpulenz

Corpus Dòmini *m* Fronleichnam(sfest *n*)

corred|are ausstatten (di mit); ~o *m* Ausstattung *f*

corrègg|ere [-dʒ-] verbessern; ~ersi sich bessern

corrente fließend; geläufig; laufend; *f* Strom *m*; Strömung (*a fig*); ~ elèttrica elektrischer Strom *m*; ~ alternata Wechselstrom *m*; ~ continua Gleichstrom *m*

córrere durcheilen; laufen; rennen; fließen (*Wasser*); im Kurs sein (*Münzen*); ~ in aiuto zu Hilfe eilen; ~ pericolo Gefahr laufen

corr|ettivo bessernd; *m* Besserungsmittel *n*; **~etto** fehlerlos; *fig* korrekt; **~ezione** *f* Verbesserung; *Typ* Korrektur

corridoio *m* Korridor; *Mar* Zwischendeck *n*

corr|iera *f* Autobus *m*; Kraftpost; **~iere** *m* Eilbote; Kurier; Post *f*; **a volta di ~iere** umgehend

corris|pondente *m* Berichterstatter; **~pondenza** *f* Übereinstimmung *f*; Briefwechsel *m*; (*eingegangene*) Post; **~póndere** erwidern; entsprechen; im Briefwechsel stehen

corrivo voreilig

corroborare stärken

corródere zernagen

corrómpere bestechen

corrugare runzeln

corruttibile vergänglich; bestechlich

corruzione *f* Bestechung

corsa *f* Laufen *n*; Rennen *n*; Fahrt; (*a gara* **f di ~e**) Wettlauf *m*; **~e** perdere la **~** den Zug versäumen; **~ a vuoto** Leerlauf *m*; **cavallo** *m* **da ~** Rennpferd *n*

corsaro *m* Seeräuber

corseggiare [-dʒa-] kapern

corsetto *m* Korsett *n*

corsia *f* Fahrspur

corso *m* Lauf; Kursus; Lehrgang; Verlauf; *Hdl* Kurs

corte *f* Hof *m*; Gerichtshof *m*; **~ d'assise** Schwurgericht *n*

corteccia [-tʃa] *f* Rinde

corteggi|amento [-dʒa-] *m* Huldigung *f*; **~are** [-dʒa-] huldigen; den Hof machen

cort|eggio [-dʒo] *m*, **~èo** *m* Gefolge *n*; Geleit *n*; Zug; **~ese** höflich; **~esia** *f* Höflichkeit; Gefälligkeit; **per ~esia** bitte

cortezza *f* Kürze; Beschränktheit

cortile *m* Hof [Gardine]

cortina *f* Vorhang *m*;

corto kurz; *fig* beschränkt; **tagliar ~** kurz abbrechen; **tenersi ~** sich kurz fassen

corvino rabenschwarz

corvo *m* Rabe

cosa *f* Sache; Ding *n*; **~ od che ~** was?; **qualche ~** etwas; **a che ~** wozu; **di che ~** wovon

coscetto [-ʃ-] *m* Keule *f*

coscia [-ʃa] *f* Schenkel *m*; **~ di vitello** Kalbskeule

coscien|te [-ʃe-] bewußt; **~za** *f* Gewissen *n*; Bewußtsein *n*; **~zioso** [-ʃe-] gewissenhaft

coscri|tto *m* Rekrut; **~zione** *f* Aushebung

così so; **~ ~** mittelmäßig

cosicché [-ke] so daß

cosiddetto sogenannt

cosiffatto derartig

cosm|ètico [-zm-] *m* Hautpflegemittel *n*; **~òpoli** *f* Weltstadt

cospetto *m* Angesicht *n*; **al ~** vor

cosp|icuità *f* Ansehnlichkeit; **~ìcuo** ansehnlich

cospir|are sich verschwören; ~azione f Verschwörung

cosso m Pustel f; male m del ~ Ohrenreißen n

costa f Rippe; Seite; Küste

costà dort, dorthin

costan|te beständig; standhaft; ~za f Beständigkeit; Standhaftigkeit; Ausdauer

costare kosten

costat|are feststellen; ~azione f Feststellung

costeggiare [-dʒu-] entlanglaufen; Mar längs der Küste fahren

costei die da

costellazione f Sternbild n

costereccio [-tʃo] m Rippenstück n

costern|are in Bestürzung versetzen; ~ato bestürzt; ~azione f Bestürzung

costì dort, dorthin

costiera f Gestade n

costip|ato verstopft; erkältet; ~azione f Verstopfung

costit|uire bilden; (Gesellschaft) gründen; ~utore m Begründer; ~uzione f Gründung; Pol Verfassung

costo m Preis

còstola f Rippe

costoletta f Kotelett n; ~ alla milanese Wiener Schnitzel n

costoro die da, diese

costoso kostspielig

costringere [-dʒ-] zwingen

costr|uire bauen; ~uttore m

m Erbauer; ~uzione f Bau m; Gr Satzbildung

costui der da, dieser

costum|anza f Sitte; Gewohnheit; ~ato gesittet; gewöhnt

costume m Sitte f; Gewohnheit f; (Kleidung) Tracht f; Kostüm n; ~ da bagno (a due pezzi zweiteiliger) Badeanzug; ~ da sciatore Schianzug; mal ~ üble Sitte; buon ~ Anstand

cote f Schleifstein m

cotesto der da

cotidiano täglich

cotogna [-ɲa] f Quitte

coton|e m Baumwolle(nstaude) f; ~erie f/pl Baumwollwaren; ~ificio [-tʃo] m Baumwollspinnerei f

cotta f Kutte; Chorhemd n

còttimo m Akkord; lavorare a ~ im Akkord arbeiten

cotto gekocht, gebacken

cottura f Kochen n

cov|a f Brut; ~are ausbrüten

cov|ile m Lager n; ~o m Höhle f; Nest n

covone m Garbe f

crampo m Krampf

cranio m Schädel

cràpula f Schlemmerei

crapulare schwelgen

cratère m Krater

crauti m/pl àcidi [-tʃ-] Sauerkraut n

cravatta f Krawatte

~veanza f Erziehung; Anstand m

creare schaffen; ernennen

crea|to m Schöpfung f; **~tore** schöpferisch; m Schöpfer; **~tura** f Geschöpf n; **~zione** f Schöpfung

credenz|a f **1.** Anrichte; Küchenschrank m; **2.** Glaube m; Hdl Kredit m; **~ino** m Anrichte f; **~one** Leichtgläubige(r)

crédere glauben (**in** a acc); halten für

cred|ibile glaublich; **~ibilità** f Glaubwürdigkeit

crédito m Kredit; Guthaben n; fig Ansehen n; **méttere a ~** gutschreiben

cred|itore m Gläubiger; **~o** m Glaubensbekenntnis n

crèdulo leichtgläubig

crema f Creme; Sahne; **~ caramella** Karamelpudding m; **~ di gelato** Eiscreme; **~ da barba** Rasiercreme; **~ solare** Sonnenschutzcreme; **~ per la pelle** Hautcreme

crem|are verbrennen; **~atoio** m, **~atorio** m Krematorium n; **~azione** f Feuerbestattung

crèmisi m Karmesin n; karmesinrot

cren(no) m Meerrettich

crepa f Riß m; **~cuore** m Herzeleid n; Kummer

crep|are bersten; krepieren; springen (Glas); **~tura** f Riß m; Sprung m

crepit|are knistern; rascheln; **~io** m, **crèpito** m Geknister n; Rascheln f

crepùscolo m Dämmerung f

cresc|endo [-ʃ-] Mus anwachsend; **~enza** [-ʃ-] f Wachstum n

créscere [-ʃ-] wachsen; zunehmen

crescione [-ʃo-] m Kresse f

crèsima f Firmung

cresimare firmen

cresp|a f Falte; **~o** kraus; m Krepp

cret|a f Min Ton m; **~àceo** Kreide...

cretoso tonhaltig

cricch|e [-k-] krach!; **~iare** knistern; knirschen

cricco m Winde f; Wagenheber

criminale verbrecherisch; **diritto ~** Strafrecht n; **~ m** Verbrecher

crimine m Verbrechen n; **criminoso** verbrecherisch

crinale m Berggrat; Haarnadel f

crin|e m Roßhaar n; **~iera** f Mähne; **~o** m Roßhaar n

cripta f Grabgewölbe n

crisi f Krisis

cristall|ino kristallhell; **~izzare** kristallisieren

cristallo m Kristall m; (Fenster-)Scheibe f; **~ anteriore** Auto: Frontscheibe f

cristian|a f Christin; **~èsimo** m Christentum n; **~o** christlich; m Christ

Cristo m Christus

criterio f Maßstab

critica f Kritik

criticare bekritteln; tadeln

critico kritisch; m Kritiker

crivell|are durchlöchern;
~o m Sieb n

croccante knusp(e)rig; m
Mandelkuchen

crocchett|a [-k-] f Fleisch-
klößchen n; ~o m Häk-
chen n

crocchiare [-k-] knirschen

crocchio [-k-] m Gruppe f

croce [-tʃe] f Kreuz n;
~fisso m Kruzifix n; ~via
m Kreuzweg; Straßen-
kreuzung f

croc|iata [-tʃa-] f Kreuzzug
m; ~icchio [-tʃik-k-] m
Straßenkreuzung f; Esb
Knotenpunkt; ~iera [-tʃe-]
f Kreuzfahrt, Seereise;
Rundflug m; ~ifiggere
[-tʃifid-dʒ-] kreuzigen; ~i-
fissione f Kreuzigung;
~ifisso m Kruzifix n

croll|are schütteln; ein-
stürzen; ~o m Erschütte-
rung f; Einsturz

cromofotografia f Farb-
lichtbild n

cròn|aca f Chronik; ~ico
chronisch

cron|ista su Berichterstat-
ter(in f) m; ~ologia [-dʒ-]
f Chronologie; ~ològico
[-dʒ-] chronologisch

crosciare [-ʃa-] prasseln

crost|a f Kruste; Med
Schorf m; ~ata [-tʃ-] f Mürbe-
teigkuchen m

crucc|iare [-tʃa-] beküm-
mern; ~io [-tʃo] m Gram;
~ioso [-tʃo-] ärgerlich

crud|ele grausam; ~eltà f
Grausamkeit

crudo roh; rauh; hart;
mezzo ~ halbroh

cruna f (Nadel-)Öhr n

crusca f Kleie; Fam Som-
mersprossen f/pl

cruscottò m Armaturenbrett n

cùbico Kubik...

cubiforme würfelförmig

cubo kubisch; m Würfel;
Arith Kubikzahl f

cuccagna [-ɲa] f (a paese
m di ~) Schlaraffenland
n

cucchi|aino [-k-] m (da tè)
Teelöffel; ~aio m Löffel;
~aione m Suppenkelle f

cucc|o, ~ù m Kuckuck

cucin|a [-tʃ-] f Küche;
~are kochen; ~etta f Koch-
nische

cuc|ire [-tʃ-] nähen; màc-
china f da (per) ~ire
Nähmaschine; ~itrice
[-tʃitri:tʃe] f Näherin; ~i-
tura f Naht

cùculo m Kuckuck

cuffia f Haube; Thea Souf-
fleurkasten m; Radio:
Kopfhörer m; ~ asciuga-
capelli Trockenhaube; ~
da bagno Badekappe

cugin|a [-dʒ-] f Cousine;
~o m Vetter

cui den; di ~ von dem; il ~
nome dessen (deren) Name

culinari|a f Kochkunst; **_o** kulinarisch, Koch...

cull|a f Wiege; **_are** wiegen

culminare gipfeln

cùlmine m Gipfel

culto m Kultus; Religion f

cult|ore m Pfleger; **_ura** f Kultur; Bildung; **_urale** kulturell

cumul|are anhäufen; **_azione** f Anhäufung

cùmulo m Haufen; Anhäufung f

cuneiforme keilförmig

cùneo m Keil

cunetta f Querrinne

cunìcolo m unterirdischer Gang

cuòca f Köchin [Gang]

cuòcere [-tʃ-] kochen; bakken; braten; fig brennen

cuòco m Koch

cuoiaio m Lederhändler

cuòio m Leder n

cuor|e m Herz n; **di _e** aufrichtig; **stare a _e** am Herzen liegen; **_i** m/pl Kartensp Herz n

cupid|igia [-dʒa] f, **_ità** f Gier

cùpido gierig

cupo tief; finster

cùpola f Kuppel

cura f Pfarre; Sorge; Pflege; Sorgfalt; Med Behandlung; Kur; **_ del corpo** Körperpflege; **_ delle acque** Brunnenkur; **_ di acque minerali** Trinkkur; **_ a raggi ultravioletti** Behandlung mit Höhensonne; **_ di riposo** Liegekur

cur|àbile heilbar; **_are** sorgen für; achten auf (acc); Med behandeln; **_arsi di qc.** sich um et. kümmern; **_ato** m Pfarrer, Seelsorger

curios|ità f Neugierde; Sehenswürdigkeit; **_o** neugierig; sonderbar

curv|a f Kurve; Krümmung; **_are** krümmen; **_arsi** sich biegen (beugen)

curvo krumm; gebeugt

cuscinetto [-ʃ-] m Kissen; **_ a sfere** Kugellager n

cuscino [-ʃ-] m Kissen n

custod|e m Wärter; Aufseher; **_ia** f Aufsicht; Futteral n; **_ire** bewachen; (auf)bewahren; **_ito** bewacht

cutàneo Haut...

D

da von; aus; zu; bei; seit

vado dal mèdico ich gehe zum Arzt; **_ ieri** seit gestern; **tazza _ tè** Teetasse

dà er gibt

dabbene rechtschaffen

daccapo noch einmal

dacché [-ke] da; seitdem

dad|o m Würfel; **giocare ai _i** würfeln

damasco m Damast

dann|are verdammen; **_azione** f Verdammnis; fig

Plage; **~eggiare** [-dʒa-] beschädigen; schaden (*dat*)
danno *m* Schaden; *Auto:* **~ della lamiera** Blechschaden
dannoso schädlich
Danubio *m* Donau *f*
danz|a *f* Tanz *m*; **~are** tanzen
dappertutto (*od* **da per tutto**) überall
dap|prima zuerst; **~principio** [-tʃ-] von Anfang an
dare geben; **~ il buon giorno** guten Tag wünschen; **~ del tu** duzen; **darsi (a qc.)** sich widmen (*dat*)
data *f* Datum *n*; **~ di nàscita** Geburtsdatum *n*
datare datieren
dato gegeben; ergeben; **~ che** *cj* in Anbetracht, daß; da
dàtter|o *m* Dattel *f*; Dattelbaum; **~i** *m/pl* **di mare** Dattelmuscheln *f/pl*
dattilograf|are mit der Maschine schreiben; **~ia** *f* Maschinenschreiben *n*
dattilògrafo *m* Maschinenschreiber
dattiloscritto *m* Schreibmaschinentext
davanti *adv* vorn; *adj* Vorder...; *prp* **~ (a)** vor; *m* Vorderseite *f*, Vorderteil
davanzale *m* Fensterbrett *n*
davvero wirklich
dazi|àbile verzollbar; **~are** besteuern, Zoll erheben
dazio *m* Zoll(gebühr *f*); **~**

d'esportazione Ausfuhrzoll; **~ d'importazione** Einfuhrzoll
dea *f* Göttin
debbo ich muß
dèbito gebührend; *m* Schuld *f*; Pflicht *f*
debitore *m* Schuldner
dèbole schwach
debolezza *f* Schwäche
decad|enza *f* Verfall *m*; **~ere** verfallen
decapitare enthaupten
decente [-tʃ-] anständig
decenza [-tʃ-] *f* Anstand *m*
decesso [-tʃ-] *m* Todesfall
decid|ere [-tʃ-] beschließen; entscheiden; **~ersi** sich entschließen
decifrare [-tʃ-] entziffern
decim|ale [-tʃ-]: **sistema** *m* **~ale** Dezimalsystem *n*; **~are** dezimieren
decìmetro [-tʃ-] *m* Dezimeter *m*
dècimo [-tʃ-] *m* Zehntel *n*
decina [-tʃ-]: **una ~** etwa zehn
decis|ione [-tʃ-] *f* Entscheidung; **~ivo** entscheidend
deciso [-tʃ-] entschlossen
declam|are deklamieren; **~azione** *f* Deklamation
declin|are (sich) neigen; deklinieren; abweichen; ablehnen; **~azione** *f* Neigung; Abweichung; Deklination
declivio *m* Abhang
de|collare *Flgw* starten, abfliegen; **~collo** *m* Abflug

decomporre zerlegen; auflösen

decor|are schmücken; (*Orden*) verleihen; **~azione** *f* Ausschmückung; Orden *m*; **~o** *m* Anstand; Würde *f*

decrescenza [-ʃ-] *f* Abnahme

decréscere [-ʃ-] abnehmen

decr|etare verordnen; **~eto** *m* Erlaß

dèdica *f* Widmung

dedicare widmen; *Rel* weihen

dèdito ergeben

ded|urre folgern; ableiten; abziehen; **~uzione** *f* Folgerung

defin|ire bestimmen; **~itivo** endgültig; **~izione** *f* Erläuterung; Entscheidung

deform|are entstellen; **~tà** *f* Mißbildung

defraudare betrügen

defunto verstorben

degener|are [-dʒ-] entarten; **~azione** *f* Entartung [(*art*) gli]

degli [-ʎi]: (*prp*) di *mit*]

degn|are [-ɲ-] würdigen; **~arsi** geruhen; **~o** würdig; achtbar

dei: (*prp*) di *mit* (*art*) i

del: (*prp*) di *mit* (*art*) il

deleg|are beauftragen; bevollmächtigen; **~ato** *m* Delegierte(r); (*art* **~** *f* Delegation; Abordnung

deliber|are beraten; beschließen; **~azione** *f* Beschluß *m*

delic|atezza *f* Zartheit; Leckerei; **~ato** zart; zartfühlend

delimitare begrenzen

delineamento *m* Umriß

delitto *m* Verbrechen *n*

delizi|a *f* Wonne; Vergnügen *n*; **~oso** köstlich, entzückend

dell', della, delle, dello: (*prp*) di *mit* (*art*) l', la, le, lo

delusione *f* Enttäuschung

demanio *m* Domäne *f*

demarcazione *f* Abgrenzung

demolire niederreißen; abbrechen

demoralizzare demoralisieren; entmutigen

denar|o *m* Geld *n*; **~i** *pl* contanti Bargeld *n*

denomin|are benennen; **~atore** *m* Nenner; **~azione** *f* Benennung

denot|are andeuten; **~azione** *f* Andeutung

dens|ità *f* Dichtigkeit; **~o** dicht

dentario Zahn...; **nervo** *m* **~** Zahnnerv

dente *m* Zahn; *Mech* Zakken; **~ artificiale** künstlicher Zahn; **~ cariato** hohler Zahn; **~ guasto** brüchiger Zahn; **~ incisivo** Schneidezahn; **~ molare** Backenzahn; **~ occhiale** Augenzahn; **~ a perno** Stiftzahn

dèntice [-tʃe] *m* Zahnfisch

dent|iera *f* künstliches Ge-

63

destra

biß; Zahnrad n; **~ifricio** [-tʃo] zahnreinigend; **acqua** f **-a** Mundwasser n; **~ifricio** [-tʃo] m Zahnpaste, Zahnpulver n; **~ista** su Zahnarzt m, Zahnärztin f

dentro prp in; innerhalb; binnen; adv darin; innen; hinein; herein

denudare entblößen

denunci|a [-tʃa] od **denunzi|a** f Anzeige; Kündigung; **~are** anzeigen; anmelden; **~are il proprio arrivo** sich polizeilich anmelden; **~are la propria partenza** sich polizeilich abmelden

deodorante m Deodorant n

depil|are enthaaren; **~tore** m Enthaarungsmittel n

deplor|are (et) beklagen; (j-n) bedauern; **~évole** bedauernswert

deporre hinterlegen; ablegen; absetzen

depositare hinterlegen

depòsito m Aufbewahrung f; Lager n; **~ bagagli** Gepäckaufbewahrung f; **cassa** f **depòsiti** Depositenkasse

deposizione f Niederlegung; Rel Kreuzabnahme

depressione f Niederdrückung; Senkung

deprezzamento m: **~ monetario** Geldentwertung f

deprimere niederdrücken

depurare reinigen; läutern

deputato m Abgeordnete(r)

deragli|amento [-ʎa-] m Esb Entgleisung f; **~are** [-ʎa-] entgleisen

deridere auslachen

deriv|are ableiten; abstammen; **~azione** f Ableitung; Abstammung; Elektr Nebenanschluß m

derogare zuwiderhandeln

derubare bestehlen

descr|ivere beschreiben; **~izione** f Beschreibung, Schilderung

deserto óde; menschenleer; m Wüste f

desider|àbile wünschenswert; **~are** wünschen

desiderio m Wunsch; Verlangen n; **conforme al ~** wunschgemäß

designare bezeichnen

desinare zu Mittag essen; m Mittagessen n

desinenza f Endung

desistere abstehen

desol|are verwüsten; fig betrüben; **~ato** verwüstet, trostlos; tiefbetrübt

dessert m Nachtisch

dest|are wecken; **~arsi** aufwachen; erwachen

destin|are bestimmen; **~tario** m Empfänger; **~azione** f Bestimmung(sort m); **~o m** Schicksal n

destitu|ire absetzen; **~zione** f Absetzung

desto wach; fig aufgeweckt

destra f Rechte; a ~ rechts; **tenere la ~** rechts fahren (gehen)

destrezza f Geschicklichkeit

destro recht; geschickt

determin|are bestimmen; **~arsi** sich entschließen; **~ativo** bestimmend; **~azione** f Bestimmung; Entschluß m

detersivo m Waschpulver n

detestare verabscheuen

detonazione f Knall m

detr|arre abziehen; **~azione** f Herabsetzung

detronizzare entthronen

dettagli|ante [-ʎa-] su Einzelhändler(in f) m; **~ato** [-ʎa-] ausführlich; **~o** [-ʎo] m Einzelheit f; **véndere al ~o** einzeln verkaufen

dettare diktieren

detto gesagt

devastare verwüsten

deve er muß

devi|amento m Esb Entgleisung f; **~are** abweichen; entgleisen; **~azione** f Umleitung; Abzweigung

devo ich muß

devot|issimo ergebenst; **~o** ergeben; Rel andächtig

devozione f Ergebenheit; Rel Andacht

di von; aus; **~ ferro** aus Eisen; **io sono ~ Roma** ich bin aus Rom; **~ giorno** bei Tage; **soffrire ~** leiden an (dat); **~ chi è questo libro?** wem gehört dieses Buch?

diab|ete m Zuckerkrankheit f; **~ético** zuckerkrank

diabòlico teuflisch

diàfano durchsichtig

diaframma m Zwerchfell n

diàgnosi [-ɲ-] f Diagnose

dialetto m Dialekt, Mundart f

diàlogo m Zwiegespräch n

diamante m Diamant

diàmetro m Durchmesser

diamo wir geben

dianzi vor kurzem

diapositiva f Diapositiv n, Dia n

diario m Tagebuch n

diarrea f Durchfall m

diavolino m Lockenwickel

diàvolo m Teufel

dibàtt|ere erörtern; verhandeln; **~ersi** sich sträuben

dibattimento m Debatte f; Verhandlung f

dibàttito m Erörterung f

diboscare abholzen

dice [-tʃe] er sagt

dicembre [-tʃ-] m Dezember

dicerìa [-tʃ-] f Gerede n

dichiarare [-k-] erklären; deklarieren, angeben

dichiarazione [-k-] f Erklärung; **~ doganale** Zollerklärung; **~ di partenza** Abmeldung; **~ di soggiorno** Anmeldung

diciamo [-tʃa-] wir sagen

dico ich sage

diecina [-tʃ-] f Zehner m

dieta f Diät; Landtag m

dietètica f Ernährungslehre

dietro prp hinter; gemäß; adv hinten

difèndere verteidigen

difensivo verteidigend

difesa f Verteidigung; Schutz m; **legìttima** f Notwehr

difett|ivo mangelhaft; **~o** m Fehler; **~o di qc.** Mangel an et. (dat); **~oso** fehlerhaft; defekt

differen|te verschieden; **~za** f Unterschied m; Differenz; **~ziale** m Auto: Differential n; **~ziare** unterscheiden

differire verschieben; sich unterscheiden

difficile [-tʃ-] schwer; schwierig

difficoltà f Schwierigkeit

diffid|a f Warnung; **~are** warnen; **~are di qu.** j-m mißtrauen; **~enza** f Mißtrauen n

diffóndere verbreiten

difforme verschieden

diff|usione f Verbreitung; Radio: Übertragung; **~uso** weitläufig; **~usore** m di aria fresca Frischluftdüse f

difterite f Diphtherie

dige|ribile [-dʒ-] verdaulich; **~rire** verdauen; **~stione** f Verdauung

digiun|are [-dʒu-] fasten; **~o** nüchtern

dignità f [-ɲ-] f Würde; **~oso** würdig; würdevoll

digrad|amento m Abstufung f; Abtönung f; **~are** abstufen; Mal abtönen

digrassare entfetten

dilagare überschwemmen

dilat|àbile ausdehnbar; **~are** ausdehnen; **~azione** f Ausdehnung

dilett|ante m: **~ante di mùsica** Musikliebhaber; **~are** erfreuen; ergötzen; **~arsi** Vergnügen finden (di an dat); **~évole** angenehm

dilig|ente [-dʒ-] fleißig; **~enza** f Fleiß m

diluvi|are gießen; fig herabhageln; **~o** m Sintflut f

dimagr|are, ~ire abmagern

dimenare hin- und herbewegen; umrühren

dimensione f Umfang m

dimentic|àggine [-dʒ-] f Vergeßlichkeit; **~anza** f Unachtsamkeit; **~are** vergessen

dimétter|e absetzen; erlassen; **~si** zurücktreten

dimezzare halbieren

dimin|uire vermindern; (Preise) herabsetzen; **~utivo** vermindernd; m Verkleinerungsform f

dimission|are abdanken; **~e** f Entlassung

dimor|a f Aufenthalt m; Wohnsitz m; **~ante** wohnhaft; **~are** wohnen

dimostr|are beweisen; zeigen; **~ativo** Gr hinweisend; **~azione** f Beweis m; Kundgebung

dinamite f Dynamit n

dìnamo f Dynamo m; Auto: Lichtmaschine

dinanzi *prp* vor; *adv* vorn; *m* Vorderseite *f*

dindo *m* Pute *f*

dintorno *prp* um; *adv* umher; *m* Umriß; *mst* **-i** *pl* Umgegend *f*, Umgebung *f*

Dio *m* Gott; *pl* **gli** [ʎi] **dei** die Götter; **grazie a ~!** Gott sei Dank!; **per amor di ~** um Gottes willen

dipanare abwickeln

dipart|imento *m* Verwaltungsbezirk; **~ire** teilen; **~irsi** sich entfernen; **~ita** *f* Abreise

dipend|ente abhängig; *m* Untergebene(r); **~enza** *f* Abhängigkeit; Nebengebäude *n*

dipèndere abhängen

dipingere [-dʒ-] malen; *fig* beschreiben

diplomàtico diplomatisch; *m* Diplomat

dire sagen; (*Messe*) lesen; **vale a ~** das heißt; **voler ~** bedeuten; **dico sul serio** ich meine es im Ernst

dir|ettissimo *m* Schnellzug, D-Zug; **~etto** gerade; unmittelbar; direkt; (**treno** *m*) **~etto** *m* Eilzug, Schnellzug

direttore *m* Leiter; Direktor; **~ d'orchestra** Dirigent; **~ di ricezione** Empfangschef

direttrice [-tʃe] *f* Direktrice

direzione *f* Richtung; Leitung; **~ turistica** Reiseleitung

dirig|ere [-dʒ-] leiten; dirigieren; **~ersi** sich wenden

dirigìbile [-dʒ-] lenkbar

dirimpetto gegenüber

diritta *f* Rechte

diritto *adj* gerade; recht; *adv:* **andare sempre ~** immer geradeaus gehen; *m* Recht *n*; **~ di precedenza** Vorfahrt(srecht *n*) *f*

dirottamente heftig; bitterlich

dirup|ato abschüssig; **~o** *m* Abhang

disabitato unbewohnt

disabituare abgewöhnen

disaccordo *m* Uneinigkeit *f*; Mißklang

disadatto ungeeignet

disagévole [-dʒ-] beschwerlich

disagi|ato [-dʒa-] unbequem; **~o** [-dʒo] *m* Unbequemlichkeit *f*

disappetenza *f* Appetitlosigkeit

disapprov|are mißbilligen; **~azione** *f* Mißbilligung

disarm|are entwaffnen; **~o** *m* Abrüstung *f*

disar|monìa *f* Mißklang *m*; **~mònico** unharmonisch

disastro *m* schweres Unglück *n*

disatten|to unaufmerksam; **~zione** *f* Unaufmerksamkeit

disavvantaggi|are [-dʒa-] benachteiligen; **~o** [-dʒo] *m* Nachteil

disavventura *f* Unglück *n*

disborso m Auslage f

discàrico m Entlastung f

discendenza [-ʃ-] f Herkunft

discéndere [-ʃ-] herab-, hinab-steigen; abstammen; sinken

discépolo [-ʃ-] m Schüler

discérnere [-ʃ-] unterscheiden

discesa [-ʃ-] f Abhang m; Gefälle n; **~ libera** Abfahrtslauf m; **corsa** f **in ~** Talfahrt

disciògliere [-ʃɔːʎe-] auflösen; schmelzen

disciplina [-ʃ-] f Zucht; Lehrfach n

disc|o m Scheibe f; Diskus; Schallplatte f; **~o** m **microsolco** Langspielplatte f; **~òbolo** m Diskuswerfer

disconóscere [-ʃ-] verkennen

disc|ordanza f Mißklang m; **~ordia** f Uneinigkeit

disc|órrere reden; plaudern; **~orso** m Gespräch n; Rede f   [entfernt]

discost|are entfernen; **~o**

discr|eto mäßig; taktvoll; diskret; leidlich, ziemlich; **~ezione** f Verschwiegenheit; Diskretion

discussione f Erörterung

discùtere erörtern; verhandeln

disdegn|are [-zdeɲ-] verschmähen; **~ato** erzürnt

disdegno [-zde:ɲo] m Zorn; Verachtung f; **~so** unwillig; verächtlich

disdetta [-zd-] f Kündigung; fig Unglück n

disd|ire [-zd-] widerrufen; kündigen; **~irsi** sich widersprechen

disegn|are [-ɲ-] zeichnen; **~o** m Zeichnung f; Entwurf; fig Vorhaben n

diseredare enterben

diser|tare verheeren; desertieren; **~tore** m Deserteur, Fahnenflüchtige(r); **~zione** f Fahnenflucht

dis|fare auflösen; zerstören; (Naht) auftrennen; **~fatta** f Niederlage

disfida f Herausforderung

disgrazia [-zg-] f Unglück n; Unfall m; **per ~** unglücklicherweise; **~to** unglücklich; unglückselig

disgust|are [-zg-] anwidern; **~o** m Widerwille; **~oso** widerwärtig

disillusione f Enttäuschung

disimparare verlernen

disinf|ettante m Desinfektionsmittel n; **~ettare** desinfizieren; **~ezione** f Desinfektion

dismisura [-zm-] f Übermaß n

disoccupa|to unbeschäftigt; arbeitslos; **~zione** f Arbeitslosigkeit

disonest|à f Unehrlichkeit; **~o** unehrlich

dison|orare entehren; **~ore** m Unehre f; Schande f

disopra: al ~ di über

disordinare in Unordnung bringen; verwirren

disórdine *m* Unordnung *f*

disotto unten; **al ~ di** unter

dispaccio [-tʃo] *m* Depesche *f*

disparere *m* Meinungsverschiedenheit *f*

dispari ungerade

disparire verschwinden

disparte: in ~ beiseite

dispendio *m* Aufwand; **~so** kostspielig

dispensa *f* Verteilung; Speisekammer

dispensare befreien

dispepsìa *f* Verdauungsstörung

disper|ar(si) di verzweifeln an; **~ato** verzweifelt; **~azione** *f* Verzweiflung

dis|pèrdere vernichten; vergeuden; **~persione** *f* Vernichtung; Vergeudung

dispett|o *m* Ärger; Verachtung *f*; **a ~o di** zum Trotz (*dat*); **~oso** boshaft

dispiac|ente [-tʃ-] unangenehm; **~ere** mißfallen; leid tun (*dat*); *m* Bedauern *n*; **~évole** unangenehm

disponìbile verfügbar

disp|orre verfügen (**di** über *acc*); **~osizione** *f* Anordnung; (*natürliche*) Anlage (**a** zu); **méttere a ~osizione** zur Verfügung stellen; **~osto** geneigt (**a** zu)

disprezz|are verachten; **~o** *m* Verachtung *f*

dìsputa *f* Wortstreit *m*

disput|àbile streitig; **~are** erörtern; **~arsi qc.** sich um et. streiten

dissenso *m* Meinungsverschiedenheit *f*

dissenterìa *f* *Med* Ruhr

disserrare aufschließen

dissertazione *f* Abhandlung

dissetare den Durst löschen

dissidente andersdenkend

dissìmile unähnlich

dissimul|are heucheln; **~azione** *f* Verstellung

dissip|are zerstreuen; vergeuden; **~ato** leichtsinnig; **~azione** *f* Verschwendung

dissol|ùbile auflösbar; **~uzione** *f* Auflösung

dissolvente auflösend; **~ m dello smalto** Nagellackentferner

dissòlvere auflösen; zersetzen

dissomigli|ante [-ʎa-] unähnlich; **~anza** [-ʎa-] *f* Unähnlichkeit

disson|ante mißtönend; **~anza** *f* Dissonanz, Mißklang *m*; **~are** nicht übereinstimmen

dissuadere abraten

distacc|amento *m* Lostrennung *f*; **~are** loslösen; **~o** *m* Trennung *f*

dist|ante weit; entfernt; **~anza** *f* Entfernung, Abstand *m*; *fig* Unterschied *m*; **~are** entfernt sein

distèndere ausdehnen; ausbreiten

distensione *f* Ausdehnung; Ausbreitung

distesa *f* Fläche

distillare destillieren

distìnguere unterscheiden; auszeichnen; erkennen
distinguìbile unterscheidbar
distìnt|a f Liste; **~o** deutlich; *fig* vornehm; ausgezeichnet; **con ~i saluti** mit besten Grüßen
distinzione f Unterscheidung; Auszeichnung
distorsione f Verrenkung
distr|arre zerstreuen; **~azione** f Zerstreuung
distretto m Bezirk
distribuìre verteilen
distributore m: **~ automàtico** Automat; **~ di benzina** Tankstelle f
distribuzione f Verteilung; *am Postschalter:* Ausgabe
distr|ùggere [-dʒ-] zerstören, vernichten; **~uzione** f Zerstörung
disturb|are stören; **~o** m Störung f; **~i** m/pl circolatori Kreislaufstörungen f/pl
disubbid|iente ungehorsam; **~ienza** f Ungehorsam m; **~ire** ungehorsam sein
disugu|aglianza [-ʎa-] f Ungleichheit; **~ale** ungleich
disumano unmenschlich
disunione f Uneinigkeit
disùtile unnütz
ditale m Fingerhut; Fingerling (*Handschuh*)
dito m Finger; **~** (**del piede**) Zehe f
ditta f Firma

diurno Tages...; täglich
diva f Filmstar m
divagare zerstreuen; abschweifen
divano m Diwan
diven|ire, **~tare** werden
di|vergenza [-dʒ-] f Abweichung; *fig* Meinungsverschiedenheit; **~vèrgere** [-dʒ-] auseinanderlaufen; *fig* abweichen
divers|ione f Ableitung; Ablenkung; **~o** verschieden
divert|ente unterhaltend; **~imento** m Vergnügen n; **~irsi** sich amüsieren
divezz|are entwöhnen; **~o** entwöhnt
divìdere teilen; trennen
divieto m Verbot n; **~ di parcheggio** Parkverbot n; **~ di segnali acùstici** Hupverbot n; **~ di sorpasso** Überholverbot n; **~ di sosta** Halteverbot n
divinare wahrsagen
divinità f Göttlichkeit
divino göttlich
divìs|a f Wahlspruch m; Devise; Uniform; **~e** f/pl Devisen; **~ìbile** teilbar; **~ione** f Teilung; Abteilung; Trennung
divo m Filmstar
divor|are fressen; verschlingen; **~atore** verzehrend
divorzi|arsi sich scheiden lassen; **~o** m Ehescheidung f
dizionario m Wörterbuch n
do ich gebe

dobbiamo wir müssen

doccia [-tʃa] *f* Dusche

docente *su* Dozent(in *f*) *m*

dòcile [-tʃ-] fügsam; gelehrig

docum|entare beurkunden; **~entario** *m* Kulturfilm; **~entazione** *f* Beurkundung; Unterlagen *pl*

document|o *m* Urkunde *f*; **~i** *m/pl* Papiere *n/pl*, Ausweispapiere *n/pl*; **~i personali** Personalpapiere *n/pl*; **~i d'automòbile** Wagenpapiere *n/pl*

dodicèsimo [-tʃ-] zwölfte

dogan|a *f* Zoll *m*; Zollamt *n*; **soggetto a ~a** zollpflichtig; **~ale** Zoll...; **~iere** *m* Zollbeamte(r)

dogli|a [-ʎa] *f* Schmerz *m*; **~anza** [-ʎa-] *f* Beschwerde

dolc|e [-tʃe] süß; sanft; mild; *fig* stimmhaft; *m* Süßspeise *f*; **~i** *m/pl* Süßigkeiten *f/pl*

dolc|ezza [-tʃ-] *f* Süße; Sanftheit, Weichheit; **~ificare** versüßen; mildern

dolente traurig; **èssere ~** bedauern (**di qc.** *od* **qu. et.** *od* j-n)

dol|ere schmerzen; leid tun; **~ersi** sich beklagen (**di** über *acc*)

dòllaro *m* Dollar [*m/pl*]

Dolomiti *f/pl* Dolomiten]

dolor|e *m* Schmerz; **~oso** schmerzhaft; schmerzlich

domanda *f* Frage; Gesuch *n*; Bitte

domandare verlangen; **~ a**

qu. j-n fragen; **~ di qu.** nach j-m fragen; **~ qc. a qu.** j-n um et. bitten; **~ perdono** um Verzeihung bitten

domani morgen; **l'altro ~** übermorgen; **~ sera** morgen abend; **~ a otto** morgen in acht Tagen

domare bändigen; zähmen; *fig* bezwingen

domattina morgen früh

domènica *f* Sonntag *m*

do|mèstica *f* Hausangestellte; **~mesticare** zähmen

domèstico häuslich; **animale** *m* ~ Haustier *n*

domicili|ato [-tʃ-] wohnhaft; **~o** *m* Wohnsitz, Wohnort

domin|are (be)herrschen; **~io** *m* Herrschaft *f*; Domäne *f*

don|are schenken; **~atore** *m* Geber; **~azione** *f* Schenkung

donde woher; von wo aus

dondolare schaukeln

dóndolo *m* Gehänge *n*; Pendel

donna *f* Frau; (*Kartensp*) Dame; **~ di servizio** Dienstmädchen *n*

dono *m* Geschenk *n*; *fig* Gabe *f*

dopo *prp* nach; *adv* nachher; *cj* ~ **che** nachdem; **~domani** übermorgen

dopo|guerra *m* Nachkriegszeit *f*; **~pranzo** *m* Nachmittag

doppi|are verdoppeln; *Film:* synchronisieren; ~o doppelt; ~one *m* Duplikat*n*

dor|are vergolden; ~ato vergoldet; goldfarbig

dòrico dorisch

dorm|iente schlafend; ~icchiare** [-k-] schlummern; ~iglione** [-ʎo-] *m* Langschläfer; ~ire** schlafen; ~itorio** *m* Schlafraum

dorsale: spina *f* ~ Wirbelsäule, Rückgrat *n*

dorso *m* Rücken

dose *f* Dosis

dosso *m* Rücken

dot|are ausstatten; ~azione** *f* Ausstattung; Stiftung

dote *f* Mitgift

dotto gelehrt; *m* Gelehrte(*m*)

dottor|e (*Abk* **dott.**) *m* Doktor; ~essa** *f* Doktorin

dottr|ina *f* Lehre; Gelehrsamkeit; *Rel* Katechismus *m*

dove wo; wohin

dover|e müssen; sollen; verdanken; sollen; *m* Pflicht *f*; ~oso** gebührend

dovizi|a *f* Überfluß *m*; ~oso** reich

dovunque wo auch immer

dovuto gemußt

dozzina *f* Dutzend *n*

dramm|a *m* Drama *n*; ~àtico** dramatisch; ~aturgo** *m* Dramaturg

drappeggiare [-dʒa-] drapieren

dràstico drastisch

drog|a *f* Gewürz *n*; ~are** würzen

drogh|erìa *f* Drogenhandlung; Drogerie; ~erìe** *pl* Drogenwaren; ~iere** *m* Drogenhändler, Drogist

dubbio *m* Zweifel; **méttere qc. in** ~ et. bezweifeln

dubbioso zweifelhaft

dubitare zweifeln (**di** an *dat*)

duca *m* Herzog

duchessa [-k-] *f* Herzogin

due zwei; **a** ~ **a** ~ zu zweien; **tutt'e** ~ alle beide; ~ **parole** ein paar Worte

duell|are sich duellieren; ~o** *m* Duell *n*, Zweikampf

duetto *m* Duett *n*

duna *f* Düne

dunque also

duomo *m* Dom

duplic|are verdoppeln; ~ato** *m* Duplikat *n*

dùplice [-tʃe] zweifach

duplo doppelt

dur|ante während; ~are** dauern; aushalten; halten (*Stoff*); ~ata** *f* Dauer; ~ata di volo** Flugzeit

dur|ezza *f* Härte; ~o** hart; schwer (*Arbeit*); ~o d'orecchio** schwerhörig

e   72

E

e und; e... e... sowohl ... als
  auch
è er ist
èbano *m* Ebenholz *n*
ebbe er bekam
ebbene nun
èbbero sie bekamen
ebbi ich bekam
ebràico hebräisch
ebreo *m* Jude
ecc. = eccètera usw.
eccèdere [-tʃ-] überschreiten; ~ in qc. et. übermäßig
  tun
eccell|ente [-tʃ-] vortreff-
  lich; ausgezeichnet; ~enza
  f Vortrefflichkeit; Exzel-
  lenz
eccess|ivo [-tʃ-] übermä-
  ßig; übertrieben; ~o *m*
  Übermaß *n*; Ausschreitung
  f
eccètera [-tʃ-] und so weiter
eccetto [-tʃ-] ausgenom-
  men; ~ te außer dir
eccettuare [-tʃ-] ausneh-
  men
eccez|ionale [-tʃ-] außer-
  gewöhnlich; ~ione *f* Ausnahme; per ~ione aus-
  nahmsweise
eccit|ante [-tʃ-] anregend;
  m Reizmittel *n*; ~are er-
  an-, aufregen; ~azione *f*
  Erregung; Aufregung
ecclesiàstico geistlich; *m*
  Geistliche(r)
ècco sieh da; hier (*od* da)
  ist (sind); ~mi hier bin ich;

~lo hier ist er; èccoti il
  libro da hast du das Buch
echeggiare [eked-dʒa-] widerhallen
eco *f* Echo *n*
economìa *f* Ökonomie;
  Wirtschaft; Sparsamkeit;
  ~ aziendale Betriebswirt-
  schaft; fare ~ sparen
econòmico wirtschaftlich;
  sparsam
ecònomo *m* Verwalter
eczema [-dz-] *m* Ekzem *n*
ed = e (*vor Vokalen*)
èdera *f* Efeu *m*
edìcola *f* Nische; Kiosk *m*
edific|ante *fig* erbaulich;
  ~are bauen; erbauen; ~a-
  tore *m* Erbauer
edifì|cio [-tʃo] *m*, ~zio *n*
  Gebäude *n*
edit|ore *m* Verleger; casa *f*
  ~rice [-tʃe] Verlag *m*
editto *m* Edikt *n*
edizione *f* Ausgabe; Auflage
educ|are erziehen; ~ato
  wohlerzogen; ~azione *f*
  Erziehung; Ausbildung
effervescente [-ʃ-] aufbrau-
  send
effett|ivo wirklich; ~o *m*
  Wirkung *f*; Wertpapier *n*;
  fare ~o wirken; mandare
  ad ~o, ~uare ausführen
effic|ace [-tʃe] wirksam;
  ~acia [-tʃa] *f* Wirksamkeit
egli [-ʎi] er; es
ego|ìsmo [-zmo] *m* Selbst-

sucht *f*; **~ista** selbstsüchtig; *m* Egoist

egregio [-dʒo] ausgezeichnet; verehrt

eguagli|amento [-ʎa-] *m* Gleichstellung *f*; **~anza** [-ʎa-] *f* Gleichheit; **~are** [-ʎa-] gleichmachen

eguale gleich

eh? nun?; **~m!** hm!

elabor|are ausarbeiten; **~azione** *f* Verarbeitung

elasticità [-tʃ-] *f* Spannkraft

elàstico elastisch; *m* Gummiband *n*

elefante *m* Elefant

eleg|ante elegant; fein; **~anza** *f* Eleganz

elèggere [-dʒ-] wählen (a zu); erwählen

elementare elementar; Ur...; **scuola** *f* **~** Grundschule

element|o *m* Element *n*; **~i** *m/pl* Grundlagen *f/pl*

elemòsina *f* Almosen *n*

elemosinare betteln

elenco *m* Verzeichnis *n*; **~ degli indirizzi** Adreßbuch *n*; **~ telefònico** Telefonbuch *n*

elett|a *f* Auslese; **~o** auserwählt; **~ore** *m* Wähler; **~rice** [-tʃe] *f* Wählerin

elettricista [-tʃ-] *m* Elektriker [trizität]

elettricità [-tʃ-] *f* Elek-]

elèttrico elektrisch

elettr|izzare elektrisieren; **~izzazione** *f* Elektrisierung

elettro *m* Bernstein; **~motrice** [-tʃe] *f* Schienenbus *m*; **~tècnica** *f* Elektrotechnik; **~tècnico** *m* Elektrotechniker

elev|are erheben; **~atezza** *f* Erhabenheit; **~ato** hoch; *fig* erhaben; **~azione** *f* Erhebung

elezione *f* Wahl

èlica *f* Gewinde *n*; Schiffsschraube; Propeller *m*

elicòttero *m* Hubschrauber

elimin|are beseitigen; **~azione** *f* Beseitigung; Ausscheidung

ella sie

elmo *m* Helm

elogi|are [-dʒa-] loben; **~o** [-dʒo] *m* Lobrede *f*

eloqu|ente beredt; **~enza** *f* Beredsamkeit

eman|are ausströmen; **~azione** *f* Ausströmung

emancip|are [-tʃ-] befreien; **~azione** *f* Befreiung

emergenza [-dʒ-] *f* Vorfall *m*

emèrgere [-dʒ-] emportauchen

emèrito ausgedient

eméttere ausgeben; in Umlauf bringen

emicrania *f* Migräne

emigr|ante *m* Auswanderer; **~are** auswandern; **~ato** *m* Flüchtling; **~azione** *f* Auswanderung

emin|ente hervorragend; **~enza** *f* Anhöhe; Eminenz

emisfero *m* Halbkugel *f*

emissione f Ausgabe; **banca** f **di** ~ Notenbank

emorragìa [-dʒ-] f Blutung; ~ **nasale** Nasenbluten n

emorròidi f/pl Hämorrhoiden

emostàtico blutstillend

émpiere, empire (an)füllen

empio gottlos; ruchlos

emporio m Handelsplatz

emulare qu. j-m nacheifern

energìa [-dʒ-] f Energie, Tatkraft

enèrgico [-dʒ-] energisch, kraftvoll

ènfasi f Nachdruck m

enigm|a (a **enimma**) m Rätsel n; ~**àtico** rätselhaft

enorme ungeheuer

ente m **per il turismo** Fremdenverkehrsamt n

entrambi beide

entrare eintreten; hineingehen; fig sich einmischen

entrata f Eingang m; Einfahrt; Beitritt m; Einmarsch m; Zutritt m

entro binnen

entusi|asmare [-zm-] begeistern; ~**asmo** [-zm-] m Begeisterung f; ~**àstico** begeistert

enumer|are aufzählen; ~**azione** f Aufzählung

èpic|a f Epik; ~**o** episch

epidemìa f Epidemie

epidèmico epidemisch

epidèrmide f Oberhaut

epìgrafe f Inschrift

episcop|ale bischöflich; ~**ato** m Bistum n; Bischofswürde f

epistolare: stile m ~ Briefstil

epitaffio m Grabschrift f

època f Epoche

eppure und doch

equatore m Äquator

equestre: statua f ~ Reiterstandbild n

equi|librio m Gleichgewicht n; ~**nozio** m Tagundnachtgleiche f

equipaggiamento [-dʒa-] m Ausrüstung f; ~ **per il campeggio** Campingausrüstung f

equi|paggiare [-dʒa-] ausrüsten; ~**paggio** [-dʒo] m Besatzung f; Mannschaft f; ~**tazione** f Reitsport m

equivalente gleichwertig

equìvoco zweideutig; m Versehen n

equo billig, gerecht

era[1] f Ära, Zeitrechnung; ~ **volgare** christliche Zeitrechnung

era[2] er war

èrano sie waren

eravamo wir waren; ~**te** ihr wart

erb|a f Gras n; ~**a cipollina** Schnittlauch m; ~**e** f/pl Gemüse n; Kräuter n/pl

erb|accia [-tʃa] f Unkraut n; ~**ivéndolo** m Gemüsehändler

ered|e su Erbe m, Erbin f; ~**ità** f Erbschaft; ~**itare** erben; ~**itario** erblich

esibizione

eremìta *m* Einsiedler

erètico ketzerisch; *m* Ketzer

ergàstolo *m* Zuchthaus *n*

eri du warst

erìg|ere [-dʒ-] errichten; gründen; **~ersi** sich erheben

ermètico luftdicht

erni|a *f* Bruch *m*; cinto *m* **~ario** Bruchband *n*

ero ich war

er|oe *m* Held; **~òico** heroisch, heldenmütig

èrpice [-ʃe] *m* Egge *f*

err|abondo umherirrend; **~are** (sich) irren; **~ore** *m* Irrtum; Fehler

erta *f* steile Anhöhe; stare all'**~** auf der Hut sein

erto steil

erud|ìto gelehrt; *m* Gelehrte(r); **~izione** *f* Gelehrsamkeit

eruttare (*Lava*) auswerfen

eruzione *f* Ausbruch *m* (*Vulkan*); Ausschlag *m*

esager|are [-dʒ-] übertreiben; **~azione** *f* Übertreibung

esal|are ausdünsten; **~azione** *f* Ausdünstung

esaltato überspannt; überschwenglich

esam|e *m* Prüfung *f*; **~inare** prüfen

esangue blutleer

esatt|ezza *f* Genauigkeit; **~o** genau

esaudire erhören

esaur|ire erschöpfen; ver-

brauchen; **~ito** vergriffen; ausverkauft

esca *f* Lockspeise; Köder *m*

esce [-ʃe] er geht (hin)aus

esclamare ausrufen

esclamazione *f* Ausruf *m*; punto *m* d'**~** Ausrufungszeichen *n*

esclùdere ausschließen

esclus|ione *f* Ausschluß *m*; **~ivamente** ausschließlich; **~ivo** exklusiv

esco ich gehe (hin)aus

escoriazione *f* Hautabschürfung

escursione *f* Ausflug *m*; **~** ciclistica Radtour; **~ di un (mezzo) giorno** (Halb-)Tagesausflug *m*; **~ a terra** (*od* nel retroterra) Landausflug *m*

esecutore *m* Vollstrecker

esecuzione *f* Ausführung; *jur* Vollstreckung

esegu|ibile ausführbar; **~ire** ausführen; *fig* vortragen

esempio *m* Beispiel *n*; per **~** zum Beispiel

esemplare musterhaft; *m* Muster *n*; Exemplar *n*

esente befreit, frei; **~ da dogana** zollfrei

esèquie *f/pl* Leichenfeier *f*

eserc|ire [-tʃ-] betreiben; **~itare** (aus)üben; praktizieren (*Arzt*); **~itazione** *f* Übung

esèrcito [-tʃ-] *m* Heer *n*

esercizio [-tʃ-] *m* Übung *f*

esib|ire vorweisen; anbieten; **~izione** *f* Vorzeigen *n*

esig|ente [-dʒ-] anspruchs-
voll; **~enza** f Erfordernis
n, Anspruch m

esigere [-dʒ-] verlangen

esili|are verbannen; **~o** m
Verbannung f

esistenza f Bestehen n;
Dasein n; Existenz

esistere bestehen; existieren

esitare zögern

èsito m Ausgang; Ergebnis
n

esòfago m Speiseröhre f

esorbitante übermäßig

esòtico fremdländisch

espàndere ausdehnen

espans|ibile ausdehnbar;
~ione f Ausdehnung; **~o**
dehnbar; fig offenherzig

espatriare auswandern

espediente m Ausweg

espèllere ausstoßen

esper|ienza f Erfahrung;
~imentare versuchen;
probieren; **~imento** m
Versuch; Experiment n

esperto erfahren; m Sach-
verständige(r)

espi|are büßen; sühnen;
~atore m Büßer; **~azione**
f Sühne

espilazione f Unterschla-
gung

espir|are ausatmen; **~a-
zione** f Ausatmung

esplòdere abschießen; ex-
plodieren

esplor|are erforschen; er-
kundschaften; **~atore** m
Forschungsreisende(r) m;
~azione f Erforschung

esplosione f Explosion;
fig Ausbruch m

esporre ausstellen; aus-
setzen

esport|are exportieren, aus-
führen; **~azione** f Export
m, Ausfuhr

esposìmetro m Belich-
tungsmesser

esposizione f Ausstellung;
Darlegung

espress|ione f Ausdruck
m; **~ivo** ausdrucksvoll

espresso ausdrücklich; m
Eilbrief; Eilzug; (**caffè**) **~**
Espresso; **per ~** durch
Eilboten

esprìmere ausdrücken

espropri|are enteignen;
~azione f Enteignung

espulsione f Pol Aus-
weisung

ess|a sie; **~e** f/pl sie

essenz|a f Wesen n; Es-
senz; Benzin n; **~iale**
wesentlich; m Hauptsache f

èssere sein; **~ di qu.** j-m gehören; m Wesen n; Zustand

esso er

est m Osten; **all'~ di** östlich
von

èstasi f Verzückung

estasiarsi in Verzückung
geraten

estate f Sommer m

estemporàneo unvorberei-
tet

estènd|ere ausdehnen;
~ersi sich erstrecken

esten|sione f Ausdehnung;
~sivo ausdehnbar; weit

estenuare entkräften

faccio

esteriore äußerlich; m Äußere(s) n

esterminare vernichten, ausrotten

esterno äußerer; m Außenseite f

èster|o ausländisch; **ministro** m **degli (affari)** ∼i Außenminister; ∼o m Ausland n

estètico ästhetisch

estìnguere löschen; tilgen

estintore m Feuerlöscher

estivo sommerlich

estràneo fremd; m Fremde(r)

estr|arre herausziehen; *Bgb* gewinnen; (*Los*) ziehen; ∼atto m Auszug; Gewinnnummer f; Extrakt; ∼atto di conto Kontoauszug

estr|emità f äußerste(s) Ende n; ∼emo äußerst; m äußerste(s) Ende n

esuberante übermäßig

èsule m Verbannte(r)

esultare frohlocken

età f Alter n; Zeitalter n; ∼ màssima Höchstalter n

ètere m Äther

etern|ità f Ewigkeit; **(in)** ∼o ewig

ètica f Ethik; Sittenlehre

etichetta [-k-] f Förmlichkeit; Etikett n

èttaro m Hektar n

ett|o(grammo) m hundert Gramm n/pl, Hektogramm n; ∼òlitro m Hektoliter n

Europ|a f Europa n; ∼eo europäisch; m Europäer

evacu|ativo abführend; ∼azione f Stuhlgang m; Räumung

evàdere erledigen; ausbrechen

evaporarsi verdunsten

evento m Ereignis n

eviden|te offenbar; deutlich; ∼za f Klarheit

evitare vermeiden

evviva! hoch!; er lebe hoch!

F

fa er macht; **3 anni** ∼ vor 3 Jahren [brik]

fàbbrica f Gebäude n; Fa-∫

fabbric|ante m Fabrikant; ∼are herstellen; verfertigen; ∼ato m Fabrikat n; Gebäude n; Häuserblock; ∼atore m Hersteller; ∼azione f Herstellung

fabbro m Schmied; ∼ meccànico Maschinenschlosser

faccenda [-tʃ-] f Angelegenheit; Geschäft n

facchinàggio [-kinad-dʒo] m *Esb* Trägerlohn

facchino [-k-] m Gepäckträger

faccia [-tʃa] f Gesicht n; Aussehen n; **di** ∼ gegenüber; ∼mo [-tʃa] wir machen; ∼ta [-tʃa-] f Fassade; Vorderseite

faccio [-tʃo] ich mache

fac|eto [-tʃ-] spaßhaft; witzig; **~ezia** f Spaß m; Witz m

fàcile [-tʃ-] leicht; **~ a crédere** leichtgläubig

facil|ità [-tʃ-] f Leichtigkeit; **~itare** erleichtern; **~itazione** f Erleichterung

facol|tà f Fähigkeit; Fakultät; **~tativo** beliebig

facondo redegewandt

fagg|io [-dʒo] m Buche f; **~iuola** [-dʒu-] f Buchecker

fagiano [-dʒa-] m Fasan

fagi|olini [-dʒo-] m/pl grüne Bohnen f/pl, Schnittbohnen f/pl; **~uolo** [-dʒu-] m Bohne f

fagotto m Bündel n

falcat|o sichelförmig; **luna f ~a** Mondsichel

falce [-tʃe] f Sichel

fal|ciare [-tʃa-] (ab)mähen; heuen; **~ciatore** [-tʃa-] m Schnitter; **~ciatrice** [-tʃatri:tʃe] f Mähmaschine

falco m Falke

fald|a f Schicht; Rockschoß m; (Schnee-)Flocke; (Hut-)Krempe; **~oso** blätterig

falegn|ame [-ɲ-] m Tischler; **~ameria** f Tischlerei

fall|ibile fehlbar; **~imento** m Bankrott; **~ire** (ver-)fehlen; fehlschlagen; **~ito** aussichtslos; **~o** m Fehler; **senza ~o** ohne Zweifel

fals|amonete m Falschmünzer; **~are** fälschen; **~ariga** f Linienblatt n

falsific|are fälschen; **~azione** f Fälschung

fals|ità f Falschheit; **~o** falsch

fama f Ruf m; Gerücht n

fame f Hunger m; **aver ~** hungrig sein

famigli|a [-ʎa] f Familie; **~are** [-ʎa-] häuslich; vertraulich; **~arità** f Vertraulichkeit

famoso berühmt

fanal|e m Straßenlaterne f; Leuchtturm; Auto: Scheinwerfer, Lampe f; **~e òttico** Lichthupe f; **~e posteriore** Schlußlicht n, Rückstrahler; **~i** m/pl **d'arresto** Bremslichter n/pl

fanalino m Auto: **~ posteriore** Schlußlicht n; **~ di posizione** Standlicht n; **~ stop** Stopplicht n

fanàtico fanatisch

fanatizzare begeistern

fanciull|a [-tʃu-] f Mädchen n; **~ezza** f Kindheit; **~o** kindisch; m Kind n

fanfara f Fanfare

fango m Schlamm; allg Schmutz; **fanghi** [-gi] m/pl Moorbad n

fangoso schlammig

fant|asia f Phantasie, Einbildung(skraft); **~asma** [-zma] m Phantom n; Gespenst n; **~asticare** phantasieren; **~àstico** phantastisch

fant|e m Infanterist; Kartensp Bube; **~erìa** f Infanterie

fardello m Bündel n

far|e machen; tun; **~e il**

mèdico Arzt sein; **~e il pieno** tanken; **~si werden**; **sul ~si del giorno** bei Tagesanbruch

farfalla f Schmetterling m

farin|a f Mehl n; **~ata** f Mehlbrei m

faringite [-dʒ-] f Rachenkatarrh m

farinoso mehlhaltig; mehlig

farmac|èutica [-tʃ-] f Pharmazie; **~ìa** [-tʃ-] f Apotheke; **~ista** m Apotheker

far|o m Leuchtturm; Scheinwerfer; **~i** mpl abbaglianti Fernlicht n

farsa f Posse

fascetta [-ʃ-] f Korsett m

fascia [-ʃa] f Binde; Windel; **~ di garza** Mullbinde; **sotto ~** unter Kreuzband

fasci|are [-ʃa-] umwickeln; verbinden; **~atura** [-ʃa-] f Chir Verband m

fascicolo [-ʃ-] m Heft n (e-r Zeitschrift)

fascinare [-ʃ-] f bezaubern

fàscino [-ʃ-] m Zauber

fascio [-ʃo] m Bündel n; **andare in ~** zugrunde gehen

fastidio m Langeweile f; Verdruß; **dare ~ a qu.** j-n belästigen, stören

fasto m Prunk

fat|a f Fee; **~ale** verhängnisvoll; **~alità** f Verhängnis n; **~are** behexen

fatic|a f Mühe; **~are** er-

müden; **~arsi** sich anstrengen; **~oso** mühsam

fato m Schicksal n

fatto getan; m Tat f; Angelegenheit f; **sul ~** auf frischer Tat; **di ~** in Wirklichkeit

fatt|ore m Verwalter; Agent; **~orino** m Bote; Laufbursche; **~ura** f Rechnung

fàtuo albern; oberflächlich

fausto glückverheißend; erfreulich

fautore m Gönner

fàvola f Fabel

favoloso fabelhaft

favore m Gunst f; Gefälligkeit f; **per ~** bitte; **prezzo m di ~** Vorzugspreis; **fare un ~ a c-n** Gefallen tun

favor|eggiare [-dʒa-] begünstigen; **~évole** günstig; **~ire** begünstigen; die Gefälligkeit haben; **~ito** begünstigt; m Günstling

fazzoletto m Taschentuch n; **~ da collo** Halstuch n; **~ da testa** Kopftuch n; **~ di carta** Papiertaschentuch n

febbraio m Februar

febbr|e f Fieber n; **~icitante** fieberkrank; **~ile** fieberhaft

fècola f Stärkemehl n

fecond|ità f Fruchtbarkeit; **~o** fruchtbar

fede f Glaube m; Treue; **prestar ~** Glauben schenken; **~le** treu

fèdera f (Kissen-)Bezug m

federale

federale 80

feder|ale Bundes...; **∼ato**
verbündet; **∼azione** f
Bund m

fégato m Leber f; fig Mut m

fel|ice [-tʃe] glücklich; **∼i-
cità** [-tʃ-] f Glück n

felicit|are [-tʃ-] beglücken;
beglückwünschen; **∼a-
zione** f Glückwunsch

felpa f Plüsch m

feltro m Filz m

felze m Gondelkajüte f

fémmina f Zo Weibchen n

femmin|esco weiblich;
weibisch; **∼ile: scuola** f
∼ile Mädchenschule

fèmore m Oberschenkel m

fèndere spalten

fenditura f Spaltung f

fenicato Karbol...

feriale: giorno m **∼** Werk-
tag

ferie f/pl Ferien pl

fer|ire verwunden, verlet-
zen; **∼ita** f Wunde, Ver-
letzung; **∼ita di taglio**
Schnittwunde; **∼ito** m Ver-
wundete(r)

ferma! halt!

fermaglio [-ʎo] m Schnalle; Spange; Haarklemme;
Brosche; **∼ dentario** Zahn-
spange

ferm|are anhalten; befe-
stigen (**a an** dat); **∼arsi**
(an)halten; stehenbleiben;
sich aufhalten

fermata f Aufenthalt m;
Haltestelle; **∼ dell'àutobus** Bushaltestelle; **∼ a
richiesta, ∼ facoltativa**
Bedarfshaltestelle; **∼ ob-**

bligatoria ständige Haltestelle

ferment|are gären; **∼a-
zione** f Gärung

fermezza f Festigkeit f; fig
Beständigkeit

ferm|o fest; ruhig; bestän-
dig; **terra** f **∼a** Festland n;
per ∼o bestimmt; **∼o in
posta** postlagernd

fer|oce [-tʃe] wild; grau-
sam; **∼ocia** [-tʃa] f Wild-
heit

ferraio m Eisenschmied

ferr|ame m Eisenwaren
f/pl; **∼are** (mit Eisen) beschlagen

ferr|o m Eisen n; Werkzeug
n; **∼o da stiro** Bügeleisen
n; Kochk **ai ∼i** vom Rost

ferrovìa f Eisenbahn; **∼
suburbana** Vorortbahn

ferroviere m Eisenbah-
ner

fèrtile fruchtbar

fertil|ità f Fruchtbarkeit;
∼izzare fruchtbar machen

fèrvere glühen

fèrvido glühend; inbrün-
stig

fervore m Inbrunst f

fessura f Riß m; Spalt m

festa f Fest n; Feiertag m;
∼ a bordo Bordfest n; **∼
nazionale** Nationalfeier-
tag m

fest|eggiare [-dʒa-] feiern;
∼ival m Musikfest n; **∼ivo**
festlich; **∼oso** festlich

fetta f Scheibe; Schnitte;
∼ di torta Tortenschnitte

fiaba f Märchen n

fiac|care ermatten; **~chezza** [-k-] f Schlappheit

fiàccola f Fackel

fiamm|a f Flamme; Mar Wimpel m; **~eggiare** [-dʒa-] flammen; **~ifero** m Streichholz n

fianc|are flankieren; **~o** m Seite f; Flanke f

fiaschetteria [-sk-] f Weinstube

fiasco m Strohflasche f; fig Fiasko n, Mißerfolg

fiat|are atmen; **~o** m Atem; Hauch; **senza ~o** fig sprachlos; **in un ~o** in e-m (Atem-)Zug

fibbia f Schnalle

fibr|a f Faser, Fiber; **~oso** faserig

fico m Feige f; Feigenbaum

fidanz|amento m Verlobung f; **~are** verloben; **~ata** f Braut; **~ato** m Bräutigam

fid|are (an)vertrauen; **~arsi di qu. (qc.)** j-m trauen; auf et. (aco) vertrauen; **~arsi di fare qc.** sich et. getrauen

fido treu; m Kredit

fiducia [-tʃa] f Vertrauen n

fien|agione [-dʒo-] f Heuernte; **~o** m Heu n

fiera f wildes Tier n; Messe; Jahrmarkt m; **~ campionaria** Mustermesse

fier|ezza f Wildheit; **~o** wild; stolz

figgere [-dʒ-] stecken; (Augen) heften

figli|a [-ʎa] f Tochter; **~astra** [-ʎa-] f Stieftochter; **~astro** [-ʎa-] m Stiefsohn; **~o** [-ʎo] m Sohn; **~occia** [-ʎot-tʃa] f, **~occio** [-ʎot-tʃo] m Patenkind n; **~uola** [-ʎu-] f Tochter; **~uolo** [-ʎu-] m Sohn

figura f Figur; Gestalt

figur|àbile denkbar; **~are** darstellen; **~arsi** sich denken; sich vorstellen; **~ato** bildlich

fila f Reihe; **fare la ~** sich anstellen; **in ~ indiana** hintereinander

filanda f Spinnerei

filàntropo m Menschenfreund

filare spinnen; laufen

filetto m Filet n

film m Film; **~ giallo** Kriminalfilm; **~ sonoro** Tonfilm; **~ a colori** Farbfilm; **girare un ~** e-n Film drehen

filo m Faden; Garn n, Zwirn; **~ conduttore** Zuleitungsschnur f; **~ da cucire** Nähgarn n; **~ da rammendare** Stopfgarn n; **~ di ferro** Draht

filobus m Obus

filòlogo m Philologe

filoso faserig

filosofia f Philosophie

filòsofo m Philosoph

filtrare filtrieren

filtro m Filter; **~ giallo** Fot Gelbfilter

filugello [-dʒ-] m Seidenraupe f

filza f Kette, Reihe

finale 82

final|e endgültig; **~mente** endlich; schließlich

finanz|e f/pl Finanzen; **~iare** finanzieren; **~iario** finanziell

finché [-ke] bis; solange als

fine fein; m Zweck; f Ende n; **in ~** schließlich

finestra f Fenster n

finestrino m (Zug, Auto) Fenster n; **~ posteriore** Heckfenster n

finezza f Feinheit; Gefälligkeit

fing|ere [-dʒ-] heucheln; vorgeben; **~ersi** sich stellen (so tun) als ob

finire beend(ig)en; aufhören

fino adj dann; fein; prp bis; **~ a** bis zu; **~ da** schon seit

finocchio [-k-] m Fenchel

finora bis jetzt

fint|a f Verstellung; **~o** erheucheln; falsch

fiocco m Schleife f; (Schnee-)Flocke f

fioco schwach

fioraio m Blumenhändler

fior|e m Blume f; **~i** m/pl Kartensp Kreuz n

fiorentino florentinisch

fior|ire blühen; **~itura** f Blüte

Firenze f Florenz n

firm|a f Unterschrift; **~are** unterschreiben; unterzeichnen; **~atario** m Unterzeichner

fisarmònica f Ziehharmonika

fischi|are [-sk-] pfeifen; (j-n) auspfeifen; sausen (Wind); **~erellare** vor sich hin pfeifen; **~o** m Pfiff; Pfeife f

fisic|a f Physik; **~o** physisch; m Physiker; Anat Körperbau

fiss|aggio [-dʒo] m Fixierbad n; **~are** bestimmen; festsetzen; befestigen; j-n anstarren; Fot fixieren

fissativo m Fixativ n; **~ per i capelli** Haarfestiger m

fisso fest; bestimmt; dauernd

fitt|a f Stich m; **~e** f/pl al fianco Seitenstechen m

fitto dicht, gedrängt; m Miete f

fiume m Fluß; fig Strom

fiutare wittern; (Tabak) schnupfen

flagell|are [-dʒ-] geißeln; **~o** m Geißel f

flagrante augenscheinlich; **in ~** auf frischer Tat

flanella f Flanell m

flaut|ista m Flötenspieler; **~o** m Flöte f

flemmàtico phlegmatisch

fless|ibile biegsam; **~ione** f Beugung; **~uoso** schmiegsam

flirtare flirten

flòrido blühend

floscio [-ʃo] schlaff

flotta f Flotte; **~ aèrea** Luftflotte

flùido flüssig; fließend

fluire fließen

flusso m Flut f; Ausfluß

flutt|o m Woge f; Wellen-schlag; **~uare** wogen; fig schwanken

fluviale Fluß...

foca f Seehund m; Robbe

focaccia [-tʃa] f Kuchen m, Napfkuchen m

foce [-tʃe] f Mündung

fochista [-k-] m Heizer

focol|aio, ~are m Herd

focoso feurig

fòdera f Futteral n; Über-zug m; Kl Futter n

foderare (Kleid) füttern

fòdero m mil Scheide f

fogli|a [-ʎa] f Blatt n; **~a laminata** Folie; **~ame** [-ʎa-] m Laubwerk n; **~o** [-ʎo] m Blatt n (Papier); Bogen

folata f Stoß m, Bö; **~ di vento** Windstoß m

folgorare blitzen

fólgore m Blitz

folla f Menge; Gedränge m

follare walken

foll|e töricht; m Tor; **~la** f Torheit

folto dicht; m Dickicht n

fomentare schüren

fondaccio [-tʃo] m Hefe f; Bodensatz

fondament|ale wesentlich; **~o** m Grund; Grundlage f; le **~a** Grundmauern f/pl

fond|are gründen; stiften; **~arsi** sich stützen; **~atore** m Gründer; **~azione** f Gründung; Stiftung

fóndere (ver)schmelzen

fond|eria f Gießerei; **~i-tore** m Gießer

fondo tief; m Grund; Tiefe f; Hintergrund; Hdl Fonds m; Mar dar **~** vor Anker gehen; a **~** gründlich

font|ana f (Spring-)Brun-nen m; **~e** f Quelle

foraggio [-dʒo] m Futter n

forare durchlöchern; boh-ren

fòrbici [-tʃi] f/pl Schere f; **~ per le unghie** Nagel-schere f; **~ per manicure** Hautschere f

forbire reinigen; polieren

forca f (Heu-, Mist-)Gabel

forcella [-tʃ-] f (Fahrrad-) Gabel

forchetta [-k-] f (Eß-)Gabel

forcina [-tʃ-] f Haarnadel

foresta f Wald m

forestier|o fremd; m Frem-de(r); movimento m **~i** Fremdenverkehr

forma f Form; Gestalt; (Schuh-)Leisten m

formaggio [-dʒo] m Käse; **~ grattugiato** geriebener Käse

form|ale formell; förm-lich; **~alità** f Formalität

formare bilden; formen; **~ il nùmero** die (Tele-fon-)Nummer wählen

form|ato m Format n; **~azione** f Bildung

formic|a f Ameise; **~aio** m Ameisenhaufen

formidàbile gewaltig

fòrmula f Formel

formul|are formulieren; **~ario** m Formular n

forn|aio m Bäcker; **~ello** m

fornire

Kochherd; kleiner Ofen; **~ello a spìrito** Spirituskocher

forn|ire liefern; **~irsi** sich versehen (**di** mit); **~itore** *m* Lieferant; **~itura** *f* Lieferung; Ausstattung

forno *m* Ofen; Backofen

foro *m* Loch *n*; Öffnung *f*; Forum *n*; Gerichtshof

forse vielleicht

forte stark; scharf; **parlare ~** laut sprechen

fort|ezza *f* Kraft; Festung; **~ificare** stärken; befestigen; **~ificazione** *f* Befestigung; Festungswerk *n*

fortùito zufällig

fortuna *f* Glück *n*; **~tamente** glücklicherweise; **~to** glücklich

forùncolo *m* Furunkel

forz|a *f* Kraft; Gewalt; **~e** *f/pl* Streitkräfte

fòsforo *m* Phosphor

fossa *f* Graben *m*; Grube; **~to** *m* Wassergraben

fossetta *f* Grübchen *n*

foste ihr wurdet

fosti du wurdest

fotocromìa *f* Farbfotografie

fotograf|are fotografieren; **~ìa** *f* Fotografie

fotogràfi|co fotografisch; **articoli** *m/pl* **~ci** Fotobedarf *m*

fotògrafo *m* Fotograf; **~ di bordo** Bordfotograf

fototipìa *f* Lichtdruck *m*

fra zwischen; unter; **~ di noi** unter uns; **~ due**

giorni in zwei Tagen; **~ sé** bei sich

fracasso *m* Lärm

fradicezza [-tʃ-] *f* Nässe; Fäulnis

fràdicio [-tʃo] naß; faul

fràgile [-dʒ-] zerbrechlich

fràgola *f* Erdbeere

fragor|e *m* Getöse *n*; **~oso** tosend

fragr|ante wohlriechend; **~anza** *f* Wohlgeruch *m*

frammento *m* Bruchstück *n*

fran|a *f* Erdrutsch *m*; **~are** einstürzen

francare freimachen, frankieren

francese [-tʃ-] *adj* französisch; *m* Franzose

franch|ezza [-k-] *f* Offenheit; **~igia** [-ki:dʒa] *f* Portofreiheit

Francia [-tʃa] *f* Frankreich *n*

franco frei; portofrei; *fig* offen; *m* Frank; **~ svizzero** Schweizer Franken; **~bollo** *m* Briefmarke

frangenti [-dʒ-] *m/pl* Brandung *f*

fràngere [-dʒ-] brechen; (aus)pressen

frangette [-dʒ-] *f/pl* Pony(s) *m(pl)* (*Frisur*)

frantume *m* Splitter

frase *f* Redensart; *Gr* Satz *m*

fràssino *m* Esche *f*

frastornare stören; vereiteln

frastuono *m* Getöse *n*

frate *m* Mönch (*Abk* **fra**)

fratell|anza f Brüderschaft; ~astro m Stiefbruder

fratell|o m Bruder; ~i m/pl Hdl Gebrüder

fraterno brüderlich

frat|tanto inzwischen; ~tempo m Zwischenzeit f

frattur|a f Bruch m; ~a d'un osso Knochenbruch m; ~are brechen

fraudare betrügen

frazion|are teilen; ~ario: nùmero m ~ario Bruchzahl f; ~e f Bruchteil m

freccia [-tʃa] f Pfeil m; ~ di direzione Auto: Winker m

fredd|arsi kalt werden; ~o kalt; m Kälte f; aver ~o frieren; far ~o kalt sein; ~oloso frostig

freg|agione [-dʒo-] f Einreibung; ~are reiben

frèm|ere schaudern; ~ito m Schauder; Brausen n

frenare bremsen; zügeln; bezwingen

freno m Zügel; Zaum; Mech Bremse f; ~ d'allarme Notbremse f; ~ ad aria compressa Luftdruckbremse f; ~ contropedale Rücktrittbremse f; ~ a disco Scheibenbremse f; ~ a mano Handbremse f; ~ a pedale Fußbremse f

frequ|entare (häufig, regelmäßig) besuchen; ~ente häufig; ~enza f Besucherzahl

freschezza [-sk-] f Frische

fresco frisch; kühl; m Kühle f

frett|a f Eile; in ~a e furia in aller Hetze; ~oloso eilig

fricassea f Frikassee n

friggere [-dʒ-] backen

frigorìfero m Kühlschrank

fringuello m Fink

fritt|ata f Eierkuchen m; Omelette; ~o gebacken (in der Pfanne); ~o m di pesce gebackener Fisch; ~ura f gebackenes Gericht n

frìvolo leichtfertig

frizione f Einreibung; Kopfmassage; Mech Reibung; Auto: Kupplung

frod|are (j-n) betrügen (di um); schmuggeln; ~atore m Betrüger; ~e f Betrug m; ~o m Schmuggel; ~olento betrügerisch

froge [-dʒe] f/pl Nüstern

froll|are mürbe machen; ~o mürbe

fronte f Stirn; Vorderseite; m mil Front f; di ~ gegenüber; im Vergleich

front|iera f Grenze; ~one m Giebel

frugare (herum)stöbern

frull|are quirlen; ~ino m Quirl

frum|ento m Korn n; ~entone m Mais

frust|a f Peitsche; Schaumschläger m; ~are peitschen

frutt|a f Obst n (le ~a pl); ~a cotta Kompott n; ~are Früchte tragen; ~eto m Obstgarten

fruttifero: àlbero *m* ~ Obstbaum

fruttivéndolo *m* Obsthändler

frutt|o *m* Frucht *f*; *fig* Ertrag; **~i** *m/pl* **di mare** Meeresfrucht *n/pl* (*Gericht*); **~uoso** fruchtbar

fu er wurde

fucil|are [-tʃ-] erschießen; **~ata** *f* Flintenschuß *m*

fucile [-tʃ-] *m* Gewehr *n*; Flinte *f*; ~ **da caccia** Jagdgewehr *n*

fucin|a [-tʃ-] *f* Schmiede; **~are** schmieden

fuga *f* Flucht

fugg|évole [-dʒ-] flüchtig; vergänglich; **~ire** fliehen

fui ich wurde

fulgente [-dʒ-] leuchtend

fuliggine [-dʒ-] *f* Ruß *m*

fulligginoso [-dʒ-] rußig

fulminare blitzen

fùlmine *m* Blitz

fum|aiuolo *m* Schornstein; **~are** rauchen

fumator|e *m* Raucher; **scompartimento** *m* **per** (**non**) **~i** (Nicht-)Raucherabteil *n*

fummo wir wurden

fum|o *m* Rauch; **~oso** rauchig

fune *f* Seil *n*; Tau *n*

fùnebre traurig; **carro** *m* ~ Leichenwagen; **messa** *f* ~ Totenmesse

funerale *m* Begräbnis *n*

fungo *m* Pilz; Schwamm

funicolare *f* Drahtseilbahn

funivia *f* Seilschwebebahn; Drahtseilbahn

funzion|are funktionieren; in Betrieb sein; **~ario** *m* Beamte(r)

fuoco *m* Feuer *n*

fuori *prp* außer; ~ **di** außerhalb; *adv* draußen; **di** ~ von außen

furbo schlau

furgoncino [-tʃ-] *m* Lieferauto *n*

furgone *m* Lastwagen

furi|a *f* Wut; Eile; **~bondo, ~oso** rasend

fùrono sie wurden

furto *m* Diebstahl

fuscello [-ʃ-] *m* Halm

fusìbile *m* *Elektr* Sicherung *f*

fusione *f* Schmelzen *n*; Guß *m*

fuso *m* Spindel *f*

fusto *m* Gestell *n*; Faß *n*

futuro zukünftig; *m* Zukunft *f*

G

gabbia *f* Käfig *m*; *Mar* Mastkorb *m*; **~no** *m* Möwe *f*

gabella *f* (Waren-)Steuer

gabinetto *m* Kabinett *n*; Toilette *f*, Abort

gaggia [-dʒa] *f* Akazie

gagliardo [-ʎa-] rüstig

gai|ezza f Fröhlichkeit; **~o** fröhlich

galantuomo m Ehrenmann

galeotto m Zuchthäusler

galla f Blase; **noce** f **di ~** Gallapfel m

galleggi|ante [-dʒa-] m Tech Schwimmer; **~are** (obenauf) schwimmen

galleria f Galerie; Passage; Esb Tunnel m

gallin|a f Henne; **~accio** [-tʃo] m Truthahn; **~aio** m Hühnerhof

gallo m Hahn

gallone m Borte f; Tresse f

galoppare galoppieren

galvànico galvanisch

gamba f Bein n

gàmbero m Krebs

gambo m Stiel; Stengel

gamma f Tonleiter

gancio [-tʃo] m Haken

gànghero m (Tür-)Angel f

gara f Wettstreit m; Wettkampf m; Rennen n; **~ internazionale** Länderkampf m; **~ per nuotatori** Schwimmwettbewerb m

garage [-a:ʒ] m Garage f

garan|te m Bürge; **~zia** f Bürgschaft; Garantie

garb|are gefallen; behagen; **~ato** höflich; **~o** Anmut f [rung f]

garbuglio [-ʎo] m Verwir-⌐

gareggiare [-dʒa-] wetteifern

gargar|ismo [-zmo] m Gurgelwasser n; **~izzare** gurgeln

garòfano m Nelke f; **chiodi** m/pl **di ~** Gewürznelken f/pl

garzone m Hausdiener

gas m Gas m; **~òmetro** m Gasmesser; **~osa** f Brause (-limonade)

gastronomìa f Kochkunst

gatt|a f Katze; **~o** m Katze f; Kater; **~opardo** m Leopard

gazza f Elster

gazzetta f Zeitung

gel|are [dʒ-], **~arsi** (ge-) frieren; erstarren; erfrieren; **~ata** f Glatteis n; **~ateria** f Eisstube

gelatina [dʒ-] f Gelee n; **~ di carne** Fleischsülze f

gelato [dʒ-] m (Speise-)Eis n; **~ di crema** Sahneeis n; **~ di fràgola** Erdbeereis n; **~ di frutta** Fruchteis n; **~ di limone** Zitroneneis n; **~ di noce** Nußeis n; **~ di torrone** Nougateis n; **~ di vaniglia** Vanilleeis n

gèlido [dʒ-] eisig

gel|o [dʒ-] m Frost; Kälte f; **~one** m Frostbeule f

gel|osìa [dʒ-] f Eifersucht; Jalousie; **~oso** eifersüchtig (**di** auf acc)

gelso [dʒ-] m Maulbeerbaum; **~mino** m Jasmin

gemell|o [dʒ-] m zs.-gehörig; **~i** m/pl Zwillinge; Manschettenknöpfe; Druckknöpfe

gèm|ere [dʒ-] stöhnen; **~ito** m Stöhnen n

gemma [dʒ-] f Juwel n

gener|ale [dʒ-] allgemein; ~alità f/pl Personalien pl

gèner|e [dʒ-] m Geschlecht n; Art f; Hdl Ware f; ~i m/pl alimentari Lebensmittel n/pl

gènero [dʒ-] m Schwiegersohn

gener|osità [dʒ-] f Großmut; ~oso großmütig; freigebig; feurig (Wein)

genetliaco [dʒ-] m Geburtstag

gengiva [dʒendʒ-] f Zahnfleisch n

geni|ale [dʒ-] fröhlich; genial; ~o m Geist; Genie n

genital|e [dʒ-]: òrgani m/pl ~i Geschlechtsorgane n/pl

genitivo [dʒ-] m Genitiv

genitori [dʒ-] m/pl Eltern

gennaio [dʒ-] m Januar

Gènova [dʒ-] f Genua n

gente [dʒ-] f Leute pl; c'è ~ da ist jemand

gentil|e [dʒ-] freundlich; liebenswürdig; nett; ~e signora! gnädige Frau!; ~ezza f Liebenswürdigkeit; ~uomo m Edelmann

genu|inità [dʒ-] f Echtheit; ~ino echt

genziana [dʒ-] f Enzian n

geografia [dʒ-] f Geographie, Erdkunde

geogràfic|o [dʒ-] geographisch; carta f ~a Landkarte

geometria [dʒ-] f Geometrie, Raumlehre

ger|ente [dʒ-] m Geschäftsführer; ~enza f Geschäftsführung

gergo [dʒ-] m Jargon

gerla [dʒ-] f Kiepe

Germàn|ia [dʒ-] f Deutschland n; 2ico germanisch; deutsch

germanística [dʒ-] f Germanistik

germ|e [dʒ-] m Keim; ~inare keimen; ~ogliare [dʒermo'ʎa-] hervorsprießen; ~oglio [dʒermɔ:ʎo] m Sprößling

gess|are [dʒ-] gipsen; ~ino m Gipsfigur f; ~o m Gips; Kreide f; Skulp Gipsabguß

gest|ione [dʒ-] f Geschäftsführung; ~ire gestikulieren; ~o m Gebärde

Gesù [dʒ-] m Jesus

gett|are [dʒ-] werfen; ~o m Wurf; (Wasser-)Strahl; Tech Guß; ~one m Spielmarke f; Telefonmünze f

gheriglio [-ʎo] m Nußkern

ghiacci|aia [-tʃa-] f Eiskeller m; Eisschrank m; ~aio [-tʃa-] m Gletscher; ~are gefrieren; ~ata [-tʃa-] f Eisgetränk n; ~o [-tʃo] eiskalt; m (Natur-)Eis n

ghiaia f Kies m

ghianda f Eichel

ghign|are [-n-] grinsen; ~ata f höhnisches Gelächter n

ghindare aufwinden

ghiott|o naschaft; ~oneria f Leckerbissen m

ghirigoro m Schnörkel

ghirlanda f Kranz m

ghisa f Gußeisen n

già [dʒa] schon; bereits; ehemals; ~ ~ ja, ja; schon gut

giacca [dʒa-] f Jacke; Sakko m; ~ **a maglia** Strickjacke; ~ **di pelle** Lederjacke

giacché [dʒak-ke] da

giacchetta [dʒak-k-] f Jackett n

giacere [dʒatʃ-] liegen; ruhen

giacinto [dʒatʃ-] m Hyazinthe f

giallastro [dʒa-] gelblich

giallo [dʒa-] gelb; ~ **paglia** strohgelb

giammai [dʒa-] niemals

Giappone [dʒa-] m Japan n

giardin|aggio [dʒardinad-dʒo] m Gartenbau; **~iera** [dʒa-] f Gärtnerin; Blumengestell n; **~iere** [dʒa-] m Gärtner

giardin|o [dʒa-] m Garten; **~o botànico** botanischer Garten; **~o zoològico** zoologischer Garten, Zoo; **~i** m/pl **pùbblici** öffentliche Anlagen f/pl

gigant|e [dʒ-] riesenhaft; m Riese; **~esco** riesenhaft; riesig

giglio [dʒi:ʎo] m Lilie f

gilè [dʒ-] m Weste f

gin [dʒ-] m Gin

ginecòlogo [dʒ-] m Frauenarzt

ginepr|a [dʒ-] f Wacholderbeere; **~o** m Wacholder

ginestra [dʒ-] f Ginster m

ginn|asio [dʒ-] m Gymnasium n; Oberschule f; **~àstica** f Gymnastik; Turnen n

ginocchio [dʒinɔk-k-] m Knie n; **stare in ~** knien; **~ni** kniend

giocare [dʒo-] spielen; ~ **alle carte, al biliardo** Karten, Billard spielen; **~ ai dadi** würfeln; **~ di danaro** um Geld spielen

gioc|atore [dʒo-] m Spieler; **~àttolo** m Spielzeug n

gioco [dʒo-] m Spiel n; s **giuoco**

gioc|ondità [dʒo-] f Heiterkeit; **~ondo** heiter

giogo [dʒo-] m Joch n

gioia [dʒo-] f Freude

gioielliere [dʒo-] m Juwelier

gioiell|o [dʒo-] m Juwel n, Kleinod n; **~i** m/pl Schmuck m; **~i da moda** Modeschmuck m

giorn|alaio [dʒo-] m Zeitungsverkäufer; **~ale** m Zeitung f; **~ale radio** (Rundfunk-)Nachrichten f/pl; **~aliero** täglich; **~alista** m Journalist

giornata [dʒo-] f Tag m; Tagelohn m; Tagewerk n

giorno [dʒo-] m Tag; **sul far del ~** bei Tagesanbruch; **al ~** täglich; **buon ~!** guten Tag!; **l'altro ~** neulich; **di ~** bei Tage

giostra [dʒo-] f Turnier n; Karussell n

gióvane [dʒo-] jung; *m* junge(r) Mann

giovan|etto [dʒo-] *m* Jüngling; **~ile** jugendlich; **~otto** *m* junge(r) Mann

giovare [dʒo-] nützen

giovedì [dʒo-] *m* Donnerstag

gioventù [dʒo-] *f* Jugend

giovial|e [dʒo-] heiter; freundlich; **~ità** *f* Fröhlichkeit

giovinezza [dʒo-] *f* Jugend

giràbile [dʒ-] übertragbar

giradischi [dʒiradiski] *m* Plattenspieler

gir|are [dʒ-] drehen; wenden; umhergehen; **mi gira la testa** mir ist schwindlig; **~ata** *f* Drehung

girell|a [dʒ-] *f* Drehscheibe; **~are** herumschlendern

giro [dʒ-] *m* (Um-)Drehung *f*; Spaziergang; Umweg; Rundfahrt *f*, Rundgang; **~ turístico** Rundreise *f*

gita [dʒ-] *f* Fahrt; Ausflug *m*

gitante [dʒ-] *m* Ausflügler

giù [dʒu] unten; herunter; hinunter; **in ~** nach unten

giubba [dʒ-] *f* Jacke

giubbetto [dʒu-] *m*: **~ di salvataggio** Schwimmweste *f*

giubil|are [dʒu-] pensionieren; jubeln; **~azione** *f* Pensionierung

giúbilo [dʒu-] *m* Jubel

giudic|are [dʒu-] richten; (be)urteilen; **~ato** *m* Richterspruch

giùdice [dʒu:ditʃe] *m* Richter

giudizio [dʒu-] *m* Urteil *n*; Verstand

giugno [dʒu:ɲo] *m* Juni

giument|a [dʒu-] *f* Stute; **~o** *m* Lasttier *n*

giunco [dʒu-] *m* Binse *f*

giùngere [dʒundʒ-] einholen; (*Hände*) falten; ankommen; **~ a qc.** et. erreichen

giunt|a [dʒu-] *f* Zugabe; (*Kleidung*) Ansatz *m*; **per ~a** obendrein; **~are** zs.-fügen; **~o** *m* Gelenk *n*; Verbindungsstück *n*

giuoco [dʒu-] *m* Spiel *n*; **~ a dama** Damespiel *n*; **~ delle carte** Kartenspiel *n*; **~ di società** Gesellschaftsspiel *n*

giuramento [dʒu-] *m* Schwur; Eid; **~ falso** Meineid

giurare [dʒu-] (be)schwören

giur|ídico [dʒu-] rechtlich; juristisch; **~ista** *m* Jurist

giusta [dʒu-] gemäß

giust|ezza [dʒu-] *f* Richtigkeit; **~ificare** rechtfertigen; **~ificazione** *f* Rechtfertigung; **~izia** *f* Gerechtigkeit; Justiz; **~o** richtig; gerecht; *m* Richtige(s) *n*

glaciale [-tʃa-] eisig

gladiolo *m* Gladiole *f*

glàndola [dʒ-] *f* Drüse; **~ salivale** Speicheldrüse

glauco meergrün; **~ma** *m* grüner Star

gli [ʎi] *art* die *m/pl*; *pron* ihm; es

glicerina [-tʃ-] *f* Glyzerin *n*

globale Gesamt...

globo *m* Kugel *f*; Globus; Erdball; **~so** kugelförmig

gloria *f* Ruhm *m*

glori|are rühmen; **~arsi** sich rühmen; **~ficare** verherrlichen; lobpreisen; **~oso** glorreich; ruhmreich

glossa *f* Randbemerkung

glòttide *f* Stimmritze

glucosio *m* Traubenzucker

glùtine *m* Leim; Klebstoff

glutinoso klebrig

gnoc|co [ɲ-] *m* Kloß; *fig* Tölpel; **~chi** [-ki] *m/pl* Klößchen *n/pl*

gobb|a *f* Buckel *m*; **~o** buck(e)lig; *m* Bucklige(r)

goc|cia [-tʃa] *f* Tropfen *m*; **~ce** [-tʃe] *f/pl* per il naso Nasentropfen *m/pl*; **~ce per gli occhi** Augentropfen *m/pl*; **~ce per gli orecchi** Ohrentropfen *m/pl*

gócciola [-tʃo-] *f* Tropfen *m*

godere genießen; sich erfreuen

godimento *m* Genuß; Nutznießung *f*

goffo plump; *m* Tölpel

gola *f* Kehle; Rachen *m*; **~ del camino** Rauchfang *m*; **mal ~ di** ~ Halsweh *n*

golf *m* Golf(spiel) *n*

golfo *m* Golf, Meerbusen

goloso naschhaft; *m* Leckermaul *n*

gòmena *f* Tau *n*

gómito *m* Ell(en)bogen; *fig* Biegung *f*

gomitolo *m* Knäuel *m u n*

gomm|a *f* Gummi *m, n*; Reifen *m*; **~a di scorta** Ersatzreifen *m*; **~a senza** **càmera d'aria** schlauchlose(r) Reifen *m*; **~apiuma** *f* Schaumgummi *m*; **~ato** gummiert; **~oso** gummiartig

góndola *f* Gondel

gondoliere *m* Gondelführer

gonfi|are aufblasen; aufpumpen; **~arsi** anschwellen; *fig* sich aufblähen; **~atura** *f*, **~ezza** *f* Anschwellung; **~o** geschwollen; *fig* aufgeblasen; schwülstig

gonn|a, **~ella** *f* (Damen-) Rock *m*

gonzo einfältig

gorgo *m* Strudel, Wirbel

gorgogliare [-ʎa-] gurgeln; brodeln

gòtico gotisch

gotta *f* Gicht

gotto *m* Becher; Schoppen

gottoso gichtkrank

govern|ante *f* Wirtschafterin; Erzieherin; **~are** leiten; lenken; *Pol* regieren; *Mar* steuern; **~arsi** sich beherrschen; **~ativo** Regierungs...; **~atore** *m* Statthalter; **~o** *m* Regierung *f*; Verwaltung *f*; *Mar* Steuerung *f*

gozzo *m* Kropf; *fig* Kehle

gracchi|a [-k-] *f* Krähe; **~are** krächzen

gracidare [-tʃ-] quaken
gràcile [-tʃ-] schwächlich
gradazione f Abstufung
grad|évole angenehm; **~e-
volezza** f Annehmlich-
keit; **~imento** m Wohlgefallen n
grad|ino m Stufe f; **~ire**
(gern) an-, entgegen-neh-
men; schmecken; **~ito** angenehm; willkommen
grado m 1. Wohlgefallen n;
di buon ~ gern; **mio
mal ~** gegen meinen Wil-
len; 2. Stufe f; Grad;
Rang; **èssere in ~ di ...**
imstande sein, zu ...; **di ~
in ~** stufenweise
graduazione f Abstufung
graffi|are kratzen; **~o** m
Kratzer; Kratzwunde f
grafite f Graphit m
gramma m Gramm n
gramm|àtica f Sprach-
lehre; **~àtico** grammatisch
grammo m Gramm n
grammòfono m Gram-
mophon n
gran s **grande**
gran|a f Korn n; **~aio** m
Getreidespeicher; Korn-
kammer f; **~ata** f Besen m;
Granate; Granatapfel m;
~atino m kleiner Hand-
besen; **~ato** m Granat;
Granatbaum
granchio [-k-] m Krebs;
Garnele f; Med Krampf;
fig Fehler; **~lino** m Krabbe
f; fig Versehen n
grand|e groß; **gran tempo**
lange Zeit; **~ezza** f Größe

grandin|are hageln; **~ata** f
Hagelschauer m
gràndine f Hagel m
grandi|osità f Großartig-
keit; **~oso** großartig
granduc|a m Großherzog;
~ato m Großherzogtum n
gran|ello m Körnchen n;
Beere f; **~oso** körnig; **~o** m
Korn n; Weizen; fig Körn-
chen
granocchia [-k-] f Frosch m
granturco m Mais
grapp|a f Branntwein m;
Eisenklammer; **~ino** m
Schnaps
gràppolo m Traube f
grass|ello m Stück n Fett;
Kalk; **~o** fett; dick; m Fett
n; Schmalz n
grassoccio [-tʃo] wohlge-
nährt
grat|a f Gitter n; **~ella** f
Rost m; **~iccio** [-tʃo] m
Flechtwerk n; **~icola** f
Gitter n; Kochk Rost m;
~icolare vergittern
gratificare belohnen
gratis umsonst
gratitùdine f Dankbarkeit
grato dankbar; angenehm
grattacielo [-tʃe-] m Hoch-
haus n, Wolkenkratzer
gratt|are (ab)kratzen; **~ino**
m Radiermesser n; **~ugia**
[-dʒa] f Reibeisen n
gratùito unentgeltlich
gravare (be)lasten
grav|e schwer; ernst; **~ezza**
f Schwere
gràvida schwanger
grav|idanza f Schwanger-

schaft; ~ità f Schwere; *fig*
Ernst m; ~itazione f
Schwerkraft; ~oso be-
schwerlich

grazi|a f Anmut; Gnade,
Gunst; ~e f/pl Dank m;
~e! danke!; ~e tante be-
sten Dank

grazioso anmutig; liebenswürdig

Gre|cia [-tʃa] f Griechen-
land n; Ջco griechisch;
m Grieche

gregge [-dʒe] m Herde f

greggi|o [-dʒo] roh; ma-
teria f ~a Rohstoff m

gremb|iale m Schürze f;
~o m Schoß

grem|ire anfüllen; ~ito voll

greppia f Krippe

gretto kleinlich

grid|are ausrufen; schrei-
en; ~io m Geschrei m; ~o
m Schrei

grifagno [-ɲo] raubgierig;
grimmig

grifo m Rüssel; ~ne m Greif

grigio [-dʒo] grau; ~ chiaro
hellgrau; ~ cupo dunkel-
grau

grig|lia [-ʎa] f Gitter m (a
Radio); Rost m

grignolino [-ɲ-] m piemon-
tesischer Rotwein

grill|are zischen; ~o m
Grille f

grinfia f Kralle

grinz|a f Falte; Runzel;
~oso runz(e)lig

grog m Grog

grond|aia f Dachrinne;
~are triefen; träufeln

gross|a f Gros n; ~ezza f
Größe; Dicke; Stärke; ~i-
sta m Großhändler; ~o
dick; stark; groß; schwanger; roh; angeschwollen
(*Fluß*); mare m ~o bewegtes
tes Meer n; ~olano grob;
plump

grotta f Grotte

groviera f Schweizer Käse
m

gru f Kranich m; *Mech*
Kran m

gruccia [-tʃa] f Krücke;
Kleiderbügel m

grugn|ire [-ɲ-] grunzen;
~o m Rüssel (*des Schwei-
nes*)

gruma f Weinstein m

gruppo m Gruppe f; ~ di
giovani Jugendgruppe f;
~ turistico Reisegruppe f

guadagn|are [-ɲ-] gewin-
nen; verdienen; ~o m
Gewinn; Verdienst

guadare durchwaten

guaio m Unglück n; Un-
annehmlichkeit f; guai!
wehe!

gualcire [-tʃ-] zerknittern

guancia [-tʃa] f Wange;
~le m Kopfkissen n

guanto m Handschuh

guarda|barriere m Bahn-
wärter; ~boschi [-ski] m
Waldhüter; Förster; ~
freno m Bremser

guard|are an-, zu-, nach-
sehen; behüten; achten
(auf *acc*); ~arsi sich hüten

guarda|roba f Garderobe;

~robiera f Garderoben-frau

guardia f Bewachung; Wächter m; Bahnwärter m; mil Wache; Schutzmann m; **~ forestale** Förster m; **~ mèdica** Rettungsstation, Sanitätswache; **~notturna** Nachtwächter m

guar|ibile heilbar; **~igione** [-dʒo-] f Genesung; **~ire** heilen; genesen

guarn|igione [-dʒo-] f Garnison; Besatzung; Garnitur; **~ire** versehen; garnieren

guastare verderben; beschädigen

guasto verdorben; beschädigt; schadhaft; **~ m al motore** Motorpanne f; **~ al cambio** Getriebeschaden

guazz|are durchwaten; **~etto** m Soße f; Ragout n

guercio [-tʃo] schielend

guerr|a f Krieg m; **~eggiare** [-dʒa-] Krieg führen; **~iero** kriegerisch; m Krieger

gufo m Uhu, Nachteule f

guglia [-ʎa] f Turmspitze

guida f Führer m; Führung; Reiseführer m; Auto: Lenkung; **~ alpina** Bergführer m; **~ di conversazione** Sprachführer m; **~ generale** Adreßbuch n

guid|àbile lenkbar; **~are** führen; leiten; Auto: fahren, lenken

guisa f Weise; **in ~ che** so daß

guizzare zucken (Blitze)

guscio [-ʃo] m Schale f; Hülse f

gust|are schmecken; auskosten; **~o** m Geschmack; **~osità** f Schmackhaftigkeit; **~oso** schmackhaft

H

ha er (sie, es) hat; **hai** du hast; **hanno** sie haben

hall f Hotelhalle f

hangar m (Flieger-)Schup-

ho ich habe   [pen]

hobby m Hobby n, Liebhaberei f

hockey m Hockey n; **~ su ghiaccio** Eishockey n

hostess f Stewardeß

I

i art m/pl die

Iddìo m Gott

idea f Idee; Begriff m; **avere l'idea di** die Absicht haben, zu

idèntico identisch

idìlli|co idyllisch; **~o** m Idylle f

idiom|a m Idiom n; **~àtico** sprachlich

idiota m Schwachsinnige(r)

idol|atrare vergöttern; **~a-tría** f Götzendienst m

ìdolo m Götzenbild n; fig Abgott

idoneità f Tauglichkeit

idòneo tauglich

idrante f Hydrant m

ìdro|fobo wasserscheu; **~geno** [-dʒ-] m Wasserstoff

idro|motore m Wassermotor; **~plano** m Wasserflugzeug n; **~terapìa** f (Kalt-)Wasserheilkunde

ieri gestern; **~ l'altro** vorgestern; **~ mattina** gestern früh

igiene [idʒe-] f Gesundheitspflege; Hygiene

igiènico [idʒe-] gesundheitlich; hygienisch

ignaro [iɲ-] unwissend

ignavo [iɲ-] träge

ignor|ante [iɲ-] unwissend; **~anza** f Unkenntnis; **~are** nicht wissen

ignoto [iɲ-] unbekannt

il art m der

ìlare heiter

ilarità f Heiterkeit

illécito [-tʃ-] unerlaubt

illegale ungesetzlich

illeggìbile [-dʒ-] unleserlich

illegìttimo [-dʒ-] unrechtmäßig; unehelich

illimitato unbeschränkt

illùdere täuschen

illumin|ante beleuchtend; **gas** m **~ante** Leuchtgas n; **~are** beleuchten; fig erleuchten

illuminazione f Beleuch-

tung; **~ interna** Auto: Innenleuchte

ill|usione f Täuschung; **~usorio** trügerisch

illustr|are erläutern; illustrieren; **~azione** f Abbildung; **~e** hervorragend; berühmt; in Briefen: sehr geehrt

imball|aggio [-dʒo] m Verpackung f; **~are** verpacken

imbalsamare einbalsamieren

imbandierare flaggen

imbarazz|are hindern; in Verlegenheit setzen; **~ato** verlegen; **~o** m Hindernis n; Verlegenheit f

imbarc|are einschiffen; (Waren) verladen; **~atóio** m Landesteg; **~atóio** m Anlegeplatz; Verladeplatz; **~azione** f Boot n; **~o** m Einschiffung f; Landungsplatz

imbarilare in Fässer füllen

imbast|ire heften; **~itura** f Heftnaht [begegnen]

imbàttersi: **~** in qu. j-m|

imbecille [-tʃ-] dumm; schwachsinnig; m Dummkopf

imbell|ettare schminken; **~ire** verschönern

imbian|care weißen; (Leinwand) bleichen; (Mauer) tünchen; weiß werden; **~chino** [-k-] m Anstreicher

imbitumare asphaltieren

imbocc|are einmünden; **~atura** f Mundstück n; Mündung

imborsare einstecken

imboscata f Hinterhalt m

imbott|are in Fässer füllen; ~igliare [-ʎa-] in Flaschen füllen; ~ire polstern; ~itura f Polsterung

imbrodare beschmutzen

imbrogli|are [-ʎa-] verwirren; betrügen; ~o [-ʎo] m Schwindel; ~one m Schwindler

imbronci|are [-tʃa-], ~re [-tʃ-] böse werden

imbrunire dunkel werden

imbucare (in den Briefkasten) einstecken

imburrare mit Butter bestreichen

imbuto m Trichter

imit|àbile nachahmenswert; ~are nachmachen; ~azione f Nachahmung

immagin|àbile [-dʒ-] erdenklich; ~are ersinnen; ~arsi sich einbilden; sich vorstellen; ~azione f Einbildung

immàgine [-dʒ-] f Bild n

immancàbile unfehlbar

immane ungeheuer

immatricol|are immatrikulieren; ~azione f Immatrikulation

immaturo unreif; frühzeitig

immedi|ato unmittelbar; ~tato unüberlegt

immens|ità f ungeheure Menge; ~o ungeheuer; unermeßlich

immèrg|ere [-dʒ-] eintau-

chen; ~ersi fig sich vertiefen

immeritato unverdient

immersione f Eintauchen n; Tiefgang m

immigr|ante m Einwanderer; ~are einwandern; ~azione f Einwanderung

immischiarsi [-sk-] sich einmischen

immissione f Einlaß m; Einführung

immòbile unbeweglich; fig unerschütterlich

immoderato maßlos

immodest|ia f Unbescheidenheit; ~o unbescheiden

immondizia f Kehricht m

immoral|e unsittlich; ~ità f Unsittlichkeit

immort|ale unsterblich; ~alità f Unsterblichkeit

immoto unbeweglich

immune frei

immut|àbile unveränderlich; ~ato unverändert

impaccare einpacken

impacci|are [-tʃa-] hindern; stören; ~o [-tʃo] m Hindernis n; Verlegenheit f

impacco m Med Packung f

impadronirsi sich bemächtigen

impagàbile unbezahlbar

impagliare [-ʎa-] mit Stroh bedecken; (Stühle) flechten

impalcatura f Arch Decke; Gerüst n

impallidire erbleichen

impannare mit Tuch (Leinwand) überziehen

imparagonàbile unvergleichbar

imparare lernen

impareggiàbile [-dʒa-] unvergleichlich

ìmpari ungleich; *Math* ungerade

imparità *f* Ungleichheit

imparziale unparteiisch

impassìbile unempfindlich; gleichmütig

impastare kneten; kleistern

impaurire erschrecken

impazien|te ungeduldig; **⁓tirsi** ungeduldig werden; **⁓za** *f* Ungeduld

impazzire verrückt werden

impeccàbile tadellos

imped|imento *m* Hindernis *n*; Verhinderung *f*; **⁓ire** verhindern; (*Weg*) versperren

impegn|arsi [-ɲ-] sich verpflichten; **⁓ato** verpflichtet; bestellt, belegt; **⁓o** *m* Verpflichtung *f*

impenetràbile undurchdringlich

impenn|are beflügeln; **⁓arsi** sich aufbäumen

impens|àbile undenkbar; **⁓ato** ungeahnt; **⁓ierito** besorgt

impera|tore *m* Kaiser; **⁓trice** [-tʃe] *f* Kaiserin

imperdonàbile unverzeihlich

imperf|etto unvollkommen; *m* Imperfektum *n*; **⁓ezione** *f* Unvollkommenheit

imperiale kaiserlich; *m* (Wagen-)Verdeck *n*

imperizia *f* Unerfahrenheit

impermeàbile undurchdringlich; wasser-, luftdicht; *m* Regenmantel

impermutàbile unabänderlich

impero *m* (Kaiser-)Reich *n*; Herrschaft *f*

impersonale unpersönlich

impertin|ente unverschämt; **⁓enza** *f* Unverschämtheit

imperturbàbile unerschütterlich; gleichgültig

impestare verpesten

impeto *m* Heftigkeit *f*

impetuoso stürmisch; heftig

impiant|are anlegen; gründen; **⁓ito** *m* Fliesenboden

impianto *m* Einrichtung *f*; Anlage *f*; **⁓ d'accensione** Zündanlage *f*; **⁓ elèttrico** elektrische Anlage, Beleuchtung *f*; **⁓ lavacristallo** Scheibenwaschanlage *f*; **⁓ radiofònico** Funkanlage *f*

impiastro *m* Pflaster *n*

impiccare (auf)hängen

impicciare [-tʃa-] hindern; stören

impiccinire [-tʃ-] verkleinern; kleiner werden

impiccio [-tʃo] *m* Hindernis *n*

impieg|àbile anwendbar; **⁓are** anwenden; anstellen; **⁓ata** *f* Angestellte; **⁓ato** angestellt; *m* Angestellte(r); Beamte(r); **~o** *m* Stellung *f*

impietrire versteinern

impiombare plombieren

implac|àbile unversöhnlich; unerbittlich; **~abilità** *f* Unversöhnlichkeit; Unerbittlichkeit

implacidire [-tʃ-] mildern; besänftigen

implor|are anflehen; **~a-zione** *f* flehende Bitte

impolver|are bestäuben; **~arsi** verstauben

impon|ente imposant; **~enza** *f* Großartigkeit

imp|orre auf(er)legen; **~orsi** sich aufdrängen

import|ante wichtig; **~an-za** *f* Bedeutung; **senza ~anza** unwichtig; **~are** betragen (*Summe*); (*Waren*) einführen; nötig sein; **non importa** es tut nichts; **~atore** *m* Importhändler; **~azione** *f* Einfuhr; **~o** *m* Betrag

importun|are belästigen; **~o** aufdringlich; lästig

imposs|ìbile unmöglich; **~ibilità** *f* Unmöglichkeit

impost|a *f* Steuer; (Fenster-)Laden *m*; **~are** anlegen; aufstellen; in den Briefkasten stecken

impot|ente ohnmächtig; unfähig; **~enza** *f* Ohnmacht

impoverire verarmen

imprati|càbile unausführbar; unzugänglich; **~chirsi** [-k-] sich üben

imprec|are verwünschen; **~azione** *f* Verwünschung

impreciso [-tʃ-] ungenau

impres|a *f* Unternehmen *n*; **~ario** *m* Unternehmer

impression|àbile empfindlich; **~are** beeindrucken

impressione *f* Eindruck *m*

imprèstito *m* Darlehen *n*; Anleihe *f*

imprevisto unvorhergesehen

imprìmere aufdrücken; einprägen; *Typ* drucken

improb|àbile unwahrscheinlich; **~abilità** *f* Unwahrscheinlichkeit

impront|a *f* Abdruck *m*; *fig* Gepräge *n*; **~a in gesso** Gipsabdruck *m*; **~are** abdrücken; **~o** zudringlich

improprio unpassend

improvvis|are aus dem Stegreif dichten (reden); **~o** plötzlich; **all'~o** unversehens

imprud|ente unklug; unvorsichtig; **~enza** *f* Unklugheit; Unvorsichtigkeit

impud|ente unverschämt; **~enza** *f* Unverschämtheit

impugn|àbile [-ɲ-] anfechtbar; **~are** ergreifen; anfechten

impuls|ivo treibend; **~o** *m* Anstoß; Antrieb

impun|e straflos; **~ito** unbestraft

impunt|are stocken; **~arsi** sich sträuben; **~ato** halsstarrig; **~ire** steppen; **~ua-**

le unpünktlich; **~ualità** f Unpünktlichkeit; **~ura** f Steppnaht

impuro unrein

in in; nach; **~ Italia** in (nach) Italien; **~ italiano** auf italienisch; **andare ~ treno** mit dem Zug fahren

in... (*Vorsilbe mit oft verneinender Bedeutung*) un...

inàbile unfähig; untauglich

inaccessìbile [-tʃ-] unzugänglich

inaccettàbile [-tʃ-] unannehmbar

inademp|ìbile unerfüllbar; **~imento** m Nichterfüllung f

inal|are einatmen; inhalieren; **~azione** f Inhalation

inalterato unverändert

inamidare stärken

inammissìbile unzulässig

inappellàbile unanfechtbar

inappetenza f Appetitlosigkeit

inapprezzàbile unschätzbar

inappuntàbile tadellos

inargentare [-dʒ-] versilbern

inaridire ausdörren; verdorren

inarrivàbile unerreichbar

inaspettato unerwartet

inattendìbile unzuverlässig

inatt|ento unaufmerksam; **~enzione** f Unaufmerksamkeit

inatteso unerwartet

inatt|ività f Untätigkeit; **~ìvo** untätig

inatto unfähig

inattuàbile unausführbar

inaudito unerhört

inaugur|are einweihen; (*feierlich*) eröffnen; **~azione** f Einweihung; (*feierliche*) Eröffnung; Enthüllung

inavvert|enza f Unachtsamkeit; **~ìto** unbemerkt

incalcolàbile unberechenbar

incalorire erhitzen

incalzare (be)drängen

incanalare kanalisieren

incandescente [-ʃ-] (weiß-)glühend

incant|are bezaubern; **~évole** bezaubernd; **~o** m Zauberei f; Zauber; Auktion f; **méttere all'~o** versteigern

incap|ace [-tʃe] unfähig (**di** zu); **~acità** [-tʃ-] f Unfähigkeit

incarcerare [-tʃ-] einkerkern

incaric|are beauftragen (**di** mit); **~arsi** (**di qc.** et.) übernehmen

incàrico m Auftrag

incarn|are verkörpern; **~atino** fleischfarben

incart|are (*in Papier*) einwickeln; **~o** m Akte f; **~occiare** [-tʃa-] in e-e Tüte tun

incasellare in das Fach legen

4*

inc|assare (*in Kisten*) verpacken; (*Geld*) einkassieren; (*Tote*) einsargen; **~asso** *m* Inkasso *n*; Einnahme *f*

incastonare (ein)fassen

incatenare verketten; fesseln

incatramare teeren

incauto unvorsichtig

incav|are aushöhlen; **~ato** hohl

incendi|are [-tʃ-] in Brand stecken; **~ario** *m* Brandstifter; **~o** *m* Feuer *n*; Feuersbrunst *f*

incener|imento [-tʃ-] *m* Einäscherung *f*; **~ire** einäschern

incens|are [-tʃ-] beräuchern; **~iere** *m* Weihrauchfaß *n*; **~o** *m* Weihrauch

incerato [-tʃ-] *m* Wachstuch *n*

inc|ertezza [-tʃ-] *f* Unsicherheit; **~erto** unsicher; ungewiß

incessante [-tʃ-] unaufhörlich

incettatore [-tʃ-] *m* Aufkäufer

inchin|are [-k-] neigen; **~arsi** sich beugen; **~o** *m* Verbeugung *f*

inchiodare [-k-] festnageln

inchiostro [-kₒ-] *m* Tinte *f*

inciamp|are [-tʃa-] stolpern; **~icare** (öfters) straucheln; **~o** *m* Hindernis *n*

incid|entale [-tʃ-] zufällig; **~ente** *m* Zwischenfall; Unfall; **~ente** *m* **stradale** Verkehrsunfall

incidere [-tʃ-] einschneiden; gravieren; *fig* einprägen

incipriare [-tʃ-] pudern

incirca [-tʃ-]: **all'~** ungefähr

incisione [-tʃ-] *f* Einschnitt *m*; ~ **in legno** Holzschnitt *m*; ~ **in rame** Kupferstich *m*

incisore [-tʃ-] *m* Graveur

inciv|ile [-tʃ-] ungesittet; unhöflich; **~ilire** zivilisieren

inclem|ente unfreundlich; **~enza** *f* Unfreundlichkeit

inclin|àbile *fig* gefügig; **~are** (hin)neigen; **~ato** schräg; **~azione** *f* Neigung

incl|ùdere mit einschließen; (*Briefe*) beilegen; **~usa** *f* Einlage; **~usivamente**, **~usive** einschließlich

incoerente zs.-hanglos

incògnito [-ɲ-] unbekannt

incollare ankleben; leimen

incol|orarsi sich färben; **~ore** farblos

incolp|are beschuldigen; **~azione** *f* Beschuldigung; **~évole** unschuldig

incolto ungebildet; unbebaut

in|cómbere obliegen; **~-combustibile** unverbrennbar; **~combusto** unversehrt

incominciare [-tʃa-] anfangen (**a zu**)

incommutàbile unver-
änderlich

incomod|are stören; ~arsi
sich bemühen; non si in-
còmodi lassen Sie sich
nicht stören

incòmodo unbequem

incomparàbile unver-
gleichlich

incompatìbile unvereinbar

incompensàbile unersetz-
bar

incompetente nicht zu-
ständig

incompiuto unvollendet

incomprensìbile unver-
ständlich

incon|cepìbile [-tʃ-] unbe-
greiflich; ~ciliàbile [-tʃ-]
unversöhnlich

inconfortàbile untröstlich

inconsapévole unwissend;
unbewußt

inconseguenza f Inkonse-
quenz

inconsiderato unüberlegt

inconsolàbile untröstlich

inconsueto ungewohnt

incont|àbile unzulänglich
unge-nügend; ~abilità f Ungenüg-
samkeit

incontestato unbestritten

incontrare begegnen

incontro m Begegnung f;
Wettstreit; adv entgegen;
all'~ im Gegenteil

inconveni|ente unschick-
lich; ~enza f Unschick-
lichkeit

inconvincìbile [-tʃ-] un-
überzeugbar

incoragg|iamento [-dʒa-]

m Ermutigung f; ~iare
[-dʒa-] ermutigen; ~iarsi
Mut fassen

incorniciare [-tʃa-] ein-
rahmen

incoron|are krönen; ~a-
zione f Krönung

incorporare einverleiben

incorr|eggìbile [-dʒ-] un-
verbesserlich; ~ettezza f
Unkorrektheit; ~etto feh-
lerhaft; ~otto unverdor-
ben; ~uttìbile unbestech-
lich

incosciente [-ʃe-] unbe-
wußt

incost|ante unbeständig;
~anza f Unbeständigkeit;
~ituzionale verfassungs-
widrig

incredìbile unglaublich

incrèdulo ungläubig

increspare kräuseln; (Stirn)
runzeln

incroci|are [-tʃa-] kreuzen;
~atore [-tʃa-] Mar m
Kreuzer; ~o [-tʃo] m
Kreuzung f

incrollàbile fest; fig unerschütterlich

incudine f Amboß m

incuràbile unheilbar

incurvare krümmen

incustodito unbewacht

indagare (nach)forschen

indàgine [-dʒ-] f (Nach-)
Forschung

indebit|arsi sich in Schul-
den stürzen; ~ato ver-
schuldet

indebolire schwächen;
schwach werden

indec|ente [-tʃ-] unanständig; **~enza** f Unanständigkeit; **~isione** f Unentschlossenheit; **~iso** unentschlossen

indefinito unbestimmt

indegn|ità [-ɲ-] f Unwürdigkeit; **~o** unwürdig

indelicato unfein; taktlos

indenn|e schadlos; **~ità** f Entschädigung; **~izzare** entschädigen; **~izzo** m Schadenersatz

indescrivibile unbeschreiblich

indeterminato unbestimmt; unentschlossen

indi darauf

indicare zeigen; angeben

indicatore m Anzeiger; **~ stradale** Wegweiser

indicazione f Anweisung

indice [-tʃe] m Zeigefinger; Mech Zeiger; Lit Inhaltsverzeichnis n

indicibile [-tʃ-] unsagbar

indietr|eggiare [-dʒa-] zurückweichen; **~o** zurück; **all'~o** rückwärts

indifferr|ente gleichgültig; **~enza** f Gleichgültigkeit

indigeno [-dʒ-] einheimisch; m Eingeborene(r)

indigente [-dʒ-] bedürftig

indig|eribile [-dʒ-] unverdaulich; **~estione** f Verdauungsstörung

indignazione [-ɲ-] f Entrüstung

independ|ente unabhängig; **~enza** f Unabhängigkeit

indire ansagen

indir|etto indirekt; **~izzare** adressieren, richten (a an acc); **~izzo** m Adresse f

indiscreto zudringlich; taktlos

indispensàbile unentbehrlich

indisp|ettito ärgerlich; gereizt; **~osizione** f Unwohlsein n; **~osto** nicht aufgelegt; unwohl

indisputàbile unbestreitbar

indistinto undeutlich

individua f Endivie

individu|ale individuell; **~alità** f Persönlichkeit

individuo m Individuum n; Person f

indiviso ungeteilt

indizio m Anzeichen n

indòcile [-tʃ-] unfolgsam

indocilità [-tʃ-] f Unfolgsamkeit

indolcire [-tʃ-] versüßen; fig mildern

indole f Natur; Gemütsart

indol|ente träge; **~enza** f Trägheit; Schmerzlosigkeit

indomani m: l'**~** der folgende Tag

indorare vergolden

indossare anziehen; anhaben

indovin|are (er)raten; **~ello** m Rätsel n

indubbio unzweifelhaft

indugi|are [-dʒa-] (ver)zögern; **~o** [-dʒo] m Verzögerung f

indulg|ente [-dʒ-] nach-
sichtig; ~enza f Nachsicht
indurare verhärten
ind|urre bewegen; ~ursi
sich entschließen
industria f Industrie; Gewerbe n; ~ meccànica
Maschinenbauindustrie
industriale industriell; m
Industrielle(r)
ineducato uner-, unge-
zogen
ineffàbile unaussprechlich
ineffettuàbile unausführ-
bar
inefficace [-tʃe] unwirksam
ineguale ungleich, uneben
inerte untätig; tot (Kapital)
inerudito ungebildet
ines|atto ungenau; ~auri-
bile unerschöpflich
ineseguibile unausführbar
inesoràbile unerbittlich
inesp|erienza f Unerfah-
renheit; ~erto unerfah-
ren
inesplicàbile unerklärlich
inesprimibile unaus-
sprechlich
inetto untauglich
inevitàbile unvermeidlich
inezia f Lappalie
infallibile unfehlbar
infam|are verleumden; ~e
schändlich; fig abscheu-
lich; ~ia f Schmach
infant|icidio [-tʃ-] m Kin-
desmord; ~ile kindlich
infanzia f Kindheit
infarinare mit Mehl be-
streuen
infarto m Infarkt; ~ mio-
càrdico Herzinfarkt

infaticàbile unermüdlich
infatti in der Tat
infausto unglückselig
infecond|ità f Unfrucht-
barkeit; ~o unfruchtbar
infedel|e ungetreu; ungläu-
big; ~tà f Untreue; Un-
glaube m
infelice [-tʃe] unglücklich
inferior|e unterer; gerin-
ger; m Untergebene(r);
~ità f Minderwertigkeit
inferm|iera f Kranken-
schwester; ~iere m Kran-
kenwärter; ~ità f Leiden n;
~o leidend; m Kranke(r)
infern|ale höllisch; ~o m
Hölle f
inferriata f Eisengitter n
infestare verheeren
infettare infizieren; an-
stecken; verseuchen
infettiv|o ansteckend; ma-
lattìa f ~a Infektions-
krankheit
infezione f Infektion, An-
steckung
infiamm|àbile leicht ent-
zündbar; feuergefährlich;
~are entzünden
infiammazione f Entzün-
dung; ~ dell'orecchio
medio Mittelohrentzün-
dung
infil|are einfädeln; (Perlen)
aufreihen; ~arsi qc. sich
et. anziehen
infiltrarsi durchsickern;
eindringen
infilzare aufspießen
infimo geringste, unterste
infin|e schließlich; ~ità f

Unendlichkeit; **~ito** unendlich; *m Gr* Infinitiv

infiorare (mit Blumen) schmücken

infless|ibile unbiegsam; **~ione** *f* Beugung; Tonfall *m*

influ|ente einflußreich; **~enza** *f* Einfluß *m*; Influenza, Grippe; **~ire** einwirken (auf *acc*)

influsso *m* Einfluß

infoc|are erhitzen; **~ato** glühend

infondato unbegründet

infóndere *fig* einflößen

inform|arsi sich erkundigen; **~azione** *f* Auskunft; Erkundigung; **~e** unförmig

infortun|io *m* Unfall; **assicurazione** *f* **contro gli ~i** Unfallversicherung

inforzare stärken

infossato tiefliegend; eingefallen

infrángere (-*g*-) brechen

infrazione *f* Übertretung

infredd|arsi sich erkälten; **~atura** *f* Erkältung; **~olirsi** frösteln

infruttuoso fruchtlos

infuori: all'~ di außer

infuri|arsi in Wut geraten; **~ato** wütend

infusione *f* Aufguß *m*

ingann|are täuschen; betrügen; **~atore** *m* Betrüger; **~o** *m* Betrug

ingegn|arsi [-dʒeɲ-] sich bemühen; **~ere** *m* Ingenieur; **~o** [-dʒe:ɲo] *m* Talent *n*; Begabung *f*; **~o**

della chiave Schlüsselbart; **~oso** [-dʒeɲ-] geistreich; erfindlerisch

ingènito [-dʒ-] angeboren

ing|enuità [-dʒ-] *f* Harmlosigkeit; **~ènuo** harmlos; naiv

ingessare [-dʒ-] gipsen

Inghilterra *f* England *n*

inghiottire schlucken; verschlingen

ingiallito [-dʒa-] vergilbt

inginocchi|arsi [-dʒinok-k-] niederknien; **~atoio** *m* Betpult *n*; **~oni** kniend

ingiù [-dʒu] abwärts; hinunter

ingiuri|a [-dʒu-] *f* Beschimpfung; Schmähung; **~are** beschimpfen; beleidigen

ingiust|izia [-dʒu-] *f* Ungerechtigkeit; **~o** ungerecht

inglese *adj* englisch; *m* Engländer

inglorioso unrühmlich

ingoiare hinunterschlucken

in|gombrare (*Weg*) versperren; **~gombro** versperrt

ingommare aufkleben

ingordo gefräßig; gierig

ingorg|arsi sich stauen; stocken (*Verkehr*); **~o** *m* Stauung *f*

ingran|aggio [-dʒo] *m* *Mech* Zahnwerk *n*; Getriebe *n*; **ferrovia** *f* **ad ~aggio** Zahnradbahn; **~are** ineinandergreifen

ingrand|imento *m* Vergrößerung *f*; ⁓ire vergrößern; größer werden

ingrass|aggio [-dʒo] *m Auto*: Abschmieren *n*; ⁓are mästen; düngen; dick werden; ⁓o *m* Dünger

ingr|atitùdine *f* Undankbarkeit; ⁓ato undankbar

ingresso *m* Eintritt; Eingang; Eintrittsgeld *n*

ingrossare zunehmen; anschwellen

ingrosso: all'⁓ en gros, Groß...

inguantarsi Handschuhe anziehen

inguaribile unheilbar

inguinale: regione *f* ⁓ *Anat* Leistengegend

inguine *m Anat* Leiste *f*

inibire untersagen

iniettare einspritzen

iniezione *f* Einspritzung; Spritze

inim|icarsi sich verfeinden; ⁓icizia [-tʃ-] *f* Feindschaft

inimmaginàbile [-dʒ-] undenkbar

ininterrotto ununterbrochen

iniqu|ità *f* Ungerechtigkeit; Bosheit; ⁓o ungerecht

inizi|ale *f* Anfangsbuchstabe *m*; ⁓are anfangen; einführen; ⁓ativa *f* Anstoß *m*

innaffi|are besprengen; ⁓atoio *m* Gießkanne *f*; ⁓atrice [-tʃe] *f* Sprengwagen *m*

innalzare erheben; erhöhen

innamorarsi di sich verlieben in

innanzi vor; vorher; vorwärts

innato angeboren

innaturale unnatürlich

innegàbile unleugbar

innestare einschalten; ⁓ la marcia den Gang einlegen

inno *m* Hymne *f*

innoc|ente [-tʃ-] unschuldig; harmlos; ⁓enza *f* Unschuld

innòcuo unschädlich

innov|are erneuern; ⁓azione *f* Erneuerung

innumerévole unzählbar

inodoro geruchlos

inoltr|are einreichen; (*Brief*) nachsenden; ⁓e außerdem

inond|are überschwemmen; ⁓azione *f* Überschwemmung

inoperoso untätig

inopportuno ungelegen

inorridire schaudern

inospitale unwirtlich

inosservato unbeachtet; unbemerkt

inquadrare einrahmen; einreihen

inquiet|are beunruhigen; ⁓o unruhig; ⁓ùdine *f* Unruhe; Beunruhigung

inquilino *m* Mieter

insalare einsalzen

insalata *f* Salat *m*; ⁓ di cetrioli Gurkensalat *m*; ⁓ di gàmberi Krebsschwanzsalat *m*; ⁓ di lat-

tuga Kopfsalat *m*; ~ **russa** italienischer Salat
insalatiera *f* Salatschüssel
insalubre ungesund
insaponare einseifen
insaziàbile unersättlich
insedi|amento *m* Amtsantritt; ~**arsi** (*ein Amt*) antreten
insegna [-ɲa] *f* Abzeichen *n*; Schild *n*
insegn|amento [-ɲ-] *m* Unterricht; Belehrung *f*; ~**ante** lehrend; *su* Lehrer(in *f*) *m*; ~**are** lehren
insegu|imento *m* Verfolgung *f*; ~**ire** verfolgen
insens|ato unsinnig; *m* Tor; ~**ibile** unempfindlich
inseparàbile unzertrennlich
inserirsi sich einordnen
inserzione *f* Einfügung; Inserat *n*; **méttere un'**~ inserieren
insetticida [-tʃ-] insektentötend
insetto *m* Insekt *n*.
insidi|a *f* Hinterlist; ~**are** nachstellen; ~**oso** hinterlistig
insieme zusammen; *m* Gesamtheit *f*
insignificante [-ɲ-] unbedeutend
insincero [-tʃ-] unaufrichtig
insinu|arsi sich einschmeicheln; ~**azione** *f* Verdächtigung
insìpido fade

insistente dringlich
insistere bestehen (**in, su** auf *dat u. acc*)
insod(d)isfatto unbefriedigt
insolazione *f* Sonnenstich *m*
insolente frech
insòlito ungewöhnlich; ungewohnt
insolùbile unlösbar
insomma kurz; schließlich
insonn|e schlaflos; ~**ia** *f* Schlaflosigkeit
insopportàbile unerträglich
insòrgere [-dʒ-] sich erheben; entstehen
insostenìbile unhaltbar
install|are aufstellen; installieren; ~**atore** *m* Installateur; ~**azione** *f* Anlage
instancàbile unermüdlich
insù hinauf; nach oben
insuccesso [-tʃ-] *m* Mißerfolg
insudiciare [-tʃa-] beschmutzen
insuffici|ente [-tʃe-] ungenügend; ~**enza** [-tʃe-] *f* Unzulänglichkeit
insulare inselartig
insult|are beleidigen; beschimpfen; ~**o** *m* Beleidigung *f*
insuperàbile unübertrefflich; ~**ato** unübertroffen
insurrezione *f* Aufstand *m*
intagliatore [-ʎa-] *m* (Holz-)Schnitzer; (Kupfer-)Stecher

intanto inzwischen; ~ **che** während

intarlato wurmstichig

intarsio m eingelegte Arbeit f

intascare einstecken

intatto unberührt; unversehrt

intavolare (*Gespräch*) anfangen

intavolatura m Holztäfelung f

integrare vervollständigen

intell|etto m Verstand; Geist; ~**ettuale** geistig; intellektuell; ~**igente** [-dʒ-] klug; ~**igenza** [-dʒ-] f Klugheit; Verstand m

intemperante unmäßig

intèndere verstehen; hören; meinen; beabsichtigen; verlangen; **s'intende!** selbstverständlich!

intenso heftig; intensiv

inten|to bedacht; beschäftigt (**a** mit); ~**zione** f Absicht

interamente gänzlich

inter|cèdere [-tʃ-] dazwischentreten; ~**cessione** [-tʃ-] f Fürsprache; ~**comunale** mehrere Gemeinden betreffend

interdetto verboten

interd|ire untersagen; ~**izione** f Verbot n

interess|amento m Interesse n, Teilnahme f; ~**ante** interessant, bemerkenswert; ~**are** interessieren; angehen; ~**ato** HdI beteiligt; ~**e** m Interesse n; Anteil; ~**i** m/pl Zinsen

interiezione f Interjektion

interiore innere; m Innere(s) n

interlocutore m Gesprächspartner

interm|ediario m Vermittler; ~**edio** mittlere

intermezzo m Zwischenspiel n

intermittente aussetzend; **febbre** f Wechselfieber n

internare internieren

internazionale international

interno innere, innerlich; m Innere(s) n; Innenraum; Türnummer f (*im Hause*)

intero ganz; vollständig; **latte** ~ Vollmilch f

interporsi vermitteln

in|terpretare auslegen; deuten; ~**tèrprete** m Dolmetscher; *Thea* Darsteller

interpunzione f Interpunktion

interregno [-ɲo] m Zwischenregierung f

interrogare (be)fragen

interrogativo fragend; **punto** m ~ Fragezeichen n

inter|rogatorio m Verhör n; ~**azione** f Befragung; Frage

interr|ómpere unterbrechen; ~**uttore** m Elektr (Licht-)Schalter; ~**uzione** f Unterbrechung; Elektr Störung

inter|secare (durch)schneiden; ~**sezione** f Schnittpunkt m; ~**vallo** m Zwischenraum; Abstand

interv|enire dazwischenkommen; teilnehmen; **~ento** m Einschreiten n; Intervention f; Eingriff (a Chir)

intervista f Interview n; Unterredung

intesa f Einverständnis n

inteso verstanden

intest|are mit e-r Überschrift versehen; **~are a** qu. auf j-s Namen eintragen; **~azione** f Überschrift; Briefkopf m

intestino innere; m Darm; **~ cieco** Blinddarm

intimare befehlen; jur ankündigen

intimidire einschüchtern

intimità f Vertrautheit

intimo innig; intim

intimorire einschüchtern

int|ingere [-dʒ-] eintauchen; fig schöpfen; **~ingolo** m Tunke f; **~into** durchtränkt; m Tunke f, Soße f

intirizzire erstarren

intitolare betiteln; benennen

intoller|àbile unerträglich; **~ante** unduldsam

intonacare übertünchen

intònaco m Tünche f

intonare (an)stimmen

intopp|are zufällig treffen; stolpern (in über acc); **~o** m Hindernis n

intorbidare trüben

intormentirsi einschlafen (Glied)

intorno prp ~ **a** um; um ...

herum; über; adv ~ umher, herum

intossicamento m Vergiftung f; **~ di sangue** Blutvergiftung f

intossicazione f Vergiftung; **~ alimentare** Lebensmittelvergiftung

intra = tra, fra

intralciare [-tʃa-] stören

intransitivo intransitiv

intrapr|èndere unternehmen; **~esa** f Unternehmen n

intrattàbile unzugänglich

intratten|ere unterhalten; **~ersi** sich aufhalten (su bei)

intrecci|are [-tʃa-] flechten; **~arsi** sich verschlingen; **~atura** [-tʃa-] f Geflecht n; **~o** [-tʃo] m Verwicklung f

intrig|ante hinterlistig; **~are** verwickeln; intrigieren; **~o** m Intrige f

intrìnseco innere; vertraut

intristire fig verkümmern

introd|urre einführen; **~uzione** f Einführung; Lit Einleitung; Mus Ouvertüre

intromé ttersi sich einmischen

intruso m Eindringling

intumidire anschwellen

inumano unmenschlich

inumidire anfeuchten

inùtile unnütz

invàdere eindringen in; einnehmen

invalid|are entkräften; für

ungültig erklären; **~ità** f Arbeitsunfähigkeit

invàlido ungültig; m Invalide

invano vergebens

invariàbile unveränderlich

invasione f (feindlicher) Einfall m

invecchiare [-k-] alt machen; altern

invece [-t∫e] statt dessen; **~ di** anstatt (zu); **~ di lui (in sua vece)** an seiner Stelle

invelenire erbittern

invendìbile unverkäuflich

invent|are erfinden; **~ario** m Inventar f; Inventur f

inven|tivo erfinderisch; **~tore** m Erfinder; **~zione** f Erfindung

invernale winterlich

invernici|are [-t∫a-] lackieren; **~atore** [-t∫a-] m Lackierer [Winter]

inverno m Winter; **d'~** im

invero wirklich

inverosìmile unwahrscheinlich

invers|ione f Umkehrung; **~o** umgekehrt

investig|are (er-, nach-) forschen; **~azione** f Nachforschung

invest|imento m Investierung f; Zusammenstoß m; **~ire** bekleiden (**di** mit); überfahren (*Wagen*); (*Geld*) anlegen; **~irsi** aufeinanderstoßen

invetri|are verglasen; glasieren; **~ata** f Glasfenster n

invi|are senden; **~ato** m speciale Sonderberichterstatter

invidi|a f Neid m; **~àbile** beneidenswert; **~are** beneiden; **~oso** neidisch

invigor|ire stärken; **~irsi** erstarken

invilire entmutigen; (*Preise*) herabdrücken

invil|uppare einwickeln; **~uppo** m Bündel n

invincìbile [-t∫-] unbesiegbar

invìo m Sendung f

inviolàbile unverletzlich

invisìbile unsichtbar

inviso unbeliebt

invitare einladen; auffordern

invito m Einladung f; Aufforderung f; **~ a presentarsi** Vorladung f

invocare anrufen; anflehen

invogliare [-ʎa-] anregen

involontario unfreiwillig

invol|tare einwickeln; **~òlucro** m Hülle f

inzolfare schwefeln

inzuccherare [-k-] überzuckern

inzuppare einweichen

io ich

iòdi|co jodhaltig; **~o** m Jod n

ipno|si f Hypnose; **~tizzare** hypnotisieren

ipocondria f Schwermut

ipocrisìa f Heuchelei

ipòcrita m Heuchler

ipoteca f Hypothek

ìppica f Pferdesport m

ippòdromo *m* Hippodrom *n*; Rennbahn *f*

ira *f* Zorn *m*

iracond|ia *f* Jähzorn *m*; **~o** jähzornig

irato zornig

iride *f* Regenbogen *m*; *Anat* Regenbogenhaut; *Bot* Schwertlilie

ir|onìa *f* Ironie; **~ònico** ironisch

irradi|are aus-, be-strahlen; **~azione** *f* Bestrahlung

irragionévole [-dʒo-] unvernünftig

irrancidire [-tʃ-] ranzig werden

irreale unwirklich

irreconciliàbile [-tʃ-] unversöhnlich

irrefrenàbile unbändig

irregol|are unregelmäßig; **~arità** *f* Unregelmäßigkeit

irreparàbile unersetzlich; nicht wieder gutzumachen

irreprensìbile einwandfrei

irre|quietezza *f* Unruhe; **~quieto** ruhelos; unruhig

irresistìbile unwiderstehlich

irresolutezza *f* Unentschlossenheit

irrespons|àbile unverantwortlich; **~abilità** *f* Unverantwortlichkeit

irrevocàbile unwiderruflich

irrig|are bewässern; **~azione** *f* Bewässerung

irrit|àbile reizbar; **~abilità** *f* Reizbarkeit; **~are** reizen

irruzione *f* Einbruch *m*

irsuto struppig, borstig

irto gesträubt; stachlig

ischio [-sk-] *m* Hüftbein *n*

iscr|ìvere einschreiben; **~iversi** sich einschreiben; sich anmelden (a zu); **~izione** *f* Einschreibung

ìsola *f* Insel

isol|amento *m* Absonderung *f*; **~ano** *m* Inselbewohner; **~are** absondern; **~arsi** sich abschließen; **~ato** *m* Häusergruppe *f*

isp|ettore *m* Inspektor; **~ezionare** besichtigen; **~ezione** *f* Inspektion, Besichtigung

ìspido struppig

ispir|are einatmen; *fig* eingeben; einflößen; **~arsi** sich begeistern; **~azione** *f* Einatmung; Eingebung

issare hissen

istant|àneo *f* Momentaufnahme; **~àneo** augenblicklich; **~e** *m* Augenblick; **~emente** dringlich

istanza *f* Gesuch *n*

istèrico hysterisch

istint|ivo instinktiv; **~o** *m* Instinkt, Naturtrieb

istit|uire gründen; stiften; **~uto** *m* Institut *n*; Anstalt *f*; **~uto m di bellezza** Schönheitssalon; **~utore** *m* Erzieher; **~uzione** *f* Einrichtung

istmo *m* Landenge *f*

istru|ire belehren; unterrichten; **~ito** gebildet

　　　　　　　　　　　lampadina

istruttivo lehrreich
istruzione f Unterricht m;
　Anweisung; **pùbblica** ~
　öffentliches Unterrichts-
　wesen n; ~ **obbligatoria**
　Schulpflicht
Italia f Italien n

italiano italienisch; m Ita-
　liener
itinerario m Reiseplan;
　Reiseweg [verloren]
ito: **bell'e** ~ schon fort;/
itterizia f Gelbsucht
ivi dort, daselbst

K

ketchup m (Tomaten-)
　Ketchup m, n

kg Abk für **chilogramma**
km Abk für **chilòmetro**

L

l' (vor Vokal) = **lo, la**
la (art f/sg) die; pron (acc
　sg) sie; ♀ Sie; ~ **Mus** m
　A n; ~ **bemolle** As n
là da, dort; dahin, dorthin;
　di ~ von dort; **al di** ~
　jenseits; auf der anderen
　Seite
labbro m Lippe f
labor|atorio m Laboratori-
　um n, Werkstätte f; ~**ioso**
　arbeitsam; beschwerlich
lacca f Lack m
laccetto [-tʃ-] m Schnür-
　senkel
laccio [-tʃo] m Schlinge f;
　~ **per le scarpe** Schnür-
　senkel
lacerare [-tʃ-] zerreißen
làcero [-tʃ-] zerrissen
lacuna f Lücke
lacustre See...
laddove dort, wo
ladro diebisch; m Dieb;
　~**ne** m Straßenräuber
laggiù [-dʒu] da unten
lagn|anza [-ɲ-] f Beschwer-

de; ~**arsi** sich beklagen (**di**
　über acc); ~**o** m Klage f
lago m See
làgrima f Träne
laguna f Lagune
làico weltlich; m Laie
laidezza f Häßlichkeit
làido häßlich; widerlich
lament|are beklagen; ~**ar-
si sich beklagen (**di** über
　acc); ~**o** m Klage f; ~**oso**
　jämmerlich
lametta f: ~ **da barba**
　Rasierklinge
lamiera f Blech n
làmina f Platte
laminare walzen
làmpada f Lampe; ~ **ad
　arco** Bogenlampe; ~ **del
　comodino** Nachttisch-
　lampe; ~ **di collaudo**
　Prüflampe; ~ **lampo** Blitz-
　lampe; ~ **a raggi ultra-
　violetti** Höhensonne (Ge-
　rät); ~ **spia** Kontrollampe
lampad|ario m Kronleuch-
　ter; ~**ina** f kleine Lampe;

Elektr (Glüh-)Birne; **~ina tascàbile** Taschenlampe
lampeggiante [-dʒa-] *m Auto:* Blinklicht *n*
lamp|eggiare [-dʒa-] blitzen; **~eggiatore** [-dʒa-] *m Auto:* Blinker; **~ione** *m* Laterne *f*
lampo *m* Blitz; **treno** *m* ~ Schnellzug
lampone *m* Himbeere *f*
lana *f* Wolle; ~ **pettinata** Kammgarn *n*; ~ **pura** reine Wolle
lancetta [-tʃ-] *f* Zeiger *m*
lanci|a [-tʃa] *f* Lanze; **~are** [-tʃa-] schleudern; **~arsi** sich stürzen
lancio [-tʃo] *m* Wurf; Sprung; ~ **del disco** Diskuswerfen *n*; ~ **del giavellotto** Speerwerfen *n*; ~ **della palla di ferro** Kugelstoßen *n*
landa *f* Heide
laneria *f* Wollware
languidezza *f* Mattigkeit
lànguido matt; schmachtend
languire schmachten; stocken (*Handel*)
lanoso wollig
lanterna *f* Laterne; ~ **cieca** Blendlaterne
lan|ùgine [-dʒ-] *f* Flaum *m*; **~uto** wollig
làpide *f* Gedenktafel; Grabstein *m*
lapillo *m* Lavastückchen *n*
lapis *m* Bleistift; **~làzzuli** *m* Lasurstein
lardo *m* Speck

larghezza *f* Breite; Weite; *fig* Freigebigkeit
largire [-dʒ-] spenden
largo breit; weit; freigebig; *m* Breite *f*; ~**! Platz!**
làrice [-tʃe] *m* Lärchenbaum
laring|e [-dʒe] *f* Kehlkopf *m*; **~ite** [-dʒ-] *f* Kehlkopfentzündung
larva *f Zo* Larve; *fig* Gespenst *n*
lasagn|a [-ɲa] *f* breite Nudel; **~e** *f/pl* **verdi** grüne Bandnudeln
lasca *f* Plötze (*Fisch*)
lasciare [-ʃa-] lassen; verlassen; hinterlassen
làscito [-ʃ-] *m* Vermächtnis *n*
lassù da oben, droben
lastra *f* Platte; Steinplatte; (Fenster-)Scheibe
lastric|are pflastern; **~ato** *m* Pflaster *n*
làstrico *m* (Straßen-)Pflaster *n*; *fig* Elend *n*
latente verborgen
laterale seitlich; **porta** *f* ~ Seitentür
latifondo *m* Großgrundbesitz
latino lateinisch
latit|ante flüchtig; **~ùdine** *f* Breite; *fig* Weite
lato weit; *m* Seite *f*
latore *m* Überbringer
latrare bellen
latta *f* Blech *n*; Kanister *m*
latt|aia *f* Milchfrau; **~ante** *m* Säugling; **~e** *m* Milch *f*; **~erìa** *f* Milchgeschäft *n*;

~iera f Milchkanne; **~ivéndolo** m Milchhändler

lattoniere m Klempner

lattuga f Kopfsalat m

làurea f Doktorwürde

laur|eto m Lorbeerhain; **~o** m Lorbeer, Lorbeerbaum

lava f Lava

lav|àbile (ab)waschbar; **~abo** m Waschbecken n; Wasch-tisch, -raum; **~aggio** [-dʒo] m Waschen n

lavagna [-ɲa] f Schiefer m; Schiefertafel

lav|amano m Waschtisch; **~anda** f Lavendel m; **~andaia** f Waschfrau; **~anderia** f Waschanstalt; **~andino** m Waschbecken n; **~are** (ab)waschen; spülen; **~atoio** m Waschraum; Waschküche f

lavina f Lawine

lavor|are (be)arbeiten; **~atore** m Arbeiter; **~o** m Arbeit f

le (art f/pl) die; **~** pron (dat f/sg) ihr; (acc f/pl) sie; ♀ Ihnen

leal|e redlich; **~tà** f Redlichkeit

lebbra f Lepra, Aussatz m

leccare lecken

lecc|o m Leckerbissen; **~one** m Feinschmecker; **~ornia** f Leckerei

lécito [-tʃ-] erlaubt

lega f Meile; Bund m; Legierung

legàcciolo [-tʃo-] m Schnürsenkel; Strumpfband n

leg|ale gesetzlich; **~alizzare** beglaubigen; **~alizzazione** f Beglaubigung

legame m Band n; Fessel f

leg|are vermachen; binden; *fig* vereinigen; **~ato** m Vermächtnis n; **~atore** m Buchbinder; **~azione** f Gesandtschaft

legge [-dʒe] f Gesetz n; **studiar ~** Jura studieren

leggenda [-dʒ-] f Legende

lèggere [-dʒ-] lesen

legger|ezza [-dʒ-] f Leichtigkeit; Leichtsinn m; **~o** leicht; *fig* leichtsinnig

leggiadr|ia [-dʒa-] f Anmut; **~o** anmutig

leggìbile [-dʒ-] leserlich

leggiero [-dʒe-] = **leggero**

leggìo [-dʒ-] m Lesepult n; *Mus* Notenständer

legisl|atore [-dʒizl-] m Gesetzgeber; **~azione** f Gesetzgebung

legittim|are [-dʒ-] legitimieren; **~azione** f Legitimation; Ausweis m

legittimo [-dʒ-] rechtmäßig; ehelich

legn|a [-ɲa] f (Brenn-)Holz n; **~aiolo** m Tischler

legname [-ɲ-] m (Nutz-)Holz n; **~da costruzione** Bauholz n

legno [-ɲo] m Holz n

legum|e m Hülsenfrucht f; **~i** m/pl Gemüse n

lei (pron f) sie; ♀ Sie; **dare del ~** siezen

lembo m Rand; Saum

len|imento m Linderung f;

~ire mildern; **~itivo** lindernd

lent|e f Opt Linse; **~e d'ingrandimento** Lupe; **~i** f/pl **di contatto** Haftschalen

lentezza f Langsamkeit
lenticchia [-k-] f Linse
lentiggine [-dʒ-] f Sommersprosse
lento langsam; locker
lenz|a f Angelschnur; **~uolo** m Laken n; Bettuch n
leon|e m Löwe; **~essa** f Löwin
lepre f Hase m
lesso gesotten; m gekochtes Fleisch n
lesto flink
letizia f Freude
lèttera f Brief m; Buchstabe m; **~ aèrea** Luftpostbrief m; **~ espresso** Eilbrief m; **~ per l'èstero** Auslandsbrief m; **~ per l'interno** Inlandsbrief m; **~ raccomandata** Einschreibebrief m
letter|ale buchstäblich; wörtlich; **~ario** literarisch; **~ato** gebildet; m Schriftsteller; **~atura** f Literatur
lett|iera f Bettgestell n; **~iga** f Sänfte
lettino m: **~ da campeggio** Campingliege f
letto m Bett n; **~ da bambino** Kinderbett n; **~ supplementare** Zusatzbett n
lettura f Lektüre
leucemìa [-tʃ-] f Leukämie

leva f Hebel m; **~ di marcia** Schalthebel m
levante m Osten
lev|are aufheben; (er)heben; **~arsi** aufstehen; aufgehen (Sonne); (Hut) abnehmen; (Kleid) ausziehen; **~ata** f Leerung (Postkasten); **~atrice** [-tʃe] f Hebamme
lezione f (Lehr-)Stunde; Lektion; Vorlesung; fig Lehre
li (art m/pl) die; (pron m/pl) sie
lì dort, da
libbra f Pfund n (in Italien etwa ⅓ Kilo; in Deutschland ½ Kilo)
liber|ale freigebig; Pol liberal; **~alità** f Freigebigkeit; **~are** befreien
libero frei
libertà f Freiheit
libr|aio m Buchhändler; **~erìa** f Bibliothek; Bücherschrank m; Buchhandlung
libretto m Büchlein n; Operntext; **~ di risparmio** Sparbuch n
libro m Buch n; **~ tascàbile** Taschenbuch n
licenz|a [-tʃ-] f Erlaubnis; mil Urlaub m; **esame ~ di** **liceale** Abiturientenprüfung f; **~iare** entlassen; kündigen
liceo [-tʃ-] m Gymnasium n, Oberschule f
lido m Strand
lieto froh, erfreut

liev|e leicht; **~itare** mit Hefe versetzen; gären

lièvito m Hefe f; Sauerteig m

lilla lila; f Flieder m

lim|a f Feile; **~are** feilen

limitare beschränken

limitat|o: società f **a responsabilità ~a** Gesellschaft mit beschränkter Haftung   [kung]

limitazione f Beschrän-

limite m Grenze f

lim|onata f (Zitronen-)Limonade; Zitronenwasser n; **~one** m Zitrone f; Zitronenbaum

limpidezza f Klarheit

limpido klar

lindo sauber

linea f Linie; Elektr, Tel Leitung; Esb Strecke; Typ Zeile; **~ dell'àutobus** Autobuslinie; **~ ferroviaria** Eisenbahnlinie; **~ secondaria** Nebenstrecke

line|amenti m/pl Gesichtszüge; **~are** linienförmig; linieren

linfa f Lymphe

lingua f Zunge; Sprache; **~ parlata** Umgangssprache; **~ scritta** Schriftsprache; **~ salmistrata** gepökelte Zunge

lino m Flachs; Leinen n

liquid|are liquidieren; auflösen; **~azione** f Ausverkauf m; Liquidation

liquido flüssig; m Flüssigkeit f; **~ per i freni idràulici** Bremsflüssigkeit f

liquore m Likör; **~ di ànice** Anislikör

lira f Lira; Leier

liric|a f Lyrik; **~o** lyrisch; m Lyriker

lisca f (Fisch-)Gräte

lisciare [-ʃa-] glätten

liscio [-ʃo] glatt

lisciva [-ʃ-] f Lauge

lista f Liste; **~ dei prezzi** Preisliste; **~ (dei cibi)** Speisekarte; **~ dei vini** Weinkarte

lite f Streit m

litig|are streiten; **~arsi** sich zanken; **~io** [-dʒo] m Streit

litografia f Lithographie; Steindruck m

litro m Liter m

littorale m Küstenland n

liuto m Mus Laute f

livellare ausgleichen; einebnen

livello m Höhe f; Niveau n; **~ del mare** Meeresspiegel; **~ d'olio** Ölstand

lividо fahl, bläulich; m blauer Fleck

lo (art m/sg) der, den, das; (pron acc m/sg) ihn, es

locale m Lokal n; Räumlichkeit f; **~ da ballo** Tanzlokal n

località f Örtlichkeit; **~ balneare** Badeort m; **~ di confine** Grenzort m

loc|anda f Wirtshaus n; **~atario** m Mieter

locomotiva f Lokomotive

locomotore m elektrische Lokomotive f

locusta f Heuschrecke
lod|are loben; **~e** f Lob n;
~évole lobenswert
lòdola f Lerche
loggia [-dʒa] f Loggia,
Säulenhalle
loggi|ato [-dʒa-] m Bogengang; **~one** m [-dʒo-] m *Thea*
Galerie f
lògic|a [-dʒ-] f Logik; **~o**
logisch
logorare abnutzen
lombat|a f Lendenstück n;
~a (od **~ina** f) di **vitello**
Kalbsnierenbraten m
lombo m Lende f
lont|ananza f Entfernung;
~ano fern; weit; **di** (od da)
~ano von ferne, aus der
Ferne
loquace [-tʃe] gesprächig
lord|are beschmutzen; **~o**
schmutzig; *Hdl* peso m **~o**
Bruttogewicht n
loro sie; ihnen; ♀ Sie; Ihnen; (poss pl) ihr; ♀ Ihr
lott|a f Kampf m; Ringkampf m; **~are** kämpfen;
~atore m Ringer
lott|eria f Lotterie; **~o** m
Anteil; Lotto n
lozione f: **~ da barba** Rasierwasser n; **~ per capelli**
Haarwasser n; **~ per il viso**
Gesichtswasser n
lubrific|ante m Schmieröl
n; **~are** (ein)schmieren;
~atore m Ölbüchse f
lucchetto [-k-] m Vorhängeschloß n
luccicare [-tʃ-] leuchten;
funkeln

luccio [-tʃo] m Hecht
lùcciola [-tʃo-] f Glühwürmchen n
luccioperca [-tʃo-] m Zander
luce [-tʃe] f Licht n; **~**
anabbagliante Standlicht
n; **~ di magnesio** Blitzlicht n; **~ di posizione**
Standlicht n
lucente [-tʃ-] leuchtend
lùcere [-tʃ-] glänzen
lucèrtola [-tʃ-] f Eidechse
lucherino [-k-] m Zeisig
lucid|are [-tʃ-] polieren;
putzen; **~ezza** f Glanz
m
lùcido [-tʃ-] blank; glänzend; m Glanz; **~ per le**
scarpe Schuhkrem f
lucìgnolo [-tʃ-] m Docht
lucr|ativo einträglich; **~o**
m Gewinn
luglio [-ʎo] m Juli
lui er; ihn; **di ~** seiner, von
ihm; **a ~** ihm
lumaca f Schnecke
lum|e m Licht n; Lampe f;
Leuchte f; **~iera** f Kronleuchter m; **~inoso** leuchtend
luna f Mond m; *fig*
schlechte Laune; **~ di**
miele Flitterwochen f/pl
lunedì m Montag
lun|ghezza f Länge; **~gi**
[-dʒi] weit
lungo adj lang; *prp* entlang,
längs; m Länge f; **~mare**
m Strandpromenade f
luogo m Ort; **~ di cura**
Kurort; **~ di nàscita** Ge-

burtsort; **avere** ~ stattfinden; **in primo** ~ erstens; **in qualche** ~ irgendwo; **in nessun** ~ nirgends
lupo *m* Wolf
lùppolo *m* Hopfen
lusing|a *f* Verlockung; ~are schmeicheln

luss|are verrenken; ~azione *f* Verrenkung
luss|o *m* Luxus; ~uoso luxuriös, prunkvoll
lustr|are putzen; polieren; ~ascarpe *m* Schuhputzer; ~o blank
lutto *m* Trauer *f*

M

ma aber; sondern
maccheroni [-k-] *m/pl* Makkaroni
macchi|a [-k-] *f* Fleck *m*; Buschwald *m*; ~are beflecken
màcchina [-k-] *f* Maschine; Auto *n*; ~ **familiare** Kombiwagen *m*; ~ **fotogràfica** Fotoapparat *m*; ~ **da scrivere** Schreibmaschine; ~-**roulotte** *f* Campingwagen *m*
macchin|ale [-k-] mechanisch; ~**are** anzetteln; Ränke schmieden; ~**ista** *m* Mechaniker; Lokomotivführer
macedonia [-tʃ-] *f* Obstsalat *m*
macell|aio [-tʃ-] *m* Schlächter, Metzger; ~**are** schlachten; ~**eria** *f* Schlächterei, Fleischerei
macerare [-tʃ-] aufweichen
macerie [-tʃ-] *f/pl* Schutt *m*, Trümmer *f*
màcero [-tʃ-] mürbe
macilento [-tʃ-] abgezehrt
màcina [-tʃ-] *f* Mühlstein *m*

macin|are [-tʃ-] mahlen; zerreiben; ~**ino** *m* Kaffeemühle *f*
màdido durchnäßt
Madonna *f* (heilige) Jungfrau
madre *f* Mutter; **lingua** ~ *f* Muttersprache; ~**perla** *f* Perlmutter; ~**vite** *f* Schraubenmutter
madrina *f* Patin
maest|à *f* Majestät; ~**oso** majestätisch
maestr|a *f* Lehrerin; ~**o** meisterhaft; Haupt...; *m* Lehrer; Meister; ~**o di cappella** Kapellmeister; ~**a strada** *f* ~**a** Hauptstraße
maga *f* Zauberin
magari sogar; wolle Gott!; ~! und wie!
magazzin|o *m* Lager *n*; Speicher; **grande** ~**o** od **grandi** ~**i** *m/pl* Warenhaus *n*
maggio [-dʒo] *m* Mai
maggiol|ata [-dʒo-] *f* Maifeier; ~**ino** *m* Maikäfer
maggioranza [-dʒo-] *f* Mehrheit
maggiore [-dʒo-] größer;

il ～ der größte; der älteste;
m mil Major

maggior|enne [-dʒo-]
großjährig, mündig; ～ità *f*
Mündigkeit

magia [-dʒ-] *f* Zauberei

màgico [-dʒ-] zauberhaft

magist|ero [-dʒ-] *m* Meisterschaft *f*; ～rale meisterhaft

magli|a [-ʎa] *f* Masche;
Unterjacke; Pullover *m*;
fare la ～a stricken; ～eria
[-ʎe-] *f* Strickware; ～etta
[-ʎe-] *f* Öse

magnano [-ɲ-] *m* Schlosser

magn|ete [-ɲ-] *m* Magnet;
～ètico magnetisch; ～èto
fono *m* Tonbandgerät *n*

magnific|are [-ɲ-] verherrlichen; ～enza [-ɲifitʃ-]
f Herrlichkeit [prächtig)

magnifico [-ɲ-] herrlich;ʃ

magnolia [-ɲ-] *f* Magnolie

mag|o *m* Zauberer; **i tre re
～i** [-dʒi] die Heiligen Drei
Könige

magr|ezza *f* Magerkeit; ～o
mager; **giorno *m* di ～o**
Fasttag

mai je; jemals; **non ～** nie,
niemals; ～ **più** nie wieder;
come ～? wieso denn?; ～
wenn überhaupt

maiale *m* Schwein *n*

maionese *f* Mayonnaise

maiùscola *f* großer Buchstabe *m*

malagévole [-dʒ-] schwierig; beschwerlich

malapena: a ～ kaum, mit
Mühe

malaria *f* Malaria

mal|aticcio [-tʃo] kränklich; ～ato krank (**di an**
dat); *m* Kranke(r)

malattìa *f* Krankheit; ～
del fégato Leberleiden *n*;
～ **venèria** Geschlechtskrankheit

mal|contento unzufrieden; ～destro ungeschickt

male schlecht; *m* Böse(s)
n; Übel *n*; Leiden *n*;
Schmerz; **mal d'aria**
Luftkrankheit *f*; **mal di
denti** Zahnschmerzen *pl*;
mal di gola Halsschmerzen *pl*; **mal di mare** Seekrankheit *f*; **mal di testa**
Kopfschmerzen *pl*

male|detto verdammt;
verflucht; ～dire verfluchen

mal|educato ungezogen;
～efizio *m* Missetat *f*;
～erba *f* Unkraut *n*

mal|èssere *m* Unbehagen
n; Unwohlsein *n*; ～èvolo
böswillig; ～fido unzuverlässig; ～grado trotz

maligno [-ɲo] boshaft;
bösartig

malinc|onìa *f* Schwermut;
～ònico schwermütig

mal|inteso mißverstanden;
m Mißverständnis *n*; ～izia
f Bosheit; ～izioso boshaft

mallèolo *m* Fußknöchel

mallevadore *m* Bürge

mal|sano ungesund; ～si
curo unsicher; ～tempo *n*
Unwetter *n*

malto *m* Malz

maltrattare mißhandeln

manovra

malumore *m* üble Laune *f*

mal|vagio [-dʒo] schlecht; *m* Bösewicht; **∼veduto** unbeliebt (**da** bei); **∼versazione** *f* Unterschlagung; **∼volentieri** ungern

mamm|a *f* Mama; Mutter; **∼ella** *f* (Mutter-)Brust; **∼ifero** *m* Säugetier *m*

manata *f* Handvoll

manc|a *f* linke Hand; **a ∼a** links; **∼anza** *f* Mangel *m* (**di** an *dat*); **∼are** fehlen; verstoßen (**contro** qc. gegen et.)

manchévole [-k-] mangelhaft

mancia [-tʃa] *f* Trinkgeld *n*

manc|ina [-tʃ-] *f* linke Hand; **∼ino** linkshändig

manco *m* Mangel; Fehlbetrag

mandare schicken; senden; **∼ a prèndere** holen lassen; **∼ giù** hinunterschlucken

mandarino *m* Mandarine *f*

mandato *m* Auftrag; Vollmacht *f*; **∼ bancario** Bankanweisung *f*

mandolino *m* Mandoline *f*

màndorl|a *f* Mandel; **∼o** *m* Mandelbaum

maneg|gévole [-dʒ-] handlich; **∼giare** [-dʒa-] handhaben; **∼gio** [-dʒo] *m* Handhabung *f*

man|esco geschickt; handlich; **∼ette** *f/pl* Handschellen

manganare rollen; mangeln

màngano *m* (Wäsche-) Mangel *f*

mang|iàbile [-dʒa-] eßbar; **∼iare** [-dʒa-] essen; zernagen; fressen (*Tiere*); *fig* verzehren; *m* Essen *n*; **∼ime** [-dʒ-] *m* Futter *n*

mànic|a *f* Ärmel *m*; **∼o** *m* Griff; Henkel; Stiel

manicomio *m* Irrenhaus *n*

manicotto *m* Muff

manicure *su* Maniküre *f*

manier|a *f* Art; Weise; **di ∼a che** so, daß; **in nessuna ∼a** keinesfalls; **∼e** *f/pl* Manieren

manieroso manierlich

manifatt|ore *m* Handwerker; **∼ura** *f* Fabrikation; Fabrik; **∼ure** *f/pl* Manufakturwaren

manifest|are kundtun; offenbaren; **∼arsi** sich zeigen; **∼azione** *f* Kundgebung; **∼azione sportiva** Sportveranstaltung; **∼ino** *m* Flugblatt *n*; **∼o** klar; offenbar; *m* Plakat *n*; Theaterzettel

maniglia [-ʎa] *f* Klinke

manipolare bearbeiten

mano *f* Hand; **èssere di ∼** ausspielen; **a ∼** Hand...; **a ∼ a ∼** nach und nach; **alla ∼** bereit, bei der Hand

manòpola *f* Ärmelaufschlag *m*; *Tech* Griff *m*

mano|scritto *m* Manuskript *n*; *Lit* Handschrift *f*; **∼vella** *f* Kurbel; Griff *m*

manovr|a *f* Manöver *n*;

~are _Esb_ rangieren; **~atore** _m_ Wagenführer (_Tram_)

mans|uefare zähmen; besänftigen; **~ueto** zahm; sanft

mant|ellina _f_ Umhang _m_; **~ello** _m_ Mantel; _fig_ Deckmantel; **~ello da mezza stagione** Übergangsmantel

mantenere erhalten; (_j-n_) unterhalten; (_Wort_) halten

màntice [-tʃe] _m_ Blasebalg; (Wagen-)Verdeck _n_

mantiglia [-ʎa] _f_ Umhang _m_

manuale _m_ Handbuch _n_; **lavoro** _m_ ~ Handarbeit _f_

manubrio _m_ _Mech_ Griff; Lenkstange _f_

manzo _m_ Rind(fleisch) _n_; **~ lesso** gekochtes Rindfleisch _n_; **arrosto** _m_ **di** ~ Rinderbraten

mappa _f_ geographische Karte

marasca _f_ Weichselkirsche

maraviglia [-ʎa] _usw_ _s_ **meraviglia** _usw_

marca _f_ Zeichen _n_; Marke; **~ di fàbbrica** Schutzmarke

marcare zeichnen; markieren; stempeln

marches|a [-k-] _f_ Marquise; **~e** _m_ Marquis

marchio [-k-] _m_ Zeichen _n_

marcia [-tʃa] _f_ Marsch _m_; _Auto:_ Gang _m_; **~ indietro** Rückwärtsgang

marci|apiede [-tʃa-] _m_ Bürgersteig; Bahnsteig;

~are [-tʃa-] marschieren; gehen; **~ata** [-tʃa-] _f_ Marsch _m_

marcio [-tʃo] faul; morsch; eitrig

marco _m_ Mark _f_; **tre marchi** [-ki] 3 Mark

mare _m_ Meer _n_; See _f_; **~ agitato** Seegang; **~ calmo** ruhige See _f_; **bagno** _m_ **di** ~ Seebad _n_; **viaggio** _m_ **di** ~ Seereise _f_; **per** ~ zu Wasser; **in alto** ~ auf hoher See

marea _f_ Gezeiten _pl_; **alta** ~ Flut; **bassa** ~ Ebbe

mar|eggiare [-dʒa-] wogen; **~emoto** _m_ Seebeben _n_

maresciallo [-ʃa-] _m_ Marschall

màrgine [-dʒ-] _m_ Rand

marin|a _f_ Meer _n_; Seeküste, Marine; _Mal_ Seestück _n_; **~aio** (_a_ **~aro**) _m_ Matrose

marionetta _f_ Marionette

marit|àbile heiratsfähig; **~are** verheiraten; **~ato** _Kochk_ (_mit Schinken usw_) gefüllt

marito _m_ (Ehe-)Mann; Gatte; **da** ~ heiratsfähig

marittimo See...; **commercio** _m_ ~ Seehandel

marmellata _f_ Marmelade

marmo _m_ Marmor

marrone kastanienbraun; _m_ Marone _f_, eßbare Kastanie _f_; Schnitzer (_Fehler_)

marsina _f_ Frack _m_

martedì _m_ Dienstag; **~ grasso** Fastnacht _f_

martell|are hämmern; *fig*
plagen; **～o** *m* Hammer;
Türklopfer

màrtire *m* Märtyrer

martirio *m* Marter *f*

màrtora *f* Marder *m*

marzapane *m* Marzipan *n*

marzo *m* März

mascella [-ʃ-] *f* Kiefer *m*;
～ inferiore Unterkiefer *m*;
～ superiore Oberkiefer *m*

mascellare [-ʃ-]: **dente ～**
Backenzahn

màschera [-sk-] *f* Maske;
Platzanweiser(in*f*)*m*; **ballo
in ～** Maskenball

mascherare [-sk-] maskie-
ren

maschile [-sk-] männlich;
scuola ～ Knabenschule

maschio [-sk-] männlich;
m Zo Männchen *n*

masn|ada [-zn-] *f* Rotte;
～adiere *m* (Straßen-)Räu-
ber

massa *f* Masse

massacr|are hinschlach-
ten; **～o** *m* Gemetzel *n*

mass|aggiatore [-dʒa-] *m*
Masseur; **～aggio** [-dʒo] *m*
Massage *f*

mass|aia *f* Hausfrau; Wirt-
schafterin; **～erìa** *f* Bauern-
hof *m*

massiccio [-tʃo] massiv

màssima *f* Grundsatz *m*;
Regel

màssimo größt, höchst

masso *m* Fels; Block

masticare kauen

mastro *m* Meister; **libro ～**
～ Hauptbuch *n*

matemàtica *f* Mathematik

materass|o *m* Matratze *f*;
～o (*od* **～ino** *m*) pneumàtico Luftmatratze *f*

materia *f* Stoff *m*; (Stu-
dien-)Fach *n*; **～ prima**
Rohstoff *m*

materiale materiell; *m*
Material *n*; **～ di pronto
soccorso** Verbandszeug *n*

matern|ità *f* Mutterschaft;
～o mütterlich(erseits)

matita [-ʃ-] *f* Bleistift *m*; **～ colorata** Buntstift *m*

matrice [-tʃe] *f* Matrize;
Anat Gebärmutter

matrigna [-ɲa] *f* Stief-
mutter

matrimoni|ale ehelich; **～o**
m Ehe *f*; Heirat *f*

mattina *f* Morgen *m*; **di ～**
morgens; **questa ～** heute
morgen; **domani ～** mor-
gen früh

mattin|ata *f* Morgen *m*,
Matinée *f*; **～o** *m* Morgen;
di buon ～ frühmorgens

matto verrückt; *m* Narr

matt|onaia *f* Ziegelei; **～o-
nato** *m* Backsteinpflaster
n; **～one** *m* Ziegelstein

mattutino *m* (Früh-)Messe
f

matur|are zur Reife brin-
gen; reifen; **～ità** *f* Reife;
～o reif; *fig* reiflich

mazza *f* Stock *m*; Keule

mazzo *m* Bündel *n*; (**～ di
fiori** Blumen-)Strauß; **～ di
chiavi** Bund *n* Schlüssel;
～ di carte Spiel *n* Karten;
～lino *m* Sträußchen *n*

me	122

me mich; (= **mi** *vor* **lo, la, li, le, ne**) mir; **pòvero ~!** ich Armer!; **come ~** wie ich; **di ~** meiner

meccànic|a *f* Mechanik; **~o** mechanisch; *m* Mechaniker; **~o d'automòbili** Autoschlosser

mecenate [-tʃ-] *m* Mäzen

meco mit mir

medaglia [-ʎa] *f* Medaille; Denkmünze

medèsim|o selber; selbst; **il ~o** derselbe; dasselbe; **la ~a** dieselbe

med|ia *f* Durchschnitt *m*; *Geom* Mittel *n*; **~iano** Mittel...; *m Sport*: Läufer; **~iante** vermittels; **~iatore** *m* Vermittler

medic|amento *m* Arznei *f*, Medikament *n*; **~are** verbinden; **~astro** *m* Kurpfuscher; **~azione** *f* Behandlung; (Zahn-)Einlage

medicin|a [-tʃ-] *f* Medizin; Arznei; **~a veterinaria** Veterinärmedizin; **~ale** Heil...

mèdico *m* Arzt; **~ di bordo** Schiffsarzt

medi|o mittlere; durchschnittlich; **scuola** *f* **~a** Mittelschule; **dito** *m* **~o** Mittelfinger

mediocr|e mittelmäßig; **~ità** *f* Mittelmäßigkeit

medio|evale mittelalterlich; **~evo** *m* Mittelalter *n*

medit|are überlegen; nachdenken; **~azione** *f* Nachdenken *n*

mediterràneo mittelländisch; **Mare** *m* ♀ = ♀ *m* Mittelländisches Meer *m*; Mittelmeer *n*

medusa *f* Qualle

meglio [-ʎo] besser; **~!** *od* **tanto ~!** um so besser!; *m* Bessere(s) *n*; Beste(s) *n*

mela *f* Apfel *m*

melagran|a *f* Granatapfel *m*; **~o** *m* Granatapfelbaum

melanzana *f* Aubergine

mellone *m* Melone *f*

melo *m* Apfelbaum

mel|odìa *f* Melodie; **~òdico** melodisch

membrana *f*: **~ del tìmpano** Trommelfell *n*

membro *m* Anat (*pl* **le membra**) Glied *n*; *fig* (*pl* **i membri**) Mitglied *n*

memor|àbile, **~ando** denkwürdig

mèmore eingedenk

memoria *f* Gedächtnis *n*; Andenken *n*; Erinnerung; **a ~** auswendig

menadito: **a ~** wie am Schnürchen

menare führen

mendace [-tʃe] lügenhaft

mendic|ante *m* Bettler; **~are** (er)betteln; **~o** *m* Bettler

mening|e [-dʒe] *f* Hirnhaut; **~ite** [-dʒ-] *f* Hirnhautentzündung

meno weniger; **fare a ~ di ...** darauf verzichten, zu; **per lo ~** wenigstens

mensa f Tafel; **sacra ~** Abendmahl n

mensile monatlich

mènsola f Konsole

menta f Pfefferminze

mentale geistig; **malattìa** f ~ Geisteskrankheit

mente f Geist m; Sinn m; **avere in ~ di** beabsichtigen zu; **venire in ~** ein-) **mentire** lügen   [fallen)

mento m Kinn n

mentre, nel ~ che während

menzion|are erwähnen; **~e** f Erwähnung

menzogna [-ɲa] f Lüge

meravigli|a [-ʎa] f Wunder n; Verwunderung; **~are** [-ʎa-] verwundern; **~arsi** [-ʎa-] sich wundern; **~ato** [-ʎa-] verwundert; **~oso** [-ʎo-] wunderbar

mercant|e m Händler; **~ile** kaufmännisch; **flotta** f **~ile** Handelsflotte

mercato m Markt; **~ coperto** Markthalle f; **a buon ~** billig; **~ mondiale** Weltmarkt

merc|e [-tʃe] f Ware; **treno** m **~i** Güterzug

mercé [-tʃe] f Gnade

merc|ede [-tʃ-] f Lohn m; **~eria** [-tʃe-] f Schnittwaren f/pl; Kurzwarengeschäft n; **~iaio** [-tʃa-] m Kurzwarenhändler

merciaiuolo [-tʃa-] m Hausierer

mercoledì m Mittwoch

mercuri|ale quecksilberhaltig; **~o** m Quecksilber n

merenda f Vesperbrot n

meridiana f Sonnenuhr

meridionale südlich; **Italia** f **~** Süditalien n

meriggio [-dʒo] m Mittag; Mittagszeit f

meringa f (Sahne-)Baiser n

merino m Merinoschaf n

meritare verdienen

mèrito m Verdienst n; **in ~ a** in bezug auf (acc)

merlett|are mit Spitzen garnieren; **~o** m Spitze f

merlo m Arch Zinne f; Zo Amsel f

merluzzo m Kabeljau

mesata f Monatsgehalt n

méscere [-ʃ-] mischen; (Wein usw) einschenken

meschino [-sk-] armselig

méscita [-ʃ-] f Ausschank

mescolare mischen

mese m Monat

messa f Legen n, Setzen n; Rel Messe f; **~ in piega** Wasserwelle; **~ in piega a freddo** Kaltwelle; **~ in scena** Inszenierung; **~ solenne** Hochamt n

mess|aggero [-dʒ-] m Bote; **~aggio** [-dʒo] m Botschaft f; **~ale** m Meßbuch n

messe f Ernte

mestic|are grundieren; **~heria** [-k-] f Farbenhandlung

mestiere m Handwerk n; Beruf

mest|izia f Traurigkeit; **~o** traurig

mestruazione f Menstruation

meta f Ziel n

metà f Hälfte; **a ~ zur** Hälfte

metàllico metallisch

metall|o m Metall n; **~ùrgico** [-dʒ-] m Metallarbeiter

meteorològico [-dʒ-] **bollettino** m ~ Wetterbericht

meticoloso peinlich

metòdic|a f Methodik; **~o** methodisch; m Methodiker

mètodo m Methode f

mètrica f Metrik

metro m Meter n; **~ quadrato** Quadratmeter n; **~ cubo** Kubikmeter n

metròpoli f Weltstadt

metropolitana f Untergrundbahn, U-Bahn

méttere legen; setzen; stellen; **~ in fuga** in die Flucht schlagen; **~ in scena** inszenieren; **~ su casa** sich einrichten

mezz|alana f Halbwolle; **~aluna** f Halbmond m; Kochk Wiegemesser n; **~anino** m Zwischenstock

mezzanotte f Mitternacht

mezzo überreif; halb; **un ~ litro** ein halbes Liter; **un litro e ~** anderthalb Liter; m Mitte f; Hälfte f; Mittel n; **per ~ di** durch; **in ~ a** inmitten; **nel ~ di** mitten in, in der Mitte; **~busto** m Brustbild n; **~cerchio** [-tʃerkio] m Halbkreis; **~dì**

m, **~giorno** [-dʒo-] m Mittag; Geogr Süden

mi mir; mich

miagolare miauen

mica: non ... ~ gar nicht

microbo m Mikrobe f

micro|motore m Moped n; **~pellicola** f nero-bianco Schwarzweiß-Kleinbildfilm m

midoll|a f (Brot-)Krume; **~a** f u **~o** m (Knochen-)Mark n; **~o spinale** Rückenmark n

miei m/pl meine

miele m Honig

miètere mähen

mietitore m Schnitter

migliaio [-ʎa-] m Tausend n

miglio [-ʎo] m Meile f

miglior|amento [-ʎo-] m Besserung f; **~are** verbessern; **~arsi** sich bessern; **~e** besser; **il ~e** der beste

mignolo [-ɲ-] m kleiner Finger; kleine Zehe f

Milano f Mailand n

miliardo m Milliarde f

miliare: pietra f **~** Meilenstein m

mili|onario m Millionär; **~one** m Million f

militare militärisch, Militär...

milite m Soldat

milizia f Miliz f; Heer n; **~e** f/pl Truppen

mille tausend

mill|enne tausendjährig; **~ennio** m Jahrtausend n; **~imetro** m Millimeter n

milza f Milz

mimica f Gebärdenspiel n

mimosa f Mimose

mina f Mine; **~ di ricambio** Ersatzmine (*Kugelschreiber*)

minacci|a [-tʃa] f Drohung; **~are** [-tʃa-] (be)drohen; **~oso** [-tʃo-] drohend

min|are untergraben; **~atore** m Bergmann

minchionare [-k-] foppen

minerale m Mineral n; **acqua** f **~** Mineralwasser n

minestra f (dicke) Suppe; **~ di riso** Reissuppe; **~ di verdura** Gemüsesuppe

minestr|ina f leichte Suppe; Brühe mit Einlage; **~one** m dicke Gemüsesuppe f

miniatura f Miniaturmalerei

miniera f Bergwerk n

mini-golf m Minigolf n

mìnimo geringste, wenigste

minist|eriale ministeriell; **partito** m **~eriale** Regierungspartei f; **~ero** m Ministerium n; **~ro** m Minister

minor|anza f Minderheit; **~e** kleiner; jünger; **~enne** minderjährig

minùscolo klein (*Buchstabe*)

minuto klein; fein, genau; **al ~** im einzelnen; **commercio** m **~** Kleinhandel; m Minute f; **~ secondo** Sekunde f

minuzi|a f Kleinigkeit; **~oso** kleinlich

mio mein; m Meinige n; **i miei** meine Angehörigen

miope kurzsichtig

miopìa f Kurzsichtigkeit

miosòtide f Vergißmeinnicht n

mira f Ziel n; **avere in ~** beabsichtigen

mirabella f Mirabelle

miràbile wunderbar

miràcolo m Wunder n

miracoloso wunderbar

miràggio [-dʒo] m Luftspiegelung f

mirare (an)schauen; zielen

mirino m Fot Sucher

mirtillo m Preiselbeere f

mirto m Myrte f

misàntropo m Menschenfeind

miscela [-ʃ-] f Mischung

mischi|a [-sk-] f Handgemenge n; **~are** mischen; **~arsi** sich hineinmischen; **~o** gemischt; m Gemisch n

miscredenza f Unglaube m

miscuglio [-ʎo] m Gemengsel n; Mischung f

miser|àbile elend; erbärmlich; **~évole** bejammernswert

miseria f Elend n

misericordi|a f Barmherzigkeit; **~oso** barmherzig

misero elend

missile m Rakete f

miss|ione f Mission; Aufgabe; **~iva** f Sendschreiben n

mister|ioso geheimnisvoll; **~o** m Geheimnis n

mìstic|a f Mystik; **~o** mystisch

mistificare fälschen

misto gemischt; **treno** m **~** Personen- und Güterzug

mistura f Mischung; **~ di latte** Milchmischgetränk n

misur|a f Maß n; Mus Takt m; Maßnahme; **su ~a** nach Maß; **~are** messen; abs (ab)gemessen; maßvoll

mite milde, sanft; **~ezza** f Milde

mitigare mildern

mitra f Bischofsmütze

mitragliatrice [-ʎatri:tʃe] f Maschinengewehr n

mittente m Absender

mòbile beweglich; m Möbel n

mobiliare möblieren

moca m Mokka

moda f Mode; **alla ~** nach der Mode; **di ~** modern; **fuor di ~** altmodisch

modell|are formen; **~o** musterhaft; m Modell n; fig Muster n

moder|are mäßigen; **~ato** mäßig; gemäßigt; **~azione** f Mäßigung

mod|estia f Bescheidenheit; **~esto** bescheiden

modific|are abändern; **~azione** f Abänderung

modista f Putzmacherin

modo m Art f, Weise f; Mus Tonart f; Gr Modus; **ad ogni ~** jedenfalls

mòdulo m Muster n; Formular n; **~ per tele-**

grammi Telegrammformular n

mògano m Mahagoni n

moglie [-ʎe] f Ehefrau, Gattin; **prènder ~** sich verheiraten

mola f Schleifstein m

molare schleifen; **dente** m **~** Back(en)zahn

molest|are belästigen; **~ia** f Belästigung; **~o** lästig

moll|a f Feder; fig Triebfeder; **~e** weich; **~eggiare** [-dʒa-] federn; **~eggio** [-dʒo] m Federung f; **~etta** f Klammer; Haarklemme; **~ezza** f Weichheit; **~ificare** erweichen

molo m Mole f, Pier

moltéplice [-tʃe] vielfach

molteplic|ità [-tʃ-] f Vielfältigkeit; **~are** multiplizieren; **~arsi** sich vermehren

moltitùdine f Menge

molto viel; sehr

moment|àneo augenblicklich; **~o** m Augenblick

mònaca f Nonne

monacale: **àbito** m **~** Mönchskutte f

mònaco m Mönch

mon|arca m Monarch; **~archìa** [-k-] f Monarchie

monastero m Kloster n

monco verstümmelt; m Krüppel

mondano weltlich

mondare reinigen; (Obst) schälen

mondiale Welt...; **fama** f **~** Weltruf m

mondo *m* Welt *f*; **l'altro ~** Jenseits *n*

monello *m* Schelm

moneta *f* Münze; **carta** *f* **~** Papiergeld *n*

monitore *m* (Amts-)Blatt *n*

mon|òcolo einäugig; **~** Monokel *n*; **~oplano** *m* Eindecker; **~opolio** *m* Alleinvertrieb; **~osillabo** einsilbig; **~òtono** eintönig

Monsignore [-ɲ-] *m* Ew. Hochwürden

mont|agna [-ɲa] *f* Gebirge *n*; Rerg *m*; **~agnoso** [-ɲ-] gebirgig; **~anaró** *m* Rcrg bewohner; **~ante** ansteigend; **~are** (be)steigen; (*Pferd*) reiten; montieren; **~are a** sich belaufen auf (*Summe*)

monte *m* Berg; *fig* Haufen; **~ di pietà** Leihhaus *n*

montone *m* Hammel

montuoso bergig

monumento *m* Denkmal *n*; Gebäude *n*

mora *f* Maulbeere; Brünette; Verzug *m*

moral|e moralisch; sittlich; *f* Sittenlehre; **~ità** *f* Sittlichkeit

morbidezza *f* Weichheit

mòrbido weich; *fig* weichlich

morbillo *m* Masern *f/pl*

mordace [-tʃe] bissig

mòrdere beißen; stechen; beizen

morfina *f* Morphium *n*

mor|ibondo sterbend; **~ire** sterben; *Bot* eingehen

mormor|are murmeln; rauschen; **~ìo** *m* Gemurmel *n*

moro schwarzhaarig; *m* Mohr; Maulbeerbaum

moros|a *f pop* Geliebte; **~o** *m* Geliebte(r)

morsa *f* Schraubstock *m*

mors|icare beißen; **~o** *m* Biß; Stich

mortal|e sterblich; tödlich; **~ità** *f* Sterblichkeit

mort|e *f* Tod *m*; **~ificare** abtöten

morto gestorben; tot; **stanco** ~ tödműde; *m* Tote(r)

mortorio *m* Leichenfeier *f*

mortuario: **annuncio** *m* **~** Todesanzeige *f*

mosaicista [-tʃ-] *m* Mosaikarbeiter

mosàico *m* Mosaik *n*

mosc|a *f* Fliege; **~aiuola** *f* Fliegenschrank *m*

mosc|atello *m* Muskateller; **~ato: noce** [-tʃe] *f* **~ata** Muskatnuß

moschea [-sk-] *f* Moschee

moschetto [-sk-] *m* Büchse *f* (*Gewehr*)

mossa *f* Bewegung; **~ di corpo** Stuhlgang *m*

mostard|a *f* Senf *m*, Mostrich *m*; **~iera** *f* Senftopf *m*

mosto *m* (Wein-)Most *f*

mostr|a *f* Ausstellung; Messe; (Schaufenster-) Auslage; Zifferblatt *n*; *Hdl* Muster *n*; **~are** zeigen; **₋o** *m* Ungeheuer *n*; **₋uoso** scheußlich

motiv|are begründen; **₋azione** *f* Begründung; **₋o** *m* (Beweg-)Grund; Motiv *n*; **a ₋o di** wegen

moto *m* Bewegung *f*; **₋cicletta** [-tʃ-] *f* Motorrad *n*; **₋ciclista** [-tʃ-] *su* Motorradfahrer(in *f*) *m*; **₋leggera** [-dʒ-] *f* Moped *n*; **₋nave** *f* Motorschiff *n*

motore bewegend; *m* Motor; **₋ Diesel** Dieselmotor; **₋ a due (quattro) tempi** Zwei-(Vier-)taktmotor; **fuoribordo** Außenbordmotor

moto|retta *f* Motorroller *m*; **₋scafo** *m* Motorboot *n*

motrice [-tʃe] bewegend; **forza ₋** Triebkraft

motto *m* Leitspruch

mov|ente *m* Triebfeder *f*; **₋ibile** bewegbar; **₋imento** *m* Bewegung *f*; *Hdl* Umsatz; (Straßen-)Verkehr

mozz|icone *m* (Zigarren-)Stummel; **₋o** *m* Schiffsjunge

muc|ca *f* (Milch-)Kuh; **₋chio** [-k-] *m* Haufe(n)

muc|o *m* Schleim; **₋osa** *f* Schleimhaut

muff|are schimmeln; **₋ato** schimmelig

mugghi|are brüllen; brausen; **₋o** *m* Gebrüll *n*; Brausen *f*

mughetto *m* Maiglöckchen *n*

mugnaio [-ɲ-] *m* Müller

mulin|ello *m* Wirbel; *Mech* Winde *f*; **₋o** *m* Mühle *f*

mulo *m* Maulesel

multa *f* Geldstrafe

multi|colore vielfarbig, bunt; **₋forme** vielgestaltig

mùltiplo vielfach

mùngere [-dʒ-] melken; *fig* schröpfen

municipale [-tʃ-] städtisch; **consiglio ₋** Gemeinderat; **palazzo ₋** Rathaus *n*; **guardia ₋** städtischer Schutzmann *m*

municipio [-tʃ-] *m* städtische Behörde *f*, Rathaus *n*

mun|ire versehen (**di** mit); **₋izione** *f* Munition

muòvere bewegen; *Mech* (an)treiben; (*im Spiel*) ziehen; *fig* verursachen

mur|aglia [-ʎa] *f* Mauer; **₋atore** *m* Maurer; **₋atura** *f* Mauerarbeit; **₋o** *m* Mauer *f*

muschio [-sk-] *m* Moschus, Bisam

musco *m* Moos *n*

muscolatura *f* Muskulatur

mùscolo *m* Muskel

museo *m* Museum *n*; **₋ archeològico** archäologisches Museum; **₋ dell'arte** Kunstmuseum *n*; **₋ etnogràfico** völkerkundliches Museum; **₋ nazionale** Nationalmuseum *n*; **₋ delle scienze naturali** naturwissenschaftliches Museum

museruola *f* Maulkorb *m*

mùsica *f* Musik; Kapelle;

~ **da càmera** Kammermusik; **negozio _m_ di** ~ Musikalienhandlung _f_

musicale musikalisch

musicista [-tʃ-] _m_, **mùsico** _m_ Musiker

muso _m_ Maul _n_; Schnauze _f_

mustacchi [-ki] _m/pl_ Schnurrbart _m_

mutàbile veränderlich

mutand|e _f/pl_ Unterhose _f_; ~**ine** _f/pl_ Schlüpfer _m_; ~**ine da bagno** Badehose _f_

mutare ändern; wechseln

mutil|**are** verstümmeln; ~**ato** _m_ Krüppel

muto stumm; _m_ Stumme(r)

mùtuo gegenseitig; _m_ Darlehen _n_

N

nàcchere [-k-] _f/pl_ Kastagnetten

nafta _f_ Rohöl _n_

nano zwergenhaft; _m_ Zwerg

napoletano neapolitanisch; _m_ Neapolitaner

Nàpoli _f_ Neapel _n_

nappa _f_ Quaste, Troddel

narc|**osi** _f_ Narkose, Betäubung; ~**òtico** einschläfernd; _m_ Betäubungsmittel _n_; ~**otizzare** narkotisieren

narice [-tʃe] _f_ Nasenloch _n_

narr|**are** erzählen; ~**azione** _f_ Erzählung

nasale nasal; _f_ Nasallaut _m_

nàsc|**ere** [-ʃ-] geboren werden; _Bot._ keimen; _fig_ entstehen; ~**ita** _f_ Geburt

nasc|**óndere** verbergen, verstecken; ~**ondiglio** [-ʎo] _m_ Versteck _n_

nasello _m_ Schellfisch

naso _m_ Nase _f_

nassa _f_ (Fisch-)Reuse

nastro _m_ Band _n_; ~ **isolante** Isolierband _n_; ~ **magnético** Tonband _n_

Natale _m_ Weihnacht(en _pl_)

_f_; **vigilia** _f_ **di** ~ Weihnachtsabend _m_

natale heimatlich; Geburts...; **città** _f_ ~ Vaterstadt

natalizio: giorno _m_ ~ Geburtstag

natante schwimmend

nat|**ività** _f_ Geburt; ~**ivo** gebürtig, stammend (aus); **paese** _m_ ~**ivo** Geburtsort

nato geboren

natura _f_ Natur; ~ **morta** _Mal_ Stilleben _n_

natural|**e** Natur...; natürlich; _m_ Wesen _n_, Charakter; **scienze** _f/pl_ ~**i** Naturwissenschaften

natur|**alezza** _f_ Natürlichkeit; ~**alità** _f_ Staatsangehörigkeit; ~**alizzare** naturalisieren

naufrag|**are** scheitern; ~**io** [-dʒo] _m_ Schiffbruch

nàufrago _m_ Schiffbrüchige(r)

nàusea _f_ Brechreiz _m_, Übelkeit

nauseare anekeln
nàutica f Schiffahrtskunde
navale See...; **cantiere** m ~
  Werft f
navata f (Kirchen-)Schiff n
nave f Schiff n; ~ **mercan-
  tile** Frachtschiff n; ~ **passeggeri** Passagierschiff n
navicella [-tʃ-] f Schiffchen
  n; *Flgw* Gondel
navig|àbile schiffbar; ~**a-
  tore** m Seefahrer; ~**azione**
  f Schiffahrt
naviglio [-ʎo] m Schiff n;
  Flotte f

navone m Kohlrübe f
nazional|e national; staat-
  lich; einheimisch; **prodotto** m ~**e** Landeserzeugnis n;
  ~**ità** f Staatsangehörigkeit;
  ~**izzare** verstaatlichen

ne davon, deren, darüber;
  damit
né: ~ ... ~ ... weder ... noch ...
neanche [-ke] auch nicht;
  nicht einmal   [nebelig]
nebbi|a f Nebel m; ~**oso** f
necess|ario [-tʃ-] nötig,
  notwendig; m Nötige(s) n;
  ~**ità** f Notwendigkeit; Notdurft f
nefrite f Nierenentzündung
neg|are verneinen; (ver-)
  leugnen; ~**ativa** f Verneinung; *Fot* Negativ n; ~**a-
  tivo** verneinend; abschlä-
  gig; ~**azione** f Verneinung
negletto nachlässig
negli [-ʎi] prp in mit art gli
neglig|ente [-glidʒ-] nach-
  lässig; ~**enza** f Nachlässig-
  keit

negozi|ante m Kaufmann;
  ~**are** verhandeln; handeln;
  ~**azione** f Verhandlung
negozio m Geschäft n; ~
  speciale Fachgeschäft n;
  ~ **di artìcoli fotogràfici**
  Fotogeschäft n; ~ **di articoli musicali** Musikalienhandlung f; ~ **di calza-
  ture** Schuhgeschäft n; ~
  di generi alimentari
  Lebensmittelgeschäft n; ~
  di oggetti d'arte Kunst-
  handlung f
negro schwarz; m Neger
neh? pop nicht wahr?
nei, nel, nella, nelle, nello
  prp in mit art i, il, la, le, lo
nem|ica f Feindin; ~**ico**
  feindlich; m Feind
nemmeno auch nicht, nicht
  einmal
neo m Leberfleck; ~**nato** m
  Neugeborene(s) n
neppure auch nicht; nicht
  einmal
nero schwarz; **vino** m ~
  Rotwein; ~**fumo** m Ruß
nerv|ino nervenstärkend;
  ~**o** m Nerv; ~**osità** f Nervosität; ~**oso** nervös
nèspola f Mispel; ~**o** m
  Mispelbaum
nessuno kein(er); niemand
nett|apipe f Pfeifenreini-
  ger; ~**are** reinigen
nettezza f Sauberkeit; ~
  urbana Straßenreinigung
netto rein; *Hdl* Netto...;
  guadagno m ~ Reinge-
  winn

neutr|ale neutral; **~alità** f Neutralität; **~o** neutral; *Gr* sächlich

nev|e f Schnee m; **~icare** schneien; **~icata** f Schneefall m; **~ischio** [-sk-] m Schneegestöber n

nevr|algia [-dʒ-] f Neuralgie; **~àlgico** [-dʒ-] neuralgisch; **~osi** f Nervenkrankheit; **~òtico** nervenkrank

nicchia [-k-] f Muschel; Nische

nichel [-k-] m Nickel n; **~are** vernickeln

nido m Nest n

niente nichts; **non dirò mai ~** ich werde nie etwas sagen; **~ affatto** durchaus nicht; **per ~** umsonst; m Nichts n

nimbo m Heiligenschein

ninn|a nanna f Wiegenlied n; **~are** einlullen

nìnnol|o m Spielzeug n; **~i** m/pl Nippsachen f/pl

nipote su Neffe m, Nichte f; Enkel m, Enkelin f

nitidezza f Klarheit

nìtido klar, scharf

nitr|ire wiehern; **~ito** m Gewieher n

nitro m Salpeter

no nein; **se ~** sonst; andernfalls; **dire di ~** nein sagen

nòbile edel; ad(e)lig; m Adlige(r)

nobiltà f Adel m

nocca f Knöchel m

nòcciolo [-tʃo-] m Kern

nocciuol|a [-tʃu-] f Hasel-

nuß; **~o** m Haselnußstaude f

noce [-tʃe] m Nußbaum; Nußbaumholz n; f (Wal-) Nuß; **~ moscata** Muskatnuß; **~ del piede** Fußknöchel m [Knöchel m]

nocella [-tʃl-] f (Hand-)

nodo m Knoten; Schleife f

noi wir; **~ altri** wir; **~ altri italiani** wir Italiener

noi|a f Langeweile; Belästigung; **~oso** langweilig

noleggi|are [-dʒa-] mieten; vermieten; (*Schiff*) verfrachten; **~o** [-dʒo] m Miete f; Fracht f; **~o automòbili** f Autovermietung

nolo m Miete f; Fracht f; **prèndere a ~** mieten; **dare a ~** vermieten

nome m Name; **~ (di battésimo)** Vorname; **~ di ragazza** Mädchenname

nòmina f Ernennung

nomin|are (er-, be-)nennen; **~arsi** heißen

non nicht; **~ ancora** noch nicht; **~ che** nicht, daß; **~ ti scordar di me** m Vergißmeinnicht n

noncurante gleichgültig

nondimeno nichtsdestoweniger

nonna f Großmutter

nonn|o m Großvater; **~i** m/pl Großeltern

nonostante trotz; trotzdem

nord m Norden; **mare del ~** Nordsee f; **~-est** m Nordosten

nòrdico nordisch

nord-ovest m Nordwesten

norma f Richtschnur; Regel; Bestimmung; **a ~ di** gemäß [schriftsmäßig)

normale normal; vor-)

nossignore [-ɲ-] nein, mein Herr

nostalgìa [-dʒ-] f Sehnsucht (**di** nach); Heimweh n

nostrano einheimisch; **vino** m ~ Landeswein

nostro unser; m Unsrige

nostromo m Mar Maat

nota f Anmerkung; Rechnung; Notiz; **~bene** m Vermerk

notàbile beachtenswert

notaio m Notar

not|are notieren, aufschreiben; **~arile** notariell; **~évole** bemerkenswert; angesehen; **~ificare** kundtun; mitteilen; **~izia** f Kunde; Nachricht; **~o** bekannt; **far ~o** mitteilen; **~orio** offenkundig

notte f Nacht; **di ~** nachts; **buona ~!** gute Nacht!

notturno nächtlich

nov|anta neunzig; **~antenne** neunzigjährig; **~azione** f Neuerung

novell|a f Novelle; **~iere** m Novellendichter

novembre m November

nov|ità f Neuheit; Neuigkeit; Neuerung; **~iziato** m Lehrzeit f; **~izio** unerfahren; m Neuling; Rel Novize

nozione f Kenntnis; Begriff m

nozze f/pl Hochzeit f

nub|e f Wolke; **~ifragio** [-dʒo] m Wolkenbruch

nùbile ledig (nur von Mädchen)

nuca f Nacken m, Genick n

nud|are entblößen; **~ità** f Nacktheit; ~o nackt; bloß

nulla nichts; **per ~** durchaus nicht

nullo nichtig

numer|àbile zählbar; **~ale** m Zahlwort n; **~are** aufzählen; numerieren; **~atore** m Zähler

nùmero m Zahl f; Anzahl f; Nummer f; **~ di casa** Hausnummer f; **~ telefònico** Telefonnummer f; **fare il ~** Tel wählen

numeroso zahlreich

nunzio m Rel Nuntius

nuòcere [-tʃ-] schaden

nuora f Schwiegertochter

nuotare schwimmen

nuotatore m Schwimmer; **non ~** Nichtschwimmer

nuoto m Schwimmen n

nuov|a f Nachricht; **~o** neu; **di ~** wieder; **èssere ~o in una città** in einer Stadt fremd sein; m Neue(s) n

nutr|ice [-tʃe] f Amme; **~imento** m Nahrung f; Ernährung f; **~ire** (er)nähren; **~itivo** nahrhaft

nùvola f Wolke

nuvoloso wolkig

nuziale hochzeitlich; **velo m ~** Brautschleier

nylon m Nylon n

O

o oder; ~ ... ~ entweder ... oder

o! oh!; ~ signore! o Gott!

òasi f Oase

obbed|iente, ~ienza, ~ire s ubbid...

obblig|are verpflichten; zwingen; ~are a letto ans Bett fesseln; ~ato verpflichtet; ~atorio obligatorisch; ~azione f Verpflichtung; Schuldschein m

òbbligo m Verpflichtung f; Pflicht f

obelisco m Obelisk

obiett|are einwenden; ~ivo sachlich; m Ziel n; Objektiv n

obiezione f Einwendung

oblazione f Spende

obliquo schräg; schief

oblungo länglich

oca f Gans

occasion|ale gelegentlich; ~e f Gelegenheit

occhi|aia [-k-] f Augenhöhle; ~ali m/pl Augengläser n/pl; Brille f; ~ali da lettura Lesebrille f; ~ali da sole Sonnenbrille f; ~alino m Lorgnette f; ~ata f Blick m; ~ello m Knopfloch n; Öse f; ~o m Auge n; Blick m

occident|ale [-tʃ-] westlich; West...; ~e m Westen

occorr|ente erforderlich; m Nötige(s) n; ~enza f Bedarfsfall m

occórrere vorkommen; nötig sein

occult|are verhehlen; ~o geheim

occup|are einnehmen; besetzen; (j-n) beschäftigen; ~arsi sich beschäftigen (di mit); ~ato (Platz) besetzt; ~azione f Besitzergreifung; Beschäftigung

ocèano [otʃ-] m Ozean

ocra f Ocker m

oculista m Augenarzt

od = o (vor Vokalen)

ode er hört

odi|are hassen; ~ato verhaßt; ~o m Haß; ~oso gehässig

odo ich höre

odontologia [-dʒ-] f Zahnmedizin

odor|are riechen; beriechen; ~ato m Geruchssinn; ~e m Geruch; ~oso (wohl-)riechend

offèndere beleidigen; verletzen

offerente m Bieter; maggior ~ Meistbietende(r)

offerta f Anerbieten n; Angebot n

offesa f Beleidigung

officina [-tʃ-] f: ~ concessionaria Vertragswerkstatt; ~ di riparazioni Reparaturwerkstatt

offrire (an-, dar-)bieten

offuscare verdunkeln

oftalmìa f Augenkrankheit

oggettivo [-dʒ-] sachlich

oggett|o [-dʒ-] *m* Gegen-
stand; *Gr* Objekt *n*; ~i
m/pl di valore Wert-
sachen *f/pl*

oggi [-dʒi] heute; d'~ heu-
tig; ~ a otto heute über
acht Tage; ~di, ~giorno
[-dʒidʒo-] heutzutage

ogni [-ɲi] jeder, jede, jedes;
~ giorno jeden Tag; ~
tanto ab und zu; ~ sei
giorni alle sechs Tage

Ogn|issanti [-ɲ-] *m* Aller-
heiligen *n*; ₂uno jeder-
mann

oh! oh!; ach!; ~ibò! pfui!

Olanda *f* Holland *n*

olandese holländisch; formaggio *m* ~ Holländer
Käse

ole|andro *m* Oleander; ~i-
ficio [-tʃo] *m* Ölfabrik *f*

olezz|are duften; ~o *m* Duft

oliera *f* Öl- und Essig-
ständer *m*

olio *m* Öl *n*; ~ per il cambio Getriebeöl *n*; ~ per il
motore Motorenöl *n*; ~
d'oliva Olivenöl *n*; ~ di
ricino Rizinusöl *n*; ~
solare Sonnenöl *n*

oliv|a *f* Olive; ~astro oliv-
grün; ~eto *m* Olivengar-
ten; ~o *m* Ölbaum

olmo *m* Ulme *f*

oltracciò [-tʃɔ] außerdem

oltraggiare [-dʒa-] be-
schimpfen

oltre außer; jenseits; ~pas-
sare überschreiten

omagg|io [-dʒo] *m* Huldi-

gung *f*; i miei ~i meine
Empfehlungen

ombr|a *f* Schatten *m*; *fig*
Spur; ~eggiare [-dʒa-] beschatten; *Mal* schattieren;
~ellaio *m* Schirmhändler;
~ellino *m* Sonnenschirm;
~ello *m* Schirm, Regen-
schirm; ~ellone *m* Strand-
schirm, Sonnenschirm;
~oso schattig

omeletta *f* Eierkuchen *m*,
Omelette; ~ con verdura
Omelette mit Gemüse

òmero *m* Schulter *f*

ométtere unterlassen

om|icida [-tʃ-] mörderisch;
su Mörder(in); ~icidio
[-tʃ-] *m* Mord

omissione *f* Unterlassung

òmnibus *m* Omnibus; tre-
no *m* ~ Personenzug

ond|a *f* Welle; *fig* Flut;
~ata *f* Wellenschlag *m*;
~ata di sangue Blutan-
drang *m*

onde woher; worauf; wo-
durch; wovon

ondeggiare [-dʒa-] wogen,
schwanken

ond|oso wellig; ~ulare on-
dulieren; ~ulazione *f* wel-
lenförmige Bewegung; On-
dulation

ònere *m* Last *f*

oneroso drückend

onest|à *f* Ehrlichkeit; ~o
ehrlich

onnipotente allmächtig

onomàstico *m* Namenstag

onor|àbile ehrbar; ~abili-
tà *f* Ehrbarkeit; Ehre;

~ando ehrwürdig; ~anza f Ehrung; ~are ehren; be-ehren; honorieren

onorario m Honorar n; membro m ~ Ehrenmitglied n

onor|e m Ehre f; ~ificenza [-tʃ-] f Auszeichnung; Orden m; ~évole ehrenwert

onta f Schmach; ad ~ trotz

opaco matt, undurchsichtig

òpera f Werk n; Mus Oper

oper|aio m Arbeiter; ~are Chir operieren; handeln; ~ativo tätig; wirksam; ~atore m Operateur; Kameramann; ~azione f Handlung; Operation; ~etta f Operette; ~oso tätig; arbeitsam

opinione f Meinung

oppio m Opium n

opp|orre entgegenstellen; ~orsi sich widersetzen; ~ortuno zweckmäßig; günstig; ~osizione f Widerstand m; Einspruch m; ~osto entgegengesetzt; all'~osto im Gegenteil

oppr|essione f Unterdrückung; Med Beklemmung; ~imere (be)drücken

oppure oder (auch)

opulen|to üppig; ~za f Üppigkeit

opùscolo m Broschüre f

ora f Stunde; ~ di partenza Abfahrtszeit; ~ d'udienza Sprechstunde; di buon~ frühzeitig; adv jetzt, nun; or~ soeben; per ~ vorläufig; ~ ... ~ ... bald ... bald ...; d'~ in poi von nun an

òrafo m Goldschmied

orale mündlich

oramai nunmehr

or|are beten; ~azione f Rede; Gebet n

orario stündlich; m Stundenplan; Esb Fahrplan, Kursbuch n; in ~ pünktlich, fahrplanmäßig; ~ di volo Flugplan

orat|ore m Redner; ~orio m Betsaal

òrbita f Augenhöhle

orchestra [-k-] f Orchester n, Kapelle

orcio [-tʃo] m (Öl-)Krug

ordin|ale Ordnungs...; nùmero m ~ale Ordnungszahl f; ~amento m Anordnung f; ~are (an)ordnen; befehlen; bestellen; verordnen; ~ario gewöhnlich; ordentlich; ~atore m Ordner; ~azione f Bestellung; Priesterweihe

órdine m Ordnung f; Befehl; Reihe f; Rang; Rel Orden; Hdl Auftrag; fino a nuovo ~ bis auf weiteres

ordire anzetteln

orecchi|no [-k-] m Ohrring; ~o m Ohr n; Mus Gehör n; ~oni m/pl Mumps m

oréfice [-tʃe] m Goldschmied

oreficeria [-tʃ-] f Juweliergeschäft n

òrfano verwaist; m Waisenkind n

orfanotrofio *m* Waisenhaus *n*

organaio *m* Orgelbauer

orgànico organisch

organ|ino *m* Leierkasten; **~ista** *su* Orgelspieler(in *f*) *m*; **~izzare** organisieren; **~izzazione** *f* Organisation

òrgano *m* Organ *n*; Orgel *f*

orgogli|o [-ʎo] *m* Hochmut; **~oso** [-ʎo-] hochmütig, stolz

orient|ale östlich; orientalisch; *m* Orientale; **~amento** *m* Orientierung *f*; **~amento professionale** Berufsberatung *f*; **~are** orientieren; **~arsi** sich zurechtfinden; **~e** *m* Osten, Orient

originale [-dʒ-] ursprünglich; originell

origine [-dʒ-] *f* Ursprung *m*; Herkunft

origliare [-ʎa-] horchen

orina *f* Urin *m*, Harn *m*

orinale *m* Nachtgeschirr *n*

orizzont|ale horizontal, waagerecht; **~e** *m* Horizont

orl|are säumen; **~atura** *f* Saum *m*; **~o** *m* Rand

orma *f* Spur, Fußstapfe

orn|amento *m* Schmuck; **~are** schmücken

oro *m* Gold *n*; **d'~** golden

orolog|eria [-dʒ-] *f* Uhrmacherladen *m*; **~iaio** [-dʒa-] *m* Uhrmacher; **~io** [-dʒo] *m* Uhr *f*; **~io da polso** Armbanduhr *f*; **~io da tasca** Taschenuhr *f*

orpello *m* Flittergold *n*

orr|endo fürchterlich; **~ibile** schrecklich

òrrido grauenhaft

orrore *m* Entsetzen *n*; Abscheu

orso *m* Bär

ortica *f* Brennessel

orticultura *f* Gemüsebau *m*

orto *m* Gemüsegarten

orto|dosso orthodox, strenggläubig; **~grafia** *f* Rechtschreibung

ortolano *m* Gemüsegärtner; Gemüsehändler

orzaiuolo *m* Gerstenkorn *n* (*Auge*)

orzo *m* Gerste *f*; **~ perlato** Graupe *f*

osare wagen

oscur|are verdunkeln; abblenden; **~ità** *f* Dunkelheit; **~o** dunkel

ospedale *m* Krankenhaus *n*; **~ militare** Lazarett *n*

ospit|ale gastfreundlich; **~alità** *f* Gastfreundschaft; **~are** beherbergen

òspite *m* Gast; Gastgeber

ospizio *m* Hospiz *n*

ossatura *f* Knochengerüst *n*

ossequio|so *m* Ehrerbietung *f*; **~i** *m/pl* Empfehlungen *f/pl*; **~oso** ehrerbietig

osservanza *f*: **con perfetta ~** mit vorzüglicher Hochachtung

osserv|are beobachten; **~atore** *m* Beobachter; **~atorio** *m* Observatorium *n*; **~azione** *f* Beobachtung

ossesso besessen

ossia oder (auch)

ossidare oxydieren
ossigenare [-dʒ-] bleichen (*Haare*)
ossigeno [-dʒ-] *m* Sauerstoff
osso *m* Knochen
ostàcolo *m* Hindernis *n*
ostante: ciò non ~ nichtsdestoweniger
oste *m* Gastwirt
ostello *m*: ~ per la gioventù Jugendherberge *f*
ostensorio *m* Monstranz *f*
ost|eria *f* Wirtshaus *n*; ~essa *f* Gastwirtin
ostia *f* Hostie; Oblate
ostile feindlich; feindselig
ostilità *f* Feindschaft
ostin|arsi hartnäckig bestehen auf *dat*; ~ato hartnäckig
òstrica *f* Auster
ostric|aio, ~aro *m* Austernbank *f*; Austernhändler
ostr|uire verstopfen; ~zione *f* Verstopfung
otite *f* Ohrenentzündung
otorinolaringoiatra *m* Hals-Nasen-Ohren-Arzt
otre *m* Schlauch
ottangolare achteckig

ott|anta achtzig; ~antenne achtzigjährig
ottavo achte; *m* Achtel *n*; Oktav *n*
ottenere erlangen; erhalten; erzielen
òttic|a *f* Optik; ~o optisch; *m* Optiker
òttimo sehr gut, beste
otto acht; oggi a ~ heute über acht Tage
ottobre *m* Oktober
ottone *m* Messing *n*
ottur|are verstopfen; ~atore *m* Fot Verschluß
ott|usàngolo stumpfwink(e)lig; ~uso stumpf
ov|aio *m* Eierhändler; ~aiuolo *m* Eierbecher; Eierverkäufer; ~ale oval; *m* Oval *n*
ovatta *f* Watte
ove wo; wohin
ovest *m* Westen
ovile *m* Schafstall
ovunque wo auch immer
oziare müßig gehen
ozi|o *m* Muße *f*; Müßiggang; ~oso müßig; *m* Müßiggänger
ozònico ozonhaltig
ozono *m* Ozon *n*

P

pacchetto [-k-] *m* Päckchen *n*
pacco *m* Paket *n*; Packung *f*
pace [-tʃe] *f* Friede(n) *m*; darsi ~ sich beruhigen
paciere [-tʃɛ-] *m* Friedensstifter

pacific|are [-tʃ-] beruhigen; ~arsi con qu. sich mit j-m versöhnen; ~azione *f* Aussöhnung
pacifico [-tʃ-] friedlich
padella *f* Pfanne
padiglione [-ʎo-] *m* Zelt *n*;

(Bett-)Himmel; Pavillon; ~ dell'orecchio Ohrmuschel f

Pàdova f Padua n

padr|e m Vater; Pater; **~ino** m Pate

padron|a f Herrin; Wirtin; Hausfrau; **~ale** herrschaftlich; **~ato** m Besitztum f; **~e** m Herr; Besitzer; Chef; **~e di casa** (Haus-)Wirt

paes|aggio [-dʒo] m Landschaft f; **~ano** m Landbewohner; **~e** m Land n; Dorf n; **~ista** su Landschaftsmaler(in f) m

pag|a f Gehalt n; Lohn m; Sold m; **~àbile** zahlbar

pagaia f Paddel n

pagamento m Zahlung f; **~ anticipato** Vorauszahlung f

pagan|èsimo m Heidentum n; **~o** heidnisch; m Heide

pagare (be-, aus-)zahlen; **~ a rate** abzahlen

paggio [-dʒo] m Page

pagherò m Schuldschein; Solawechsel

pàgina [-dʒ-] f Seite

paginare [-dʒ-] paginieren

paglia [-ʎa] f Stroh n; **cappello m di ~** Strohhut

paglino [-ʎ-] m Strohgeflecht n

pagliuzza [-ʎu-] f Strohhalm m

paio m Paar n

pala f Schaufel

palafittata f Pfahlbau m

palan|ca f Planke; **~cato** m

Pfahlwerk n; **~chino** [-k-] m Tragsessel

palàncola f Steg m

palato m Gaumen

palazzina f große Villa

palazzo m Palast; **~ comunale** (od **municipale**) Rathaus n; **~ reale** Königspalast; **~ di giustizia** Gerichtsgebäude n

palchetto [-k-] m Fach n; Thea Loge f

palco m Gerüst n; (Zimmer-)Decke f; Thea Loge f; **~scènico** [-ʃ-] m Bühne f

pales|amento m Offenbarung f; **~are** (offenbaren; enthüllen; **~e** offenbar

palestra f Turnhalle

paletta f Kohlenschippe; Palette

paletto m Riegel

palla f Kugel; Ball m; **~ a mano** Handball; **~ di neve** Schneeball m; **~ dell'occhio** Augapfel m; **fare alla ~** Ball spielen; **~canestro** m Basketball; **~corda** f Tennis(spiel) n; **~maglio** [-ʎo] m Kricketspiel n; **~nuoto** m Wasserball; **~ta** f Wurf m mit dem Ball

palliativo m Linderungsmittel n

pàllido bleich, blaß

pallin|a f Kügelchen n; **~o** m kleine(r) Ball; kleine Kugel f; Schrot n

pallio m Bischofsmantel

pall|oncino [-tʃ-] m kleine(r) Ballon; Lampion;

Luftballon; ~one *m* große(r) Spielball; Fußball; Luftballon

pallore *m* Blässe *f*

pallòttola *f* Kugel,Geschoß *n*

pallottoliere *m* (Kinder-) Rechenmaschine *f*

palma *f* Palme; Handfläche

palm|eto *m* Palmenhain; ~izio *m* Palmzweig; ~o *m* Spanne *f*

palo *m* Pfahl; ~ del telègrafo Telegrafenstange *f*

palombaro *m* Taucher

palp|àbile *fig* handgreiflich; ~are betasten, befühlen

pàlpebra *f* Augenlid *n*

palpit|are beben; pochen; zucken; ~azione *f*, pàlpito *m* Herzklopfen *n*

paltò *m* Paletot

palud|e *f* Sumpf *m*; ~oso sumpfig

palustre sumpfig; febbre *f* ~ Sumpffieber *n*

panca *f* (Sitz-)Bank

panchetto [-k-] *m* Schemel

panci|a [-tʃa] *f* Bauch *m*; ~otto [-tʃ-] *m* Weste *f*; ~otto pneumàtico Schwimmweste *f*; ~uto [-tʃu-]dickbäuchig

pane *m* Brot *n*; ~ bianco Weißbrot *n*; ~ bigio Graubrot *n*; ~ nero Schwarzbrot *n*; un ~ ein Laib Brot; ~ di zùcchero Zuckerhut; fare il ~ Brot backen

panett|erìa *f* Bäckerei; ~iere *m* Bäcker

panforte *m* Pfefferkuchen, Lebkuchen

pànico panisch; *m* (a timor *m* ~) Panik *f*; Hirse *f*

pan|iera *f* (Weiden-)Korb *m*; ~ieraio *m* Korbmacher; ~iere *m* (Brot-)Korb; ~ificare Brot backen; ~ificio [-tʃo] *m* Brotbäckerei

panino *m* Brötchen *n*; ~ imbottito belegte(s) Brötchen *n*

panna *f* Sahne, Rahm *m*; ~ montata Schlagsahne; *Auto:* ~ Panne; ~ al pneumàtico Reifenpanne

pann|eggiare [-dʒa-] drapieren; ~ello *m* Tuchstück *n*; ~o *m* Tuch *n*; èssere nei ~i di qu. in j-s Lage sein; ~olino *m* Leinentuch *n*

pannocchia [-k-] *f* Maiskolben *m*

panorama *m* Panorama; Rundblick

pantaloni *m/pl* Hose(n) *f(pl)*

pantòfola *f* Pantoffel *m*

paonazzo violett

papà *m* Papa; Vater

pap|a *m* Papst; ~ale päpstlich; ~ato *m* Papsttum *n*; päpstliche Würde *f*

papàvero *m* Mohn

pappa *f* Brei *m*

pappagallo *m* Papagei

pappare gierig essen

pàprica *f* Paprika *m*

para|brezza *m* Windschutzscheibe *f*; ~cadute *m*

Fallschirm; ~cadutista m Fallschirmspringer; ~carro m Prellstein; ~cenere [-tʃ-] m Ofenvorsetzer; ~cielo [-tʃe-] m Betthimmel; Wagendach n

paradiso m Paradies n

parafango m Auto: Kotflügel

parafùlmine m Blitzableiter

paragon|àbile vergleichbar; ~are vergleichen; ~e m Vergleich

paràlisi f Lähmung; ~progressiva Gehirnerweichung

paralitico gelähmt

parallel|a f Parallele; ~e f/pl (Turn-)Barren m; ~o parallel

para|lume m Lampenschirm; ~mosche [-ske] m Fliegenglocke f; ~petto m Brustwehr f; Mar Reling f

parare schmücken; schützen (da vor, gegen); abwehren

parasole m Sonnenschirm; Fot Blende f; Auto: Blendschutzscheibe f

parassita m Schmarotzer

parata f Parade

parato m (Meß-)Ornat m

paraurti m Stoßstange f

parcare parken

parcella [-tʃ-] f Parzelle

parcheggiare [-ked-dʒa-] parken

parcheggio [-ked-dʒo] m Parkplatz; divieto m di ~ Parkverbot n

parchezza [-kɛt-tsa] f Mäßigkeit

parco mäßig; m Park

parcòmetro m Parkuhr f

parecch|io [-k-] ziemlich viel; ~i m/pl, ~ie f/pl mehrere

pareggiare [-dʒa-] gleichmachen; ausgleichen; ~qu. j-m gleichkommen

pareggio [-dʒo] m Ausgleich

parent|ado m Verwandtschaft f; ~e verwandt; su Verwandte(r); ~ela f Verwandtschaft

parèntesi f Parenthese; f/pl Klammern

parere scheinen; che Le pare? was meinen Sie?; m Ansicht f; Gutachten n

parete f Wand

pari gleich; gerade; un ~ tuo deinesgleichen

pariment|e, ~i gleichfalls

parità f Gleichheit

parlament|are parlamentarisch; verhandeln; ~ario m Unterhändler; ~o m Parlament n

parl|antino gesprächig; ~are sprechen (a qu. j-n); lingua f ~ata Umgangssprache; ~atore m Redner; ~atorio m Sprechzimmer n

parmigiano [-dʒa-] m Parmesankäse

parola f Wort n

parrocchi|a [-k-] f Pfarrei; ~ale Pfarr...; chiesa f ~ale Pfarrkirche

pàrroco m Pfarrer

parr|ucca f Perücke; **~ucchiera** [-k-] f Friseuse
parrucchiere [-k-] m Friseur; **~ per signora** Damenfriseur; **~ per uomo** Herrenfriseur
parte f Teil m; Seite; *Thea* Rolle; Partei; **a ~** besonders; extra; **da ~** beiseite; seitwärts; **da mia ~** meinerseits; **in ~** teils, teilweise; **lo saluti da ~ mia** grüßen Sie ihn von mir
partecip|ante [-tʃ-] m Teilnehmer; **~are** mitteilen; teilnehmen (an *dat*); Anteil haben (an *dat*); **~azione** f Mitteilung; Anzeige; Anteil m
parteggiare [-dʒa-] Partei ergreifen
partenza f Abreise; Abfahrt; Start m
participio [-tʃ-] m Partizip n
particol|are besonders; Einzelheit f; **~areggiato** [-dʒa-] ausführlich; **~arità** f Einzelheit; Eigentümlichkeit
partigiano [-dʒa-] m Anhänger; Partisan
partire teilen; abreisen; *Esb* abfahren; **~ per** reisen nach
partita f *Hdl* Posten m; *Sport*: Partie, Spiel n; **~ di calcio** Fußballspiel n; **~ sémplice (doppia)** einfache (doppelte) Buchführung
partitivo: artícolo m ~ Teilungsartikel

partito m Partie f; *Pol* Partei f; Entschluß
partizione f Teilung
parto m Entbindung f
partoriente f Wöchnerin
parvenza f Anschein m
parzi|ale parteiisch; teilweise; **~alità** f Parteilichkeit
pàscere [-ʃ-] weiden
pascolare weiden
pàscolo m Weide f
Pasqua f Ostern pl
passàbile leidlich
passàggio [-dʒo] m Durchgang; Durchfahrt f; Durchreise f; *Mar* Überfahrt f; *Lit* Stelle f; **di ~** auf der Durchreise; vorübergehend; **~ di confine** Grenzübergang; **~ a livello** Bahnübergang (**custodito** beschrankt, **incustodito** unbeschrankt)
passante m Vorübergehende(r)
passaporto m (Reise-)Paß
passare (*Straße*) überschreiten; (*Zeit*) verbringen; vorbeichen (an *dat*); vorübergehen; hinübergehen (zu); vergehen (*Zeit*); **~ di moda** aus der Mode kommen; **~ di mente** entfallen
pass|ata f Durchgang m; Durchmarsch m; Regenschauer m; *Kochk* Püree n; **~atempo** m Zeitvertreib; **~ato** vergangen; m Vergangenheit f; **~atoia** f (Treppen-)Läufer m

passeggero [-dʒ-] *m* Reisende(r); Passagier; Fahrgast; Fluggast

passeggi|are [-dʒa-] spazierengehen; **~ata** [-dʒa-] *f* Spaziergang *m*; Spazierweg *m*; **~o** [-dʒo] *m* Spaziergang

passeraio *m* Gezwitscher *n*

passerella *f* Laufsteg *m*

pàssero *m* Sperling

passion|ato leidenschaftlich; **~e** *f* Leiden *m*; Leidenschaft; *Rel* Passion

passiv|ità *f* Fehlbetrag *m*; **~o** passiv; *m* *Gr* Passiv (-um) *n*; *Hdl* Passiva *pl*

passo welk; verdorrt; *m* Schritt; Durchgang; *Geogr* Paß; *Lit* Stelle *f*; **~ falso** Fehltritt

past|a *f* Teig *m*; Kuchen *m*; Kleister *m*; Masse; **~a dentifricia** Zahnpasta; **~a al brodo** Suppe mit Einlage (*Nudeln usw*); **~a asciutta** Nudelgericht *n*; **~e** *f/pl* Nudeln

pastaio *m* Nudelhändler

pastello *m* Pastell *n*; Pastellstift

pasticc|eria [-tʃ-] *f* Konditorei; **~iere** [-tʃe-] *m* Konditor

pasticcio [-tʃo] *m* Pastete *f*; **~ di fégato d'oca** Gänseleberpastete *f*

past|iglia [-ʎa] *f* Pastille; **~ina** *f* Suppennudeln *pl*; **~ina in brodo** Brühe mit Einlage

pasto *m* Speise *f*; Mahlzeit *f*; **vino m da ~** Tischwein

past|orale *m* Bischofsstab; *f* *Rel* Hirtenbrief *m*; Hirtengedicht *n*; **~ore** *m* Hirt; Pastor

pastoso weich; süß

past|ura *f* Weide; **~urare** weiden

patat|a *f* Kartoffel; **~e** *f/pl* fritte** Bratkartoffeln

patent|are patentieren; **~e** offenkundig; *f* Patent *n*; **~e di guida** Führerschein *m*

paterno väterlich

paternostro *m* Vaterunser *n*

patimento *m* Leiden *n*

patire (er)leiden

patri|a *f* Vaterland *n*; **~arca** *m* Patriarch; **~gno** [-ɲo] *m* Stiefvater; **~monio** *m* Erbgut *n*

patrio vaterländisch

patriot(t)a *m* Patriot

patrizio *m* Patrizier

patr|onato *m* Patronat *n*; **~ono** *m* Patron, Schutzherr; *Rel* Schutzheilige(r)

patteggi|are [-dʒa-] verhandeln; **~atore** [-dʒa-] *m* Unterhändler

pattin|aggio [-dʒo] *m* Eislauf; **~aggio artistico** Eiskunstlauf; **~are** Schlittschuh laufen; **~atore** *m* Schlittschuhläufer

pàttino *m* Schlittschuh

patto *m* Vertrag; Bedingung *f*; **a ~ che** unter der Bedingung, daß

pattuglia [-ʎa] *f* Patrouille

patt|ume _m_ Kehricht; ~umiera _f_ Müllkasten _m_

paur|a _f_ Furcht; avere ~a sich fürchten; ~oso furchtsam

pausa _f_ Pause

pav|esare flaggen; ~ese _m_ Schiffsflagge _f_

pàvido furchtsam

pavim|entare dielen; (_Strasse_) pflastern; ~ento _m_ Fußboden

pavon|azzo violett; _m_ Pfau

pazi|entare sich gedulden; ~ente mühselig; geduldig; _m_ Patient; ~enza _f_ Geduld

pazzo wahnsinnig; _m_ Narr, Wahnsinnige(r)

pecc|àbile sündhaft; ~are sündigen; ~ato _m_ Sünde _f_; ~ato! schade!

pece [-tʃe] _f_ Pech _n_

pècora _f_ Schaf _n_

pecor|aio _m_ Schäfer; ~ile _m_ Schafstall; ~ino _m_ Schafskäse

peculiarità _f_ Eigentümlichkeit

pecuni|a _f_ Geld _n_; ~ario pekuniär

pedaggio [-dʒo] _m_ Brücken-, Wege-geld _n_

pedagogìa [-dʒ-] _f_ Pädagogik

pedalare radfahren

pedale _m_ Pedal _n_; ~ della frizione Kupplungspedal

pedalò _m_ Wassertretrad _n_

pedana _f_ Trittbrett _n_

pedante pedantisch; _m_ Pedant

pedata _f_ Fußtapfe; Fußtritt _m_

pediatra _m_ Kinderarzt

pedicure _f/pl_ Pediküre _sg_, Fußpflege _sg_

pediluvio _m_ Fußbad _n_

pedina _f_ Stein _m_ (_Damespiel_)

pedone _m_ Fußgänger

pedule _m_ Socke _f_

peggi|o [-dʒo] schlechter; il ~o das Schlimmste; ~oramento [-dʒo-] _m_ Verschlimmerung _f_; ~orare [-dʒo-] verschlechtern; verschlimmern; ~ore [-dʒo-] schlechter, schlimmer; il ~ore der Schlechteste, Schlimmste

pegli [-ʎi] = per gli

pegno [-ɲo] _m_ Pfand _n_; méttere qc. in ~ et. versetzen, verpfänden

pégola _f_ Pech _n_

pel|ame _m_ Haar _n_; Fell _n_; ~are enthaaren; j-m die Haare ausreißen (_Obst_) abschälen; (_Hühner_) rupfen; ~arsi die Haare verlieren; ~ato haarlos, kahl

pell|agra _f_ Pellagra; ~aio _m_ Gerber; ~ame _m_ Felle _n/pl_; Leder _n_

pelle _f_ Haut (_a fig_); Leder _n_; Fell _n_; ~ di bue Rindleder _n_

pellegr|ina _f_ Pilgerin; Pelerine; ~inaggio [-dʒo] _m_ Pilgerfahrt _f_; ~inare pilgern; ~ino _m_ Pilger

pelletter|ia f Lederwaren- | anstalt f; **~enziere** m
geschäft n; **~ie** f/pl Leder- | Beichtvater
waren

penna f Feder; Schreib-
pellìc|erìa [-tʃ-] f Pelz- | feder; **~ a sfera** Kugel-
handlung; **~ia** [-tʃa] f Pelz | schreiber m; **~ stilogrà-**
(-mantel) m; **~iaio** [-tʃa-] | **fica** Füllfederhalter m
m Kürschner; **~iame** [-tʃa-] | **penn|ello** m Pinsel; **~ino** m
m Pelzwerk m | (Stahl-)Feder f

pellìcola f Fot Film m; **~a** | **penoso** peinlich; mühselig
caricatore Kassetten- | **pens|àbile** denkbar; **~are**
film m; **~a colori** Farb- | denken; überlegen; sorgen
film m; **~ invertìbile** Um- | (a für); **~atore** m Denker;
kehrfilm m; **~a passo** | **~iero** m Gedanke; Sorge f;
ridotto Schmalfilm m; **~** | **~ieroso** nachdenklich
in ròtolo Rollfilm m | **pension|are** pensionieren;

pelo m Haar n; Fell n; **~** | **~ato** m Pensionär
contro ~ gegen den Strich | **pensione** f Pension; **~**
peloso haarig; behart | **completa** Vollpension; **~**
pel|urìa f Flaum m; **~uzzo** | **mezza ~** Halbpension
m Härchen f | **pensoso** nachdenklich

pena f Strafe; Qual; Sorge; | **Pentecoste** f Pfingsten pl
sotto ~ bei Strafe; **a mala** | **pent|imento** m Reue f;
~ mit knapper Not | **~irsi (di qc. et.)** bereuen
pena|le strafbar; **~lità** f | **pèntola** f Kochtopf m
Strafbarkeit | **penùltimo** vorletzte

pend|ente hängend; schwe- | **penuria** f Mangel m (**di an**
bend; abschüssig (Weg); | dat) (**~oni** baumelnd)
torre f **~ente** schiefer | **penzol|are** herabhängen;
Turm; **~enza** f Neigung | **~oni** baumelnd)
pèndere hängen; sich nei- | **pep|aiuola** f Pfefferbüchse;
gen; abschüssig sein (Weg); | Pfeffermühle; **~ato** ge-
schweben (Geschäfte) | pfeffert; **pan m ~ato**
pendìo m Abhang, Gefälle n | Pfefferkuchen; **~e** m Pfef-
pèndol|a f Pendeluhr; **~o** m | fer; **~erone** m Paprika-,
Pendel m; **~orologio** m **a ~o** | Pfeffer-schote f; Paprika
Pendeluhr f | **per** für; durch; an; aus; **~**

penetrare durchdringen; | **mano** an der Hand; **per 3**
eindringen | **giorni ad 3** Tage; **~ man-**
penìsola f Halbinsel | **canza di** aus Mangel an
penit|ente bußfertig; m | dat; **partire ~** abreisen
Beichtkind n; **~enza** f | nach; **~ terra** zu Land; **~**
Buße; **~enziario** m Straf- | **mare** zur See; **~ esempio**
| zum Beispiel

pera f Birne

per|cento [-tʃ-] m Prozent n; **~centuale** [-tʃ-] f Prozentsatz m

perce|pire [-tʃ-] wahrnehmen; **~zione** f Wahrnehmung

perché [-ke] weil; damit; **~?** warum?

perci|ò [-tʃo] deshalb; **~ocché** [-tʃok-ke] da; weil

perc|órrere durchlaufen; **~orso** m Fahrt f; Strecke f; **~orso** m aéreo Flugstrecke f

perc|ossa f Schlag m; **~uòtere** schlagen; **~ussione** f Stoß m

pèrd|ere verlieren; versäumen; **~ersi** verlorengehen

pèrdita f Verlust m

perd|itempo m Zeitverlust; **~itore** m Verlierer

perdon|àbile verzeihlich; **~are** verzeihen; **~o** m Verzeihung f

perdurare (aus)dauern

peregr|inare wandern; **~inazione** f Wanderung; **~ino** fremd; fig fremdartig

perenne ewig

perento nichtig; ungültig

perf|etto vollkommen; völlig; m Gr Perfekt(um) n; **~ezionamento** m Vervollkommnung f; **~ezionare** vervollkommnen; **~ezione** f Vollkommenheit

perfidia f Treulosigkeit

pèrfido treulos; falsch

perfino sogar

perfor|are durchbohren; **~atore** m Brieflocher; **~atrice** [-tʃe] (od màcchina f ~atrice) f Bohrmaschine; **~azione** f Med Durchbruch m

pèrgola f (Wein-)Laube

pergolato m Laubengang

pericolo m Gefahr f; **~ di valanghe** Lawinengefahr f

pericoloso gefährlich

periferia f Peripherie; **~ della città** Stadtrand m

perìfrasi f Umschreibung

per|iòdico periodisch; **~iodo** m Periode f; Gr Satz

peripezie f/pl Wechselfälle m/pl

perire umkommen

peristilio m Hof mit Säulengang

peritarsi sich scheuen

per|ito erfahren; m Sachverständige(r); **~izia** f Begutachtung

perla f Perle

perlon m Perlon n

perlustrare auskundschaften

perman|ente ständig; f Dauerwelle (**a freddo** kalte); **~enza** f Fortdauer; Aufenthalt m

perme|àbile durchlässig; **~are** durchdringen

perm|esso m Erlaubnis f; Urlaub; (-schein m) f; **~esso m di soggiorno** Aufenthaltserlaubnis f; **~éttere** erlauben; **~issione** f Erlaubnis permut|are austauschen; ~atore m *Elektr* Umschalter

pernice [-tʃe] f Rebhuhn n

pernicios|a [-tʃo-] f bösartiges Wechselfieber n; ~o verderblich

pernott|amento m Übernachtung f; ~are übernachten

pero m Birnbaum

però aber

perocché [-ke] weil

perpend|icolare senkrecht; ~icolo m Richtblei n

perpètuo fortdauernd; ewig

perplesso unschlüssig

perquis|ire durchsuchen; ~izione f Durchsuchung

persec|utore m Verfolger; ~uzione f Verfolgung

persegui|re, ~tare verfolgen

persever|ante beharrlich; ~anza f Ausdauer; ~are beharren [persisch]

persian|a f Jalousie; ~o

persino sogar

per|sistenza f Beharrlichkeit; ~sistere beharren

person|a f Person; ~aggio [-dʒo] m *Thea* Person f; ~ale persönlich, m Personal n; ~alità f Persönlichkeit; ~ificare verkörpern

persp|icace [-tʃe] scharfsichtig; ~icacia [-tʃa] f Scharfblick m; ~icuo deutlich

persu|adere überzeugen; ~asione f Überzeugung

pertanto deswegen; dennoch

pertin|ace [-tʃe] hartnäckig; ~enza f Eigentum n

perturb|are stören; ~azione f Störung

perv|enire gelangen; ~erso pervers; ~ertire verderben

pes|alèttere m Briefwaage f; ~ante schwer; *fig* plump; ~are wiegen; *fig* erwägen

pesca f Pfirsich m; Fischerei; Fischfang m; ~ all'amo Angelsport m

pescare fischen; ~ con l'amo angeln

pescatore m Fischer

pesce [-ʃe] m Fisch; ~ pèrsico Barsch; ~ ragno Seespinne f; ~cane m Haifisch

pescheria [-sk-] f Fischmarkt m, -handlung

pescivéndolo [-ʃ-] m Fischhändler

pesco m Pfirsichbaum

peso schwer; m Gewicht n

pèssimo sehr schlecht; il ~ der schlechteste

pestare zertreten; zerstoßen

pest|e f Pest; Seuche; ~ilenza f Pestilenz

pest|o gestoßen; carta f ~a Papiermaché n

pètalo m Blumenblatt n

pet|ente m Bittsteller; ~izione f Bittschrift

petr|iera f Steinbruch m; ~ificare versteinern; ~ificazione f Versteinerung

petrolio *m* Petroleum *n*;
Erdöl *n*

pett|égola *f* Klatschbase;
~egolezzo *m* Klatsch;
~égolo schwatzhaft

pettin|are kämmen; frisieren; **~atura** *f* Frisur; **~atura da sera** Abendfrisur

pèttine *m* Kamm; Hechel *f*

petto *m* Brust *f*; Busen

petul|ante anmaßend;
~anza *f* Anmaßung

pezz|a *f* Lappen *m*; Windel;
da lunga ~a seit langer
Zeit; **~etta** *f* Läppchen;
kalter Umschlag

pezzo *m* Stück *n*; Weile *f*;
Strecke *f*; (Schach-)Figur
f; **~ di ricambio** Ersatzteil *n*

pezzuola *f* Kopftuch *n*

piac|ente [-tʃ-] gefällig; anmutig; **~ere** gefallen;
schmecken (*Speisen*); *m*
Gefallen; Vergnügen *n*;
mi faccia il ~ere tun Sie
mir den Gefallen; **tanto
~ere!** es freut mich; **per
~ere** bitte; gefälligst; **~é-
vole** angenehm; hübsch

piag|a *f* Wunde; **~are** verletzen

piall|a *f* Hobel *m*; **~are** hobeln; **~atrice** [-tʃe] *f* Hobelmaschine

pian|a *f* ebene(s) Gelände
n; breite(r) Balken *m*; **~are**
glätten; **~eròttolo** *m* Treppenabsatz

pianeta *m* Planet; *f* Meßgewand *n*

piàngere [-dʒ-] weinen

piangévole [-dʒ-] beklagenswert

pianista *su* Klavierspieler
(-in *f*) *m*

piano eben; flach; leise;
langsam; sachte; *m* Ebene
f; Stockwerk *n*, Etage *f*;
Klavier *n*; **~forte** *m* Klavier *n*; **~forte a coda** *Mus*
Flügel

pianta *f* Pflanze; Grundriß
m; Plan *m*; **~ cittadina
(topogràfica)** Stadtplan
m; **~ del piede** Fußsohle

piant|agione [-dʒo-] *f* Anpflanzung; **~are** pflanzen

pianterreno *m* Erdgeschoß
n

pianto *m* Weinen *n*

pianura *f* Ebene

piatt|aforma *f* Plattform;
Drehscheibe; **~ino** *m* Tellerchen *n*; Untertasse *f*

piatto platt; flach; *m* Teller; Platte *f*; *Kochk* Gericht *n*, Gang; **~ fondo**
Suppenteller; **~ di carne**
Fleischgericht *n*; **~ di
uova** Eierspeise *f*

piazza *f* Platz *m*; **~le** *m*
große(r) Platz

picc|ante pikant; beißend;
Kochk scharf; **~apietre** *m*
Steinklopfer; **~ato** gespickt
[Pik *n*]

picche [-ke] *f*/*pl* Kartensp

picchetto [-k-] *m* Absteckpflock

picchi|are [-k-] schlagen;
klopfen; **~ata** *f* Schlag *m*

piccino [-tʃ-] klein; winzig;
fig kleinlich; *m* Kleine(r)

picci|onaia [-tʃo-] f Taubenschlag m; *Thea* Olymp m; ~one m Taube f

picco m Bergspitze f; a ~ senkrecht; *Mar* andare a ~ untergehen

piccolezza f Kleinheit; Kleinigkeit

piccolo klein; gering; m Kleine(r)

piccozza f Eispickel m

pie' = piede

pied|e m Fuß; a ~i zu Fuß; stare in ~i stehen; ~istallo m Postament m

pieg|a f Falte; fig buona ~a gute Wendung; ~amento m Biegung f; ~are biegen; falten; zs.-legen; fig (Knie) beugen; ~arsi fig nachgeben

piegh|évole biegsam; fig nachgiebig; sedia ~évole Klappstuhl m; ~evolezza f Biegsamkeit

Piemonte m Piemont n

pien|a f Gedränge n; Überfülle; ~ezza f Fülle

pien|o voll; vollständig; in ~o giorno bei hellem Tage; m Fülle f; ~otto rundlich

pietà f Mitleid n (di mit); Barmherzigkeit; monte m di ~ Leihhaus n

pietoso barmherzig; jammervoll

pietr|a f Stein m; ~a preziosa Edelstein m; ~ificare versteinern; ~ina f Feuerstein m; ~oso steinig

piffero m Querpfeife(r m) f

pigiama [-dʒa-] m Schlafanzug

pigi|are [-dʒa-] drücken; pressen; ~atoio [-dʒa-] m Weinkeller

pigione [-dʒo-] f Miete

pigliare [-ʎa-] nehmen; ergreifen

pigna [-ɲa] f Tannenzapfen m

pignorare [-ɲ-] pfänden

pignuolo [-ɲ-] m Pinienkern

pigol|are piepen; ~io m Gepiepe n

pigr|izia f Faulheit; ~o faul; träge

pil|a f Pfeiler m; Elektr Batterie; (Weihwasser-) Becken n; ~astro m Pfeiler

pillola f Pille

pilot|a m Flgw Pilot; Mar Lotse; ~are führen; steuern; lotsen

pina f Pinienzapfen m

pinacoteca f Gemäldesammlung

pin|astro m Kiefer; ~eto m Pinienhain m

ping-pong m Tischtennis n

pinna f Flosse

pinnàcolo m Zinne f

pin|o m Pinie f; ~occhiata [-k-] f Pinienkuchen m; ~occhio [-k-] m Pinienkern

pinz|a f Pinzette; Zange; ~are stechen; ~ata f Stich m

pio fromm; barmherzig

piogg|erella [-dʒ-] f Sprühregen m; ~ia [-dʒa] f Regen m

platea

piomb|are plombieren; **~atura** f Plombierung; Plombe; **~ino** m Senkblei n; **~o** m Blei n; Plombe f; **a ~o** senkrecht

pioniere m Pionier

pioppo m Pappel f

piotare mit Rasenstücken belegen

piòvere regnen

piovoso regnerisch

pip|a f Pfeife; **~are** (Pfeife) rauchen

pipistrello m Fledermaus f

pira f Scheiterhaufen m

piràmide f Pyramide

pirata m Seeräuber

pir|òscafo m Dampfer; **~osi** f Sodbrennen n; **~otècnica** f Feuerwerkskunst

piscina [-ʃ-] f Schwimmbad n; Schwimmbassin n; Swimming-pool m

pis|ello m Schote f; **~olino** m kleines Schläfchen n; Nickerchen n

pisside f Hostienkelch m

pista f Reitbahn; Rennbahn; **~ a bowling** Bowlingbahn; **~ per cicli** Radfahrweg m; **~ di go-cart** Go-cart-Bahn; **~ per sciatori** Schigelände n

pistacchio m Pistazie f

pist|ola f Pistole; **~ola automàtica** Maschinenpistole; **~olettata** f Pistolenschuß m

pistone m Kolben

pitale m Nachtgeschirr n

pitonessa f Wahrsagerin

pitt|ore m Maler; **~oresco**

malerisch; **~rice** [-tʃe] f Malerin; **~ura** f Malerei

più mehr (**di, che** als); plus; **~ giorni** mehrere Tage; **di ~** mehr; **di ~ in ~** immer mehr; (**tutto**) **al ~** höchstens; **i ~, le ~** die meisten

pium|a f Daune; Feder; **~aggio** [-dʒo] m Gefieder n; **~ino** m Federbett n; **~ino per la cipria** Puderquaste f; **~oso** flaumig

piuttosto lieber; eher (**che** als)

pizza f Pizza (Hefegebäck mit Tomaten, Käse, Sardellen)

pizzi|càgnolo [-ŋ-] m Feinkosthändler; **~care** reizen; jucken; **~cheria** [-k-] f Delikatessenhandlung

pizzico m Prise f

pizzo m Spitze f; Kinnbart; **barba** f **a ~** Spitzbart m

placare besänftigen

placc|a f Metallschild n; **~are** plattieren

placidezza [-tʃ-] f Ruhe

plàcido [-tʃ-] ruhig

plan|are Flgw gleiten; **volo** m **~ato** Gleitflug

plancia [-tʃa] f Kommandobrücke

planimetrìa f Flächenmessung

plasmare [-zm-] formen

plàstica f Plastik, Bildhauerkunst; Werkstoff m

plasticare modellieren

plàstico plastisch

plàtano m Platane f

platea f Thea Parkett n

plàtino _m_ Platin _n_

plau|sìbile annehmbar; **~so** _m_ Beifall; **far ~so** zustimmen

pleb|aglia [-ʎa] _f_ Gesindel _n_; **~e** _f_ Pöbel _m_

plebiscito [-ʃ-] _m_ Volksentscheid

pleni|lunio _m_ Vollmond; **~potenza** _f_ Vollmacht

pleur|a _f_ Brustfell _n_; **~ite** _f_ Rippenfellentzündung

plùmbeo bleiern; bleifarbig

plur|ale _m_ Mehrzahl _f_; **~alità** _f_ Mehrheit

pluviòmetro _m_ Regenmesser

pneumàtic|o _m_ Reifen; _adj_ Luft(druck)...; **~posta** _f_ **~a** Rohrpost

po' = **poco** wenig

poch|ezza [-k-] _f_ Wenigkeit; **~ino** ziemlich wenig; _m_ Bißchen _n_

poco wenig; gering; **senti un po'** höre mal; **a ~ a ~** nach und nach; **~ fa** vor kurzem; **~ dopo** kurz darauf; **press'a ~** ungefähr

poder|e _m_ (Land-)Gut _n_; **~oso** stark

podestà _f_ Macht; _m_ Oberbürgermeister

podio _m_ Podium _n_

pod|ismo [-zmo] _m_ Laufsport; **~ista** _su_ Läufer(in _f_) _m_

poema _m_ Gedicht _n_

poesia _f_ Dichtung; Gedicht _n_

poet|a _m_ Dichter; **~are** dichten; **~essa** _f_ Dichterin

poètico poetisch; dichterisch

poggi|are [-dʒa-] sich stützen; **~o** [-dʒo] _m_ Anhöhe _f_

poi dann; nachher; **dalle 8 in ~** von 8 Uhr an

poiché [-ke] da, nachdem

polacco polnisch

polca _f_ Polka

polenta _f_ Polenta, Maisbrei _m_

poliambulanza _f_ Poliklinik

poliglotto vielsprachig

poligono _m_ Vieleck _n_

poligrafare vervielfältigen

poligrafo _m_ Hektograph

poliomielite _f_ Kinderlähmung

politic|a _f_ Politik; **~o** politisch; _m_ Politiker

polizia _f_ Polizei; **~ confinaria** Grenzpolizei; **~ passaporti** Paßpolizei; **~ di porto** Hafenpolizei; **~ sanitaria** Gesundheitspolizei; **~ stradale** Verkehrspolizei

poliziotto _m_ Polizist

pòlizza _f_ Schein _m_; Police; **~ di càrico** Frachtbrief _m_

poll|aio _m_ Hühnerstall; **~ame** _m_ Geflügel _n_; **~astrino** _m_ Backhuhn _n_; **~astro** _m_ junge(s) Huhn _n_; **~erìa** _f_ Geflügelhandlung

pòllice [-tʃe] _m_ Daumen; große Zehe _f_; Zoll

poll|icultura _f_ Hühnerzucht; **~o** _m_ Huhn _n_; **~o novello** Hähnchen _n_

polmon|e _m_ Lunge _f_; **~ite** _f_ Lungenentzündung

polo *m* Pol; ~ **nord** Nordpol

Polonia *f* Polen *n*

polpa *f* Fleisch *n*

polp|accio [-tʃo] *m* Wade *f*; **~accio** [-tʃu-] dick; **~etta** *f* Klops *m*; Klößchen *n*; **~ettone** *m* *Kochk* falscher Hase; **~oso** fleischig

pols|ino *m* Stulpe *f*; Manschette *f*; **~o** *m* Puls

poltr|ire faulenzen; **~ona** *f* Lehnstuhl *m*; Sessel *m*; *Thea* Parkettplatz *m*; **~ona** *f* Schlauchsessel *m*; **~oncina** [-tʃ-] *f* Parkettsitz *m*; **~one** faul; *m* Faulenzer

pólvere *f* Staub *m*; **caffè** *m* **in ~** Pulverkaffee

polver|ìficio [-tʃo] *m* Pulverfabrik *f*; **~ina** *f* *Med* Pulver *n*; **~izzare** pulverisieren; **~oso** staubig

pomata *f* Pomade

pomer|idiano nachmittags; **~ìggio** [-dʒo] *m* Nachmittag

pometo *m* Obstgarten

pòmice [-tʃe] *f* Bimsstein *m*

pomicultura *f* Obstzucht

pomo *m* Apfel, Apfelbaum; **~doro** *m* Tomate *f*

pomp|a *f* Prunk *m*; Pumpe; (Feuer-)Spritze; **~a d'aria** Luftpumpe; **~a della benzina** Benzinpumpe; **~a d'olio** Ölpumpe; **~are** pumpen

pompelmo *m* Grapefruit *f*

pompiere *m* Feuerwehrmann; **~i** *m*/*pl* Feuerwehr *f*

pomposo prunkhaft

ponce [-tʃe] *m* Punsch

ponderare erwägen

pone er setzt

ponente *m* Westen

pongo ich setze

poniamo wir setzen

ponte *m* Brücke *f*; *Mar* Deck *n*; **~ di passeggio** Promenadendeck *n*; **~ superiore** Oberdeck *n*

principale Hauptdeck *n*; **~ superiore** Oberdeck *n*

pont|éfice [-tʃe] *m* Papst; **Stato** *m* **~efìcio** [-tʃo] Kirchenstaat

popol|are volkstümlich; bevölkern; **~arità** *f* Volkstümlichkeit

pólvere Volk *n*

popoloso stark bevölkert

popone *m* Melone *f*

poppa *f* (Schiffs-)Hinterteil *n*, Heck *n*

popp|ante *m* Säugling; **~are** saugen

porca *f* Sau

porcellana [-tʃ-] *f* Porzellan *n*

porc|ellino [-tʃ-] *m* Ferkel *n*; **~ile** [-tʃ-] *m* Schweinestall; **~o** *m* Schwein *n*

pòrfido *m* Porphyr

pòrgere [-dʒ-] reichen

porgitore [-dʒ-] *m* Überbringer

por|o *m* Pore *f*; **~oso** porös

pórpora *f* Purpur *m*

porporino purpurn

porre setzen; stellen; legen

porro *m* Porree

porta *f* Tor *n*; Tür; **~bagagli** [-ʎi] *m* Gepäckhalter *m*

portàbile tragbar

porta|cénere [-tʃ-] m Aschenbecher; ~cipria [-tʃ-] m Puderdose f

porta|fiaschi [-sk-] m Flaschenkorb; ~fogli [-ʎi] u. ~foglio [-ʎo] m Brieftasche f

portale m Portal n

porta|lèttere m Briefträger; ~mento m Haltung f; Benehmen n; ~monete m Portemonnaie n, Geldbörse f; ~penne m Federhalter

port|are bringen; tragen; ~arsi sich benehmen; ~a-sigarette m Zigarettenetui n; ~atore m Träger; Überbringer; (Paß, Scheck) Inhaber

porta|uova m Eierbecher; ~voce [-tʃe] m Sprachrohr n

portiere m Torwart

portinaio m Pförtner

porto m Hafen; ~ franco Freihafen

porzione f Portion

posata f Besteck n

posdomani [-z-] übermorgen

posso ich kann

posta f Post; ~ aèrea Luftpost; ~ centrale Hauptpost

postale Post...

postare aufstellen

posteggi|are [-dʒa-] parken; ~o [-dʒo] m Parkplatz

pòsteri m/pl Nachkommen

poster|iore hinter; später; ~ità f Nachwelt

posticcio [-tʃo] provisorisch; falsch

posticipare [-tʃ-] hinausschieben

posto gesetzt, gestellt; m Platz; Stellung f; Stelle f; mil Posten; ~ di coperta Deckplatz; ~ al finestrino Fensterplatz; ~ di primo aiuto Sanitätsstelle f; ~ di primo soccorso Rettungsstation f; ~ a sedere Sitzplatz; ~ in piedi Stehplatz; ~ tranquillo ruhige Lage f; Thea ~ in balcone Balkonplatz; ~ in galleria Galerieplatz; ~ in palco Logenplatz

pòstumo nachträglich

potàbile trinkbar; acqua f ~ Trinkwasser n

potass|a f Pottasche; ~io m Kali n

pot|entato m Machthaber; ~ente stark; ~enza f Macht; Tech Leistung

potere können; dürfen; m Gewalt f; Macht f

potuto gekonnt

pover|etto, ~ino m Armste(r)

pòvero arm; dürftig; ~me! ich Armer!; m Arme(r); Bettler

povertà f Armut

pozzo m (Zieh-)Brunnen

pranz|are zu Mittag essen; ~o m Mittagessen n; Diner n; dopo ~o nach Tisch; ~ a prezzo fisso Gedeck n, Menü n

pràtica *f* Praxis; Erfahrung

pratic|àbile ausführbar; **~are** ausüben; praktizieren

pràtico praktisch; erfahren

prato *m* Wiese *f*; **~ per riposare** Liegewiese *f*

preavviso *m* Voranmeldung *f*

precauzione *f* Vorsicht

preced|ente [-tʃ-] vorhergehend; **~enza** *f* Vorrang *m*; Vorfahrt(srecht *n*)

precèdere [-tʃ-] vorangehen

precett|are [-tʃ-] vorschreiben; **~o** *m* Vorschrift *f*

precipit|are [-tʃ-] hinabstürzen; **~arsi** stürzen; **~oso** überstürzt; abschüssig

precipizio [-tʃ-] *m* Abgrund

precis|ione [-tʃ-] *f* Genauigkeit; **~o** genau; bestimmt; **alle tre ~o** Punkt drei Uhr

precoce [-tʃe] früh-reif, -zeitig

pred|a *f* Beute; Raub *m*; **~are** (aus)rauben

predella *f* Tritt *m*; Schemel *m*

predestin|are vorherbestimmen; **~azione** *f* Vorherbestimmung

predetto erwähnt

prèdica *f* Predigt

predic|are predigen; **~ato** *m* Prädikat *n*; **~atore** *m* Prediger

predil|etto bevorzugt; **~ezione** *f* Vorliebe

predire voraussagen

predizione *f* Weissagung

predom|inare vorherr-schen; **~inio** *m* Vorherr-schaft *f*   [wort *n*)

prefazione *f* Vorrede; Vor-] **preferenza** *f* Vorliebe; **~ire** vorziehen

prefett|o *m* Präfekt; **~ura** *f* Präfektur

prefl|iggere [-dʒ-] festsetzen; **~isso** *m* Vorsilbe *f*; *Tel* Vorwählnummer *f*

preg|are bitten; beten; **~évole** [-dʒ-] schätzenswert

preghiera *f* Bitte; Gebet *n*

pregi|are [-dʒa-] schätzen; **~arsi** [-dʒa-] sich beehren; **~o** [-dʒo] *m* Wert

pregiudizio [-dʒu-] *m* Vorurteil *n*

prego bitte; bitte sehr

preistoria *f* Vorgeschichte

pre|lazione *f* Vorzug *m*; **~ludio** *m* Vorspiel *n*, Ouvertüre *f*

prèm|ere drücken; **~e dringend!**, eilt!

premi|are belohnen; **~azione** *f* Preisverteilung; **~nente** hervorragend; **~o** *m* Preis; Prämie *f*

prem|ura *f* Eifer *m*; Bemühung; **~uroso** eifrig

prèndere nehmen; ergreifen; einnehmen; (*Krankheit*) sich holen; **~ benzina** tanken; **andare (venire) a ~** holen

prendisole *m* Luftanzug

pre|nome *m* Vorname; **~notare** vorbestellen, reservieren; **~notazione** *f* Voranmeldung

preoccuparsi   154

preoccup|arsi sich Sorge
machen; ~ato besorgt
prepar|are vorbereiten;
zubereiten; ~ativo m Vor-
bereitung f; ~atorio vor-
bereitend; ~azione f Vor-
bereitung
preponderare überwiegen
prep|orre voransetzen; ~o-
sizione f Verhältniswort n
prepot|ente herrisch; ~en-
za f Anmaßung
pre-rasura vor der Rasur
pres|a f Fang m; Fot Auf-
nahme; mil Einnahme; ~a
di corrente Steckdose;
~e f/pl elèttriche Strom-
anschluß m
presagio [-dʒo] m Weissa-
gung f
prèsbite [-zb-] weitsichtig
prescr|itto m Vorschrift f;
~ivere vorschreiben; ~i-
zione f Vorschrift
present|are darreichen; j-n
vorstellen; ~arsi sich vorstellen; sich darbieten (Gelegenheit); ~azione f Vorstellung; ~e gegenwärtig;
anwesend; m Gr Präsens
n; ~imento m Ahnung f;
~ire ahnen
presenza f Gegenwart
presep|e, ~io m Krippe f
preservare bewahren (da
vor)
presid|ente m Vorsitzen-
de(r); Präsident; ~enza f
Vorsitz m; ~io m Vorstand
preso genommen
press|a f Gedränge n; Pres-
se; ~are pressen; drängen

pressione f Druck m; ~
delle gomme Reifen-
druck m; ~ sanguigna
Blutdruck m (troppo alta
zu hoher; troppo bassa
zu niedriger; Wetter: alta
~ Hoch n; bassa ~ Tief n
presso bei; neben; nahe; ~
a poco ungefähr; ~che
fast; ~ché [-ke] fast; beinahe
prestabilire vorherbe-
stimmen
prest|are (aus)leihen; bor-
gen; ~azione f Abgabe;
~ezza f Schnelligkeit
prèstito m Darlehen n; Anleihe f; dare in ~ (ver-)
leihen; prèndere in ~ sich
borgen
presto bald; schnell; früh;
far ~ sich beeilen
presùmere vermuten
presun|tuoso eingebildet;
~zione f Einbildung
prete m Priester
pret|endente m Bewerber;
~èndere verlangen; bean-
spruchen; ~ensioso an-
spruchsvoll; eingebildet;
~esa f Anspruch m
pretesto m Vorwand
pretore m Amtsrichter
pretto rein
pretura f Amtsgericht n
prevalere vorwiegen
prevedere voraussehen
prevenire zuvorkommen
preventivo: bilancio m ~
Voranschlag
previdente vorsorglich;
voraussehend

155   proferire

prezi|osità f Kostbarkeit; ~**oso** kostbar; edel; **pietra** f ~**osa** Edelstein m

prezzémolo m Petersilie f

prezzo m Preis; **a buon (basso)** ~ billig; ~ **di costo** Einkaufspreis; ~ **di favore** Vorzugspreis; ~ **del noleggio** Mietpreis; ~ **per chilòmetro** Kilometerpreis; ~ **per una notte** Übernachtungsgebühr f

prigion|e [-dʒo-] f Gefängnis n; ~**iero** m Gefangene(r); **fare** ~**iero** gefangennehmen

prima früher, vorher; eher; ~ **di** vor; bevor; ~ **che** bevor; **da** ~ anfangs; zuerst; ~ **colazione** f Frühstück n; ~ **visione** f Film: Erstaufführung; ~**rio** erster; **scuola** f ~**ria** Grundschule

primavera f Frühling m

primitivo ursprünglich

primo erster

primordio m Ursprung

princip|ale [-tʃ-] hauptsächlich; m Hauptsache f; Prinzipal; ~**ato** m Fürstentum n

prìncipe [-tʃ-] m Fürst; Prinz

principessa [-tʃ-] f Fürstin; Prinzessin

principi|ante [-tʃ-] m Anfänger; ~**are** anfangen; beginnen; ~**o** m Anfang; Grundsatz

priv|are qu. **di** qc. j-n einer Sache berauben; ~**arsi** sich enthalten; verzichten; ~**a-**

to privat; **scuola** f ~**ata** Privatschule; ~**azione** f Beraubung; Entbehrung

privilegi|are [-dʒa-] bevorzugen; ~**o** [-dʒo] m Vorrecht n

privo beraubt; ohne

prò m Nutzen; **buon** ~! wohl bekomm's!

probàbile wahrscheinlich

probabilità f Wahrscheinlichkeit

problema m Problem n

procèdere [-tʃ-] f vorwärtsgehen; verfahren

process|ione [-tʃ-] f feierliche(r) Umzug m; Prozession; ~**o** m Prozeß

procinto [-tʃ-]: **in** ~ im Begriff

proclam|a m Aufruf; ~**are** verkündigen; ~**azione** f Proklamation

procur|are verschaffen; ~**atore** m Prokurist

prodig|alità f. Verschwendung; ~**alizzare** verschwenden; ~**io** [-dʒo] m Wunder n; ~**ioso** [-dʒo-] wunderbar

pròdigo verschwenderisch; m Verschwender

prod|otto m Ergebnis n; Erzeugnis n; ~**otto nazionale** Landeserzeugnis n; ~**ucente** [-tʃ-] m Erzeuger; ~**urre** erzeugen; ~**uttivo** ergiebig; ~**uzione** f Produktion

profan|are entheiligen; ~**o** weltlich; m fig Laie

proferire aussprechen

profess|are bekennen; verbleiben (*im Brief*); **~ione** *f* Beruf *m*; Bekenntnis *n*; **~o** *m* Ordensbruder; **~orato** *m* Professur *f*, Lehramt *n*; **~ore** *m* Lehrer; Professor; **~oressa** *f* Lehrerin; Professorin

prof|eta *m* Prophet; **~etizzare** prophezeien; **~ezìa** *f* Prophezeiung

profilo *m* Profil *n*; Seitenansicht *f*

profitt|are profitieren; Nutzen ziehen (**di** aus); **~o** *m* Nutzen; Gewinn

profluvio *m* Erguß

pro|fóndere ausgieben; vergeuden; **~fondità** *f* Tiefe; **~fondo** tief

pròfugo *m* Flüchtling

profum|are parfümieren; **~erìa** *f* Parfümhandlung; **~iera** *f* Riechfläschchen *n*; **~o** *m* Parfüm *n*, Duft

prog|ettare [-dʒ-] planen; **~etto** *m* Projekt *n*, Plan

programma *m* Programm *n*; **~ televisivo** Fernsehprogramm *n*; **~ d'escursione** Ausflugsprogramm *n*

progredire fortschreiten

progress|ivo fortschreitend; **~o** *m* Fortschritt

proib|ire verbieten; **~izione** *f* Verbot *n*

pro|iettore *m* Scheinwerfer, Bildwerfer; **~iezione** *f* Projektion; Lichtbild *n*

proletario *m* Proletarier

prolisso weitschweifig

pròlogo *m* Prolog

prolungamento *m* Verlängerung *f*; **~ di una settimana** Verlängerungswoche *f*

prolungare verlängern

pro|messa *f* Versprechen *n*; **~messi sposi** *m/pl* Verlobte; **~méttere** versprechen

promontorio *m* Vorgebirge *n*

prom|ozione *f* Beförderung; Versetzung; **~uòvere** (be)fördern; (*Schüler*) versetzen

pronome *m* Fürwort *n*

pront|ezza *f* Schnelligkeit; **~o** bereit; fertig; schnell; **~o soccorso** *n* Rettungsstelle *f*; *Tel* **~o!** *od* **~i!** hallo!

pronunci|a [-tʃa] *f* Aussprache; **~are** [-tʃa-] aussprechen; **~arsi** sich äußern [cia]

pronunzia *usw s* **pronun-** **~**

propaganda *f*: **far ~** werben

propagare verbreiten

prop|orre vorschlagen; **~orsi** sich vornehmen

proporzion|ale verhältnismäßig; **~e** *f* Verhältnis *n*

propòsito *m* Vorsatz *n*; **a ~** übrigens; **venire a ~** gelegen kommen

proposta *f* Vorschlag *m*

propri|amente eigentlich; **~età** *f* Eigentum *n*; Reinlichkeit; **~etario** *m* Eigentümer; **~o** eigen; sauber; gerade; **~o?** wirklich?

pubblicare

propulsore *m* Propeller
prora *f* Vorderteil *n* (*Schiff*)
pròroga *f* Aufschub *m*
prorogare aufschieben;
vertagen
prosa *f* Prosa
prosàico prosaisch
proscenio [-ʃ-] *m* Vor-
bühne *f*
prosciugare [-ʃu-] aus-
trocknen; trockenlegen
prosciutto [-ʃu-] *m* Schinken; ~ **cotto (crudo)** gekochter (roher) Schinken;
~ **con fichi freschi** Schinken mit frischen Feigen
proscr|ivere ächten; ~i-
zione *f* Achtung
proseguire fortsetzen; fortfahren
prosper|are gedeihen; blü-
hen; ~ità *f* Gedeihen *n*;
Blüte
pròspero blühend; günstig
prospett|iva *f* Aussicht;
Perspektive; ~o *m* An-
blick; Prospekt
prossimità *f* Nähe
pròssimo nächst; *m* Näch-
ste(r)
protèggere [-dʒ-] (be-)
schützen (**da** vor *dat*)
pròtesi *f* Prothese
protest|ante protestan-
tisch; *m* Protestant; ~are
beteuern; Einspruch erhe-
ben; ~o *m* Protest
protett|o *m* Schützling;
~orato *m* Protektorat *n*;
~ore *m* Beschützer;
Schutzherr

protezione *f* Förderung;
Protektion
protocoll|are protokol-
lieren; ~o *m* Protokoll *n*
prov|a *f* Probe; Versuch *m*;
Beweis *m*; ~are probieren;
prüfen; beweisen; ~ato be-
währt
proven|ienza *f* Herkunft;
~ire** (her)kommen
proverbio *m* Sprichwort *n*
provinci|a *f* [-tʃa] Provinz;
~ale [-tʃa-] kleinstädtisch
provoc|ante herausfor-
dernd; ~are hervorrufen;
reizen
provv|edere be-, ver-sor-
gen; ~edimento *m* Vor-
kehrung *f*; ~editore *m*
Lieferant; ~idente vor-
sorglich; ~idenza *f* Vor-
sehung
provv|isione *f* Vorrat *m*;
Provision; ~isorio vorläufig; ~ista *f* Vorrat *m*; ~isto
versehen (**di** mit)
prua *f* (Schiffs-)Vorderteil
n, Bug *m*
prud|ente klug; vorsichtig;
~enza *f* Klugheit; Vor-
sicht
prugn|a *f* [-ɲa] *f* Pflaume; ~o
[-ɲo] *m* Pflaumenbaum
pruno *m* Dornbusch
prur|iginoso [-dʒ-] juk-
kend; ~ito *m* Jucken *n*;
contro il ~ito juckreiz-
stillend
psichico [-k-] seelisch
psicologia [-dʒ-] *f* Psycho-
logie
pubblic|are veröffentli-

pubblicazione 158

chen; **~azione** f Veröffent-
lichung; **~ità** [-tʃ-] f Hdl
Reklame; **~ità luminosa**
Lichtreklame

pùbblico öffentlich; m Publikum n

pudore m Scham f

puer|ile kindisch; **~izia** f
Kindheit

pugil|ato [-dʒ-] m Boxen
n; **~atore** m Boxer

Puglia [-ʎa] f Apulien n

pugn|a [-ɲa] f Kampf m;
~ale m Dolch

pugno [-ɲo] m Faust f;
Faustschlag; **di proprio ~**
eigenhändig

puh! pfui!

pulc|e [-tʃe] f Floh m; **~i-
nella** [-tʃ-] m Hanswurst;
~ino [-tʃ-] m Küken n

pulire reinigen; putzen;
polieren

pulisci|orecchi [-ʃ-] m
Ohrlöffel; **~piedi** m Fuß-
abstreifer

pulito rein; sauber

pulitura f Reinigung; **~ a
benzina** Benzinbad n; **~
lampo** Schnellreinigung;
~ a secco chemische Reinigung

pulizia f Reinlichkeit

pullover m Pullover

pùlpito m Kanzel f

puls|are pulsieren; **~azione**
f Pulsschlag m

pùngere [-dʒ-] stechen

pungitura [-dʒ-] f Stich
m

pun|ire (be)strafen; **~i-
zione** f Bestrafung; Strafe

punta f Spitze; Stich m;
~ di terra Landzunge

punt|are stemmen; stoßen;
im Spiel: setzen; **~ata** f
Stich m; **~eruolo** m
Pfriem

puntina f **da grammòfono** Grammophonnadel;
~ da disegno [-ɲo] Reißnagel m

punto gar nicht(s); m
Punkt; Stelle f; (Naht-)
Stich; **~ di vista** Gesichts-
punkt; **fino a che ~?** bis
wohin?; **alle dieci in ~**
Punkt zehn Uhr

punt|uale pünktlich; **~ua-
lità** f Pünktlichkeit; **~ura**
f Stich m; **~ure** f/pl
d'insetti Insektenstiche
m/pl

può er kann

pupill|a f Pupille; **~o** m
Mündel n

purché [-ke] wenn nur

pure doch; auch; nur

purè m Püree n, Brei; **~ di
patate** Kartoffelpüree n

purezza f Reinheit

purg|a f Reinigung; Ab-
führmittel n; **~ante** m Ab-
führmittel n; **~are** reinigen; **~ativo** reinigend; ab-
führend

purific|are reinigen; läu-
tern; **~azione** f Läute-
rung

pur|ità f Reinheit; **~o** rein

purpùreo purpurn

purtroppo leider

puzz|are stinken; **~o** m Ge-
stank; **~olente** stinkend

Q

qua hier; hierher; **di ~** auf diese(r) Seite; **di ~ ... di là** hüben ... drüben

quad|ernaccio [-tʃo] *m* Kladde *f*; **~erno** *m* (Schreib-)Heft *n*

quadr|agèsima [-dʒ-] *f* Fastenzeit; **~angolare** viereckig; **~àngolo** *m* Viereck *n*; **~ante** *m* Zifferblatt *n*; **~are** viereckig machen; **~ato** viereckig; quadratisch; *m* Viereck *n*; Quadrat *n*; **~ello** *m* Bolzen; Pfeil; **~iforme** quadratisch

quadr|o viereckig; *m* Viereck *n*; Quadrat *n*; *Mal* Bild *n*; **~i** *m/pl* Kartensp Karo *n*

quadr|úpede vierfüßig; **~úplice** [-tʃe] vierfach

quaggiù [-dʒu] hier unten, hier herunter

quagli|a [-ʎa] *f* Wachtel; **~arsi** [-ʎa-] gerinnen

qualche [-ke] irgend ein; einige; **~ giorno** einige Tage; **~ cosa** etwas; **~ volta** manchmal

qual|cheduno [-k-] irgend jemand; **~cosa** etwas; **~cuno** irgend jemand

quale welche(r); wie; **il (la) ~** der (die), welche(r); wie

qualific|are bezeichnen; **~azione** *f* Bezeichnung; Befähigungszeugnis *n*

qual|ità *f* Eigenschaft; Be-

schaffenheit; *Hdl* Qualität; **~ora** falls; **~sìasi, ~sivoglia** [-ʎa] jeder beliebige; **~unque** wer auch immer; **~volta: ogni ~volta** jedesmal, wenn

quando wann; wenn; als; **da ~?** seit wann?; **di ~ in ~** dann und wann

quantità *f* Menge

quanto wieviel?; **tutto ~** alles, was; **tutto ~ il libro** das ganze Buch; **~ wie** sehr; wie lange; **quanti ne abbiamo oggi?** der wievielte ist heute?; **~ a me** was mich anbetrifft; **~ prima** so bald als möglich; **per ~ ricco tu sia** so reich du auch sein magst

quantunque obschon

quarant|ena *f* Quarantäne; **~enne** vierzigjährig; **~èsimo** *m* Vierzigstel *n*

quar|ésima *f* Fastenzeit; **~esimale** Fasten...

quart|etto *m* Quartett *n*; **~iere** *m* (Stadt-)Viertel *n*, Stadtteil *m*; Quartier *n*

quarto *m* Viertel *n*

quarzo *m* Quarz

quasi fast, beinahe

quassù hier oben (*herauf*)

quattrin|o *m* Heller; **~i** *m/pl* Geld *n*

quattro vier; **~ passi** ein paar Schritte; **~cento** [-tʃ-] *m* fünfzehntes Jahrhundert *n*

quegli [-ʎi] jener

quei jener; jene m/pl

quello jener; ~ **che** derjenige (dasjenige), welcher (welches)

quercia [-tʃa] f Eiche

querel|a f Klage; ~**ante** su Kläger(in f) m; ~**are** verklagen; ~**arsi** sich beklagen

quest|a diese; ~**i** dieser; diese m/pl

question|are streiten; ~**ario** m Fragebogen; ~**e** f Frage

questo dieser; **per** ~ deshalb; **quest'oggi** [-dʒi] heute

quest|ore m Polizeipräsident; ~**ura** f Polizeipräsidium n; ~**urino** m Polizeibeamte(r)

qui hier; **di** ~ von hier; **di** ~ **a un mese** in einem Monat; **di** ~ **innanzi** von jetzt an

quietanz|a f Quittung; ~**are** quittieren

quiet|are beruhigen; ~**e** f Ruhe; ~**o** ruhig

quinci [-tʃi] von hier; ~ **e quindi** von der einen und von der anderen Seite

quindi von dort; fig daher

quindic|i [-tʃi] fünfzehn; ~**i giorni** vierzehn Tage; ~**ina** f etwa fünfzehn; **una** ~**ina di giorni** etwa vierzehn Tage

quint|a f Fünfte; Mus Quinte; Thea Kulisse; ~**ale** m Doppelzentner; ~**o** m Fünfte(r); **Fünftel** n; ~**u-plice** [-tʃe], **quintuplo** fünffach; m Fünffache(s) n

quivi da, dort; daselbst

quot|a f Anteil m, Beitrag m; Höhe; Flgw **prèndere** ~**a** steigen; ~**are** schätzen

quotidiano täglich

R

rabàrbaro m Rhabarber

rabbellire verschönern

rabbia f Wut; Tollwut; **fare** ~ **a qu.** j-n ärgern

rabbino m Rabbiner

rabbioso wütend; toll

rabbrividire schaudern

rabbuiarsi sich verfinstern

raccapezz|are begreifen; ~**arsi** sich zurechtfinden

raccartocciare [-tʃa-] zs.-rollen

raccattare auflesen; sammeln

racchetta [-k-] f Tennisschläger m

racchiudere [-k-] enthalten

rac|cògliere [-ʎe-] sammeln; aufheben; ~**cogli-mento** [-ʎ-] m Sammlung f

racc|olta f Sammlung; Agr Ernte; ~**olto** m Ernte f

raccomand|are empfehlen; Post: einschreiben; ~**ata** f Einschreibebrief m; Einschreiben n; ~**azione** f Empfehlung; Bitte

raccomod|are ausbessern;

reparieren; **~atura** f Ausbesserung

raccont|are erzählen; **~o** m Erzählung f

raccorciare [-tʃa-] verkürzen

rada f Mar Reede

raddensare verdichten

raddolc|imento [-tʃ-] m Milderung f; **~ire** [-tʃ-] versüßen

raddoppi|amento m Verdoppelung f; **~are** verdoppeln

raddrizzare aufrichten

ràdere rasieren; **~ contropelo** gegen den Strich rasieren

radi|are strahlen; **~atore** m (Auto-)Kühler; Heizkörper

ràdica f Wurzel

radic|ale gründlich; **~are** Wurzel fassen

radice [-tʃe] f Wurzel; **~ del dente** Zahnwurzel

radio m Radium n; f Rundfunk m; **~ascoltatore** m Rundfunkhörer; **~attivo** radioaktiv; **~commèdia** f Hörspiel n; **~comunicazione** f Radiomeldung; **~corriere** m Rundfunkzeitung f; **~diffusione** f Radioübertragung

radiofònico Rundfunk...; **~ apparecchio** m ~ Radioapparat

radio|fonògrafo m Radioapparat mit Plattenspieler; **~giornale** [-dʒo-] m Nachrichtensendung f; **~grafìa**

f Röntgenaufnahme; **~grafista** m Funker; **~gramma** m Funkspruch; **~grammòfono** m Musiktruhe f; **~scopìa** f Med Durchleuchtung; **~valigia** [-dʒa] f Kofferradio n

radioso glänzend

radiotele|fonìa f drahtlose Telefonie; **~grafìa** f drahtlose Telegrafie; **~grafista** m Funker

rado spärlich; selten; **di ~** selten

radun|anza f Ansammlung; **~are** ansammeln; **~arsi** sich versammeln

ràfano m Rettich; Meerrettich

rafferma f Bestätigung

ràffica f Windstoß m

raffigurare darstellen

raffin|amento m Verfeinerung f; Läuterung f; **~are** verfeinern; raffinieren; läutern; **~ato** raffiniert; **~erìa** f Zuckersiederei

rafforzare (ver)stärken

raffreddamento m Tech Kühlung f; fig Erkalten m; **~ ad acqua** Wasserkühlung f; **~ ad aria** Luftkühlung f

raffredd|are abkühlen; **~arsi** sich erkälten; **~ato** erkältet; fig lau; **~atura** f, **~ore** m Erkältung f; Schnupfen m; **~ore da fieno** Heuschnupfen

raffresc|are kühlen; **~arsi** sich abkühlen

ragazz|a f Mädchen n; **~o**

m Knabe, Junge; (Lauf-) Bursche

raggi|ante [-dʒa-] strahlend; **~are** [-dʒa-] strahlen; **~o** [-dʒo] *m* Strahl

raggiùngere [-dʒundʒ-] einholen; (*Ziel*) erreichen

raggiustare [-dʒu-] ausbessern

ragguagli|are [-ʎa-] ausgleichen; **~o** *m* Ausgleich

ragion|amento [-dʒo-] *m* Erörterung *f*; **~are** vernünftig reden; **~ato** begründet; **~e** *f* Vernunft; Grund *m*; Recht *n*; **per ~i di salute** aus Gesundheitsrücksichten; **a ~e** mit Recht; **~eria** *f* Buchhaltung; **~évole** vernünftig; **~iere** *m* Buchhalter

ragn|atelo [-ɲ-] *f* Spinngewebe *n*; **~o** [-ɲo] *m* Spinne *f*

ragù *m* Ragout *n*

rallegr|amento *m* Vergnügen *n*; **~arsi** sich freuen; beglückwünschen (**con qu. di qc.** j-n zu et.)

rallent|amento *m* Verlangsamung *f*; **~are** langsamer fahren *od* werden

rame *m* Kupfer *n*; Kupferstich

ramificarsi sich verzweigen

rammaricarsi bedauern

rammàrico *m* Bedauern *n*

rammend|are stopfen; **~atura** *f* Ausbesserung

ramment|are erinnern; **~arsi** sich erinnern (**di an** *acc*)

rammollire erweichen

ramo *m* Zweig; (Fluß-) Arm; **~ d'affari** Geschäftszweig; **~laccio** [-tʃo] *m* Meerrettich; **~scello** [-ʃ-] *m* Ästchen *n*

rampicare klettern; aufranken

ramp|ino *m* Haken; **~ollo** *m* Schößling

rana *f* Frosch *m*

ràncido [-tʃ-] ranzig

rancio [-tʃo] *m* Ration *f*, Soldatenkost *f*

rancore *m* Groll

rango *m* Rang; Reihe *f*

rannicchiarsi [-k-] sich zs.-kauern

ranno *m* Lauge *f*

rannuvol|amento *m* Bewölkung *f*; **~arsi** sich bewölken

rantolare röcheln

rap|a *f* Rübe; **~accio** [-tʃo] *m* Kohlrübe

rap|ace [-tʃe] raubgierig; **~acità** [-tʃ-] *f* Raubgier

rapidità *f* Schnelligkeit

ràpido schnell; *m* FD-Zug

rapire rauben

rappezz|are flicken; **~o** *m* Flicken

rapport|arsi sich berufen *od* beziehen (**a auf** *acc*); **~o** *m* Bericht; **in ~o a in** bezug auf (*acc*)

rappresaglia [-ʎa] *f* Repressalie, Gegenmaßnahme

rappresent|ante *m* Vertreter; **~anza** *f* Vertretung; **~are** darstellen; *Thea* aufführen; ~arsi sich vorstellen; ~azione f Vorstellung; Aufführung

rar|ità f Seltenheit; ~o selten; dünn

ras|are rasieren; ~ato glatt (rasiert)

raschi|are [-sk-] abkratzen; radieren; ~no m Kratzeisen n; Radiermesser n; ~o m Räuspern

rasentare streifen; nahekommen

ras|o fig kahl; m Atlas (Stoff); ~oio m Rasiermesser n; ~oio di sicurezza Rasierapparat; ~oio elèttrico Trockenrasierapparat

rassegn|a [-ɲa] f Musterung; ~arsi sich fügen (a in acc); ~ato [-ɲ-] resigniert; ~azione f [-ɲ-] f Ergebung

rasserenare aufheitern

rassicurare beruhigen

rassomigli|ante [-ʎa-] ähnlich; ~anza [-ʎa-] f Ähnlichkeit; ~arsi gleichen, ähneln

rastrellare harken; eine Razzia machen

rasura f Rasieren n, Rasur

rat|a f Rate; a ~e ratenweise

rateazione f Ratenzahlung

ratto m Raub; Ratte f

rattoppare flicken

rattoppo m Flicken

rattrappito verkrampft

rattrist|are betrüben; ~si traurig werden

rauc|èdine [-tʃ-] f Heiserkeit; ~o heiser

ravanello m Radieschen n

ravioli m/pl Ravioli (Teigpastete)

ravvisare erkennen

ravviv|amento m Wiederbelebung f; ~are wiederbeleben

ravvòlgere [-dʒ-] umwickeln; einhüllen (in in)

razion|ale rationell; ~e f Ration

razza f Rasse; fig Sorte

razz|o m Rakete f; ~olare scharren; fig durchstöbern

re m König

reagire [-dʒ-] zurückwirken

reale wirklich; königlich

real|ismo [-zmo] m Realismus; ~ità f Wirklichkeit; ~izzare verwirklichen; ~izzazione f Verwirklichung

reame m Königreich n

reazione f Reaktion, Rückwirkung; Flgw caccia m a ~ Düsenjäger

rec|are bringen; verursachen; ~arsi sich begeben

recèdere [-tʃ-] nachgeben; verzichten

recensione f Rezension

recent|e [-tʃ-] neu; ~emente neuerdings; kürzlich; ~issime f/pl neueste Nachrichten

recesso [-tʃ-] m Rückgang

recìdersi [-tʃ-] aufspringen (Haut)

recidiva [-tʃ-] f Rückfall m

rec|ìngere [-tʃindʒ-] umgeben; **~into** [-tʃ-] m Gehege n; Einfassung f

recipiente [-tʃ-] m Behälter; Gefäß n

reciprocità [-tʃ-] f Gegenseitigkeit

recìproco [-tʃ-] gegenseitig

rec|ìsamente [-tʃ-] kurz und bündig; **~iso** entschieden

rècita [-tʃ-] f Aufführung

recit|are [-tʃ-] hersagen; *Thea* spielen; **~azione** f Vortrag m

reclam|are reklamieren; registrieren; **~e** f Reklame; **~o** m Beschwerde f, Beanstandung f

rècluta f Rekrut m

record m Höchstleistung f

red|attore m Redakteur; **~azione** f Abfassung; Redaktion

rèddito m Einkommen n

Redentore m Erlöser, Heiland

redimere erlösen

rèduce [-tʃe] m Heimkehrer

refe m Zwirn

refettòrio m Refektorium n; Speisesaal

refriger|are [-dʒ-] kühlen; erfrischen; **~io** m Erfrischung f

regal|are (ver)schenken; **~e** königlich; **~o** m Geschenk n

regata f Regatta

regg|ente [-dʒ-] m Regent; **~enza** f Regentschaft

règgere [-dʒ-] (aus)halten; regieren

reggicalze [-dʒ-] m Hüfthalter

reggimento [-dʒ-] m Regiment n

reggipetto [-dʒ-] m Büstenhalter

regìa [-dʒ-] f Regie

regime [-dʒ-] m Regierung f; *Med* Diät f

regi|na [-dʒ-] f Königin; *Kartensp, Schach:* Dame; **~o** [-dʒo] königlich

regione [-dʒo-] f Gegend

regista [-dʒ-] m Regisseur

registr|are [-dʒ-] eintragen; registrieren; **~atore** m **a nastro** Tonbandgerät n; **~atura** f Eintragung; **~o** m Register n; Verzeichnis n

regn|ante [-ɲ-] m Herrscher; **~are** regieren; **~o** m (König-)Reich n

règola f Regel

regol|amento m Regelung f; *Tech* Einstellung f; **~amento stradale** Verkehrsregelung f; **~are** regeln; ordnen; *Tech* einstellen; *adj* regelmäßig; **~arità** f Regelmäßigkeit; **~atore** m Ordner

regr|essivo rückläufig; **~esso** m Rückgang

relativo bezüglich; relativ

relazione f Beziehung; **in ~a** mit Bezug auf (acc)

relig|ione [-dʒo-] f Religion; **~iosa** [-dʒo-] f Ordensschwester; **~iosità** [-dʒo-] f Frömmigkeit; **~ioso** [-dʒo-] religiös, fromm; m Ordensbruder rem|are rudern; **~are a pagaia** paddeln; **~atore** *m* Ruderer

reminiscenza [-ʃ-] *f* Erinnerung

remissione *f* Erlaß *m*; **senza ~** unweigerlich

remo *m* Ruder *n*

remoto weit zurückliegend; **passato ~** *Gr* historische Vergangenheit *f*

rèndere   zurückgeben; (*Dienst*) erweisen; **~ felice** glücklich machen

rèndita *f* Rente; Einkommen *n*

rene *m* Niere *f*

renit|ente widerspenstig; **~enza** *f* Widerstreben *n*

renoso sandig

reo böse; schuldig

reparto *m* Abteilung *f*

repentino plötzlich

repertorio *m Thea* Spielplan

rèplica *f* Wiederholung; Erwiderung

replicare erwidern; entgegnen

repr|essione *f* Unterdrückung; **~imere** unterdrücken

repùbblica *f* Republik

repubblicano republikanisch; *m* Republikaner

reput|are erachten; halten für; **~azione** *f* Ruf *m*

requis|ire requirieren; **~ito** erforderlich; **~izione** *f* Beschlagnahme

resa *f* Übergabe

rescritto *m* Erlaß

reseda *f* Reseda

resid|ente wohnhaft; **~enza** *f* Wohnsitz *m*

rèsina *f* Harz *n*

resinoso harzhaltig

resist|ente widerstandsfähig; **~enza** *f* Widerstand *m*

resistere widerstehen

resoconto *m* Rechenschaftsbericht

respingere [-dʒ-] zurückstoßen; zurückweisen

respir|are (ein)atmen; **~azione** *f* Atmung; **~o** *m* Atem

respons|àbile verantwortlich (**di** für); **~àbile** *m* **dei bagagli** *Schiffsreise:* Gepäckoffizier; **~abilità** *f* Verantwortlichkeit

ressa *f* Gedränge *n*

rest|ante übrig; **~are** (übrig)bleiben

restaur|are wiederherstellen; **~azione** *f*, **~o** *m* Wiederherstellung *f*

restitu|ire zurückgeben; zurückerstatten; **~zione** *f* Rückgabe; Erwiderung

resto *m* Rest; **del ~** übrigens

restr|ìngere [-dʒ-] enger werden; einlaufen (*Stoff*)

ret|e *f* Netz *n*; **~e stradale** Straßennetz *n*; **~icella** [-tʃ-] *f* kleines Netz *n*; Haarnetz *n*; **~icella per il bagaglio** Gepäcknetz *n*

retiforme netzförmig

rètina *f* Netzhaut (*Auge*)

retòrica *f* Redekunst

retro|attivo rückwirkend;

~**bottega** f Ladenzimmer n; ~**càmera** f Hinterzimmer n; ~**cèdere** [-tʃ-] f zurückweichen; ~**marcia** [-tʃa] f Auto: Rückwärtsgang m

retta f: **dare** ~ Gehör schenken

rett|angolare rechteckig; ~**àngolo** m Rechteck n

rettificare berichtigen

retto gerade; recht; richtig

reum|a m Rheuma n; ~**àtico** rheumatisch; ~**atismo** [-zmo] m Rheumatismus

reverendo (Abk rev.) ehrwürdig; m Hochwürden

revisione f Durchsicht

revoc|àbile widerruflich; ~**are** widerrufen

rialto m Anhöhe f

rialzare erhöhen; heben

riap|ertura f Wiedereröffnung; ~**poggiare** [-dʒa-] Tel auflegen; ~**rire** wieder öffnen

riassùmere zs.-fassen

riatt|amento f Instandsetzung f; ~**are** instand setzen

riavere wiederbekommen

ribalta f Klappe; **tàvola** a ~ Klapptisch m

ribaltare umwerfen; umstürzen

ribass|are (Preis) herabsetzen; ~**o** m Rabatt, Ermäßigung f

ribell|ante aufrührerisch; ~**are** aufwiegeln; ~**arsi** sich auflehnen; ~**e** m Aufrührer; ~**ione** f Aufruhr m

ribes m Johannisbeere f

ribollimento m Wallen m

ribrezzo m Abscheu

ricaduta f Rückfall m

ricamare sticken

ricambi|are austauschen; erwidern; ~**o** m Austausch

ricamo m Stickerei f

ricapitolazione f zs.-fassende Wiederholung

ricav|are berichtigen; ~**o** m Ertrag

ricchezza [-k-] f Reichtum

riccio [-tʃo] kraus; ~ (Haar-)Locke f

ricciolo [-tʃo-] m (Haar-)Locke f

ricco reich (**di** an)

ricerc|a [-tʃ-] f (Nach-)Forschung; ~**are** suchen; (er-)forschen; ~**ato** gesucht; ~**atore** m Forscher

ricetta [-tʃ-] f Rezept n

ricévere [-tʃ-] erhalten; empfangen

ricev|imento [-tʃ-] m Empfang; ~**itore** m Empfänger; (Telefon-)Hörer; ~**uta** f Quittung; **accusare** ~**uta** den Empfang bestätigen

ricezione [-tʃ-] f Radio: Empfang m; Hotel: Rezeption

richiam|are [-k-] zurückrufen; ~**arsi** sich berufen (**a** auf acc); ~**o** m Ruf; mil Einberufung f

richiedente [-k-] m Antragsteller

richièdersi [-k-] erforderlich sein

richiesta [-k-] *f* Forderung; Nachfrage

ricino [-tʃ-] *m*: **olio ~ di ~** Rizinusöl *n*

ricognizione [-ɲ-] *f* Anerkennung

ricompens|a *f* Belohnung; **~are** belohnen

ricompr|a *f* Rückkauf *m*; **~are** wiederkaufen

riconcentrare [-tʃ-] wieder vereinigen

ricondurre zurückführen

riconosc|ente [-ʃ-] erkenntlich; dankbar; **~enza** *f* Dankbarkeit

riconóscere [-ʃ-] erkennen

riconsegn|a [-ɲa] *f* Rückgabe; **~are** [-ɲ-] zurück-, über-geben

ricord|arsi sich erinnern (**di** an *acc*); **~o** *m* Erinnerung *f*; Andenken *n*; **~o di viaggio** Reiseandenken *n*

ricórrere wiederkehren

ricostit|uire wiederherstellen; **~uzione** *f* Neubildung

ricostru|ire wiederaufbauen; **~zione** *f* Wiederaufbau *m*

ricotta *f* Molkenkäse *m*

ricoverare unterbringen

ricòvero *m* Asyl *n*; Unterkunft *f*

ricrearsi sich erholen

ricuperare wiedererlangen

ricurvo krumm; gebeugt

ricusare sich weigern

ridente anmutig

rid|ere lachen (**di** über *acc*); **~ersi di qu.** über j-n spotten

ridìcolo lächerlich

ridosso *m* Schutzwand *f*

ridotto *m Thea* Foyer *n*

rid|urre zurückführen (**a** auf *acc*); (*Preise*) herabsetzen; einschränken; **~uzione** *f* Beschränkung; Ermäßigung, Nachlaß *m*; **~uzione sul prezzo dei biglietti** Fahrpreisermäßigung

riémpiere (an-, aus-)füllen

riemp|imento *m* Füllung *f*; **~ire** (an-, aus-)füllen

rifacimento [-tʃ-] *m* Umarbeitung *f*

rifer|ire berichten; **~irsi** sich beziehen (berufen) (**a** auf *acc*)

rifiatare aufatmen

rifin|imento *m* Erschöpfung *f*; **~ire** vollenden; zugrunde richten; erschöpfen

rifior|imento *m* Wiederaufblühen *n*; **~ire** wieder aufblühen; *Mal* auffrischen

rifiut|arsi sich weigern; **~o** *m* Ablehnung *f*; Verweigerung *f*; abschlägige Antwort *f*

rifless|ione *f* Überlegung; **~ivo** nachdenklich; rückbezüglich; **~o** *m* Abglanz

riflètt|ere zurückwerfen; *fig* betreffen; **~ersi** sich spiegeln

riflettore *m* Scheinwerfer

riflusso *m* Ebbe *f*

riform|a *f* Reform; *Rel* Reformation *f*; **~are** reformieren, neu gestalten; **~a-**

tore *m* Reformator; **~azione** *f* Neugestaltung

rifuggire [-dʒ-] flüchten; meiden

rif|ugiarsi [-dʒa-] sich flüchten; **~ugiato** [-dʒa-] *m* Flüchtling; **~ugio** [-dʒo] *m* Zuflucht *f*; Zufluchtsort; **~ugio alpino** Schutzhütte *f*

riga *f* Linie; Zeile; Lineal *n*; Streifen *m*; Scheitel *m*

rig|are liniieren; **~ato** gestreift

rigett|are [-dʒ-] ver-, zurück-werfen; **~o** *m* Verwerfung *f*; Ablehnung *f*; Auswurf

rigidezza [-dʒ-] *f* Strenge; Steifheit

rigido [-dʒ-] streng; steif

rigir|are [-dʒ-] herumgehen; *(Worte)* drehen; **~o** *m* Drehung *f*

rigogli|o [-ʎo] *m* Üppigkeit *f*; **~oso** [-ʎo-] üppig

rigor|e *m* Strenge *f*; **di ~e** unerläßlich; **~oso** streng

rigovernare *(Teller)* abwaschen

riguard|are betrachten; betreffen; **~arsi** sich in acht nehmen; **~o** *m* Rücksicht *f*; **~o a in bezug auf; senza ~o** rücksichtslos; **aversi ~o** sich schonen

rilasciare [-ʃa-] *(Schein)* ausstellen; erlassen

rileg|are wieder binden; *(Buch)* (ein)binden; **~tore** *m* Buchbinder; **~atura** *f* Einband *m*

rilievo *m* Erhöhung *f*; Relief *n*; **alto ~** Hochrelief *n*; **basso ~** Flachrelief *n*

rilucente [-tʃ-] glänzend

rilùcere [-tʃ-] glänzen

rima *f* Reim *m*

rimandare zurückschicken; vertagen

rimane er bleibt

rimaneggiare [-dʒa-] umarbeiten

riman|ente *m* Rest; **~enza** *f* Überbleibsel *n*; **~ere** (übrig)bleiben

rimango ich bleibe

rimaniamo wir bleiben

rimar|care bemerken; **~chévole** [-k-] bemerkenswert

rimasto geblieben

rimbombare dröhnen; widerhallen

rimbors|are zurückerstatten; **~o** *m* Rückerstattung *f*; **contro ~o** gegen Nachnahme

rimedi|àbile heilbar; **~are ~o** abhelfen; **~o** *m* Abhilfe *f*; (Heil-)Mittel *n*

rimembr|anza *f* Erinnerung; **~are** erinnern

rimenare zurückführen; umrühren

rimescolare mischen; umrühren

rimessa *f* Garage; Schuppen *m*; *Hdl* Überweisung *f*

rimétt|ere wieder legen (setzen); vertagen; **~ersi** sich wieder erholen; sich aufklären *(Wetter)*

rimorchi|are [-k-] (ab-)

schleppen; ~atore *m* Schleppdampfer

rimorchio [-k-] *m* Anhänger (*Wagen*); ~canotto *m* Bootsanhänger

rimòrdere wieder beißen; *fig* peinigen

rimorso *m od* ~ di coscienza Gewissensbiß

rimozione *f* Entfernung; Beseitigung

rimpasto *m* Umbildung *f*

rimp|atriare in die Heimat zurückbefördern; heimkehren; ~atrio *m* Heimkehr *f*

rimpi|àngere [-dʒ-] bedauern; *j-n* beweinen; ~anto *m* Bedauern *n*

rimpiatt|are verstecken; ~ino *m* Versteck *n*; fare a ~ino Versteck spielen

rimpiazzare ersetzen

rimp|iccinire [-tʃ-] (~iccolire) verkleinern; kleiner werden

rimprover|àbile tadelnswert; ~are (*j-m*) Vorwürfe machen

rimpròvero *m* Vorwurf

rinascimento [-ʃ-] *m* Wiedergeburt *f*; Renaissance *f*

rincarare verteuern; (*Preis*) steigern

rincarnarsi zunehmen, stark werden

rincaro *m* Verteuerung *f*

rinchiùdere [-k-] einschließen

rinc|órrere nachlaufen; *j-n* verfolgen; ~orsa *f* Anlauf *m*

rincréscere [-ʃ-] leid tun

rincresc|évole [-ʃ-] bedauerlich; ~imento *m* Bedauern *n*

rinculare zurückweichen

rinforz|amento *m* Verstärkung *f*; ~are (ver-) stärken; ~o *m* Verstärkung *f*

rinfresc|amento *m* Abkühlung *f*; ~are abkühlen; erfrischen; ~arsi sich laben; ~o *m* Erfrischung *f*

ringhiera *f* Geländer *n*

ringiovan|imento [-dʒo-] *m* Verjüngung *f*; ~ire (sich) verjüngen

ringraziament|o *m* Dank; Danksagung *f*; tanti ~i vielen Dank

ringraziare (qu. di qc. *j-m* für et.) danken

rinneg|are verleugnen; ~ato abtrünnig; ~azione *f* Verleugnung

rinnov|amento *m* Erneuerung *f*; ~are erneuern; (*Kleider*) umändern; ~azione *f* Erneuerung

rinomato berühmt

rinserrare einschließen; einklemmen

rintracciare [-tʃa-] aufspüren [täuben]

rintronare dröhnen; be-

rinunci|a [-tʃa] *f* Verzicht *m*; ~are [-tʃa-] verzichten (a auf *acc*)

rinvenire wieder zu sich kommen

rinviare zurückschicken; vertagen

rinvigorimento *m* Stärkung *f*

rinvilire 170

rinvilire (*Preis*) herabdrücken

rinvio *m* Rücksendung *f*;
Verweisung *f*; Vertagung *f*
rione *m* Stadtviertel *n*
riordinare neu ordnen
riorganizz|are reorganisie-
ren; ~azione *f* Neugestaltung
ripar|àbile ersetzbar; ~are
schützen (da vor *dat*); reparieren, ausbessern; ~a-
zione *f* Reparatur, Aus-
besserung; ~o *m* Schutz
ripart|ire wieder abreisen;
verteilen; ~izione *f* Verteilung; ~o *m* Abteilung *f*
ripassare vorbeigehen;
durchsehen, überholen
ripensare nachdenken (a
über *acc*)
ripètere wiederholen
ripetizione *f* Wiederholung
ripian|are glatt machen;
~o *m* Treppenabsatz
rìpido steil
ripieg|are zs.-falten; (*Är-
mel*) umschlagen; zurück-
weichen; ~o *m* Ausweg
ripieno voll; *Kochk* ge-
füllt; *m* Füllung *f*
riport|are wieder bringen
usw (s *portare*); wieder-
zählen; (*Sieg*) davontra-
gen; ~o *m Hdl* Übertrag
ripos|are ruhen; ~arsi sich
ausruhen; ~o *m* Ruhe *f*;
Ruhestand; ~o a letto
Bettruhe *f*
ripresa *f* Wiederaufnahme *f*;
Hdl Wiederbelebung
riproduzione *f* Reproduk-

tion; ~ vietata Nachdruck
verboten
riprov|a *f* Bekräftigung;
~àbile verwerflich; ~are
verwerfen; (*Schüler*)
durchfallen lassen
ripugn|ante [-n-] wider-
wärtig; ~anza *f* Widerwille
m; ~are Widerwillen er-
regen {ßung}
ripulsione *f* Zurücksto-
riputazione *f* Ruf *m*
riquadratore *m* Zimmer-
maler
risaia *f* Reisfeld *n*
risalt|are hervorspringen;
~o *m* Vorsprung
risan|àbile heilbar; ~are
genesen; heilen; sanieren
risarcire [-tʃ-] entschädi-
gen
riscaldamento *m* Heizung
f; ~ centrale Zentralheizung *f*
riscald|are wärmen; hei-
zen; ~arsi heiß werden; *fig*
sich ereifern
riscaldatore *m* a disco
Heizsonne *f*
rischiar|amento [-sk-] *n*
Aufklärung *f*; ~are er-
leuchten; *fig* aufklären;
~arsi sich aufklären (*Wetter*)
rischi|are [-sk-] aufs Spiel
setzen; Gefahr laufen; ~o
m Gefahr *f*; Risiko *n*;
a ~o di auf die Gefahr hin,
zu; a vostro ~o e pericolo
auf Ihre Gefahr; méttere
a ~o aufs Spiel setzen;
~oso gewagt

risciacqu|amento [-ʃa-] *m*
Spülung *f*; **~are** spülen

riscontr|are begegnen; **~o**
m Begegnung *f*; Seiten-
stück *n*; **~o d'aria** Zugluft *f*

riscuòtere   erschüttern;
(*Geld*) einziehen

risentire wieder fühlen;
verspüren; leiden (**di** unter)

riserbare aufsparen; *fig*
aufheben

riserva *f* Vorbehalt *m*;
Reserve

riserv|are reservieren;
~arsi sich vorbehalten;
~ato vertraulich; zurück-
haltend

riso *m* Lachen *n*; Reis

risolare (neu) besohlen

risol|utezza *f* Entschlos-
senheit; **~uto** entschlossen

risoluzione *f* Entschluß *m*;
Lösung; **~ d'un contratto**
Aufhebung e-s Vertrages

risòlv|ere   beschließen;
(auf)lösen; **~ersi** sich entschließen

risolvìbile lösbar

rison|anza *f* Klang *m*; *Mus*
Resonanz; Widerhall *m*;
~are ertönen; widerhallen

risòrgere [-dʒ-] auferstehen

risorgimento [-dʒ-] *m*
Wiedergeburt *f*

risorsa *f* Hilfsquelle

risotto *m* ital. Reisgericht *n*;
~ con piselli Reisgericht
mit Erbsen; **~ alla milanese** Reisgericht mit Safran

risparmiare (er)sparen

risparmio *m* Ersparnis *f*;
cassa *f* **di ~** Sparkasse

rispecchiare [-k-] wider-
spiegeln

rispett|àbile ansehnlich;
~are achten; **~ivo** betref-
fend; bezüglich; **~o** *m*
Achtung *f*, Ehrfurcht *f*; **~i**
m/pl Empfehlungen *f/pl*;
~oso ehrerbietig

risplèndere glänzen

risp|óndere antworten (**a**
auf); beantworten (*Gruß*)
erwidern; **~osta** *f* Antwort; **~osta pagata** be-
zahlte Rückantwort

ristabil|imento *m* Wieder-
herstellung *f*; **~ire** wieder-
herstellen; **~irsi** sich erholen

ristampa *f* Neudruck *m*;
neue Auflage

ristor|ante *m* Restaurant *n*,
Raststätte *f*; **~ante m automàtico** Automatenrestau-
rant *n*; **~are** wiederher-
stellen; stärken

ristr|ettezza *f* Beschränkt-
heit; Notlage; **~etto** eng;
beschränkt

risult|are   hervorgehen;
~ato *m* Ergebnis *n*

risurrezione *f* Auferste-
hung

risuscitare [-ʃ-] auferstehen

risvegli|are [-zveʎa-] wek-
ken; **~arsi** (*wieder*) erwachen

ritard|are (ver)zögern; sich
verspäten; nachgehen
(*Uhr*); **~atario** *m* Nach-

zügler; ~o *m* Verspätung *f*;
èssere in ~o zu spät kommen

ritegno [-ɲo] *m* Zurück-
haltung *f*; **senza** ~ maßlos
riten|ere behalten; zurück-
halten; **~ersi** sich beherr-
schen; sich enthalten
ritir|are (*Geld*) einziehen;
(*Briefe*) abholen; **~arsi**
sich zurückziehen; **~ata** *f*
Rückzug *m*; **~ato** zurück-
gezogen; ~o *m* Rücktritt;
in ~o außer Dienst
rito *m* Brauch
ritoccare retuschieren
ritornare zurückgeben; zurückkommen; ~ **in sé**
wieder zu sich kommen
ritorno *m* Rückkehr *f*;
Rückfahrt *f*; **di** ~ zurück
ritorsione *f* Vergeltung
ritrarre darstellen; porträ-
tieren; *Fot* aufnehmen;
Nutzen ziehen
ritratt|àbile widerruflich;
~are widerrufen; **~azione**
f Widerruf *m*; **~ista** *su*
Porträtmaler(in *f*) *m*; ~o *m*
Porträt *n*, Bildnis *f*
ritrov|are wiederfinden;
~arsi sich treffen; ~o *m*
Treffpunkt
ritto gerade; aufrecht; **star**
~ aufrecht stehen
riun|ione *f* Vereinigung;
Versammlung; **~ire** vereinigen; versammeln
riusc|ire [-ʃ-] gelingen;
riesco a fare *od* **mi riesce**
[-ʃe] **di fare** es gelingt mir
zu tun; **~ita** *f* Erfolg *m*

riva *f* Ufer *n*
rivale rivalisierend; *su*
Konkurrent(in *f*) *m*
rived|ere wiedersehen;
durchsehen; **a ~erci** [-tʃi],
a ~erLa auf Wiedersehen
rivel|are offenbaren; ent-
hüllen; **~azione** *f* Offen-
barung
rivénd|ere wiederverkau-
fen; **~ita** *f* Wiederverkauf
m [käufer}
rivenditore *m* Wiederver-}
rivenire wiederkommen
river|ente ehrerbietig;
~enza *f* Ehrerbietung; **~i-**
re verehren; **La riverisco**
ich empfehle mich Ihnen
rivestire bekleiden
riviera *f* Küste
rivista *f* Zeitschrift; Parade; ~ **della moda** Mo-
denschau
rivo *m* Bach
rivòlg|ere [-dʒ-] richten;
~ersi sich wenden
rivolgimento [-dʒ-] *m* Umwälzung *f*; ~ **di stòmaco**
Übelkeit *f*
rivolta *f* Aufruhr *m*
rivolt|are umdrehen; em-
pören; **~ella** *f* Revolver *m*
rivoltolare umdrehen
rivoluzion|ario revolutio-
när; **~e** *f* Revolution
rizz|are aufrichten; (*Fah-
nen*) hissen; **~arsi** sich
sträuben (*Haare*)
rob|a *f* Sachen *f/pl*; **~accia**
[-tʃa] *f* Schund *m*
robust|ezza *f* Rüstigkeit;
~o kräftig; rüstig

rovescione

rocca f Burg

rocchetto [-k-] m Spule f;
Rolle f; Chorhemd n

rocci|a [-tʃa] f Fels m;
~**oso** [-tʃo-] felsig

roc(c)ocò m Rokoko n

rodaggio [-dʒo] m Auto:
Einfahren n

ród|ere (zer)nagen; ~**ersi**
sich verzehren

rognone [-ɲ-] m Niere f (v
Tier)

rollare rollen, schlingern
(Schiff)

Roma f Rom n

Romania f Rumänien n

rom|ànico romanisch; ~**a-
nistica** f Romanistik; ~**a-
no** römisch; Arch roma-
nisch; m Römer; ~**antici-
smo** [-tʃizmo] m Romantik
f; ~**àntico** romantisch; m
Romantiker

romanza f Romanze; ~**iere** m Romandichter; ~**o** m
Roman

rombare dröhnen

rombo m Steinbutt

romeno rumänisch; m Rumäne

rómpere (zer)brechen

ronc|are ausjäten; ~**o** m
Sackgasse f

róndine f Schwalbe

rondo m Rundschrift f

ronz|are summen; ~**io** m
Gesumme n

ros|a f Rose; adj rosa; ~**à-
ceo** [-tʃ-] rosenartig; ro-
senfarben; ~**aio** m Rosen-
strauch; ~**ario** m Rel Ro-
senkranz

rosbiffe [-zb-] m Roastbeef n

ròseo rosig

ros|eto m Rosengarten;
~**etta** f Rosette

rosmarino [-zm-] m Rosmarin

rosol|are braun braten;
~**ia** f Röteln pl

rossetto m Rouge n; ~ **per
le labbra** Lippenstift

rossiccio [-tʃo] rötlich

rosso rot; ~ **chiaro** hellrot;
~ **cupo** dunkelrot

rosticc|eria [-tʃ-] f Gar-
küche; Grillraum m; ~**iere**
[-tʃe-] m Inhaber e-r
rosticceria

rostro m Schiffsschnabel

rot|àbile fahrbar; ~**aia** f
Esb Schiene; ~**are** im
Kreise drehen; ~**azione** f
Umdrehung; Kreislauf m;
~**ella** f Rädchen n; Knie-
scheibe

rotolare zusammenrollen

ròtolo m Rolle f

rotondo rund

rotta f Kurs m

rottam|e m Bruchstück n;
~**i** m/pl Trümmer

rotto entzwei, kaputt

rottura f Bruch m

ròtula f Kniescheibe

roulotte f Wohnanhänger
m; Wohnwagen m

rovesci|a [-ʃa] f (Kleidung)
Aufschlag m; **alla** ~**a** verkehrt; **are** [-ʃa-] umkeh-
ren; umkippen; ~**o** [-ʃo]
verkehrt; ~**one** [-ʃo-] rücklings

rovina 174

rovin|a f Einsturz m; fig Verderben n; ~e f/pl Trümmer pl; Ruine f
rovo m Brombeerstrauch
rozzo roh; plump
rubare stehlen
rubinetto m Tech Hahn; ~ d'acqua Wasserhahn
rubino m Rubin
rublo m Rubel
rubrica f Rubrik
rude rauh
rudimenti m/pl Anfangsgründe
ruffa f Balgerei
ruga f Runzel
rùggine [-dʒ-] f Rost m; fig Groll m
ruggin|ire [-dʒ-] rosten; ~oso rostig
rugg|ire [-dʒ-] brüllen; ~ito m Gebrüll n
rugiada [-dʒa-] f Tau m
rugoso runz(e)lig

rull|are rollen; wirbeln; ~o m Rolle f, Walze f; Kegel; ~o compressore Dampfwalze f
rum m Rum
rumor|e m Geräusch n, Lärm; ~eggiare [-dʒa-] lärmen; ~oso geräuschvoll
ruolo m Rolle f; Verzeichnis n
ruota f Rad n; ~ anteriore Vorderrad n; ~ di scorta Reserverad n; ~ posteriore Hinterrad n
rupe f Fels m, Felsen m
ruscello [-ʃ-] m Bach
russare schnarchen
Russia f Rußland n
russo adj russisch; m Russe
rùstico ländlich; fig derb
ruvidezza f Rauheit
rùvido rauh
ruzz|o m Übermut; ~olare rollen

S

sa er weiß
sàbato m Sonnabend, Samstag
sabbi|a f Sand m; ~oso sandig
saccheggi|are [-ked-dʒa-] plündern; ~o [-ked-dʒo] m Plünderung f
sacc|o m Sack; fig Unmenge f; ~o da montagna Rucksack; ~one m Bettsack; ~opelo m Schlafsack
sacerdot|ale [-tʃ-] priesterlich; ~e m Priester; sommo ~e Hohepriester

sacerdozio [-tʃ-] m Priestertum n
sacrament|are qu. j-m das Abendmahl reichen; ~arsi das Abendmahl nehmen; ~o m Sakrament n; Hostie f
sacr|are weihen; ~ario m Heiligtum n (a fig); ~estano m Küster; ~estia f Sakristei; ~ificare opfern; ~ificio [-tʃo] m, ~ifizio Opfer n
sacro heilig
saettare schleudern
sagace [-tʃe] scharfsinnig

saggezza [-dʒ-] *f* Weisheit

saggiare [-dʒa-] prüfen, proben

saggio [-dʒo] weise; *m* Probe *f*; Muster *n*; ~ **di sconto** *Hdl* Diskontsatz; ~ **di vino** Weinprobe *f*; ~ **nùmero** *m* **di** ~ Probenummer *f*

sagra *f* Kirchweih

sagr|are fluchen; ~**ato** *m* Fluch; *adj* verflucht

sagrest|ano *m* Küster; ~**ia** *f* Sakristei

sagù *m* Sago

sala *f* Saal *m*; Halle; ~ **d'aspetto** Wartesaal *m*; ~ **di biliardo** Billardraum *m*; ~ **da colazione** Frühstücksraum *m*; ~ **comune** Tagesraum *m*; ~ **da concerti** Konzertsaal *m*; ~ **di lettura** Leseraum *m*; ~ **da pranzo** Speisesaal *m*; ~ **radio** Funkraum *m*; ~ **di soggiorno** Aufenthaltsraum *m*; ~ *Tech* (Rad-) Achse; *Bot* Schilf *n*

salace [-tʃe] schlüpfrig

salame *m* Salamiwurst *f*

salamoia *f* (Salz-)Lake; **in** ~ gepökelt

salare salzen; pökeln

salario *m* Lohn

salat|o salzig; gesalzen; **carne** *f* ~**a** Pökelfleisch *f*

salc|eto [-tʃ-] *m* Weidengebüsch *n*; ~**io** [-tʃo] *m* Weide *f*

salda *f Chem* Stärke

sald|are löten; (*Rechnung*) begleichen; ~**atoio** *m* Löt-

kolben; ~**o** fest; *m Hdl* Saldo; Bezahlung *f*

sale er steigt

sal|e *m* Salz *n*; *fig* Witz; ~ **gemma** [-dʒ-] *m* Steinsalz *n*

salgo ich steige

saliamo wir steigen

sàlice [-tʃe] *m* Weide *f*; ~ **piangente** Trauerweide *f*

salicilato [-tʃ-] *m* Salizyl *n*

sal|iera *f* Salznäpfchen *n*; ~**ìfero** salzhaltig; ~**ina** *f* Salzwerk *n*

salire steigen; be-, ein-, auf-, hinauf-steigen

sal|iscendi [-ʃ-] *m* Klinke *f*; ~**ita** *f* Steigung; Aufstieg *m*; Aufgang *m*; Anhöhe

salito gestiegen

saliva *f* Speichel *m*

salmiaco *m* Salmiak

salmo *m* Psalm

salmone *m* Lachs

salnitro *m* Salpeter

salone *m* Salon; *Hdl* Ausstellung *f*; ~ **fumatori** Rauchzimmer *n*; ~ **da parrucchiere** Friseursalon

salotto *m* Wohnzimmer *n*; ~ **da pranzo** Speisezimmer *n*

salpare die Anker lichten

salsa *f* Soße, Tunke

salsicc|ia [-tʃa] *f* Wurst; ~**a di fégato** Leberwurst; ~**aio** [-tʃa-] *m* Wurstverkäufer *m*; ~**otto** [-tʃ-] *m* Würstchen *n*

salsiera *f* Soßenschüssel

salso salzig; *m* Salzigkeit *f*

salt|are springen; *fig* auslassen; **~erellare** hüpfen; **~imbanco** m Seiltänzer

salto m Sprung; **~ in alto** Hochsprung; **~ in lungo** Weitsprung

salubr|e gesund; **~ità** f Heilsamkeit

salum|aio m Wursthändler; **~i** m/pl Wurstwaren f/pl

salut|are (be)grüßen; *adj* heilsam; **~e** f Gesundheit; **alla Sua ~e** auf Ihr Wohl!; prosit!

salut|o m Gruß; **tanti ~i** viele Grüße

salva|danaio m Sparbüchse f; **~gente** [-dʒ-] m Rettungsring; Schwimmweste f; Verkehrsinsel f; **~mento** m Rettung f

salvare retten; bewahren

salvataggio [-dʒo] m Rettung f; Bergung f; **tela di ~** Sprungtuch n

salvatore m Retter; ♀ Rel Heiland

salvietta f Serviette

salvo gerettet; unversehrt; außer; vorbehaltlich; **~ che** außer wenn

sambuco m Holunder

San = Santo

san|àbile heilbar; **~are** heilen; **~atorio** m Sanatorium n

sancire [-tʃ-] sanktionieren

sàndalo m Sandale f

sangu|e m Blut n; **fare ~e** bluten; **~igno** [-ɲo] Blut...; sanguinisch; **gruppo** m

~igno Blutgruppe f; **~inaccio** [-tʃo] m Blutwurst f; **~inare** bluten; **~inario** blutdürstig; **~inoso** blutig

sanitario sanitär; **ufficio** m **~** Gesundheitsamt n

sano gesund; **~ e salvo** wohlbehalten

santificare heiligen

sant|issimo Rel allerheiligst; **~ità** f Heiligkeit

sant|o heilig; m Heilige(r); **acqua** f **~a** Weihwasser n

santuario m Heiligtum n; (Wallfahrts-)Kapelle f

sapere wissen, können; kennen; erfahren; **far ~** mitteilen; m Wissen n

sap|iente weise; m Gelehrte(r); **~ienza** f Weisheit

saponata f Seifenwasser n

sapon|e m Seife f; **~e da barba** Rasierseife f; **~eria** f Seifenfabrik; **~etta** f Stück n Toilettenseife; **~iera** f Seifennapf m

sapor|e m Geschmack; **~ire** würzen; **~ito** schmackhaft

sappiamo wir wissen

saputo gewußt

sar|à er wird sein; **~ai** du wirst sein; **~anno** sie werden sein

sarchiare [-k-] ausjäten

sarcòfago m Sarkophag

sard|ella, ~ina f Sardelle; Sardine

Sardegna [-ɲa] f Sardinien n

sardo sardinisch; m Sardinier

sare|mo wir werden sein; **~te** ihr werdet sein

sarò ich werde sein

sart|a f Schneiderin; ~o m Schneider; ~oria f Schneiderei

sasso m Stein; Fels; di ~ steinern

sàssone sächsisch; m Sachse

Sassonia f Sachsen n

sassoso steinig

satirico satirisch; m Satiriker

sauna f Sauna

savio weise

sazi|are sättigen; ~o satt

sbacchettare [zbak-] ausklopfen

sbadato [zb-] unachtsam

sbadigliare [zbadiʎa-] gähnen

sbagli|are [zbaʎa-], ~arsi sich irren; ~o [zba:ʎo] m Fehler; Irrtum; per ~o aus Versehen

sball|are [zb-] auspacken; fig aufschneiden

sballottare [zb-] hin und her werfen

sbalord|imento [zb-] m Verblüffung f; ~ire betäuben; fig verblüffen

sbalz|are [zb-] schleudern; ~o m Sprung

sbandare [zb-] schleudern

sbandire [zb-] verbannen

sbarazz|are [zb-] freimachen; ~arsi sich entledigen

sbarb|are [zb-] entwurzeln; rasieren; ~ato bartlos

sbarc|are [zb-] ausschiffen; landen, an Land gehen; ~atoio m Landungsplatz; ~o m Landung f

sbarr|a [zb-] f Querstange; Barriere; Sport: Reck n; ~amento m Absperrung f; ~are versperren; (Augen) aufreißen

sbàttere [zb-] schlagen; (Tür) zuwerfen; (Eier) schlagen

sbeffare [zb-] verhöhnen

sbendare [zb-] (j-m) die Binde abnehmen

sbiadito [zb-] verschossen (Kleid); verblaßt

sbiancare [zb-] bleichen

sbilanci|are [zbilantʃa-] aus dem Gleichgewicht bringen; ~o [zbilantʃo] m Mißverhältnis n; Defizit n

sbocc|are [zb-] münden; ~atura f Mündung

sbocciare [zbot-tʃa-] aufbrechen (Knospe)

sbocco [zb-] m Mündung f; Hdl Absatzgebiet n; ~ di sangue Blutsturz

sborni|a [zb-] f Rausch m; ~ato berauscht

sbors|are [zb-] bezahlen; (für j-n) auslegen; ~o m Auslage f

sboscare [zb-] abholzen

sbottonare [zb-] aufknöpfen

sbozz|are [zb-] entwerfen, skizzieren; ~o m Entwurf

sbrattare [zb-] ab-, aufräumen

sbriciolare [zbritʃo-] zerkrümeln

sbrig|are [zb-] (j-n) abfertigen; (et) erledigen; ~arsi sich beeilen

sbrinare 178

sbrinare [zb-] enteisen, abtauen

sbucciare [zbut-tʃa-] (ab-) schälen

sbuffare [zb-] schnauben

scabr|osità f Rauheit; **~o-so** rauh; uneben; holperig

scacchiera [-k-] f Schachbrett n

scacci|amosche [-tʃa-moske] m Fliegenwedel; **~are** [-tʃa-] verjagen

scac|co m Schachfeld n; **~chi** [-ki] m/pl Schach (-spiel) n; **giocatore** m **di ~chi** Schachspieler; **giocare** a **~chi** Schach spielen

scad|ente fällig; gering (Qualität); **~enza** f Ablauf m; Fälligkeit; **a breve ~enza** kurzfristig; **~ere** ablaufen; fällig sein; **~uto** (Fahrkarte) verfallen

scaffale m Regal n

scafo m Schiffsrumpf

scagionare [-dʒo-] rechtfertigen

scaglia [-ʎa] f Schuppe; Splitter m

scala f Treppe; Leiter; **~** mòbile Rolltreppe

scalare tranchieren, vorschneiden

scalciare [-tʃa-] ausschlagen (Pferd)

scalda|bagno [-ɲo] m Badeofen; **~letto** m Wärmflasche f; **~piatti** m Schüsselwärmer; **~piedi** m Fußwärmer

scald|are wärmen, erwärmen; **~ino** m Wärmtopf

scal|ea f Freitreppe; **~eo** m Stehleiter f; Tritt; **~ino** m Stufe f

scalo m Landeplatz; Zwischenlandung f

scaloppina f Fleischschnitte; Schnitzel n

scalpell|are meißeln; **~ino** m Steinmetz; **~o** m Meißel

scalp|itare stampfen; **~itio** m Gestampfe n

scaltro gerieben; schlau

scalz|are (Schuhe u. Strümpfe) ausziehen; **~o** barfuß

scambi|are verwechseln; austauschen; **~évole** gegenseitig

scambio m Austausch; Esb Weiche f

scampagn|are [-ɲ-] aufs Land gehen; **~ata** f Landpartie

scampan|ata f Glockengeläut n; **~ellare** heftig klingeln

scamp|are retten; bewahren; **~o** m Rettung f

scàmpolo m Rest (Stoff)

scancellare [-tʃ-] ausstreichen

scandaglio [-ʎo] m Lot n

scandalizzare Anstoß erregen (qu. bei j-m)

scàndalo m Ärgernis n; Skandal

scansare ausweichen; meiden

scantonare um die Ecke biegen

scapato kopflos

scapestrato zügellos

scàpito m Verlust

179   **scherma**

scàpol|a f Schulterblatt n;
~o ledig; m Junggeselle

scapp|amento m Auspuff;
~are entweichen

scappellarsi den Hut abnehmen

scappucciare [-tʃa-] stolpern

scarabocchio [-k-] m
Klecks; Kritzelei f

scarcerare [-tʃ-] (aus dem
Gefängnis) entlassen

scàrica f Entladung

scaric|are ausladen; fig
entlasten; ~arsi sich entladen; ablaufen (Uhr);
~atoio m Ausladeplatz

scàrico leer; m Ausladung
f; Auspuff; Hdl Entlastung f

scarlatt|ina f Scharlachfieber n; ~o scharlachrot

scarno fleischlos; mager

scarp|a f Schuh m; Tech
Hemmschuh m; ~e f/pl
per bambini Kinderschuhe m/pl; ~e da signora Damenschuhe m/pl;
~e da spiaggia Strandschuhe m/pl; ~etta f kleiner
Schuh m; ~ette f/pl da
bagno Badeschuhe m/pl

scarrozz|are spazierenfahren; ~ata f Spazierfahrt

scars|ità f Knappheit; ~o
spärlich, knapp

scartafaccio [-tʃo] m Notizbuch n

scartoccio [-tʃo] m Tüte f

scass|are auspacken; Agr
umpflügen; ~o m Einbruch

scatenare entfesseln

scàtola f Schachtel; (Konserven-)Büchse; Dose

scatto m Tech Auslöser; ~
automàtico Fot Selbstauslöser

scaturire (hervor)quellen

scavare (et) ausgraben

scavo m Ausgrabung f

scegliamo [ʃeʎa-] wir wählen

sceglie [ʃeʎe] er wählt

scégliere [ʃeʎe-] (aus-, er-)
wählen

scelgo [ʃ-] ich wähle

scellino [ʃ-] m Schilling

scelta [ʃ-] f (Aus-)Wahl;
fare la ~ die Wahl treffen

scelto [ʃ-] auserlesen; gewählt

scemare [ʃ-] verringern;
(Preise) herabsetzen

scena [ʃ-] f Szene; Bühne

scéndere [ʃ-] hinunter-,
herunter-gehen; herab-,
hinab-steigen; Esb aussteigen

sceneggiatura [ʃened-dʒa-]
f Drehbuch n

scesa [ʃ-] f Abhang m; Abstieg m

scèttico [ʃ-] skeptisch; m
Skeptiker

scettro [ʃ-] m Zepter n

scheda [sk-] f Zettel m

scheggi|a [sked-dʒa] f Splitter m; ~are [sked-dʒa-]
zersplittern

schèletro [sk-] m Skelett n

schema [sk-] m Schema n;
Muster n; Grundriß m

scherm|a [sk-] f Fecht-

kunst; Fechten *n*; **tirare
di ~a u ~ire** fechten

schermo [sk-] *m* Bild-
schirm; *Film:* Leinwand *f*;
~ giallo *Fot* Gelbfilter; **~
gigante** *Film:* Breitwand *f*

schern|ire [sk-] verhöh-
nen; **~o** *m* Hohn

scherz|are [sk-] scherzen;
~évole scherzhaft; **~o** *m*
Scherz; **~oso** spaßig;
scherzhaft

schiacci|anoci [skiat-tʃa-
no:tʃi] *m* Nußknacker;
~are [skiat-tʃa-] zerquet-
schen; **~ata** *f* Kuchen *m*;
~ata di formaggio Käse-
kuchen *m*

schiaffo [sk-] *m* Ohrfeige *f*

schiamazzare [sk-] lärmen

schiant|are [sk-] zer-
schmettern; **~o** *m* Knall;
fig Qual *f*

schiar|imento [sk-] *m* *fig*
Aufklärung *f*; **~ire** *fig* aufklären; **~irsi** hell(er) werden

schiav|itù [sk-] *f* Sklave-
rei; Knechtschaft; **~o** skla-
visch; *m* Sklave

schiena [sk-] *f* Rücken *m*

schier|a [sk-] *f* Schar; **~are**
aufstellen

schietto [sk-] rein; echt; *fig*
offenherzig   [ekelhaft]

schif|o [sk-] *m* Ekel; **~oso)**

schilling [ʃ-] *m* Schilling
(*Münzeinheit*)

schiocco [sk-] *m* Knall

schiodare [sk-] aufnageln

schiopp|ettata [sk-] *f* Flin-
tenschuß *m*; **~o** *m* Flinte *f*

schiùdere [sk-] öffnen

schium|a [sk-] *f* Schaum *m*;
~aiola *f* Schaumkelle;
~are abschäumen; **~oso**
schaumig

schiv|are [sk-] (ver)mei-
den; **~o** abgeneigt; scheu

schizz|are [sk-] skizzieren;
~o *m* Skizze *f*

sci [ʃi] *m* Schi; **~ nàutico**
Wasserschi

sciàbola [ʃa-] *f* Säbel *m*

sciacquare [ʃa-] spülen

sciag|ura [ʃa-] *f* Unglück *n*;
~urato unglücklich

scialle [ʃa-] *m* Schal, Tuch *n*

scialuppa [ʃa-] *f* Schaluppe

sciam|are [ʃa-] ausschwär-
men; **~e** *m* Schwarm

sciampagna [ʃampa-ɲa] *m*
Champagner

sciancato [ʃa-] hüftlahm;
m Lahme(r)

sciare [ʃia-] Schi laufen

sciarpa [ʃa-] *f* Schärpe

sciàtica [ʃa-] *f* Ischias, Hüft-
weh *n*

scia|tore [ʃia-] *m* Schi-
läufer; **~trice** [-tʃe] *f*
Schiläuferin

scicche [ʃik-ke] schick,
fesch

scientifico [ʃe-] wissen-
schaftlich

scienz|a [ʃɛ-] *f* Wissen-
schaft; Kenntnis; **~e** *f/pl*
econòmiche Wirtschafts-
wissenschaften; **~e polì-
tiche** Politologie *f*; **~iato**
[ʃe-] *m* Gelehrte(r)

scimm|ia [ʃ-] *f* Affe *m*;
~iottare nachäffen

scintill|a [ʃ-] f Funke m;
~are funkeln
sciocchezza [ʃok-k-] f
Dummheit
sciocco [ʃɔ-] dumm; m
Dummkopf
sciògli|ere [ʃɔ:ʎe-] (auf)lösen; **~ersi** sich lösen;
schmelzen (*Schnee*)
sciolt|ezza [ʃo-ʎ-] f Gewandtheit; **~o** lose; *fig* gewandt
scioper|ante [ʃo-] *su* Streikende(r); **~are** streiken;
~atezza f Müßiggang m;
~ato müßig; m Faulpelz
sciòpero [ʃɔ-] m Streik;
fare ~ streiken
sciovìa [ʃio-] f Schilift m
scirocco [ʃi-] m Schirokko,
Südostwind
sciroppo [ʃ-] m Sirup
sciupare [ʃu-] verderben;
beschädigen
scivolare [ʃ-] gleiten; rutschen
scìvolo [ʃ-] m Gleitbahn f;
~ d'emergenza Notrutsche f
scodella f (Suppen-)Teller
m; Schüssel; Napf m
scogliera [-ʎɛ-] f Felsenriff n
scoglio [-ʎo] m Klippe f;
~so [-ʎo-] klippenreich
scol|ara f Schülerin; **~aro**
m Schüler
scolàstico Schul...; **anno**
m **~** Schuljahr n
scol|atoio m Ausguß; **~atura** f Abfluß m
scollato dekolletiert (*Kleidung*)

scolo m Abfluß
scolor|are, **~ire** entfärben;
~irsi erblassen
scolpire aushauen; einmeißeln
scombinare rückgängig
machen
scommessa f Wette
scomméttere wetten
scomodarsi sich bemühen
scomparire verschwinden
scompartimento m Abteilung f; *Esb* Abteil n
scompiac|ente [-tʃ-] ungefällig; **~enza** f Ungefälligkeit   [wirren)
scompigliare [-ʎa-] ver-}
scomporre zerlegen
scomùnica f Kirchenbann
m
sconcertare [-tʃ-] stören
sconci|are [-tʃa-] entstellen; **~o** [-tʃo] unanständig
sconcordia f Uneinigkeit
sconfinato grenzenlos
sconfitta f Niederlage
sconfortare entmutigen
scongiurare [-dʒu-] beschwören; (*Geister*) bannen
sconn|esso zs.-hanglos;
~èttere auseinandernehmen
scon|óscere [-ʃ-] verkennen; **~osciuto** [-ʃu-] unbekannt
sconsacrare entweihen
sconsiderato unbesonnen
sconsigliare [-ʎa-] abraten
sconsol|ato trostlos; **~azione** f Trostlosigkeit
scontare abziehen; diskontieren

scontent|ezza f Unzufriedenheit; **~o** unzufrieden (**di mit**)

sconto m Diskont; Rabatt

scontrino m Schein; **~ (del bagaglio)** Gepäckschein

scontro m Zusammenstoß

sconven|iente ungebührlich; **~ire** sich nicht schicken

sconvolgimento [-dʒ-] m Umwälzung f; **~ di stòmaco** Magenverstimmung f

scooter [sku-] m Motorroller

scop|a f Kehrbesen m; **~are** kehren

scopert|a f Entdeckung; **~o** unbedeckt

scopo m Zweck

scoppiare explodieren; platzen; **~ in una risata** in ein Gelächter ausbrechen

scoppi|ettare knattern; **~o** m Explosion f; Knall

scoprire entdecken; enthüllen

scoraggi|are [-dʒa-] entmutigen; **~ato** mutlos

scorciare [-tʃa-] verkürzen

scordato Mus verstimmt

scòrgere [-dʒ-] bemerken

scórrere (ver)fließen; durchstreifen

scorretto unkorrekt; fehlerhaft

scorso vergangen (*Jahr*)

scorta f Geleit n

scort|ese unhöflich; **~esia** f Unhöflichkeit

scorticare (*Haut*) abschürfen

scorz|a f Rinde; (Obst-) Schale; **~are** (ab)schälen

scossa f Stoß m; Erschütterung; Erdstoß m; **~ elèttrica** elektrischer Schlag m; **~ nervosa** Nervenschock m; **~ di pioggia** Regenschauer m

scostarsi sich entfernen; *fig* abweichen

scottare (ver)brennen

scottatura f Brandwunde; **~ del sole** Sonnenbrand m

scotto m Zeche f

scovare aufspüren

screditare diskreditieren

scrédito m Mißkredit

screpol|arsi aufspringen; **~atura** f Riß m

scricchiolare [-k-] knarren

scrigno [-ɲo] m Schrein

scriminatura f Scheitel m

scritt|a f Aufschrift; Vertrag m; **~o** m Schrift f; **per iscritto** schriftlich; **~ore** m Schriftsteller; **~ura** f Schrift

scrivania f Schreibtisch m

scrivere schreiben

scroll|are schütteln; **~o** m Erschütterung f

scrosciare [-ʃa-] prasseln; brodeln

scrùpolo m Bedenken n

scrupol|osità f Gewissenhaftigkeit; **~oso** peinlich genau

scrutare erforschen

scucire [-tʃ-] auftrennen

scuderia f Stallung

scudo *m* Schild; Fünflirestück *n*

scult|ore *m* Bildhauer; **~ura** *f* Bildhauerei; Skulptur; **~ura in legno** Holzschnitzerei

scuola *f* Schule; **~ d'avviamento professionale** Berufsschule; **~ commerciale** Handelsschule; **~ d'equitazione** Reitschule; **~ di navigazione a vela** Segelschule

scuòtere schütteln; rütteln

scur|e *f* Beil *n*; **~etto** *m* Fensterladen; **~o** dunkel

scus|a *f* Entschuldigung; Ausrede; **~àbile** entschuldbar; **~are** entschuldigen

sdegn|are [zde-] verschmähen; **~ato** erzürnt; **~o** [zde:no] *m* Empörung *f*

sdentato [zd-] zahnlos

sdraiare [zd-] ausstrecken

sdraio [zd-]: **sedia** *f* a **~** Liegestuhl *m*

sdrucciol|are [zdrut-tʃo-] gleiten; ausrutschen; **~évole** schlüpfrig, glatt

se wenn; ob; **~** no sonst

se = si *vor* lo, la, li, le, ne

sé sich; **di ~** seiner, ihrer; **da ~** (stesso) allein; (von) selbst

se' = sei du bist

sebbene obwohl

secc|a *f* Trockenheit; *Mar* Untiefe; **~are** dörren; (*j-n*) belästigen; **~arsi** sich langweilen; verdorren

secchia [-k-] *f* Eimer *m*

secco dürr; trocken

secento [-tʃ-] *m* 17. Jahrhundert *n*

seco (= con sé) mit sich

secol|are hundertjährig; weltlich; *m* Laie; **~arizzare** verweltlichen

sècolo *m* Jahrhundert *n*; *fig* Ewigkeit *f*

seconda: a **~** di gemäß; nach

second|are unterstützen; **~ario** Neben...; nebensächlich; sekundär; **scuola** *f* **~aria** höhere Schule

secondo zweite; nach, gemäß; **~** me meiner Ansicht nach; *m* Sekunde *f*

secreto *s* segreto; *m* Sekret *n*; *adj* abgesondert

sèdano *m* Sellerie *f*

sedare lindern

sede *f* Sitz *m*; Wohnsitz *m*; *Hdl* Filiale *f*; **la Santa ~** der Heilige Stuhl

sed|ere sitzen; **~ersi** sich setzen

sedia *f* Stuhl *m*; **~ a sdraio** Liegestuhl *m*; **~ numerata** *Thea* Sperrsitz *m*

sedicèsimo [-tʃ-] *m* Sechzehntel *n*

sedile *m* Sitz; Bank *f*

sedurre verführen

seduta *f* Sitzung

seduzione *f* Verführung

sega *f* Säge

segalaio *m* Roggenfeld *n*

ségale *f* Roggen *m*

segare sägen; *Agr* mähen

seggio [-dʒo] *m* Sitz; Thron

sèggiola [-dʒo-] f Sessel m; Stuhl m

seggiol|ino [-dʒo-] m Kinderstuhl; ~one m Lehnstuhl

seggiovia [-dʒo-] f Sessellift m

segheria f Sägemühle

segnal|are [-ɲ-] anzeigen; signalisieren; ~atore m Melder; Anzeiger; ~azione f Zeichengebung; Signal n

segnale [-ɲ-] m Signal n, Zeichen n; ~ d'allarme Alarmsignal n; Notbremse f

segn|alibro [-ɲ-] m Lesezeichen n; ~are anzeichnen; (an)zeigen

segno [-ɲo] m Zeichen n

seg|o m Talg; ~oso talgig

segregare absondern

segr|etaria f Sekretärin; ~eto geheim; m Geheimnis n

segugio [-dʒo] m Spürhund

segu|ire folgen; befolgen; ~itare fortfahren; Lit seguita Fortsetzung folgt

séguito m Folge f; Gefolge n; di ~ hintereinander; in} sei du bist [~ a infolge}

selci|are [-tʃa-] pflastern; ~ato [-tʃa-] m (Straßen-)Pflaster n

selettività f Trennschärfe

selezione f Auswahl

sella f Sattel m; cavallo m da ~ Reitpferd n

sell|aio m Sattler; ~are satteln

seltz: acqua f di ~ Selter(s)-wasser n

selva f Wald m

selv|aggina [-dʒ-] f Wild n, Wildbret n; ~aggio [-dʒo] m Wilde(r); ~àtico wild

semàforo m Verkehrsampel f

sembrare scheinen

sem|e m Same; ~enta f Saat

semestre m Halbjahr n

semi|aperto halboffen; ~cerchio [-tʃerk-] m Halbkreis

semin|are säen; ~ario m Seminar n; Priesterschule f; ~atore m Sämann

semi|nudo halbnackt; ~tondo halbrund

sémola f Kleie

semolino m Grieß

semovente Tech selbsttätig

sémplice [-tʃe] einfach; fig schlicht

semplicità [-tʃ-] f Einfachheit; fig Schlichtheit

semplific|are vereinfachen; ~azione f Vereinfachung

sempre immer, stets; ~verde m Immergrün n

sènap|a f u ~e m Senf m

senato m Senat

sen|ile greisenhaft; ~iore älter

senno m Verstand; fuor di ~ von Sinnen

seno m Busen (a Meerbusen); Brust f

sensale m Makler

sens|azione f Empfindung;

~ibile empfindlich; **~ibilità** f Empfindlichkeit; **~itivo** empfindlich

sens|**o** m Sinn; Gefühl n; Richtung f; **~o único** Einbahnstraße f; **~i** m/pl Sinnesorgane n/pl

sentenza f Urteil n

sentiero m Pfad, (Wander-)Weg

sentimental|**e** sentimental; **~ità** f Sentimentalität

sentimento m Gefühl n

sentinella f (Schild-)Wache

sent|**ire** fühlen; hören; riechen; empfinden; **~irsi** sich fühlen

senza ohne; **~ difetti** fehlerlos; **~ impegno** unverbindlich; **~ di me** ohne mich

senzatetto m Obdachlose(r)

separ|**àbile** trennbar; **~are** trennen; absondern; **~azione** f Absonderung

sep|**olcrale** Grabes...; **~olcro** m Grab n; **~olto** beerdigt

seppell|**imento** m Bestattung f; **~ire** begraben

sequestr|**are** beschlagnahmen; **~o** m Beschlagnahme f

sera f Abend m; **di ~** abends; **~ verso ~** gegen Abend; **buona ~** guten Abend; **dare la buona ~** guten Abend wünschen

ser|**ale** abendlich; **scuola** f **~ale** Abendschule; **~ata** f Abend m

serbare (auf)bewahren

serbatoio m Behälter; Tank; **~ di benzina** Benzintank; **~ di riserva** Reservetank

seren|**ata** f Serenade, Abendständchen n; **~ità** f Heiterkeit; **~o** klar; heiter; hell

serie f Serie, Folge, Reihe; **~ di carte** Spiel n Karten; **~ di francobolli** Briefmarkensatz m

serio ernst; ernsthaft; m Ernst; **sul ~** im Ernst

sermone m Rede f; Predigt f

serp|**eggiare** [-dʒa-] sich schlängeln; **~ente** m Schlange f

serr|**are** (ver)schließen; drücken; **~arsi** sich drängen; **~ata** f Aussperrung

serratura f Schloß n; **~ d'accensione** Zündschloß n; **~ della portiera** Türschloß n (am Wagen); **~ di sicurezza** Sicherheitsschloß n

serv|**ire** dienen; nützen; bedienen; **~irsi** sich bedienen

serv|**itore** m Diener; **~itù** f Dienerschaft

servizio m Dienst; Bedienung f; Service m u n; **~ di bordo** Borddienst; **~ riparazioni** Pannendienst; **~ di soccorso** Notdienst; Reinigung: **~ di camice** Hemdendienst; **~ di fasce** Windeldienst; **di ~ diensthabend**

servo *m* Diener

sess|o *m* Geschlecht *n*; **~uale** geschlechtlich

set|a *f* Seide; **~a da cucito** Nähseide; **~aiuolo** *m* Seiden-fabrikant, -händler

sete *f* Durst *m*; **aver ~** durstig sein

seteria *f* Seidenwarengeschäft *n*

setolino *m* Bürste *f*

settantene siebzigjährig

settecento [-tʃ-] *m* 18. Jahrhundert *n*

settembre *m* September

settentrion|ale nördlich; *m* Nordländer; **~e** *m* Norden

settimana *f* Woche; **~ santa** Karwoche

settimanale wöchentlich

sèttimo *m* Siebentel *n*

sever|ità *f* Strenge; **~o** streng

sezione *f* Abteilung

sfacciat|àggine [-tʃatad-dʒ-] *f* Unverschämtheit; **~o** [-tʃa-] unverschämt

sfarz|o *m* Prunk; **~oso** prunkvoll

sfasciare [-ʃa-] aufwickeln; den Verband abnehmen

sfavor|e *m* Ungunst *f*; **~évole** ungünstig

sfera *f* Kugel

sfèrico kugelförmig

sfiat|arsi außer Atem kommen; **~ato** außer Atem

sfibbiare losschnallen

sfid|a *f* Herausforderung; **~are** herausfordern; trotzen

sfiducia [-tʃa] *f* Mißtrauen *n*

sfigurare entstellen

sfilare ausfädeln

sfinimento *m* Erschöpfung *f*

sfiorire verblühen

sfoderare *Kleidung*: das Futter austrennen

sfogarsi sich Luft machen

sfoggio [-dʒo] *m* Aufwand

sfogli|a [-ʎa] *f* Folie; **pasta ~** *f* ~a Blätterteig *m*; **~are** [-ʎa-] entblättern; durchblättern; **~atino** *m* Blätterteigpastete *f*

sfolgorare glänzen

sfollagente [-dʒ-] *m* Gummiknüppel

sfond|ato bodenlos; **~o** *m* Hintergrund

sformare entstellen; *Mech* aus der Form nehmen

sfort|una *f* Unglück *n*; **~unatamente** unglücklicherweise; **~unato** unglücklich

sforz|are zwingen; **~o** *m* Anstrengung *f*

sfracellare [-tʃ-] zerschmettern

sfratto *m* Ausweisung *f*

sfregare reiben

sfrenato zügellos

sfrontato frech

sfruttare ausbeuten

sfugg|évole [-dʒ-] flüchtig; **~ire** entgehen; fliehen

sfum|are (ab)schattieren; **~atura** *f* Schattierung; Nuance

sgabello [zg-] *m* Schemel

sgambettare [zg-] strampeln

sganciare [zgantʃa-] ab-
haken; abhängen

sgangherare [zg-] (Tür)
aus den Angeln heben

sgarbato [zg-] unhöflich

sgelare [zg-] auftauen;
sgela es taut

sgelo [zdʒ-] m Tauen n;
tempo m di ~ Tauwetter n

sghembo [zg-] schief;
schräg

sghiacciare [zgiat-tʃa-]
auftauen [(ab)tröpfeln]

sgocciolare [zgot-tʃo-]

sgomberare [zg-] umzie-
hen; räumen

sgómbero [zg-]˙m Umzug

sgombro [zg-] m Makrele f

sgomitolare [zg-] (Knäuel)
abwickeln

sgorbio [zg-] m Klecks

sgorgare [zg-] hervorquel-
len

sgoverno [zg-] m Mißwirt-
schaft f

sgrad|évole [zg-] unange-
nehm; ~ire übel aufneh-
men

sgraffiare [zg-] zerkratzen

sgranare [zg-] auskörnern

sgranch|ire [zg-] rek-
ken; ~irsi le gambe sich
die Beine vertreten

sgravare [zg-] entlasten

sgraziato [zg-] plump

sgretolare [zg-] zersplittern

sgrid|are [zg-] (aus)schel-
ten; ~ata f Schelte

sgualcire [zgualtʃ-] zer-
knittern

sguardo [zg-] m Blick

sguazzare [zg-] planschen

sgusciare [zguʃ-ʃa-] ab-
schälen; ~ di mano aus
der Hand gleiten

shampoo m Shampoo n

shorts m/pl Shorts

si man; sich; ~ dice man
sagt; ~ capisce da sé es
versteht sich von selbst

sì ja; so; dire di ~ ja sagen;
m Jawort n

siamo wir sind

sibilare zischen

sibilo m Zischen n; Pfiff

sicché [-ke] so daß

siccità [-tʃi-] f Dürre

siccome da; da ja

Sicilia [-tʃi-] f Sizilien n

siciliano [-tʃ-] m Sizilianer

sicomoro m Maulbeer-
feigenbaum

sicurezza f Sicherheit;
pùbblica ~ Polizei; chiu-
sura f di ~ Sicherheits-
schloß n; porta f di ~
Notausgang m

sicuro sicher; per ~ sicher-
lich

sidro m Obstwein

siepe f Zaun m

siero m Serum n

siesta f Mittagsruhe

siete ihr seid

siffatto derartig

sifone m Saugröhre f;
Syphon

sigar|etta f Zigarette; ~et-
ta a filtro Filterzigarette;
~illo m Zigarillo n

sìgaro m Zigarre f

sigill|are [-dʒ-] (ver)sie-
geln; ~o m Siegel n

signific|ante [-ɲ-] bezeichnend; ~are bedeuten; ~ato m Bedeutung f

signora [-ɲ-] f Dame, Frau, Gemahlin; ~! gnädige Frau!; la ~ N. N. Frau N. N.

signor|e [-ɲ-] m Herr; ~e! mein Herr!; ~ia f Herrschaft; ~ile herrschaftlich, vornehm

signorina [-ɲ-] f Fräulein n

signorino [-ɲ-] m junger Herr

silenziatore m Schalldämpfer

silenzio m Schweigen n; Stille f; fare ~ still sein, schweigen; ~! still!; Ruhe!; ~so still; schweigsam

sillaba f Silbe

sillab|are buchstabieren; ~ario m Fibel f

sil|urare torpedieren; ~uro m Torpedo; Zo Wels

simbòlico symbolisch, sinnbildlich

simbolo m Symbol n; Sinnbild n

similare gleichartig

simile ähnlich; m Nächste(r)

simm|etria f Symmetrie; ~ètrico symmetrisch

sim|patia f Sympathie; ~pàtico sympathisch; ~patizzare sympathisieren

simulare heucheln

sinagoga f Synagoge

sincer|arsi [-tʃ-] sich vergewissern; ~ità f Aufrichtigkeit; ~o aufrichtig

sinché [-ke] bis; so lange

sindac|alista m Gewerkschaftler; ~ato m Gewerkschaft f

sindaco m Bürgermeister

sinfonia f Symphonie

singhiozz|are schluchzen; ~o m Schluchzen n

singol|are einzigartig; besonder; sonderbar; m Einzahl f; Sport: Einzel n; ~arità f Einzigartigkeit

singolo einzeln

sinistr|a f linke Hand, linke Seite; a ~ links; ~ato geschädigt; ~o link

sino bis

sinònimo sinnverwandt; m Synonym n

sinora bis jetzt, bisher

sintassi f Syntax

sintesi f Synthese

sintomo m Symptom n

sinuoso gewunden; krumm

sipario m Thea Vorhang

sism|ògrafo [-zm-] m Seismograph; ~ologia [-dʒ-] f Erdbebenlehre

sistem|a m System n; ~are regeln, in Ordnung bringen; ~àtico systematisch

sito gelegen; m Ort

situ|ato gelegen; ~azione f Lage, Situation

slanci|are [zlantʃa-] schleudern; ~arsi sich stürzen; ~ato schlank; ~o [zlantʃo] m Schwung

slargare [zl-] erweitern

slavistica [zl-] f Slawistik

slegare [zl-] losbinden

slip [zl-] m Slip

slitt|a [zl-] f Schlitten m;
~are Schlitten fahren, ro-
deln; gleiten; rutschen;
~ino m Rodelschlitten;
pista f per ~ini Rodelbahn

slog|amento [zl-] m Ver-
stauchung f; ~are ver-
renken; ~atura f Verren-
kung; Verstauchung

sloggiare [zlod-dʒa-] ausziehen

smacchi|are [zmak-k-]
reinigen; ~atore m Flek-
kenwasser n

smagrire [zm-] abmagern

smalt|are [zm-] emaillie-
ren; ~o m Emaille f; Glasur
f; ~ per unghie Nagellack

smani|a [zm-] f Raserei;
Gier; ~are rasen; ~erato
unmanierlich

smarr|imento [zm-] m
Verlust; ~irsi sich ver-
irren

smemorato [zm-] vergeß-
lich

smentire [zm-] Lügen stra-
fen; dementieren

smeraldo [zm-] m Smaragd

smerci|are [zmertʃa-] (Wa-
re) absetzen; ~o [zmertʃo]
m Absatz, Verkauf

smeriglio [zmeri:ʎo] m
Schmirgel

smerlo [zm-] m Saum-
stickerei f

sméttere [zm-] qc. mit et.
aufhören; (Kleider) ab-
legen

smezzare [zm-] halbieren

smisurato [zm-] unermeß-
lich

smobiliato [zm-] unmö-
bliert

smobilit|are [zm-] demo-
bilisieren; ~azione f De-
mobilisierung

smoderato [zm-] maßlos

smontare [zm-] aus-, ab-
steigen; Tech auseinandernehmen

smorfia [zm-] f Grimasse

smott|amento [zm-] m
Erdrutsch m; ~are abrut-
schen

snatur|arsi [zn-] entarten;
~ato fig unmenschlich

snello [zn-] schlank

snodare [zn-] aufknüpfen

snorkel [zn-] m Schnorchel

snudare [zn-] entblößen
so ich weiß

soave lieblich; süß; sanft

sobbalzare aufspringen

sobborgo m Vorstadt f,
Vorort

sobri|età f Mäßigkeit; fig
Maß n; ~o mäßig

socchiùdere [-k-] halb
schließen; (Tür) anlehnen

soccómbere unterliegen

socc|órrere qu. j-m helfen;
~orso m Hilfe f

soci|ale [-tʃa-] gesellschaft-
lich; sozial; ~età [-tʃe-]
f Gesellschaft; Verein m;
~età a responsabilità
limitata Gesellschaft mit
beschränkter Haftung; ~e-
tà d'aviazione Luftfahrt-
gesellschaft; ~età di navigazione Schiffahrtsgesellschaft; ~évole gesellig;
~evolezza f Geselligkeit;

~o [-tʃo] *m* Teilhaber; Mitglied *n*; **~ologia** [-tʃo-lodʒ-] *f* Soziologie

soda *f* Soda; Natron *n*

soddisf|acente [-tʃ-] zufriedenstellend; **~are** befriedigen; **~azione** *f* Genugtuung

sodo hart; fest

sofà *m* Sofa *n*

soffer|ente leidend; **~enza** *f* Leiden *n*

soffermarsi ein Weilchen anhalten

soffi|are blasen; pusten; (*Nase*) schnauben; **~etto** *m* Blasebalg; **~o** *m* Hauch

soffitt|a *f* Dachstube; Dachstuhl *m*; **~o** *m* (Zimmer-)Decke *f*

soffocare ersticken

soffriggere [-dʒ-] leicht braten (backen)

soffrire ertragen; leiden (**di** an *dat*)

soggett|ivo [-dʒ-] subjektiv; **~o** unterworfen; **~o a tasse** steuerpflichtig; *m* Gegenstand; *Gr* Subjekt *n*

sogghignare [-ɲ-] grinsen

soggiogare [-dʒo-] unterjochen

soggi|ornare [-dʒo-] verweilen; **~orno** *m* Aufenthalt; **tassa** *f* **di ~orno** Kurtaxe

soggiùngere [-dʒundʒ-] hinzufügen

soggiuntivo [-dʒu-] *m* Konjunktiv

sogli|a [-ʎa] *f* Schwelle; **~o** [-ʎo] *m* Thron

sògliola [-ʎo-] *f* Scholle; **~ finta** Seezunge

sogn|are [-ɲ-] träumen; **~o** *m* Traum

solaio *m* Dachboden

solamente nur; **~ ieri** erst gestern

solario *m* Sonnendeck *n*

solata *f* *pop* Sonnenstich *m*

solatura *f* Besohlung

solc|are (durch)furchen; **~o** *m* Furche *f*

soldato *m* Soldat

sold|o *m* Soldo (*fünf Centesimi*); **~i** *m/pl* Geld *n*

sole *m* Sonne *f*; **c'e il ~** die Sonne scheint

soleggi|are [-dʒa-] sonnen; **~ato** [-dʒa-] sonnig

solenne feierlich; **~ità** *f* Feierlichkeit

solere pflegen (zu)

sol|erte emsig; **~erzia** *f* Emsigkeit

soletta *f* Strumpfsohle; Einlegesohle

soletto ganz allein

solfa *f* *Mus* Note

solf|anello *m* Zündholz *n*; **~are** schwefeln

solfòrico: àcido ~ *m* Schwefelsäure *f*

solid|ezza *f*, **~ità** *f* Haltbarkeit

sòlido fest; gründlich; haltbar

sol|ista *su* Solist(in *f*) *m*; Solosänger(in *f*) *m*; **~itario** einsam; *m* Einsiedler

sòlito gewohnt; **al ~** gewöhnlich

solitùdine *f* Einsamkeit

soll|azzare belustigen; **~azzo** m Belustigung f

sollecit|are [-tʃ-] beschleunigen; **~arsi** sich beeilen

sol|lècito [-tʃ-] rasch; eilfertig; **~lecitùdine** [-tʃ-] f Schnelligkeit

solleticare kitzeln; (*Appetit*) reizen

sollevare aufheben; erleichtern

sollievo m Erleichterung f; Trost

solo allein; nur; einzig; m Einzige(r); *Mus* Solo n

solstizio m Sonnenwende f

soltanto nur; erst

sol|ùbile löslich; **~uzione** f Lösung; **~vente** [-Ka-] f Ähnlich; **~anza** [-Ka-] f Ähnlichkeit

somigli|ante [-Ka-] ähnlich; **~anza** [-Ka-] f Ähnlichkeit

somigliare [-Ka-] **qu.** *od* **a qu.** j-m ähnlich sein, gleichen

somm|a f Summe; **in ~a** kurz (und gut); **~are** addieren; **~ario** summarisch; m Inhaltsangabe f

sommèrg|ere [-dʒ-] überschwemmen; **~ersi** (ver-) sinken

sommergìbile [-dʒ-] m Unterseeboot n

sommesso unterwürfig; leise (*Stimme*)

sommo höchst; m Gipfel

somm|ossa f Aufruhr m; **~uòvere** (*Volk*) aufhetzen

sonare (er)klingen; läuten (*Glocken*); schlagen (*Stun-*)

den); *Mus* spielen; **~ il campanello** klingeln

sond|a f Sonde; **~aggio** [-dʒo] m Sondierung f; **~are** sondieren

soneria f Schlagwerk n; **~ elèttrica** elektrische Klingel

sonetto m Sonett n

sonn|àmbulo mondsüchtig; m Nachtwandler; **~ecchiare** [-k-] schlummern; **~ellino** m Schläfchen n; **~ìfero** m Schlafmittel n

sonno m Schlaf; **aver ~** schläfrig sein

sonnolento schläfrig

sono ich bin; sie sind

son|orità f Wohlklang m; **~oro** klangvoll; **film** m **~oro** Tonfilm

sontu|osità f Pracht; **~oso** prächtig

sop|ire einschläfern; **~ore** m Schlummer

soppalco m Hängeboden

sopport|àbile erträglich; **~are** ertragen; **~o** m Stütze f

soppress|a f Presse; **~are** pressen; **~ione** f Unterdrückung

sopprimere unterdrücken; abschaffen, aufheben

sopra auf, über; *adv* oben

sopr|abbondante überreichlich; **~àbito** m Mantel, Überzieher; **~accalza** f Überstrumpf m; **~accaricare** überladen; **~acciglio** [-tʃiʎo] m Augenbraue f; **~affino** hochfein;

~aggiùngere [-dʒundʒ-]
(*plötzlich*) dazukommen;
~appeso *m* Übergewicht *n*;
~ascarpa *f* Überschuh *m*;
~ascritto obengenannt;
~attassa *f* Strafporto *n*;
~attutto vor allem; **~a-
vanzare** übertreffen,
übrigbleiben; **~avvenire**
dazwischenkommen; **~av-
vivere** überleben (**a qu.**
j-n); **~intendente** *m* Leiter; Superintendent

sorb|etto *m* Sorbett; Halb-
gefrorene(s) *n*; Fruchteis
n; **~ire** schlürfen

sòrdido schmutzig; *fig* geizig

sord|ità *f* Taubheit; **~o**
taub; **~omuto** taubstumm

sorell|a *f* Schwester; **~a-
stra** *f* Stiefschwester

sorgente [-dʒ-] *f* Quelle

sòrgere [-dʒ-] sich erheben;
aufgehen (*Gestirn*)

sor|montare übersteigen;
überwinden; **~passare**
übersteigen; überholen

sorpr|èndere überraschen;
~esa *f* Überraschung

sorrègg|ere [-dʒ-] stützen;
~ersi sich aufrecht halten

sorr|ìdere lächeln; **~iso** *m*
Lächeln *n*

sors|eggiare [-dʒa-] schlür-
fen; **~o** *m* Schluck

sort|a (*auch* **~e**) *f* Sorte,
Art; **~e** *f* Los *n*; Schicksal
n; **~eggiare** [-dʒa-] auslosen; **~eggio** [-dʒo] *m*
Auslosung *f*; **~ire** ausgehen

sorvegli|anza [-ʎa-] *f* Be-

wachung; **~are** überwa-
chen

sorvolare überfliegen

sosp|èndere aufhängen;
unterbrechen; einstellen;
(*j-n*) suspendieren; **~en-
sione** *f* Einstellung; Fede-
rung (*Auto*); **~eso** *fig*
schwebend

sosp|ettare argwöhnen;
Verdacht hegen; **~etto**
verdächtig; *m* Verdacht;
~ettoso argwöhnisch

sosp|irare seufzen; **~iro** *m*
Seufzer

sosta *f* Rast; **far ~** rasten

sost|antivo *m* Substantiv *n*,
Hauptwort *n*; **~anza** *f*
Stoff *m*; Substanz; **~an-
zioso** nahrhaft; **~are** rasten; **~egno** [-ɲo] *m* Stütze
f; **~enere** stützen; (*j-n*)
unterhalten; behaupten;
~entare ernähren

sostit|uire ersetzen; ver-
treten; **~uto** *m* Stellver-
treter

sott|acqua unter Wasser;
~ana *f* Unterrock *m*

sotterr|a unter der Erde;
~àneo unterirdisch; *m* Kel-
lergeschoß *n*; **~are** be-
graben; vergraben

sottile dünn; fein

sotto unter; unten; **~aceto**
in Essig; **~ pena** bei Strafe

sotto|boccia [-tʃa] *f* Unter-
satz *m*; **~braccio** [-tʃo] *m*
Schweißblatt *n*; **~esposto**
Fot unterbelichtet; **~li-
neare** unterstreichen; **~
marino** *m* Unterseeboot

spazio

n; **≁méttere** unterwerfen;
≁minare unterminieren;
≁passaggio [-dʒo] m Un-
terführung f; **≁porre** unterziehen; **≁posto** ausge-
setzt; **≁scrivere** unterschreiben; **≁scrizione** f
Unterzeichnung; **≁sopra**
drunter und drüber; **≁te-
nente** m Leutnant; **≁vaso**
m Untersatz; **≁veste** f
Unterkleid n; **≁voce** [-tʃe]
leise

sottr|arre entziehen; Math
subtrahieren; **≁azione** f Entwendung;
Math Subtraktion

sottufficiale [-tʃa-] m Un-
teroffizier

sovente oft

soverchi|are [-k-] über-
winden; **≁o** übermäßig

Soviet m Sowjet

soviètico sowjetisch

sovrano souverän; fig
oberst; m Herrscher

sovrap|peso m Überge-
wicht n; **≁pressione** f
Überdruck m

sovresposto Fot überbe-
lichtet

sovvenzi|onare unterstüt-
zen; **≁one** f Unterstützung

spacc|apietre m Steinklop-
fer; **≁are** spalten; (Holz)
hacken; **≁atura** f Spalt m

spacci|are [-tʃa-] (Ware)
absetzen; **≁o** [-tʃo] m Verkauf; Ausschank; **≁o di
tabacchi** Tabakladen

spacc|o m Spalt; **≁one** m
Prahlhans

spada f Schwert n; Degen m

spaghetti m/pl Spaghetti

Spagna [-ɲa] f Spanien n

spago m Bindfaden

spalancare (weit)aufreißen

spall|a f Schulter; Lehne;
stringersi [-dʒ-] **nelle ≁e**
(die Achseln zucken; **≁iera** f
(Rücken-)Lehne; Spalier n

spalmare bestreichen

spàndere ausstreuen; verbreiten

sparagiaia [-dʒa-] f Spar-
gelbeet n

spàragio [-dʒo] m Spargel

spar|are schießen; **≁ato** m
(im Kleid) Schlitz

sparecchiare [-k-] (Tisch)
abdecken

spàrgere [-dʒ-] ausstreuen

spar|ire verschwinden; **≁o**
m Schuß

spart|iacque m Wasser-
scheide f; **≁ire** (ver)teilen,
trennen; **≁ito** m Mus Parti-
tur f; **≁itoio** m Wasser-
turm; **≁izione** f Verteilung

spàsimo m Krampf; Qual f

spassare unterhalten

spasso m Vergnügen n; **andare a ≁** spazierengehen;
fig **èssere a ≁** arbeitslos
sein

spaur|acchio [-k-] m Vogel-
scheuche f; **≁ire** er-
schrecken

spav|entarsi erschrecken;
≁ento m Schrecken; **≁en-
toso** entsetzlich

spazi|ale (Welt-)Raum...;
≁are schweifen

spazi|o m Raum; **≁o di**

7

tempo Zeitraum; **~oso** geräumig

spazz|acamino *m* Schornsteinfeger; **~aneve** *m* Schneepflug; **~are** fegen, kehren; **~atura** *f* Müll *m*; **~ino** *m* Straßenkehrer

spàzzola *f* Bürste

spazzol|are *u* dare una **~ata** (*a*) abbürsten

spazzolino *m* kleine Bürste *f*; **~ da denti** Zahnbürste *f*; **~ per le unghie** Nagelbürste *f*

specchi|arsi [-k-] sich spiegeln; **~era** *f* Toilettentisch *m*; **~etto** *m* Handspiegel; **~etto retrovisivo** Rückspiegel

specchio [-k-] *m* Spiegel; **~ retroscòpico** Rückspiegel

special|e [-tʃa-] speziell, besonder; **treno** *m* **~e** Sonderzug; **~ità** *f* Spezialität; **~izzare** spezialisieren; **~mente** besonders

specie [-tʃe] *f* Art

specifico [-tʃ-] spezifisch; *m Med* Spezialmittel *n*

specul|are nachsinnen (über *acc*); spekulieren (in mit); **~azione** *f* Betrachtung; Spekulation

sped|ire ab-, versenden; befördern; **~ito** schleunig; **~itore** *m* Absender

spedizione *f* Absendung; Beförderung; **~ bagagli** Gepäckabfertigung

spedizioniere *m* Spediteur

spegnare [-ɲ-] einlösen

spègn|ere [-ɲ-] (aus)löschen; (*Licht, Radio*) ausschalten; **~ersi** erlöschen

spelarsi haaren; das Haar verlieren

spell|are abhäuten; **~arsi** sich häuten

spèndere ausgeben; *fig* anwenden

spennacchiare [-k-] rupfen

spensierato sorglos

spenzolare baumeln

sper|anza *f* Hoffnung; **~are** hoffen (in auf *acc*)

spèrdere zerstreuen; vernichten

spergiuro [-dʒu-] meineidig; *m* Meineid

sperimentare experimentieren

spes|a *f* Ausgabe; **~e** *f/pl* Kosten, Unkosten, Spesen; **fare le ~e** Einkäufe machen; **~are** freihalten

spesso dick; dicht; oft

spett|àcolo *m* Schauspiel *n*; Vorstellung *f*; Anblick; **~are** zukommen; obliegen; **~atore** *m* Zuschauer

spettr|ale gespensterhaft; **~o** *m* Gespenst *n*

spezie *f/pl.*, **~rie** *f/pl* Gewürze *n/pl*

spezz|are (zer)brechen; **~atino** *m* Ragout *n*; Gulasch; **~ato** zerstückelt

spia *f* Spion *m*; Guckloch *n*

spiac|ente [-tʃ-] unangenehm; **~ere** mißfallen; leid tun; **~évole** unangenehm

spiaggia [-dʒa] *f* Strand *m*;

~ **privata** Privatstrand *m*;
~ **sabbiosa** Sandstrand *m*
spian|are ebnen; (*Teig*)
rollen; ~**ata** *f* freier Platz
m; ~**atoio** *m* Mangelholz *n*
spiant|are ausreißen; *fig*
zugrunde richten; ~**ato**
ruiniert   [spähen}
spiare spionieren, aus-]
spiccare lostrennen
spicci|are [-t∫a-] (*et*) erle-
digen; ~**arsi** sich beeilen;
~**o** rasch
spiccioli [-t∫o-] *m/pl* Klein-
geld *n*
spiedo *m* (Brat-)Spieß;
allo ~ am (*od* vom) Spieß
spieg|are entfalten; erklä-
ren; ~**arsi** sich ausdrük-
ken; ~**azione** *f* Erklärung
spietato erbarmungslos
spig|a *f* Ähre; ~**are** Ähren
ansetzen
spigliato [-λa-] gewandt
spigo *m* Lavendel
spigol|are Ähren lesen;
~**atura** *f* Ährenlese; Nach-
lese
spigolo *m* Kante *f*
spill|a *f* Anstecknadel;
Brosche; ~**o** *m* Stecknadel
f; ~**o di sicurezza** Sicher-
heitsnadel *f*
spina *f* Dorn *m*; Stachel *m*;
(Fisch-)Gräte; *Elektr* Stek-
ker *m*; ~ **doppia** Doppel-
stecker *m*; *Anat* ~ (**dorsale**) Rückgrat *n*
spinaci [-t∫i] *m/pl* Spinat *m*
sping|ere [-dʒ-] stoßen;
(*vorwärts*) schieben; *fig*
treiben; ~**ersi** sich drängen

spin|o *m* Dornstrauch;
Dorn; ~**oso** dornig; stachlig
spinta *f* Stoß *m*
spinterògeno [-dʒ-] *m* Auto: (Zünd-)Verteiler
spion|aggio [-dʒo] *m* Spio-
nage *f*; ~**are** spionieren
spione *m* Spion
spir|a *f* Windung; ~**ale**
spiralförmig; *f* Spirale
spirare wehen; ablaufen
(*Zeit*); ausströmen
spirito *m* Geist; Humor
spirit|oso geistreich; wit-
zig; geistig (*Getränk*); ~**ua-
le** geistig; geistlich; reli-
giös
splènd|ere glänzen; ~**ido**
glänzend
splendore *m* Glanz
spogli|are [-λa-] ausziehen;
ausplündern; ~**arsi** sich
ausziehen; sich entblättern
(*Bäume*); sich (*e-r Sache*)
entledigen; ~**o** [-λo] entblößt; beraubt; frei (**di**
von)
spola *f* Weberschiffchen *n*
spolver|are abstauben; ~**i-
na** *f* Staubmantel *m*; ~**ino**
m Staubwedel; ~**izzare**
bestreuen; pulverisieren
sponda *f* Rand *m*; Ufer *n*
spontàneo freiwillig; natürlich
spora *f* *Bot* Spore
sporc|are beschmutzen; ~**o**
schmutzig
spòrg|ere [-dʒ-] vorstrek-
ken; ~**ersi** sich hinaus-
lehnen; hervorragen

sport (*a pl*) *m* Sport; ~ d'immersione Tauchsport; ~ invernale Wintersport; ~ motociclistico Motorsport; ~ nàutico Wassersport; ~ sciìstico Schisport; ~ della vela Segelsport

sporta *f* Marktkorb *m*

sportello *m* kleine Tür *f*; Wagentür *f*; *Esb, Thea* Schalter; ~ per i biglietti Fahrkartenausgabe *f*

sportivo Sport...; sportlich; *m* Sportler; ~ di navigazione a vela Segelsportler

spos|a *f* Braut; junge Frau; ~alizio *m* Hochzeit *f*; ~are (ver)heiraten

spos|o *m* Bräutigam; junger Ehemann; ~i *m/pl* junges Ehepaar *n*; Brautleute; promessi ~i Verlobte

spossare entkräften

spost|amento *m* Verschiebung *f*; Verlegung *f*; ~are verschieben; verlegen

spreg|évole [-dʒ-] verächtlich; ~iare[-dʒa-]verachten

sprèmere auspressen

spremi|limoni *m* Zitronenpresse *f*; ~toio *m* Presse *f*

sprigion|are [-dʒo-] ausströmen; ~arsi sich befreien; ausströmen (*Gas*)

sprizzare (be)spritzen

sprofond|are einstürzen; ~arsi einsinken

spron|are (an)spornen; ~e *m* Sporn

spropòsito *m*: a ~ ungelegen

spruzz|aglia [-ʎa] *f* Sprühregen *m*; ~are bespritzen

spruzzatore *m* Zerstäuber; Düse *f*; ~ per i capelli Haarspray

spugn|a [-ɲa] *f* Schwamm *m*; ~olo *m* Morchel *f*

spum|a *f* Schaum *m*; ~ante *m u* vino *m* ~ante Schaumwein, Sekt; ~are, ~eggiare [-dʒa-] schäumen

spuntare sprießen; aufgehen (*Sonne*); anbrechen (*Tag*); allo ~ del sole bei Sonnenaufgang

spuntino *m* Imbiß

sput|acchiera [-k-] *f* Spucknapf *m*; ~are spukken; ausspeien; ~o *m* Speichel

squadra *f* Tech Winkelmaß *n*; *Sport:* Mannschaft; ~ volante Überfallkommando *n* [zen]

squagliare [-ʎa-] schmel-ʃ

squàllido düster; elend

squam|a *f* Schuppe; ~are abschuppen

squarcio [-tʃo] *m* Riß; *Lit* Stück *n*; Stelle *f*

squart|are schlachten; ~atoio *m* Schlachtmesser *n*

squisito auserlesen; fein

sradicare [zr-] entwurzeln; *fig* ausrotten

sregolato [zr-] regellos; liederlich

sta er steht

stàbile fest; ständig; bene *m* ~ Grundstück *n*

stabilimento m Anlage f; Fabrik f; ~ balneare Badeanstalt f; ~ **termale** Thermalbad n, Kurhaus n

stabil|ire festsetzen; **~irsi** sich niederlassen; **~izzare** stabilisieren

stacc|are abreißen; Esb ausrangieren; Tel abnehmen; **~arsi** sich lostrennen

stacci|are [-tʃa-] durchsieben; **~o** m (Haar-)Sieb n

stadera f Schnellwaage; **pùbblica** Brückenwaage

stadio m Stadium n; Stadion n

staffa f (Steig-)Bügel m

stagione f [-dʒo-] f Jahreszeit; Thea Spielzeit; ~ **balneare** Badesaison; **estiva** Sommersaison; ~ **invernale** Wintersaison; **alta** ~ Hochsaison; **bassa** ~ Vor- und Nachsaison

stagn|aio [-ɲ-] m Klempner; **~are** verzinnen; (Blut) stillen; Hdl stagnieren; **~o** m Teich; Zinn n; **~ola** f Stanniol n

stall|a f Stall m; **~o** m Sitz

sta|mane, ~mani, ~mattina heute morgen

stambugio [-dʒo] m dunkles Zimmer n, Loch n

stamp|a f Druck m; Buchdruck m; (mst pl **~e**) Drucksache; **libertà** f di **~a** Pressefreiheit; **~are** drukken; Foto kopieren; fig einprägen; **~ati** m/pl Drucksachen f/pl; **~atore** m Buchdrucker; **~erìa** f

Druckerei; **~igliare** [-ʎa-] stempeln; **~ino** m Schablone f

stan|care ermüden; **~chezza** [-k-] f Müdigkeit; **~co** müde

stanga f Stange; **~are** verrammeln

stanotte heute nacht

stantuffo m Mech Kolben

stanza f Zimmer n

stare sein; bleiben; wohnen; ~ **in piedi** stehen; ~ **seduto** sitzen; ~ (di salute) sich befinden; Kleidung: sitzen, passen; ~ **per** im Begriff sein, zu; ~ **a vedere** zusehen; a ~ **sentire** zuhören; **stia bene!** leben Sie wohl!

starnut|are, ~ire niesen

stasera heute abend

statale staatlich

stàtica f Statik

statista m Staatsmann

stato m gewesen; gestanden; m Stand; Zustand; Pol 2 Staat; ~ **civile** Familienstand; Standesamt n; ~ **maggiore** Generalstab; **èssere in ~ di** imstande sein, zu

stàtua f Statue, Standbild n

statura f Wuchs m

statuto m Statut n; Verfassung f

stazionare stationieren; sich aufhalten; stationiert sein

stazione f Station; Esb Bahnhof m; ~ **d'àutobus** Omnibusbahnhof m; ~ **balneare** Badeort m; ~

stearina   198

climàtica Luftkurort *m*;
~ marittima Hafenbahn-
hof *m*; ~ di tassì Taxi-
stand *m*; ~ trasmittente
Radio: Sender *m*

stearina *f* Stearin *n*

stecc|a *f* Stab *m*; Billard-
stock *m*; ~are einzäunen

stec|chino [-k-] *m* Zahn-
stocher; ~co *m* dürrer
Zweig

stell|a *f* Stern *m*; *Tech* Räd-
chen *n*; ~a cadente Stern-
schnuppe; ~are Sternen...

stemma *m* Wappen *n*

stendardo *m* Standarte *f*

stèndere ausbreiten

stenditoio *m* Trockenboden

stenodattilògrafa *f* Steno-
typistin

sten|ografare stenogra-
phieren; ~ògrafo *m* Steno-
graph

stent|are a fare qc. Mühe
haben, et. zu tun; ~ato
kümmerlich; ~o *m*: a ~o
mühsam

stèrile unfruchtbar

sterilizzare sterilisieren

sterlina *f* Pfund *n* Sterling

sterm|inare ausrotten;
(*Land*) verwüsten; ~inato
endlos; ~inio *m* Ausrot-
tung *f*

sterz|are lenken; ~o *m*
Auto: Steuerung *f*

stesso selbst, selber; lo ~
derselbe; **oggi** ~ noch
heute

stetoscòpio *m* Hörrohr *n*

stiamo wir stehen

still|e *m* Stil; Art *f*, Weise *f*;

~ettare erdolchen; ~ìstica
f Stilistik

stilogràfica *f* (a penna *f* ~)
Füllfederhalter *m*

stima *f* Schätzung; Achtung; con profonda ~ mit
vorzüglicher Hochachtung
od hochachtungsvoll

stim|àbile achtbar; ~are
schätzen; achten; ~arsi
sich halten für

stimmatizzare brandmar-
ken   [ken]

stimolare anstacheln; rei-

stinco *m* Schienbein *n*

stipendi|are besolden; ~o
m Gehalt *n*

stipulare (*Vertrag*) ab-
schließen

stiramento *m*: ~ di tèndine Sehnenzerrung *f*

stir|are plätten, bügeln;
~atrice [-tʃe] *f* Plätterin

stiratura *f* Bügeln *n*; senza
~ bügelfrei

stirpe *f* Geschlecht *n*

stivale *m* Stiefel

stizzito ärgerlich

sto ich stehe

stoccafisso *m* Stockfisch

stoffa *f* Stoff *m*

stoia *f* Strohmatte

stolt|ezza *f* Torheit; ~o
töricht; *m* Tor

stòmaco *m* Magen

stomàtico magenstärkend;
m Magenbitter

stoppa *f* Werg *n*

stoppi|a *f* Stoppel; ~e *f/pl*
Stoppelfeld *n*

stòrcere [-tʃ-] krümmen;
verstauchen

stord|ìre betäuben; **~ìto** bestürzt

stòria f Geschichte; **~ dell'arte** Kunstgeschichte

stòrico geschichtlich; m Historiker

storióne m Stör

storm|ìre rauschen; **~o** m Schwarm

stòrpi|àto m Krüppel; **~o** verkrüppelt

stòrt|a f Windung; Verrenkung; **~o** krumm

stovìglie [-ʎe] f/pl Eß-, Koch-geschirr n

stracàrico überladen

stracchìno [-k-] m Streichkäse

stracci|àre [-tʃa-] zerreißen; **~o** [-tʃo] m Lumpen; **carta** f **~a** Makulatur

stra|contènto sehr zufrieden; **~còtto** zerkocht; m Schmorbraten

stràda f Straße; Weg m; **~ costièra** Küstenstraße; **~ a grande circolazióne** Hauptverkehrsstraße; **~ maèstra** Landstraße; **~ nazionàle** Staatsstraße; **~ con precedènza** Vorfahrtsstraße; **~ principàle** Hauptstraße; **~ di sbòcco** Ausfallstraße; **~ a senso ùnico** Einbahnstraße; **~ sdrucciolévole** Rutschgefahr

stradóne m Chaussee f

stra|felìce [-tʃe] überglücklich; **~fìne** hochfein

stràge [-dʒe] f Gemetzel n

stralunàre verdrehen

stramazzàre hinschleudern

strangol|àre erdrosseln; **~azióne** f Erdrosselung

stran|ière entfremden; **~ièro** ausländisch; fremd; m Ausländer; **~o** sonderbar dentlich

straordinàrio außerordentlich

strapazz|àre mißhandeln; strapazieren; **~àto: uova** f/pl **~àte** Rührei n; **~o** m Strapaze f; Überanstrengung f; **~óso** mühsam

strapp|àre ab-, zer-reißen; fig entreißen; **~o** m Riß

strarìcco steinreich

strascicàre [-ʃ-] schleppen

stràscico [-ʃ-] m Schleppe f

strascinàre [-ʃ-] nachschleifen

stràto m Schicht f

stravagànte wunderlich

stra|vècchio [-k-] steinalt; **~vòlgere** [-dʒ-] verdrehen

strazi|ànte herzzerreißend; qualvoll; **~àre** quälen; **~o** m Qual f

strèga f Hexe; **~àre** behexen

stremàto ganz erschöpft

strénna f Geschenk n

strepitàre lärmen

strèpito m Lärm

strepitóso geräuschvoll

strétt|a f Druck m; **~a di mano** Händedruck m; **~ezza** f Enge; Bedrängnis; **~o** eng, schmal; m Engpaß; Meerenge f

strìd|ere kreischen; knistern; **~o** m Geschrei n

strigliare [-ʎa-] striegeln

strill|are brüllen; **~o** *m* Gebrüll *n*; **~one** *m* Ausrufer

strimpellare klimpern

string|a *f* Schnürsenkel *m*; **~ente** [-dʒ-] dringlich

stringere [-dʒ-] (zs.-)drük-ken; zuschnüren

strisc|ia [-ʃa] *f* Streifen *m*; **~ia centrale** Mittelstrei-fen *m*; **~ia di carta** Papier-streifen *m*; **~ia di terra** Landstrich *m*; **~e** [-ʃe] *f/pl* **pedonali** Zebrastreifen *m/pl*; **a ~e** gestreift

strisciare [-ʃa-] kriechen

striscio [-ʃo] *m* Streifen

strizzare auspressen; aus-wringen

strof|a, **~e** *f* Strophe

strofin|accio [-tʃo] *m* Wischlappen; **~are** ab-scheuern

strombettare trompeten

stroncare abbrechen

stronfiare schnauben

stropicciare [-tʃa-] reiben; scharren

strozz|a *f* Gurgel; **~are** er-würgen; **~ino** *m* *fig* Hals-abschneider

strügg|ere [-dʒ-] schmel-zen; **~ersi** *fig* sich ver-zehren

strumento *m* Instrument *n*; *Mech u fig* Werkzeug *n*; **~ m ad arco** *Mus* Streich-instrument *n*; **~ m musicale** Musikinstrument *n*

strutto *m* Schmalz *n*

struzzo *m* *Zo* Strauß

stucc|are vergipsen; mit Stuck verkleiden; **~atore** *m* Stuckarbeiter

stuc|chino [-k-] *m* Gipsfi-gur *f*; **~co** *m* Stuck

stud|ente *m* Student; **~iare** studieren; **~io** *m* Studium *n*; Arbeitszimmer *n*; Ate-lier *n*; Büro *n*

stuf|a *f* Ofen *m*; Treibhaus *n*; **~are** *Kochk* dämpfen; **~ato** gedämpft; geschmort; *m* Schmorbraten

stuoia *f* Strohmatte

stupefatto erstaunt

stupendo wundervoll

stupidezza *f* Dummheit

stùpido dumm; *m* Dumm-kopf

stup|irsi sich wundern; **~ore** *m* Staunen *n*

sturare entkorken; (*Faß*) anstechen

stuzzicadenti *m* Zahn-stocher

stuzzicare reizen

su auf; über; oben; hinauf; herauf; **~! auf!; ~ e giù** auf und ab; **~ per giù** ungefähr

sub|affittare weiterver-mieten; **~alterno** *m* Un-tergebene(r)

subire erleiden; **~ un esame** sich e-m Examen unterziehen

sùbito plötzlich; sofort

sublime erhaben

subordin|are unterordnen; **~azione** *f* Unterordnung

suburbano vorstädtisch

succ|èdere [-tʃ-] (nach)folgen; geschehen; **~essione** f Nachfolge; **~essivo** folgend; **~esso** m Erfolg; **~essore** m Nachfolger

succhiare [-k-] saugen

succo m Saft; **~ d'arancia** Orangensaft; **~ di frutta** Obstsaft; **~ di legumi** Gemüsesaft; **~ di mele** Apfelsaft; **~ di pomodori** Tomatensaft; **~ d'uva** Traubensaft

succ|oso, ~ulento saftig

succursale f Filiale; **banca** f **~** Zweigbank

sud m Süd(en); **~est** Südost; **al ~** südlich

sudare schwitzen

suddetto obengenannt

sùdicio [-tʃo] schmutzig

sudiciume [-tʃu-] m Schmutz

sudore m Schweiß

sufficiente [-tʃɛ-] genügend

sufficienza [-tʃe-] f: **a ~** zur Genüge

suffragio [-dʒo] m Stimmrecht n; Rel Fürbitte f

suffumigio [-dʒo] m (Aus-)Räucherung f

sugante: carta f **~** Löschpapier n

sugare einsaugen; Agr düngen

sugg|ellare [-dʒ-] siegeln; fig besiegeln; **~ello** m Siegel n

sùggere [-dʒ-] saugen

sugger|ire [-dʒ-] einflüstern; **~itore** m Thea Souffleur

sùghero m Kork(baum)

sugli [-ʎi] = **su gli**

sugna [-ɲa] f Schweineschmalz n

sug|o m Soße f; Saft; **~oso** saftig

sui auf den; auf die

suicidio [-tʃ-] m Selbstmord

suino Schweine...

sulfùreo schwef(e)lig

sulla auf der, auf die

sultano m Sultan

summenzionato, sunnominato obenerwähnt

sunteggiare [-dʒa-] zs.-fassen

sunto m Auszug

suo sein; ihr; m Seinige n; Ihrige n

suòcer|a [-tʃ-] f Schwiegermutter; **~i** m/pl Schwiegereltern; **~o** m Schwiegervater

suola f (Schuh-)Sohle

suolo m Boden

suonare läuten

suono m Klang; Ton; Phys Schall; Gr Laut; **~ stereofònico** Radio: Raumton

suora f (Kloster-)Schwester

super f Super(benzin) n

superàbile überwindlich

superare übertreffen; überwinden; (Examen) bestehen [stolz]

sup|erbia f Stolz m; **~erbo** stolz

super|ficiale [-tʃa-] oberflächlich; **~ficie** [-tʃe] f Oberfläche

superfluità f Überflüssigkeit

supèrfluo 202

supèrfluo überflüssig

super|iora f Oberin; **~iore** obere; höher; hochwertig (Qualität); **~iore a** überlegen; m Vorgesetzte(r); **~iorità** f Überlegenheit

supermercato m Supermarkt

supèrstite m Überlebende(r)

superstizi|one f Aberglaube m; **~oso** abergläubisch

supino rücklings

suppellèttile f Ausstattung

suppergiù [-dʒu] ungefähr

supplemento m Ergänzung f; Nachtrag; Zuschlag; *Esb* Zuschlagkarte f; **~ per una càmera sìngola** Einzelzimmerzuschlag

suppl|ente m Stellvertreter; **~enza** f Vertretung; **~etorio** ergänzend

supplì m Reis mit Hackfleisch

sùpplica f inständige Bitte; Gesuch f

supplic|are anflehen; **~azione** f Flehen n

supplichévole [-ke-] flehend

supplire vertreten

supplizio m (Todes-)Strafe f

supp|orre vermuten; annehmen; **~osizione** f Vermutung; **~osta** f Med Zäpfchen n; **~osto** vorausgesetzt

suppur|are eitern; **~azione** f (Ver-)Eiterung

supremo höchst

surriferito obenerwähnt

surrog|are ersetzen; **~ato** m Surrogat n, Ersatz; **~azione** f Ersetzung; Ersatz m

suscett|ibile [-ʃ-] empfindlich; **~ibilità** f Empfindlichkeit; **~ività** f Empfänglichkeit

suscitare [-ʃ-] hervorrufen

susin|a f (Eier-)Pflaume; **~a claudia** Reneklode; **~o** m Pflaumenbaum

sùsseguire darauf folgen

sussidiare unterstützen

sussìdio m Unterstützung f

sussìstenza f Lebensunterhalt m; **~ìstere** bestehen

sussult|are zucken, aufspringen; **~o** m Zuckung f

suss|urrare (zu)flüstern; säuseln; munkeln; **~urro** m Gemurmel n

sutura f Naht

svag|are [zv-] zerstreuen; **~o** m Zerstreuung f

svalut|are [zv-] entwerten; **~azione** f Entwertung

svanire [zv-] verschwinden

svantaggi|o [zvantad-dʒo] m Nachteil; **~oso** nachteilig

svaporare [zv-] verdunsten

svariato [zv-] verschiedenartig

svedese [zv-] schwedisch; m Schwede

svégli|a [zve:ʎa] f Wecker m (Uhr); **~are** [zveʎa-] wecken; **~arsi** aufwachen; **~o** [zve:ʎo] wach

svelare [zv-] fig enthüllen

svèllere [zv-] entwurzeln

svelto [zv-] schlank; flink

svéndere [zv-] ausverkaufen

svéndita [zv-] f Ausverkauf m

sven|imento [zv-] m Ohnmacht f; ~ire ohnmächtig werden

sventolare [zv-] schwenken; wehen, flattern

sventura [zv-] f Unglück n; ~urato unglücklich

svenuto [zv-] ohnmächtig

svergin|amento [zverdʒ-] m Entjungferung f; ~are entjungfern

svergogn|are [zvergoɲ-] beschämen; ~ato schamlos

svern|amento [zv-] m Überwinterung f; ~are überwintern

sverza [zv-] f Splitter m; Span m

svestire [zv-] entkleiden

Svezia [zv-] f Schweden n

svezzare [zv-] entwöhnen

svi|amento [zv-] m Ablenkung f; Esb Entgleisung f; ~arsi sich verirren

svignàrsela [zviɲ-] sich aus dem Staube machen

svilupp|are [zv-] entwickeln; ausbreiten f Entwicklung; ~o m Entwicklung f

svisare [zv-] entstellen

svitare [zv-] abschrauben

Svizzera [zv-] f Schweiz

svìzzero [zv-] m Schweizer; adj schweizerisch

svogliatezza [zvoʎa-] f Unlust

svolazzare [zv-] flattern

svòlgere [zvɔldʒ-] abwickeln; fig entwickeln

svolgimento [zvɔldʒ-] m Entwicklung f

svolt|a [zv-] f Biegung; Kurve; ~are abbiegen

svuotare [zv-] (ent)leeren

T

tabac|caio m Tabakwarenhändler; ~cheria [-k-] f Tabakwarengeschäft n

tabacco m Tabak

tabe f Auszehrung; ~ polmonare Lungenschwindsucht; ~ dorsale Rückenmarksschwindsucht

tabella f Tabelle

tabernàcolo mTabernakeln

tacchino [-k-] m Truthahn, Puter

tacco m (Schuh-)Absatz; ~ alto hoher Absatz

taccuino m Notizbuch n

tacere [-tʃ-] (ver)schweigen

tachimetro [-k-] m Tachometer n, Geschwindigkeitsmesser

tàcito [-tʃ-] stillschweigend; schweigsam

taciturno [-tʃ-] schweigsam

tafano m Viehbremse f

taffetà m Taft; ~ inglese englisches Pflaster n

taglia [-ʎa] f Gestalt; Konfektion: Größe; di mezza

tagliaborse

204

~ von mittlerer Größe; ~borse *m* Taschendieb; ~boschi [-ski] *m* Holzhauer; ~carte *n* Papiermesser *n*; ~re (ab)schneiden; zuschneiden; ~telli *m/pl* Nudeln *f/pl*

taglio [-ʎo] *m* Schnitt; Schneide *f*

tailleur *m* Jackenkleid *n*

talco *m* Puder

tale solch; **quale ... tale** so ... wie; **un** ~ ein gewisser; **il signor tal dei tali** Herr Soundso

talento *m* Talent *n*

tallone *m* Ferse *f*

talmente dermaßen, derart

talora bisweilen, manchmal

talpa *f* Maulwurf *m*

talvolta manchmal, mitunter

tambur|are trommeln; ~o *m* Trommel *f*; Trommler

tampoco auch nicht

tamponamento *m* Auffahrunfall

tampone *m* Tampon; (Damen-)Binde *f*; *Esb, Chem* Puffer

tana *f* Höhle (*für Tiere*)

tanagli|a [-ʎa] *f* (*mst* ~e *pl*) Zange

tangibile [-dʒ-] fühlbar

tànnico tanninhaltig; **àcido** *m* ~ Gerbsäure *f*

tant|o so; so groß; so viel; ~i saluti viele Grüße; ~e grazie vielen Dank; **ogni** ~o *od* **di** ~o **in** ~o von Zeit zu Zeit; ~o **meglio** um so besser

tapioca *f* Sago *m*

tappare zustopfen; zukorken

tappeto *m* Teppich

tappezz|are tapezieren; ~eria *f* Tapete; Tapeziergeschäft *n*; ~iere *m* Tapezierer

tappo *m* Kork; Stöpsel

tara *f* Tara; Rabatt *m*

tarchiato [-k-] vierschrötig

tardare verzögern; zögern; sich verspäten

tardi spät; **più** ~ später; **al più** ~ spätestens

tardivo spätreif

targa *f* Schild; Plakette; *Auto:* Nummernschild *n*; ~ **della nazionalità** Nationalitätskennzeichen *n*

tariffa *f* Tarif *m*

tarlato wurmstichig

tarm|a *f* Motte; ~ato von Motten zerfressen

tarsia *f* Holzmosaik *n*

tartagli|are [-ʎa-] stottern; ~one [-ʎo-] *m* Stotterer

tàrtaro *m* Zahnstein

tartaruga *f* Schildkröte

tartassare mißhandeln

tartina *f* bestrichene Brotschnitte

tartufo *m* Trüffel *f*; *fig* Heuchler

tasc|a *f* Tasche; ~àbile Taschen...; **edizione** *f* ~àbile Taschenausgabe; ~apane *m* Brotbeutel

tassa *f* Gebühr; Steuer; ~ **minima** Mindestgebühr; ~ **d'aeroporto** Flughafengebühr; ~ **di noleggio**

Leihgebühr; **~ di sog-
giorno** Kurtaxe; **~ di uti-
lizzazione** Benutzungs-
gebühr

tassare besteuern

tass|ì m Taxi n; **~ista** m
Taxifahrer

tasso m Zins-, Diskont-satz

tast|are (be)tasten; (Puls)
fühlen; **~eggiare** [-dʒa-]
die Tasten anschlagen;
~iera f Klaviatur; **~o** m
Taste f; Tasten n; **~oni**
tastend

tàttic|a f Taktik; **~o** m tak-
tisch

tatto m Gefühl n; fig Takt

tatu|aggio [-dʒo] m Täto-
wierung f; **~are** tätowie-
ren   [täter]

taumaturgo m Wunder-

tavern|a f Schenke; **~iere**
m Schankwirt

tàvol|a f Tisch m; **~ da al-
lungarsi** Ausziehtisch m

tavolino m da giuoco
Spieltisch

tàvolo m Tisch

tavolozza f Palette

tazza f Tasse

te dir; dich; **come te** wie
du; **di ~** deiner

tè m Tee; **~ di camomilla**
Kamillentee

teatro m Theater n; fig
Schauplatz; **~ all'aperto**
Freilichtbühne f; **~ dei
burattini** Kasperletheater

tècnic|a f Technik; **~o** tech-
nisch; **tèrmine m ~o** Fach-
ausdruck; **~o** m Techniker

teco mit dir

tedesco deutsch; m Deut-
sche(r)

tegame m Tiegel; **uova** f/pl
al ~ Setzeier n/pl

teglia [-áa] f Backform

tegolaia f Ziegelbrennerei

tégola f Dachziegel m

teiera f Teekanne

tela f Leinwand; Tuch n;
Thea Vorhang m; **~ di lino**
Leinen n; **~ di ragno**
Spinnengewebe n; **~ a
quadri (a righe)** karier-
ter (gestreifter) Stoff m

telaio m Rahmen; Gerüst
n; Webstuhl; Auto: Fahr-
gestell n

telecomando m Fernsteue-
rung f

tele|fèrica f Drahtseilbahn,
Seilschwebebahn; **~fonare**
telefonieren; **~fonata** f
Anruf m; **~fonata in-
terurbana** Ferngespräch;
~fonata urbana Ortsge-
spräch n; **~fonia** f (senza
fili drahtlose) Telefonie;
~fònico telefonisch; **~fo-
nista** su Telefonist(in f)
m

telèfono m Telefon n,
Fernsprecher; **~ pùbblico**
Münzfernsprecher; **~ di
càmera** Zimmertelefon n

tele|fotografia f Fernfoto-
grafie; **~giornale** [-dʒo-]
m Tagesschau f; Nach-
richten f/pl; **~grafare** tele-
grafieren, drahten; **~grafia**
f (senza fili drahtlose) Telegrafie; **~gràfico** tele-

telegrafista

grafisch; ~**grafista** *su* Telegrafist(in *f*) *m*

telègrafo *m* Telegraf

telegramma *m* Telegramm *n*; ~**lampo** Blitztelegramm *n*; ~**lèttera** Brieftelegramm *n*; ~**sémplice** gewöhnliches Telegramm; ~**urgente** dringendes Telegramm

telèmetro *m Fot* Entfernungsmesser

teleria *f* Leinenware

tele|scòpio *m* Fernrohr *n*; ~**scrivente** *f* Fernschreiber *m*; ~**trasmittente** [-zm-] *f* Fernsehsender *m*; ~**visione** *f* Fernsehen *n*; ~**visione a colori** Farbfernsehen *n*; ~**visore** *m* Fernsehapparat

tellina *f* Seemuschel

telo *m* Pfeil

telone *m* (Theater-)Vorhang

tema *f* Furcht; ~ *m* Thema *n*; Aufsatz; *Gr* Stamm

tem|eràrio verwegen; ~**ere** (be)fürchten; ~**ere qu.** sich vor j-m fürchten; ~**erità** *f* Verwegenheit

temperalàpis (*a pl*) *m* Bleistiftspitzer

temper|amento *m* Temperament *n*; Milderung *f*; ~**are** mildern; mäßigen; (*Bleistift*) anspitzen; ~**ato** mäßig; ~**atura** *f* Temperatur

tempèrie *f* Witterung

temperino *m* Taschenmesser *n*

tempest|a *f* Sturm *m*; ~**a di neve** Schneesturm *m*; ~**oso** stürmisch

tèmpia *f* Schläfe

tèmpio *m* Tempel

templare *m* Templer

tempo *m* Wetter *n*; Zeit *f*; *Gr* Zeit(form) *f*; **a** ~ **od** in ~ zur rechten Zeit; **di** ~ **in** ~ von Zeit zu Zeit; **per** ~ frühzeitig; ~ **di sgelo** Tauwetter *n*; ~ **di volo** Flugzeit *f*

tempor|ale *m* Gewitter *n*; ~**àneo** zeitweilig

tenac|e [-tʃe] zäh(e); ~**ità** [-tʃ-] *f* Zähigkeit

tenda *f* Vorhang *m*; Zelt *n*

tendenza *f* Neigung

tèndere spannen; (*Netz*) ausspannen; (*Arm*) strecken; streben (**a** nach)

tendina *f* (Fenster-)Vorhang *m*

tèndine *m* Sehne *f*

tendinoso sehnig

tènebr|a *f* (*mst* *pl* ~**e**) Finsternis

tenebroso finster

tenente *m* Oberleutnant

tenere halten; be-, enthalten; (*Bücher*) führen

tenerezza *f* Zärtlichkeit

tènero zart; weich

tengo ich halte

teniamo wir halten

tennis *m* Tennis(spiel) *n*; ~ **da tàvolo** Tischtennis *n*

tenore *m* Wortlaut; *Mus* Tenor

tensione *f* Spannung; **alta**

~ Hochspannung; **bassa** ~ Niederspannung

tent|are versuchen; **~ativo** *m* Versuch; **~azione** *f* Versuchung

tentennare schütteln; schwanken; wackeln

tenton|e, ~i tastend

tènue dünn; *fig* gering

tenuità *f* Dünnheit; Feinheit

tenuto gehalten

teologia [-dʒ-] *f* Theologie

teòlogo *m* Theologe

teor|ètico theoretisch; **~ia** *f* Theorie; Lehre

tepidezza *f* Lauheit

teppista *su* Rowdy

tèrgere [-dʒ-] abwischen

tergicristallo [-dʒ-] *m* Scheibenwischer

tergo *m* Rückseite *f*

termale Wärme...; **stabilimento** *m* ~ Thermalbad *n*

terme *f/pl* heiße Quellen; Heilquelle *f*

termin|are (be)endigen; **~azione** *f* Beendigung; *Gr* Endung

tèrmine *m* Ende *n*; *Gr* Ausdruck

termòforo *m* Heizkissen *n*

termòmetro *m* Thermometer *n*

term|os (*a pl*) *m* Thermosflasche *f*; **~osifone** *m* Warmwasserheizung *f*; **~òstato** *m* Thermostat

terr|a *f* Erde; Land *n*; ~ *f/pl* Ländereien; **di ~a** irden; **di questa ~a** irdisch; **a ~a** am Boden; **per**

~a zu Lande; **prèndere ~a** landen

terracotta *f* Terrakotta

terraglia [-ʎa] *f* (irdenes) Geschirr *n*

terrapieno *m* Erdwall

terrazz|a *f* Terrasse; **~a solaria** Sonnenterrasse; **~o** *m* Terrasse *f*

terr|emoto *m* Erdbeben *n*; **~eno** irdisch; *m* Boden; **~estre** irdisch

terrìbile fürchterlich

terrina *f* Terrine

territorio *m* Gebiet *n*

terrore *m* Schrecken

terroso erdig

terzino *m* *Sport*: Verteidiger

terzo *m* Drittel *n*

tesor|eggiare [-dʒa-] (Schätze) sammeln; **~eria** *f* Schatzkammer; **~iere** *m* Schatzmeister; *m* ~ Schatz

tèssera *f* Ausweis *m*; Kennkarte; Mitgliedskarte; ~ **di campeggio** Campingausweis *m*; ~ **d'ostello per la gioventù** (Jugend-)Herbergsausweis *m*

tesserato *m* Mitglied *n* (*e-r Partei*)

tèssere weben

tèssil|e Textil...; **industria** *f* ~ **e** Textilindustrie; **~i** *m/pl* Textilien

tess|itore *m* Weber; **~uto** *m* Gewebe *n*, Tuch *n*

testa *f* Kopf *m*; **alla ~ di** an der Spitze von; **èssere in ~** an der Spitze liegen

testamento *m* Testament *n*

test|ardàggine [-dʒ-] *f* Starrköpfigkeit; **⁀ardo** starrköpfig; *m* Starrkopf

testare testieren

testata *f* Kopfende *n*; Kopfteil *m*; **⁀ del cilindro** *Motor:* Zylinderkopf *m*

teste *su* Zeuge, Zeugin

testìcolo *m* Hode *f*

testimon|e *m* Zeuge; **⁀ianza** *f* Zeugnis *n*; **⁀iare** zeugen; **⁀io** *m* Zeugnis *n*

testo *m* Text

testuale wörtlich

testùggine [-dʒ-] *f* Schildkröte

tètano *m* Tetanus, Starrkrampf

tetro düster

tett|o *m* Dach *n*; **⁀oia** *f* Glasdach *n*; Bahnhofshalle

Tèvere *m* Tiber

ti dir; dich

tibia *f* Schienbein *n*; Flöte

tic tac: fare ⁀ ⁀ ticken

ticchio [-k-] *m* Laune *f*

tièpido lau

tifo *m* Typhus

tiglio [-ʎo] *m* Linde *f*; Faser *f*; **⁀so** faserig

tigre *f* (*u m*) Tiger *m*

timballo *m* Pauke *f*

timbr|are stempeln; **⁀o** *m* Stempel; *Mus* Klangfarbe *f*

timid|ezza *f*, **⁀ità** *f* Schüchternheit

tìmido schüchtern

timon|e *m* Deichsel *f*; *Mar* Steuer *n*; **⁀eggiare** [-dʒa-] steuern; **⁀iere** *m* Steuermann

tim|ore *m* Furcht *f*; **⁀oroso** ängstlich

tìmpano *m* Pauke *f*; (*Ohr*) Trommelfell *m*

tinca *f* Schlei *m*

tìngere [-dʒ-] färben

tino *m* Kufe *f*

tinozza *f* Trog *m*

tinta *f* Farbe; Färbung

tinteggiare [-dʒa-] anstreichen

tintinnare klingen

tint|orìa *f* Färberei; **⁀ura** *f* Färbung; *Med* Tinktur; **⁀ura di iodio** Jodtinktur

tìp|ico typisch; **⁀o** *m* Typus

tipografìa *f* Buchdruckerei

tipògrafo *m* Buchdrucker

tirann|eggiare [-dʒa-] *f* tyrannisieren; **⁀ìa** *f* Tyrannei; **⁀o** tyrannisch; *m* Tyrann

tir|are ziehen; schleudern; schießen; wehen (*Wind*); **⁀arsi da parte** beiseite rücken; **⁀arsi indietro** zurücktreten; **⁀astivali** *m* Stiefelknecht; **⁀ato** gespannt; **⁀atore** *m* Schütze

tirchio [-k-] knick(e)rig

tiretto *m* Schubkasten

tiro *m* Zug; Wurf; Schuß; **⁀ a due** Zweigespann *n*; *fig* **brutto ⁀** böser Streich; **arma *f* da ⁀** Schußwaffe; **bestia *f* da ⁀** Zugtier *m*; **campo *m* del ⁀** Schießplatz

tirocìnio [-tʃ-] *m* Lehrzeit *f*

tirolese tirolerisch; *m* Tiroler

Tirolo *m* Tirol *n*

Tirreno: Mare *m* ~ Tyrrhenisches Meer *n*

tisi *f* Schwindsucht

tisico schwindsüchtig

titolare titulieren; *m* Inhaber (*Paß*)

titolo *m* Titel; Wertpapier *n*

to' (= **togli**) nimm; halt!

toast *m* Toast

tocc|are berühren; treffen; anstoßen; ~a a me ich bin an der Reihe; **~o** *m* (Glocken-)Schlag; **al** ~o um ein Uhr [raum *m*]

toeletta *f* Toilette; Wasch-⌐

tògliere [-ʎe-] (weg)nehmen; (*Kleidung*) ausziehen; ~ **la corrente** den Strom ausschalten; ~ **il gas** Gas wegnehmen

tolda *f* Oberdeck *n*

toletta *f* Toilette

toller|ante duldsam; **~anza** *f* Duldsamkeit; **~are** dulden; ertragen

tomba *f* Grab *n*

tómbola *f* Lotterie

tómbolo *m* Sturz; Klöppelkissen

tomo *m* Band

tònaca *f* Kutte

tonalità *f* Tonart

tonare donnern

tondo rund; **chiaro e** ~ klipp und klar

tonfare plumpsen

tonfo *m* dumpfer Schlag

tònico *m* Kräftigungsmittel *n*

tonnellata *f* Tonne; ~ **di registro** Bruttoregistertonne

tonno *m* Thunfisch

tono *m* Ton

tonsille *f/pl* Anat Mandeln

tonsillite *f* Mandelentzündung

tonto einfältig

topaia *f* Mäusenest *n*

topo *m* Maus *f*; ~**lino** *m* Mickymaus *f*; ~ **Klein**auto *n*

toppa *f* (Tür-)Schloß *n*; Flicken *m*

toppo *m* Klotz

torba *f* Torf *m*

tórbido trübe

tòrcere [-tʃ-] winden; aus- (w)ringen; verdrehen; krümmen

torchio [-k-] *m* Presse *f*; Kelter *f*

torcia [-tʃa] *f* Fackel

tordo *m* Drossel *f*; *fig* Dummkopf

Torino *f* Turin *m*

torlo *m* (Ei-)Dotter

torma *f* Schwarm *m*

torment|are quälen; ~**o** *m* Qual *f*

tornaconto *m* Vorteil

tornare zurückkommen; wiederkommen; ~ **a fare** qc. et. wieder machen

torn|io *m* Drechselbank *f*; ~**ire** drechseln; ~**itore** *m* Drechsler

toro *m* Stier

torpèdine *f* Torpedo *m*

torpedone *m* Reiseomnibus

torre *f* Turm *m*

torrefare rösten

torrente *m* Gießbach

tòrrido heiß

torrone *m* Mandelmasse *f*

torsione *f* Drehung

torso *m* Rumpf

torta *f* Torte; Kuchen *m*; ~ **di ciliege** Kirschkuchen *m*; ~ **alla cioccolata** Schokoladentorte; ~ **di crema** Sahnetorte; ~ **di crema al burro** Buttercremetorte; ~ **di frutta** Obstkuchen *m*; ~ **di mele** Apfelkuchen *m*; ~ **di noci** Nußtorte

torto *m* Unrecht *n*

tórtora *f* Turteltaube

tortur|a *f* Folter; ~**are** foltern

tosare scheren; beschneiden

toss|e *f* Husten *m*; ~**e canina** Keuchhusten *m*; ~**ire** husten

tostapane *m* Brotröster

tost|are rösten; ~**ino** *m* Kaffeetrommel *f*

tosto bald; ~ **o tardi** früh oder spät; ~ **che** sobald als

tot|ale gänzlich; völlig; ~ Summe *f*; ~**alità** *f* Gesamtheit

tovagli|a [-ʎa] *f* Tischtuch *n*; ~**olo** [-ʎɔ-] *m* Serviette *f*

tozzo untersetzt

tra *s* fra

traballare schwanken

trabocchetto [-k-] *m* Falltür *f*; *Thea* Versenkung *f*

traccia [-tʃa] *f* Spur; Entwurf *m*

trachea [-k-] *f* Luftröhre

tracoma *m* Bindehautentzündung *f*

trad|imento *m* Verrat; **alto**

~imento Hochverrat; ~**ire** verraten; ~**itore** *m* verräterisch; *m* Verräter; ~**izione** *f* Überlieferung

trad|otto übersetzt; ~**urre** übersetzen; ~**uzione** *f* Übersetzung

trae er zieht

trafficare handeln

tràffico *m* Handel; Verkehr; ~ **circolare** Kreisverkehr

traf|orare durchbohren; durchlöchern; ~**oro** *m* Durchstich; Tunnel; **stoffa** *f* **a** ~**oro** durchbrochener Stoff *m*

tragèdia [-dʒ-] *f* Tragödie; Trauerspiel *n*

traggiamo [-dʒa-] wir ziehen

traggo ich ziehe

traghetto *m* Überfahrt *f*; Fähre *f*, Fährschiff *n*

tràgico [-dʒ-] tragisch

tragicommèdia [-dʒ-] *f* Tragikomödie

trag|ittare [-dʒ-] übersetzen; ~**itto** *m* Überfahrt *f*

train|are schleppen; fortschleifen; ~**o** *m* Fuhre *f*

tralasciare [-ʃa-] unterlassen

tralùcere [-tʃ-] durchscheinen

tram, tranvai *m* Straßenbahn *f*

tramandare überliefern

trambusto *m* Getümmel *n*

tramenio *m* Treiben *n*

tramestìo *m* Wirrwarr *m*

tramezz|a *f* Brandsohle *f*

~are trennen; **~o** zwischen; unter; *m* Scheidewand *f*

tramont|ana *f* Nordwind *m*; **~are** untergehen; **~o** *m* (Sonnen-)Untergang

tramortimento *m* Betäubung *f*; Ohnmacht *f*

tramortito ohnmächtig

trampolino *m* Sprungbrett *n*; Sprungschanze *f*

trancia [-tʃa] *f* Scheibe

tranello *m* Falle *f*

tranne ausgenommen

tranquillo ruhig

transatlàntico *m* Ozeandampfer

transigere [-dʒ-] nachgeben

trànsito *m* Durchgang; Durchfahrt *f*; Durchreise *f*

trans|itorio vorübergehend; **~marino** überseeisch; **~volare** überfliegen

tranvai *m* Straßenbahn *f*

trapanare (durch)bohren

tràpano *m* Bohrer

trapassare überschreiten

trapasso *m* Übergang; Ableben *n*; *jur* Übertragung *f*

trapelare durchsickern

trapiantare umpflanzen

tràppola *f* Falle

tràppolare *fig* hineinlegen

trap|unta *f* Steppdecke; **~untare** steppen; **~unto** *m* Steppnaht *f*

trarre ziehen

trasalire zusammenfahren

trasand|amento *m* Vernachlässigung *f*; **~are** vernachlässigen; **~ato** verwahrlost

trasb|ordare [-zb-] *Esb* umladen; **~ordo** *m* Umladung *f*

trascinare [-ʃ-] schleppen; *fig* hinreißen

trascórrere durcheilen; (*Schrift*) durchsehen

trascr|ivere abschreiben; **~izione** *f* Abschrift

trascur|are vernachlässigen; **~atezza** *f* Nachlässigkeit; **~ato** nachlässig

trasfer|ibile übertragbar; **~imento** *m* Versetzung *f*; **~ire** verlegen; übertragen; (*j-n*) versetzen; **~irsi** übersiedeln

trasform|are umgestalten; **~atore** *m Elektr* Transformator; **~azione** *f* Umgestaltung; Verwandlung

trasfusione *f* Übertragung; Transfusion

trasgr|edire [-zg-] übertreten; **~essione** *f* Übertretung

traslato [-zl-] übertragen; bildlich

trasloc|are [-zl-] versetzen; umziehen; **~o** *m* Versetzung *f*

trasmarino [-zm-] überseeisch

trasméttere [-zm-] übertragen; übermitteln

trasmissione [-zm-] *f* Übertragung; Übermittlung; *Radio*: Sendung; **~ delle ruote posteriori** Hinterradantrieb *m*

trasognato [-ɲ-] träumerisch

traspar|ente durchsichtig;
~**enza** f Durchsichtigkeit;
~**ire** durchscheinen

traspirare schwitzen

trasport|are fortschaffen;
befördern; ~**o** m Transport; Beförderung f; Überführung f

trastullo m Zeitvertreib;
Spielzeug n

trasversale [-zv-] quer; f
Transversale

trasvolare [-zv-] überfliegen

tratta f Zug m; Ruck m;
Hdl Tratte; (gezogener)
Wechsel m; ~ **in bianco**
Blankowechsel m; ~ **postale** Postauftrag m

tratt|amento m Behandlung f; Bewirtung f; ~**are**
be-, ver-handeln; bewirten;
verkehren; **si tratta di** es
handelt sich um; ~**ario** m
(Wechsel) Bezogene(r); ~**ato** m Abhandlung f; Vertrag

tratten|ere aufhalten; unterhalten; ~**ersi** sich aufhalten; sich enthalten

tratto gezogen; m Zug;
Strecke f; **a un** ~ auf einmal; **di** ~ **in** ~ von Zeit zu
Zeit; ~ **d'unione** Bindestrich

trattore m Trecker, Traktor

trattoria f Restaurant n,
Gaststätte

travagli|are [-ʎa-] quälen;
~**o** [-ʎo] m: ~**o di stòmaco**
Übelkeit f

travas|are umfüllen; ~**o** m
Umfüllung f; fig Erguß

trave f Balken m

travedere durchblicken

travers|a f Querbalken m;
Querstraße; ~**are** durchqueren; ~**are**
hinübergehen; ~**ata** f Mar Überfahrt; ~**o**
quer; **di** ~**o** schief; quer

travestimento m Verkleidung f

travestire verkleiden

travòlgere [-dʒ-] umwälzen

tre drei

trebbi|a f Dreschflegel m;
~**are** dreschen

treccia [-tʃa] f Flechte

trecento [-tʃ-] m 14. Jahrhundert n

tredicèsimo [-tʃ-] m Dreizehntel n

trégua f Waffenstillstand
m; fig Ruhe

tremare zittern (**da** vor dat)

trementina f Terpentin n

tremolare beben

trèmulo zitternd

treno m Esb Zug; mil Train;
~ **accelerato** Personenzug; ~ **autocuccette** Autoreisezug; ~ **diretto** Eilzug;
~ **locale** Vorortzug; ~
merci Güterzug

Trento f Trient n

trèpido zitternd

treppiedi m Dreifuß

triangolare dreieckig

triàngolo m Dreieck n; ~
di avvertimento Warndreieck n

tribolare quälen

213

tribordo *m* Steuerbord *n*

tribù *f* (Volks-)Stamm *m*

trib|una *f* Tribüne; **~unale** *m* Gericht *n*

tribut|ario tributpflichtig; **~o** *m* Steuer *f*

tricheco [-k-] *m* Walroß *n*

tri|ciclo [-tʃ-] *m* Dreirad *n*; **~colore** dreifarbig; *m* Trikolore *f* (*Fahne*)

tricromìa *f* Dreifarbendruck *m*

Trieste *f* Triest *n*

trifoglio [-ʎo] *m* Klee *m*

triglia [-ʎa] *f* Seebarbe

trill|are trillern; **~o** *m* Triller

trimestr|ale vierteljährlich; **~e** *m* Vierteljahr *n*

trin|a *f* Spitze; **~aia** *f* Spitzenklöpplerin

trincare saufen

trincea [-tʃ-] *f* Laufgraben *m*

trinchetto [-k-] *m* Focksegel *n*; Fockmast

trinci|apolli [-tʃa-] *m* Geflügelschere *f*; **~are** [-tʃa-] zerschneiden

trinità *f* Dreieinigkeit

trionf|ale: **arco** *m* **~ale** Triumphbogen; **~are** triumphieren; **~o** *m* Triumph

trìplice [-tʃe] dreifach

trippa *f* Kaldaunen *pl*

trisma [-zma] *m* *Med* Kiefersperre *f*

trist|e traurig; **~ezza** *f* Traurigkeit; **~o** schlecht

tritare zerreiben; hacken

trit|o zerstoßen; **carne** *f* **~a** Schabefleisch *n*

tuberoso

trìttico *m* Triptyk *n*

triv|ellare bohren; **~ello** *m* Bohrer

triviale gemein

trògolo *m* Trog

troia *f* Sau

tromba *f* Trompete; *Auto:* Hupe; *Zo* Rüssel *m*; **~re** (*Wein*) umfüllen

tronc|are abbrechen; **~o** *m* Rumpf; Stamm; *Esb* Strecke *f*

troneggiare [-dʒa-] thronen

tronfio aufgeblasen

trono *m* Thron

tropicale tropisch

troppo zuviel; zu; zu sehr

trota *f* Forelle

trott|are traben; **~o** *m* Trab

tròttola *f* Kreisel *m*

trov|are finden; treffen; **andare a ~are** qu. j-n besuchen; **~arsi** sich (be-)finden; **~atello** *m* Findelkind *n*; **~atore** *m* Finder

trucco *m* Trick

truce [-tʃe] finster; grimmig

truff|a *f* Betrug *m*; **~are** betrügen; **~atore** *m* Gauner

truppa *f* Truppe

tu du; **dare del ~ a** qu. j-n duzen

tuba *f* Posaune

tub|atura, **~azione** *f* Rohrleitung

tubercolosi *f* Tuberkulose

tùbero *m* Knolle *f*

tuber|osa *f* Tuberose; **~oso** knollig

tubetto m Röhrchen n; Tube f

tubo m Rohr n; Röhre f; ~ d'aria Schnorchel; ~ di scàrico Auspuffrohr n

tuff|are eintauchen; ~arsi untertauchen; ~atore m Taucher

tuffo m Tauchen n; ~ in avanti Kopfsprung

tulipano m Tulpe f

tulle m Tüll

tumefa|re anschwellen; ~zione f Anschwellung

tùmido geschwollen

tumore m Geschwulst f

tumulare bestatten

tùmulo m Grabhügel

tumult|o m Tumult; ~uante m Aufrührer

tumultu|are lärmen; ~oso aufrührerisch; stürmisch

tuo dein; m Deinige n

tuono m Donner

tuorlo m Eidotter

tupinare toupieren

turabuchi [-k-] m Lückenbüßer

turàcciolo [-tʃo-] m Pfropfen

turb|a f Schwarm m; le ~e pl die Massen; ~amento m Störung f; Verwirrung f;

~are stören; erregen; ~arsi in Erregung geraten; trübe werden

turbinare wirbeln

tùrbine m Wirbelwind

turbol|ento unruhig; ~enza f Unruhe   [schiff n]

turbonave f Turbinen-]

Turchia [-k-] f Türkei

turch|ina [-k-] f Min Türkis m; ~inetto m Waschblau n

turco adj türkisch; m Türke

tùrgido [-dʒ-] geschwollen

turismo [-zmo] m Fremdenverkehr; ~ista su Tourist(in f) m, Reisende(r)

turno m Reihenfolge f

turpe schändlich; unflätig; schamlos

tuta f Overall m; ~ d'allenamento Trainingsanzug m

tut|ela f Vormundschaft; ~ore m Vormund

tuttavia jedoch, dennoch, trotzdem

tutt|o ganz; all; alles; ~i, ~e alle; ~o il libro das ganze Buch; innanzi ~o vor allem; ~i e tre alle drei; ~o od del ~o ganz, völlig

tuttora noch immer

U

ubbìa f Wahn m

ubbid|iente gehorsam; ~ienza f Gehorsam m; ~ire gehorchen

ubriac|arsi sich betrinken; ~o betrunken

uccell|agione [-tʃel-ladʒo-] f Vogelfang m; ~o [-tʃ-] m Vogel

uccidere [-tʃ-] töten

udiamo wir hören

udìbile hörbar

ud|ienza f Audienz; Gehör n; ~ire hören; ~ito gehört; m Gehör n; ~itore m Hörer; ~itorio m Zuhörerschaft f

ufficiale [-tʃa-] offiziell, amtlich; m Beamte(r); Offizier; Mar ~ di bordo Zahlmeister; ~ di coperta Deckoffizier; ~ in seconda erster Offizier (auf e-m Schiff)

ufficio [-tʃo] m Amt n; Büro n; ~ cambi Wechselstube f; ~ contabilità Zahlmeisterbüro n; ~ doganale Zollamt n; ~ informazioni Auskunftsbüro n; Informationsschalter; ~ oggetti smarriti Fundbüro n; ~ postale Postamt n; ~ di turismo Fremdenverkehrsbüro n

ugu|aglianza f [-ʎa-] f Gleichheit; ~agliare [-ʎa-] gleichmachen; ~ale gleich; eben

ùlcera [-tʃ-] f Geschwür n; ~ gàstrica Magengeschwür n

uliva f = oliva f Olive

ulteriore weiter; jenseitig

ùltimo letzt; neuest; ~ prezzo m äußerster Preis

ulul|are heulen; ~ato m Geheul n

uman|ità f Menschheit; ~o menschlich

Umbria f Umbrien n

umidità f Feuchtigkeit

ùmido feucht

ùmile niedrig; demütig

umil|iare demütigen; ~tà f Demut

umor|e m Laune f; Humor; ~ìstico humoristisch

un ein; una eine; ~ànime einmütig

uncin|etto [-tʃ-] m Häkelhaken; lavorare all'~etto häkeln; ~o m Haken

ùngere [-dʒ-] schmieren; einfetten

unghia f Nagel m; Kralle

unguento m Salbe f; ~ per ferite Wundsalbe f; ~ per le scottature Brandsalbe f

ùnico einzig

unicolore einfarbig

unifica|re einigen; ~zione f Einigung

uniforme gleichförmig

uni|one f Vereinigung; ~ire vereinigen

unit|à f Einheit; ~o vereint; einträchtig

univers|ale allgemein; storia ~e Weltgeschichte; ~ità f Universität, Hochschule; ~o Weltall n

uno ein; einer; a ~ a ~ einzeln; l'un l'altro einander; ~ m Eins f

unto schmierig; m Fett n

unzione f Salbung; estrema ~ Letzte Ölung

uomo m Mensch; Mann

uopo m: èssere d'~ nötig sein

uovo m Ei n; ~ alla coque weiches Ei; ~ al tegame Spiegelei n; uova f/pl sode harte Eier n/pl; uova

f/pl **strapazzate** Rühreier n/pl
uragano m Orkan
urbano städtisch
ùretra f Harnröhre
urgente [-dʒ-] dringend
url|are heulen; **~o** m Geheul
urna f Urne [heul n/
urt|are stoßen; **~o** m Stoß; Aufprall
us|àbile brauchbar; **~anza** f Sitte, Brauch m; **~are** gebrauchen; pflegen
usciamo [-ʃa-] wir gehen (hin)aus
uscio [-ʃo] m Tür f
usc|ire [-ʃ-] (hin)ausgehen; herauskommen; erscheinen (Buch); **~ire dal porto** auslaufen (Schiff); **~ita** f Ausgang m; Ausfahrt; **~ita d'emergenza** Notausgang m; **~ito** (hin)ausgegangen
usignuolo [-ɲ-] m Nachtigall f
usitato gebräuchlich
uso m Gebrauch m; **in ~** ge-

bräuchlich; **avere l'~ di** pflegen zu; Med **per ~ esterno** äußerlich (anzuwenden); **per ~ interno** innerlich (anzuwenden)
ustione f Verbrennung
usuale gebräuchlich
usufrutt|o m Nutznießung f; **~uario** m Nutznießer
usur|a f Wucher m; **~aio** m Wucherer
usurp|are sich widerrechtlich aneignen; **~azione** f widerrechtliche Aneignung
utensile m Gerät n; Werkzeug n
utente m Benutzer
ùtile nützlich; **in tempo ~** zur rechten Zeit; m Nutzen; Gewinn; **~ m netto** Reinertrag
util|ità f Nützlichkeit; **~izzare** verwerten; **~izzazione** f Verwertung
utopia f Utopie
uva f Weintraube; **~ secca** Rosine; **~ spina** Stachelbeere

V

va er geht
vacan|te frei; **~za** f unbesetzte Stelle; **~ze** f/pl Ferien, Urlaub m
vac|ca f Kuh; **~chetta** [-k-] f Rindsleder n
vaccin|are impfen; **~azione** f Impfung; **~ne antiaiolosa** Pockenschutzimpfung
vacillare [-tʃ-] wackeln

vacuità f Leere
vàcuo leer
vademecum m Leitfaden; Ratgeber
vado ich gehe
vagabond|are umherstreichen; **~o** m Landstreicher
vagina [-dʒ-] f Anat Scheide
vag|ire [-dʒ-] winseln; **~ito** m Gewimmer n

vaglia [-ʎa] f Wert m; ~ m Hdl Anweisung f; ~ **bancario** Bankanweisung f; ~ **postale** Postanweisung f

vagliamo [-ʎa-] wir gelten

vagliare [-ʎa-] sieben; fig sichten

vaglio [-ʎo] m Sieb m

vago unbestimmt; ~ **di** lüstern auf (acc)

vagone m Esb Waggon, Wagen; ~ **letto** Schlafwagen; ~ **ristorante** Speisewagen

vainiglia [-ʎa] f Vanille

vaiuolo m Pocken f/pl

valanga f Lawine

vale es gilt

val|ente tüchtig; wert sein; **far ~ere** geltend machen; **~ersi** sich bedienen; gebrauchen (**di** qc. et.)

valeriana f Baldrian m

valévole gültig

valgo ich gelte

valicare überschreiten

vàlico m Paß, Übergang; ~ **di confine** Grenzübergang

validità f Gültigkeit; Kraft

vàlido gültig

valig|eria [-dʒ-] f Lederwarenhandlung; **~ia** [-dʒa] f (Hand-)Koffer m

vall|e f Tal n; **~igiano** [-dʒa-] m Talbewohner; **~o** m Wall

vallone m großes Tal n

valor|e m Wert; Tüchtigkeit f; **~e dichiarato** Wertangabe f; **~i** m/pl Wertpapiere n/pl, Wertsachen f/pl;

~i postali Postwertzeichen n/pl; **~izzare** verwerten; **~izzazione** f Aufwertung; **~oso** tapfer

valso gegolten

valut|a f Währung; Valuta; **~a nazionale** Landeswährung; **~are** schätzen; **~azione** f Schätzung

vàlvola f Ventil n; Klappe; Elektr Sicherung; Radio: Röhre

valzer m Walzer

vang|a f Spaten m; **~are** umgraben [lium n]

Vangelo [-dʒ-] m Evange-

vaniglia [-ʎa] f Vanille

vano leer; hohl; fig eitel; m Raum

vantaggi|o [-dʒo] m Vorteil; **~oso** [-dʒo-] vorteilhaft

vantare rühmen

vanto m Ruhm; **darsi ~** sich rühmen

vapor|are verdunsten; **~azione** f Verdunstung; **~e m** Dampf; Dämpfer; **~etto** m kleiner Dampfer; Barkasse f; **~izzare** verdampfen; **~oso** dunstig

varare vom Stapel lassen

varc|are überschreiten; ~ m Übergang; **aprirsi il ~** sich den Weg bahnen

vari|àbile veränderlich; **~are** ändern; wechseln; **~ato** verschieden; **~azione** f Veränderung

varice [-tʃe] f Krampfader

varicella [-tʃ-] f Windpocken pl

vari|egato gefleckt, bunt; **~età** f Verschiedenheit; Mannigfaltigkeit; **teatro** m **di ~età** Varietétheater; **~o** verschieden; mannigfaltig; veränderlich; **~o-pinto** bunt

varo m Stapellauf

vasaio m Töpfer

vasca f Becken n; Bassin n; **~ da bagno** Badewanne

vascello [-ʃ-] m Schiff n

vaselina f Vaselin(e) f

vas|ellame m Geschirr n; **~o** m Gefäß n; Topf; Vase f; **~o da fiori** Blumentopf, -vase f; **~o da notte** Nachtgeschirr n

vassoio m Tablett n

vastità m Weite f; Ausgedehntheit f

vasto weit; ausgedehnt

ve = vi (vor **lo, la, li, le, ne**)

vecchio [-k-] alt; m Greis

vec|e [-tʃe] f Stellvertretung; **in ~e sua** an seiner Stelle; **fare le ~i di qu.** j-n vertreten

vede er sieht

vedere sehen; **andare a ~ qu.** j-n besuchen; **far ~** zeigen; **stare a ~** zuschen

vediamo wir sehen

vedo ich sehe

vedova f Witwe

vedovile m Witwenrente f

vedovo verwitwet; m Witwer

veduta f Ansicht; Aussicht

veem|ente ungestüm; **~enza** f Heftigkeit

veget|are [-dʒ-] vegetieren;

~ariano vegetarisch; m Vegetarier; **~azione** f Vegetation

veglia [-ʎa] f Wachen n

vegliare [-ʎa-] (be)wachen

veglione [-ʎo-] m Maskenball

veicolo m Fahrzeug n

vela f Segel n; **a gonfie vele** mit vollen Segeln

vel|ame m Schleier; Mar Segelwerk n; **~are** verhüllen; **~eggiare** [-dʒa-] segeln; **~eggiata** [-dʒa-] f Segelfahrt; **~eggiatore** [-dʒa-] m Segelflugzeug n

vel|eno m Gift n; **~enoso** giftig

velina: carta f **~** Seidenpapier n

vell|oso haarig; **~uto** m Samt

velo m Schleier; Flor, Tüll

veloce [-tʃe] geschwind; schnell

velocità [-tʃ-] f Schnelligkeit; **~ màssima** Höchstgeschwindigkeit; Esb **grande ~** Eilgut n; **pìccola ~** Frachtgut n

velòdromo m Radrennbahn f

veltro m Windhund

ven|a f Ader; Vene; **~ale** käuflich; **~alità** f Käuflichkeit; **~ato** geädert; **~atura** f Geäder n

vend|émmia f Weinlese; **~emmiatore** m Winzer

véndere verkaufen

vendereccio [-tʃo] verkäuflich

vendetta f Rache

vendibile verkäuflich

vendicare rächen

vendicat|ivo rachsüchtig; **~ore** m Rächer

véndita f Verkauf m

vendit|ore m (~rice [-tʃe] f) Verkäufer(in f) m

vener|ando ehrwürdig; **~re** verehren; **~atore** m Verehrer; **~azione** f Verehrung

venerdì m Freitag; **~ santo** Karfreitag

Vènere f Venus

Venezia f Venedig n

vengo ich komme

veniamo wir kommen

venire kommen; werden

ventaglio [-ʎo] m Fächer

ventil|are ventilieren; (ent)lüften; **~atore** m Ventilator; **~azione** f Ventilation; Lüftung

vento m Wind; **~ australe** Südwind; **~ di levante** Ostwind; **~ di ponente** Westwind

ventola f Wedel m

ventoso windig

ventre m Bauch

vent|ura f Geschick n; Glück n; **~uro** künftig; nächste

venut|a f Ankunft; **~o** gekommen; **ben ~o** willkommen; **il primo ~o** der erste beste

ver|ace [-tʃe] wahrhaftig; **~acità** [-tʃ-] f Wahrhaftigkeit; **~amente** wirklich; eigentlich

verbale mündlich; **processo** m **~od ~** m Protokoll n

verbo m Zeitwort n

verdastro grünlich

verde grün; **~ chiaro** hellgrün; **~ cupo** dunkelgrün

verd|eggiare [-dʒa-] grünen; **~erame** m Grünspan

verd|ógnolo [-ɲ-] grünlich; **~ura** f Grün n; Gemüse n

verg|a f Rute; **~ato** gestreift

vèrgin|e [-dʒ-], **verginale** jungfräulich; **~e** f Jungfrau

vergogn|a [-ɲa] f Scham; Schande; **~arsi** sich schämen; **~oso** schamhaft; schändlich

verídico wahrheitsliebend

verifica f Nachprüfung

verific|are nachprüfen; eichen; **~arsi** sich bewahrheiten

verità f Wahrheit

verme m Wurm; **~ solitario** Bandwurm

vermicell|o [-tʃ-] m Würmchen m; **~i** m/pl (Faden-)Nudeln f/pl

vermiglio [-ʎo] rot

vermut m Wermut(wein)

vern|ice [-tʃe] f Firnis m; Lack m; **scarpa** f **di ~ice** Lackschuh m; **~iciare** [-tʃa-] lackieren

vero wahr; echt; m Wahrheit f; **~simile** wahrscheinlich

verruca f Warze

vers|amento m Einzahlung *f*; ~are gießen; vergießen; (*Wein*) einschenken; (*Geld*) einzahlen; ~ione *f* Übersetzung; Version; Fassung

verso gegen; nach; *m* Vers

vèrtebra *f* Anat Wirbel *m*

vertebr|ale: colonna *f* ~ale Wirbelsäule; ~ato *m* Wirbeltier *n*

verticale senkrecht

vèrtice [-t∫e] *m* Scheitel; Gipfel

vert|ìgine [-dʒ-] *f* Schwindel *m*; ho le ~ìgini mir ist schwindelig; ~iginoso [-dʒ-] schwindelig

verz|a *f* Wirsingkohl *m*; ~otto *m* Grünkohl

vescica [-∫-] *f* Blase; Harnblase

vescov|ado *m* Bischofswürde *f*; ~ile bischöflich

véscovo *m* Bischof

vespa *f* Wespe

vespro *m* Vesper *f*

vest|aglia [-ʎa] *f* Morgenrock *m*; ~e *f* Kleid *n*; ~iario *m* Kleidung *f*

vestìbolo *m* Vestibül *n*, Vorhalle *f*; Diele *f*

vest|ire kleiden; anziehen; ~ito *m* Anzug; Kleid *n*; ~ito con pantaloni Hosenanzug

Vesuvio *m* Vesuv

veterano *m* Veteran

veterinario *m* Tierarzt

vetr|aio *m* Glaser; ~ami *m/pl* Glaswaren *f/pl*

vetrerì|a *f* Glashütte; ~e *f/pl* Glaswaren

vetrina *f* Schaufenster *n*

vetro *m* Glas *n*; Fensterscheibe *f*

vetta *f* Gipfel *m*

vettovagli|a [-ʎa] *f* Proviant *m*; ~amento [-ʎa-] *m* Verproviantierung *f*; ~are [-ʎa-] verproviantieren

vettura *f* Wagen *m*; Esb in ~! einsteigen!

vezzeggi|are [-dʒa-] liebkosen; ~ativo [-dʒa-] schmeichelnd; *m* Kosename

vezzoso lieblich

vi *pron* euch; *adv* dort; dorthin

via *f* Weg *m*; Straße; ~ trasversale Querstraße; andar ~ weggehen; e così ~ und so weiter

viadotto *m* Viadukt

viaggi|are [-dʒa-] reisen; ~atore [-dʒa-] *m* Reisende(r)

viaggio [-dʒo] *m* Reise *f*; ~ aèreo Flugreise *f*; ~ d'affari Geschäftsreise *f*; ~ in barca Bootsfahrt *f*; ~ in comitiva Gesellschaftsreise *f*; ~ in màcchina Autofahrt *f*

vi|ale *m* Allee *f*; ~andante *m* Wanderer; ~avai *m* Kommen und Gehen *n*

vibr|are schwingen; vibrieren; ~azione *f* Schwingung [konsul]

vicecònsole [-t∫-] *m* Vize-

vicend|a [-t∫-] *f* Abwechselung; ~e *f/pl* Wechselfälle *m/pl*; a ~a gegenseitig

vìsita

viceversa [-tʃ-] umgekehrt

vicin|anza [-tʃ-] f Nähe; Umgegend; **~ato** m Nachbarschaft f; **~o** nahe; **più ~o** näher; **~o** m Nachbar

vicissitùdini [-tʃ-] f/pl Wechselfälle m/pl

vìcolo m Gasse f; **~ cieco** Sackgasse f

vidim|are beglaubigen; **~azione** f Beglaubigung

viene er kommt

vietare verbieten

vigil|ante [-dʒ-] wachsam; **~anza** f Überwachung; **~are** (über-, be-)wachen; **~ato** bewacht

vìgile [-dʒ-] wachsam; **~** m Schutzmann; **~ m di circolazione** Verkehrspolizist

vigìlia [-dʒ-] f Vorabend m; **~ di Natale** Heiligabend m

vign|a [-ɲa] f Weinberg m; **~aiolo** m Weinbauer; **~eto** m Weinberg

vig|ore m Kraft f; **~oroso** kräftig

vile feige; m Feigling

vill|a f Villa; **~aggio** [-dʒo] m Dorf n; **~aggio di bùngalow** Bungalowdorf n; **~ano** grob; m Bauer; fig Flegel; **~eggiante** [-dʒa-] m Sommerfrischler; **~eggiatura** [-dʒa-] f Sommerfrische

villino m kleines Landhaus

viltà f Feigheit

vìmine m Weidenrute f

vinaio m Weinhändler

vìncere [-tʃ-] siegen; besiegen

vincìbile [-tʃ-] besiegbar

vincita [-tʃ-] f Gewinn m

vincitore [-tʃ-] m Sieger; Gewinner

vìncolo m Band n

vino m Wein; **~ bianco** Weißwein; **~ caldo** Glühwein; **~ dolce** süßer Wein; **~ generoso** kräftiger Wein; **~ leggero** leichter Wein; **~ nostrano** Landwein; **~ nuovo** junger Wein; **~ rosso** Rotwein; **~ secco** herber Wein; **~ da tàvola** Tischwein; **~ vecchio** alter Wein

viola f Mus Bratsche; Bot Veilchen n; **~ del pensiero** Stiefmütterchen n; **~ ciocca** Levkoye

viol|entare vergewaltigen; **~ento** gewaltsam; heftig; **~enza** f Gewalt; Heftigkeit

violett|a f Veilchen n; **~o** violett; veilchenblau

viol|inista su Geigenspieler(in); **~ino** m Geige f

viòttola f Fußweg m

virgola f Komma n

virile männlich; mannhaft

vir|tù f Tugend; **~tuoso** tugendhaft

vìscer|e [-ʃ-] f/pl, **~i** m/pl Eingeweide n/pl

vìschio [-sk-] m Mistel f

visciola [-ʃo-] f Weichselkirsche

viscoso klebrig

vis|ìbile sichtbar; **~iera** f Visier n; **~ione** f Vision f

vìsita f Besuch m; Untersuchung; Besichtigung

visit|are besuchen; unter-
suchen; besichtigen; ~a-
tore *m* Besucher

viso *m* Gesicht *n*

vista *f* Sehen *n*; Sehkraft;
Blick *m*; Aussicht; avere
buona ~ gut sehen; a ~
auf Sicht; a prima ~ auf
den ersten Blick; *Mus*
vom Blatt; pèrdere di ~
aus den Augen verlieren

vist|are mit Visum ver-
sehen; ~o gesehen; *m*
Visum *n*; ~ di entrata
Einreisevisum *n*; ~ di
trànsito Transitvisum *n*;
~ di uscita Ausreisevisum
n

vit|a *f* Leben *n*; Taille; a ~
auf Lebenszeit; lebens-
länglich; ~ale lebensfähig;
~amina *f* Vitamin *n*

vite *f* Schraube; Weinrebe;
Weinstock *m*

vitello *m* Kalb *n*; Kalb-
fleisch *n*

viticultura *f* Weinbau *m*

vitreo gläsern, glasig

vittima *f* Opfer *n*

vitto *m* Beköstigung *f*; Ver-
pflegung *f*

vittori|a *f* Sieg *m*; ~oso
siegreich

viva! hoch!; er lebe hoch!

viv|ace [-tʃe] lebhaft; ~aci-
tà [-tʃ-] *f* Lebhaftigkeit;
~anda *f* Speise

viv|ere (ver)leben; ~eri
m/pl Lebensmittel *n/pl*

vivo lebend, lebendig; lebhaft

vizi|are verderben; ~o *m*

Laster *n*; schlechte Ge-
wohnheit *f*; Fehler; ~o car-
díaco Herzfehler; ~oso
lasterhaft; mangelhaft

vizzo welk

vocabolario *m* Wörterbuch
n   [Wort *n*]

vocàbolo *m* Vokabel *f*;∫

vocale *f* Vokal *m*

voce [-tʃe] *f* Stimme; *fig*
Gerücht *n*; a viva ~
mündlich

vodka *f* Wodka *m*

vog|are rudern; ~atore *m*
Ruderer

voglia [-ʎa] *f* Lust; di
buona ~ gern

vogliamo [-ʎa-] wir wollen

voglio [-ʎo] ich will

voi ihr

vol|anda *f* Schwungrad *n*;
~ano *m* Federball; ~ante
m Lenkrad *n*; pallone ~
~ante Luftballon; squa-
dra *f* ~ante Überfallkommando *n*; ~are fliegen;
~àtili *m/pl* Geflügel *n*

volent|ieri gern; ~eroso
bereitwillig

volere wollen; ~ dire be-
deuten; ~ bene a qu. j-n
liebhaben; ~ *m* Wille

volgare gewöhnlich; lin-
gua *f* ~ Volkssprache

vòlgere [-dʒ-] wenden

volgo *m* Volk *n*; Pöbel

vol|o *m* Flug; ~ diurno Ta-
gesflug; ~ notturno
Nachtflug; ~ sémplice
einfacher Flug; ~ andata
e ritorno Hin- und Rück-
flug

volontà f Wille m; **a ~** nach Belieben

volon|tario freiwillig; **~tieri** gern

volpe f Fuchs m

volta f Reihe f; Mal n; Arch Gewölbe n; **a ~ di corriere** umgehend; **questa ~** diesmal; **una ~ per sempre** ein für allemal; **una ~** einst; **molte volte** oftmals; **alle volte** bisweilen; **due volte tre** zweimal drei

voltaggio [-dʒo] m Elektr Spannung f

volt|are wenden; einbiegen; **~ata** f Wendung; Biegung des Weges

volto m Gesicht n

voltolare wälzen

volùbile unbeständig; flatterhaft

vol|ume m Umfang; Rauminhalt; Lit Band; Radio: Lautstärke f; **~uminoso** umfangreich

voluto gewollt

volutt|à f Wollust; **~uoso** wollüstig

vomit|are (er)brechen; **~atorio** m Brechmittel n

vòmito m Erbrechen n

vòngola f Kochk Muschel

vorace [-tʃe] gefräßig

vòrtice [-tʃe] m Wirbel; Strudel

vostro euer   [stimmen]

votare geloben; Pol ab-]

vot|azione f Abstimmung; **~o** m Gelübde n; Pol Stimme f

vulc|ànico vulkanisch; **~anizzare** vulkanisieren; **~ano** m Vulkan

vuole er will

vuot|are (aus)leeren; **~o** leer; m Leere f

Z

zabaione m warmer Eierpunsch

zafferano m Safran

zaffiro m Saphir

zaffo m Zapfen, Spund

zàino m Tornister

zampa f Fuß m (der Tiere); Pfote; Tatze

zampone m Schweinshaxe

zanzar|a f Mücke; **~iera** f Mückennetz n

zapp|a f Hacke; **~are** hacken

zàttera f Floß n

zavorra f Ballast m

zecca f Münze (Gebäude)

zel|ante eifrig; **~o** m Eifer

zènzero m Ingwer

zepp|a f Keil m; **~are** vollstopfen; **pieno ~o** vollgepfropft

zero m Null f

zia f Tante

zibibbo m Rosine f

zigzag m Zickzack

zimb|ellare anlocken; **~ello** m Lockvogel; fig Spottvogel

zinc|are verzinken; **~o** m Zink n

zìngaro *m* Zigeuner

zio *m* Onkel

zirlare piepen

zit(t)|ella *f* Jungfer; **~ellona** *f* alte Jungfer

zitto still; **sta ~** sei still

zòccol|aio *m* Holzschuhmacher; **~ante** *m* Barfüßer (*Mönch*)

zòccolo *m* Pantine *f*

zolf|anello *m* Schwefelhölzchen *n*; **~are** schwefeln; **~atara** *f* Schwefelgrube; **~ino** *m* Zündholz *n*; **~o** *m* Schwefel

zolla *f* (Erd-)Scholle

zona *f* Zone; **~ temporalesca** Gewitterfront

zoo|logìa [-dʒ-] *f* Zoologie,

Tierkunde; **~lògico** [-dʒ-] zoologisch

zopp|icare hinken; **~o** lahm

zòtico plump

zoticone *m* Grobian

zucca *f* Kürbis *m*; *fig* Schädel *m*

zuccher|iera [-k-] *f* Zukkerdose; **~ino** zuckerhaltig

zùcchero [-k-] *m* Zucker

zufolare pfeifen

zùfolo *m* Pfeife *f*

zuppa *f* Suppe; **~ di fagiuoli** Bohnensuppe; **~ alla marinara, ~ di pesce** Fischsuppe; **~ alla pavese** Fleischbrühe mit Brot und Ei

zuppiera *f* Suppenschüssel

Deutsch-Italienisches Wörterverzeichnis

A

Aal m anguilla f
Aas n carogna [-ŋa] f
ab zeitlich: a partire da; räumlich: da; **auf und ~** su e giù [dʒu]; **~ und zu** di quando in quando; **weit ~** lontano; **~ heute** da oggi [-dʒi]; **~ Berlin** da Berlino; **~ 8 Uhr** dalle otto
abänder|n cambiare; modificare; **Ωung** f cambiamento m; modificazione f
Abbau m Bgb estrazione f; (Demontage) smontaggio [zmontad-dʒo]; (Preis Ω) riduzione f; **Ωen** ridurre; Zelt: levare; Bgb estrarre
ab|beißen staccare con un morso; **~bekommen** avere, ricévere [-tʃ-]; (lösen) riuscire [-ʃ-] a staccare; **~berufen** richiamare [-k-]; **~bestellen** disdire [-zd-]; annullare; **~bezahlen** pagare a rate; **~biegen** v/t allontanare piegando; v/i girare [dʒ-], svoltare [zv-]
Abbildung f illustrazione
abbinden Med legare
abblend|en v/t oscurare; v/i Kfz abbassare i fari; Fot diaframmare; **Ωlicht** n luce [-tʃe] f anabbagliante [-ʎa-]

abbrausen, sich ~ fare la doccia [-tʃa]
ab|brechen v/t rómpere; Haus: demolire; Lager: levare; (unterbrechen) interrómpere; v/i rómpersi; **~bremsen** frenare; **~brennen** v/i bruciare [-tʃa-] (completamente); v/t Feuerwerk: accéndere [-tʃ-]; **~bringen** (j-n von D) smuóvere [zm-] (qu. da); **~bröckeln** v/i staccarsi
Abbruch m (Niederreißen) demolizione f; (Unterbrechung) rottura f
abbürsten Staub: spolverare; Anzug: spazzolare
Abc n abbicci [-tʃi] m, alfabeto m
ab|danken v/i diméttersi; **~decken** Bett: disfare; Tisch: sparecchiare [-k-]; (zudecken) coprire; **~dichten** rèndere impermeábile; **~drehen** Wasser usw: chiùdere [k-]; v/i (Kurs ändern) virare
Abdruck m (Stempel Ω, Finger Ω) impronta f
abdrücken Gewehr usw: tirare il grilletto; **sich ~** improntarsi

Abend m sera f; **am ~** di sera; **heute** ♀ stasera; **guten ~!** buona sera!; **zu ~ essen** cenare [tʃ-]

Abend|anzug m ábito da sera; **~brot** n, **~essen** n cena [tʃ-]; **~dämmerung** f crepùscolo m; **~kleid** n vestito m da sera; ♀**lich** serale

abends di sera

Abend|vorstellung f rappresentazione serale; **~zeitung** f giornale [dʒo-] m della sera

Abenteuer n avventura f; ♀**lich** avventuroso

aber ma; però

Aber|glaube m superstizione f; ♀**gläubisch** superstizioso

abernten fare la raccolta

abfahren v/i partire; v/t Müll usw: portar via

Abfahrt f partenza

Abfahrts|lauf m Sp discesa [-ʃ-] f libera; **~signal** n segnale [-ɲ-] m di partenza

Abfall m caduta f; Pol defezione f; (Müll) spazzatura f; a = **Abfälle** pl immondizie f/pl; **~eimer** m secchio [-k-] m della spazzatura; ♀**en** cadere; (übrigbleiben) avanzare; (Gelände) declinare

abfällig sfavorévole

ab|fangen acchiappare [-k-]; Briefe: intercettare [-tʃ-]; **~färben** stingere [-dʒ-]; **~fassen** redigere [-dʒ-]; **~feilen** limare

abfertig|en Zug: dare il via; Kunden: sbrigare [zb-]; ♀**ung** f disbrigo [-zb-] m

ab|feuern sparare; ♀**findung** f liquidazione; **~flauen** (Wind) calmarsi; **~fliegen** Flgw decollare; **~fließen** scolare

Abflug m decollo; **~zeit** f ora f del decollo

Abfluß m scolo; **~graben** m fossa f di scàrico; **~rohr** n tubo m di scàrico

Abfuhr f trasporto m

abführ|en Gewinn usw: versare; pagare; Häftling: condurre via; v/t purgare; ♀**mittel** n purga f, purgante m

abgeben consegnare [-ɲ-]; **sich ~ mit** occuparsi di

abge|brannt bruciato [-tʃa-]; **~brüht** fig svergognato [zvergoɲ-]; **~droschen** trito e ritrito; **~härtet** temprato

abgehen partire; (v der Schule) lasciare [-ʃa-]; (sich lösen) staccarsi

abge|kocht bollito; **~kürzt** abbreviato; **~legen** remoto, distante; **~macht!** d'accordo!; **~neigt** (D) avverso (a); **~nutzt** lógoro; consumato

Abgeordnete(r) *m* deputato

abge|rissen làcero [-tʃ-]; **~schlossen** chiuso [k-] a chiave [k-]; (*beendet*) finito

abgesehen: ~ von prescindendo [-ʃ-] da

abge|spannt spossato; **~standen** stantìo; **~storben** (*Glieder*) intorpidito

abgewöhnen (*j-m A*) divezzare (qu. da qc.); **sich** *et* **~** tògliersi [-ʎe-] il vizio di

ab|gießen versare; **~gleiten** scivolare

abgrenz|en delimitare; **₂ung** *f* delimitazione

Abgrund *m* abisso

Abguß *m* calco

abhacken troncare

abhalten *Sitzung usw.*: tenere; (**von** *et*) trattenere (da)

abhanden: ~ kommen smarrirsi [zm-]

Abhandlung *f* trattato *m*

Abhang *m* pendìo

abhängen *v/t* staccare; *v/i* (**von** *D*) dipèndere (da)

abhängig dipendente; **₂keit** *f* dipendenza

abhärten *Körper*: indurire

abhauen *v/t* tagliare [-ʎa-]; *F v/i* (*fliehen*) svignàrsela [zviɲ-]

abheben *Geld*: ritirare; *Karte*: alzare; **sich ~ von** risaltare da

abheilen cicatrizzarsi [tʃ-]

abhetzen spossare; **sich ~** strapazzarsi

Abhilfe *f*: **~ schaffen** porre rimedio a qc.

ab|hobeln piallare; **~holen** ritirare; *j-n*: andare a prèndere; **~holen lassen** mandare a prèndere; **~holzen** diboscare; **~horchen** *Med* auscultare

abhör|en *Schüler*: interrogare; *Gespräch*: intercettare [-tʃ-]; **₂gerät** *n* intercettatore [-tʃ-] *m*

Abitur *n* esame *m* di maturità; **~ient(in** *f*) *m* maturando *m* (-a *f*)

ab|kaufen (*j-m A*) comprare (qc. da qu.); **~klemmen** staccare; **~klingen** *fig* scomparire; **~knabbern** rosicchiare [-k-]; **~knöpfen** sbottonare [zb-]; *fig* (*j-m A*) tògliere [-ʎe-] (qc. a qu.); **~kochen** cuòcere [-tʃ-]; **~kommandieren** distaccare

abkommen (*v Wege*) pèrdere la strada; (*v Thema*) allontanarsi

Abkommen *n* accordo *m*

ab|kömmlich libero; **~koppeln** *Wagen*: sganciarsi [-tʃa-]; **~kratzen** raschiare [-sk-]

abkühl|en rinfrescare; **sich ~en** rinfrescarsi; **₂ung** *f* rinfrescamento *m*

abkürz|en accorciare [-tʃa-]; abbreviare; **₂ung** *f* abbreviazione

abladen scaricare

ablager|n: sich ~n deposi-
tarsi; **2ung** f deposizione
Ablaß m scaricamento; Rel
indulgenza [-dʒ-] f
ablassen Wasser, Dampf:
scaricare; (v Preis) ridurre
Ablauf m (Verlauf) de-
corso; **nach ~ von ...** alla
fine di; **2en** v/t Schuhe:
logorare; Läden: girare
[dʒ-]; v/i (abfließen) sco-
lare; (Frist) scórrere
Ab|leben n decesso [-tʃ-] m;
2lecken leccare; **2legen**
deporre; Mantel: tògliersi
[-ʎe-]; Prüfung: dare; Eid:
prestare; **~leger** m Bot
propàggine [-dʒ-] f
ablehn|en rifiutare; **2ung** f
rifiuto m
ab|leiten sviare [zv-]; fig
(herleiten) derivare; **~len-
ken** stornare; deviare;
2lenkungsmanöver n fig
diversivo m; **~lesen** lèggere
[-dʒ-]
abliefer|n consegnare [-ɲ-];
2ung f consegna [-ɲa];
2ungssoll n quota f di
consegna [-ɲa] obbligato-
ria
ablisten (j-m A) carpire
(qc. a qu.)
ablös|en (abbekommen) stac-
care; (ersetzen) redìmere;
2ung f separazione; Hdl
riscatto m
abmach|en (lösen) levare;
(vereinbaren) convenire;
2ung f accordo m
Abmagerungskur f cura
per dimagrire

abmähen falciare [-tʃa]
Abmarsch m partenza f in
marcia [-tʃa]
abmeld|en disdire [-zd-];
sich ~en congedarsi [-dʒ-];
(polizeilich) denunziare la
propria partenza; **2ung** f
avviso m della partenza
abmess|en misurare; **2ung**
f misurazione
abmontieren smontare
[zm-]
abmühen: sich ~ affaticarsi
Abnahme f v Waren: accettazione [-tʃ-]; (Verminde-
rung) diminuzione
abnehm|en levare, tògliere
[-ʎe-]; Hut: tògliersi [-ʎe-];
(abkaufen) acquistare; Bein
usw.: amputare; v/i (sich
vermindern) diminuire; (an
Gewicht) calare di peso;
2er m compratore
Abneigung f avversione
abnorm anormale
abnutzen, abnützen logorare; **sich ~** logorarsi
Abon|nement n abbona-
mento m; **~nent** m abbonato; **2nieren** abbonarsi
(a)
Abordnung f delegazione
Abort m gabinetto; Med
aborto
ab|packen imballare; **~-
pfeifen** Sp Sport: fischiare
[-sk-] la fine od l'interru-
zione; **~pflücken** cògliere
[-ʎe-]; **~prallen** rimbalzare; **~rasieren** rasare,
ràdere; **~raten (von)** dis-

229   abschmieren

suadere (da); **⁓räumen**
sgombrare [zg-]; *Tisch:*
sparecchiare [-k-]
abrechn|en fare i conti;
⁓ung *f* conto *m*; liquida-
zione
abreiben strofinare
Abreis|e *f* partenza; **⁓en**
partire
abreiß|en *v/t* strappare;
Haus: demolire; *v/i* strap-
parsi; **⁓kalender** *m* calendario a fogli [-Ái] staccà-
bili
ab|richten aggiustare
[-dʒu-]; *Tier:* ammaestrare;
⁓riegeln *Tür:* serrare col
catenaccio [-tʃo]; *Straße:*
bloccare
Abriß *m* *(Abbruch)* demolizione *f*; *(Skizze)* abbozzo
ab|rollen *v/t* svòlgere
[zvɔldʒ-]; *v/i* rotolare giù
[dʒu]; **⁓rücken** *v/t* sco-
stare; *v/i* mil ripiegare;
(sich distanzieren) staccarsi;
⁓runden arrotondare
abrupt sconnesso
abrüst|en *v/i* disarmare;
⁓ung *f* disarmo *m*
abrutschen scivolare [ʃ-]
Absag|e *f* contrórdine *m*;
rifiuto *m*; **⁓en** rifiutare;
disdire [-zd-]
ab|sägen segare; **⁓satz**
m *(Schuh⁓)* tacco; *(im
Text)* capoverso; *(Verkauf)*
smercio [zmertʃo]
abschaff|en abolire; **⁓ung**
f abolizione
abschalten *El* spègnere
[-ɲ-]; *Maschine:* fermare

abschätz|en *Wert:* valu-
tare; **⁓ig** sprezzante
Abschaum *m* *fig* feccia
[-tʃa] *f*
Abscheu *m* ribrezzo
ab|scheuern strofinare;
⁓scheulich abominévole;
⁓schicken spedire; **⁓**
schieben *fig* *(ausweisen)*
espèllere
Abschied *m* partenza *f*;
⁓ nehmen prèndere com-
miato
Abschieds|besuch *m* vìsita
f di congedo [-dʒ-]; **⁓feier**
f festa d'addio
ab|schießen *Wild:* ucci-
dere [-tʃ-]; *Flugzeug:* abbàttere; *Rakete:* lanciare
[-tʃa-]; **⁓schirmen** scher-
mare [sk-]
Abschlag *m* *Sp* rimbalzo;
auf ⁓ in acconto
ab|schlagen *Kopf:* tagliare
[-Áa-]; *Angriff:* respingere
[-dʒ-]; *Bitte:* rifiutare;
⁓schlägig negativo
Abschlag(s)zahlung *f* acconto *m*
abschleifen arrotare
abschlepp|en rimorchiare
[-k-]; **⁓seil** *n* cavo *m* da
rimorchio [-k-]; **⁓wagen** *m*
carro rimorchio [-k-]
abschließ|en chiùdere [k-]
a chiave [k-]; **⁓end** definitivo; finale
Abschluß *m* chiusura [k-]
f; fine *f*; **⁓prüfung** *f*
esame *m* finale
ab|schmecken degustare;
⁓schmieren *Auto:* ingras-

sare; ⁓schminken tògliere
[-ʎe-] il trucco; ⁓schnei-
den tagliare [-ʎa-]; *fig*
(**gut**, **schlecht**) riuscire
[-ʃ-] (bene, male)

Abschnitt *m* pezzo; ritaglio
[-ʎo]; (*Strecke*) parte *f*

ab|schöpfen levare (col
cucchiaio [-k-]); ⁓schrau-
ben svitare [ʣv-]

abschrecken intimidire;
(*plötzlich abkühlen*) versare
su qc. dell'acqua fredda;
sich nicht ⁓ lassen non
lasciarsi [-ʃa-] scoraggiare
[-dʒa-]

ab|schreiben copiare; (*ab-
sagen*) scusarsi per iscritto;
Ꝗschrift *f* copia

Abschürfung *f* escoriazione

Abschuß *m* scàrica;/⁓ram-
pe *f* base di lancio [-tʃo]

ab|schüssig rìpido; ⁓-
schütteln scuòtere; *Ver-
folger*: sbarazzarsi [ʣb-] di;
⁓schwächen affievolire;
⁓schweifen (*v Thema*) divagare; ⁓schwellen *Med*
sgonfiarsi [ʣg-]; ⁓segeln
salpare

abseh|bar: in ⁓barer Zeit
entro un tempo determi-
nato; ⁓en: ⁓en von pre-
scindere [-ʃ-] da; ... ist
nicht abzusehen non si
vede ...

abseilen calare con la corda

abseits in disparte; Ꝗ *n Sp*
fuori gioco *m*

absend|en spedire; Ꝗer *m*
mittente

absetzen (*weglegen*, *-stellen*)
deporre; (*entlassen*) desti-
tuire; *Ware*: smerciare
[ʣmertʃa-]; *Hut*: levarsi;
ohne abzusetzen senza
interrómpersi

Absicht *f* intenzione; mit ⁓
= Ꝗlich apposta

absitzen *v/t Strafe*: espiare;
v/i (*v Pferd*) smontare
[ʣm-]

absolut assoluto

absolvieren assòlvere

absonder|lich strano; ⁓n
separare; sich ⁓n isolarsi

absorbieren assorbire

absperr|en sbarrare [ʣb-];
Ꝗung *f* sbarramento [ʣb-]
m; (*Postenkette*) cordone *m*

abspielen *Platte*: suonare;
sich ⁓ avvenire

ab|springen saltare giù
[dʒu]; Ꝗsprung *m* salto;
⁓spülen sciacquare [ʃa-];
lavare

abstamm|en discéndere
[-ʃ-]; Ꝗung *f* orìgine [-dʒ-]

Abstand *m* distanza *f*; ⁓
halten serbare distanza;
in Abständen in distanze;
(*zeitlich*) a intervalli

abstatten: Besuch ⁓ fare
una visita; Dank ⁓ rin-
graziare

abstauben spolverare

abstech|en (*gegen A*, von
D) contrastare (con); Ꝗer *m*
scappatina *f*

abstehen (*entfernt sein*)
distare; ⁓d (*Ohren*) sporgente [-dʒ-]

absteigen (*v Rad usw*)

scéndere [ʃ-]; (*im Hotel*)
prèndere alloggio [-dʒo]

abstell|en (*hinstellen*) po-
sare; (*ausschalten*) spègnere
[-ɲ-]; **ℒgleis** *n* binario *m*
di servizio; **ℒraum** *m* ripostiglio [-ʎo]

abstempeln bollare

Abstieg *m* discesa [-ʃ-] *f*
abstimm|en (**über** *A*)
votare (qc.); **aufeinander**
ℒen concordare; **ℒung** *f*
votazione

Abstinenz *f* astinenza

abstoppen *Zeit*: crono-
metrare

abstoßen *v/t* staccare; *v/i*
(*v Ufer*) scostarsi; **ℒd**
ripugnante [-ɲ-]

abstrakt astratto

ab|streiten contestare; **ℒ-**
strich *m Med* raschiatura
[-sk-] *f*; **ℒstufung** *f* (*Nu-*
ance) gradazione; **ℒsturz** *m*
caduta *f*; **ℒstürzen** precipitare [-tʃ-]; **ℒsuchen** cercare [tʃ-]

absurd assurdo

Abszeß *m* ascesso [-ʃ-]

Abt *m* abate

ab|tasten tastare; **ℒtauen**
v/t sgelare [zdʒ-]; *v/i*
(*schmelzen*) sciògliersi
[ʃɔ:ʎe-]

Abtei *f* badìa

Abteil *n Esb* scompartimento *m*

Abteilung *f* sezione; reparto *m*; (*Truppe*) drap-
pello *m*

ab|tippen copiare a màc-
china [-k-]; **ℒtragen** *Haus*:

demolire; *Hügel*: spianare;
Kleider: logorare; **ℒtrans-**
portieren trasportare via

abtreib|en *v/i* (*v Kurs ab-*
kommen) andare alla deriva;
ℒung *f Med* aborto *m*

abtrennen separare; *Ge-*
nähtes: scucire [-tʃ-]

abtret|en *v/t Stufen usw*:
consumare; **j-m et. ℒen**
cèdere [tʃ-] qc. a qu.; *v/i*
(*v Amt usw*) ritirarsi; **ℒung**
f cessione [tʃ-]

abtrocknen   asciugare
[-ʃu-]; **sich ℒ** asciugarsi
[-ʃu-]

ab|tun sbrigare [zb-]; re-
spìngere [-dʒ-]; **ℒwägen**
pesare; ponderare; **ℒwar-**
ten aspettare

abwärts in giù [dʒu]

abwasch|bar lavàbile; **ℒen**
lavare

Abwässer *n/pl* acque *f/pl*
di scàrico

abwechseln cambiare; al-
ternare; **sich ℒ** (*od* **einan-**
der) **ℒ** alternarsi; **ℒd** alter-
nativo; *adv* a turno

Abwechslung *f* varietà;
ℒsreich ricco di varietà

abwegig errato

Abwehr *f* difesa; **ℒen** di-
fèndersi da; parare

abweich|en *v/t* ammollare;
v/i (*v Kurs*) deviare; (*v*
Thema) allontanarsi; **ℒend**
differente; **ℒung** *f* deviazione

ab|weisen   respìngere
[-dʒ-]; **ℒwenden** *Blick*:
vòlgere [-dʒ-] altrove; *Un-*

glück: impedire; **sich ~-wenden** voltarsi; **~werfen** gettare [dʒ-]; *Gewinn*: fruttare, rèndere; **Ձwertung** *f* svalutazione [zv-]

abwesend assente
Abwesenheit *f* assenza
abwickeln dipanare; *fig* **sich ~** svòlgersi [zvɔldʒ-]
ab|wiegen pesare; **~wischen** pulire; *Feuchtes*: asciugare [-ʃu-]; **Ձwurf** *m* lancio [-tʃo]; **~würgen** *Motor*: bloccare; **~zahlen** pagare a rate; **~zählen** contare
Abzahlung *f*: **auf ~** a rate
Abzeichen *n* contrassegno [-ɲo] *m*
abzeichnen ritrarre; (*unterschreiben*) sottoscrivere; **sich ~ (gegen** *A*) risaltare (da)
Abzieh|bild *n* decalcomanìa *f*; **Ձen** *Math* sottrarre; *Schlüssel*: levare; *Bett*: tògliere [-ʎe-] le lenzuola; *v/i* (*weggehen*) andàrsene; (*Rauch*) uscire [-ʃ-]
Abzug *m* (*an Schußwaffen*) grilletto; *Fot* copia *f*; (*v Lohn*) ritenuta *f*
abzweig|en *v/t fig* separare; *v/i* (*Weg*) diramarsi; **Ձung** *f* diramazione
Achse *f* asse
Achsel *f* spalla; **unter der ~** sotto l'ascella [-ʃ-]; **~höhle** *f* ascella [-ʃ-]; **~zucken** *n* spallata *f*
acht otto; **in ~ Tagen** fra otto giorni [dʒo-]

Acht *f* (*Zahl*) otto *m*; (*Bann*) bando *m*; **außer Ձ lassen** trascurare; **sich in Ձ nehmen** guardarsi
achte ottavo
Achtel *n* ottavo *m*
achten (*schätzen*) stimare; (*auf* *A*) badare (a)
Achter *m* Sp otto di punta; **~bahn** *f* ottovolante *m*; **~deck** *n* poppa *f*
acht|geben (**auf** *A*) far attenzione (a); **~los** sbadato [zb-]
acht|hundert ottocento [-tʃ-]; **~mal** otto volte; **~stündig** di otto ore
Achtung *f* (*Aufmerksamkeit*) attenzione; (*Respekt*) stima
acht|zehn diciotto [-tʃɔ-]; **~zig** ottanta
ächzen gèmere [dʒ-]
Acker *m* campo; **~boden** *m*, **~land** *n* terreno *m* arativo
addieren addizionare
Adel *m* nobiltà *f*
adlig nòbile
Adler *m* àquila *f*
adlig nòbile
Admiral *m* ammiraglio [-ʎo]
adoptieren adottare
Adoptiv|eltern *pl* genitori [dʒ-] *m/pl* adottivi; **~kind** *n* figlio [-ʎo] *m* adottivo
Adreßbuch *n* elenco *m* degli [-ʎi] indirizzi
Adres|se *f* indirizzo *m*; **Ձsieren** indirizzare
adrett lindo, accurato

Advent m avvento
Affäre f affare m
Affe m scimmia [ʃ-] f
affektiert affettato
Afrika n Afrika f; **~ner** m u f; **2nisch** africano
After m ano
Agent|(in f) m agente m u f; **~ur** f agenzia [-dʒ-]
Aggression f aggressione
agitieren agitare [-dʒ-]
ägyptisch egiziano [-dʒ-]
Ahle f lésina
Ahnen m/pl antenati
ähnlich somigliante [-ʎa-]; símile; **~ sehen, ~ sein** (D) somigliare [-ʎa-] a; **2keit** f somiglianza [-ʎa-]
Ahnung f presentimento m; idea; **2slos** senza sospetto
Ahorn m ácero [-tʃ-]
Ähre f spiga
Airbus m aerobús
Akadem|ie f accadèmia; **~iker** m accadèmico
Akazie f acacia [-tʃa-]
Akkord m accordo; **im ~ arbeiten** lavorare a còttimo
Akkordeon n fisarmònica f
Akkumulator m accumulatore
Akne f acne
Akrobat m acróbata
Akt m Thea atto; (Malerei) nudo
Akte f atto m
Akten|mappe f cartella; **~tasche** f cartella; **~zeichen** n número m protocollare
Aktie f azione; **~ngesell-**

schaft f società [-tʃe-] anònima
Aktion f azione
Aktionär m azionista
aktiv attivo; **~ieren** attivare; **2ität** f attività
aktuell attuale
akut Med acuto; (brennend) scottante
Akzent m accento [-tʃ-]
akzeptieren accettare [-tʃ-]
Alabaster m alabastro
Alarm m allarme; **~bereitschaft** f stato m d'allarme; **2ieren** allarmare
Alaun m allume
albanisch albanese
albern sciocco [ʃɔ-]
Album n albo m
Alge f alga
Alibi n alibi m
Alkohol m àlcol(e); **2frei** analcòlico; **2isch** alcòlico
All n universo m
all tutto; **~e** pl tutti; **~es Gute!** (tanti) auguri!; **vor ~em** innanzi tutto; **~er Art** d'ogni [-ɲi] gènere [-dʒ-]; **~abendlich** tutte le sere
alle F (zu Ende) finito
Allee f viale m
allein solo; **von ~** da solo; **~stehend** solo; isolato; (ledig) cèlibe [-tʃ-]
allenfalls se mai
allerdings infatti
allergisch allèrgico [-dʒ-]
aller|hand ogni [-ɲi] sorta di; **2heiligen** n Ognissanti [-ɲ-] m; **~lei** d'ogni [-ɲi] gènere [-dʒ-]; **~letzt:**

zu ~letzt all'ùltimo; 2-
seelen n giorno [dʒo-] m
dei morti

alles tutto

allgemein generale [dʒ-];
im ~en in generale [dʒ-];
2befinden n stato m gene-
rale [dʒ-]; 2heit f generalità [dʒ-]; ~verständlich
comprensibile a tutti

all|jährlich ogni [-ɲi] an-
no; ~mählich a poco a
poco; ~seitig da ogni parte;
2tag m giorno [dʒo-]
feriale; ~täglich di tutti i
giorni [dʒo-]

allzu troppo

Alm f pàscolo m alpestre

Almosen n elemòsina f

Alphabet n alfabeto m;
2isch alfabètico

alpin alpino

Alptraum m incubo

als (Bezeichnung e-r Eigen-
schaft) come, da; (nach
Komparativ) di, che [ke];
(zeitlich) quando; ~ ob
come se

also dunque

alt vecchio [-k-]; antico;
wie ~ bist du? quanti anni
hai?; ich bin ... Jahre ~
ho ... anni

Altar m altare

Altbau m vecchia [-k-]
costruzione f

Alte(r) m vecchio [-k-]

Alter n età f

älter più vecchio [-k-];
maggiore [dʒ-]

Alters|beschwerden f/pl
malanni m/pl della vec-

chiaia [-k-]; ~genosse m
coetàneo; 2grenze f limite
m d'età; ~heim n asilo m
per i vecchi [-ki]; 2-
schwach decrèpito

Alter|tum n antichità [-k-]
f; ~tümer pl rùderi m/pl;
2tümlich antico

alt|modisch antiquato,
passato di moda; 2stadt f
città [tʃ-] vecchia [-k-]

Aluminiumfolie f foglia
[-ʎa] d'alluminio

am s an; ~ besten meglio
[-ʎo]; ~ di tutto

Amateur m dilettante;
~fotograf m fotògrafo di-
lettante

Amboß m incùdine f

ambul|ant ambulante;
Med ~ant behandelt cu-
rato in ambulatorio; 2anz f
ambulanza

Ameise f formica; ~-
haufen m formicaio

Amerika n América f; ~-
ner m, 2nisch americano

Amme f balia

Amnestie f amnistìa

Ampel f làmpada sospesa;
(Verkehrs2) semàforo m

Ampulle f ampolla

amputieren amputare

Amsel f merlo m

Amt n càrica [-k-]; ufficio
[-tʃo] m; 2ieren èssere in
càrica; 2lich ufficiale
[-tʃa-]

Amtsgeheimnis n segreto
m d'ufficio [-tʃo]; ~person
f ufficiale [-tʃa-] m pùbblico; ~pflichten f/pl do-

veri *m/pl* d'ufficio [-tʃo]; ~vorsteher *m* capoufficio [-tʃo]

amüsant divertente

amüsieren divertire; sich ~ divertirsi

an *(örtlich) (wohin? A)* a; in; *(wo? D)* a; in; su; *(zeitlich)* am 1. März il primo di marzo

Ananas *f* ananasso *m*

Anarchie *f* anarchia [-k-]

Anbau *m Agr* coltivazione *f*; Arch edificio [-tʃo] annesso; Sen coltivare; 2en coltivare; ~möbel *n/pl* mòbili *m/pl* componibili

anbehalten *Mantel usw*: tenere (indosso)

anbei accluso

an|beißen mòrdere; ~belangen: was ... ~belangt per quanto ... riguarda; ~beten adorare

Anbetracht *m*: in ~ *(G)* quanto a

an|bieten offrire; ~binden attaccare, legare; 2blick *m* aspetto; ~braten arrostire leggermente [-dʒ-]; ~brechen *v/t* aprire; *v/i* spuntare

anbrennen *Essen*: bruciare [-tʃa-]

an|bringen *(befestigen)* fissare; 2bruch *m*: bei 2bruch *(G)* al cadere (di), sul fare (di)

Andacht *f* Rel devozione *f*

andächtig devoto

andauernd continuo, per-

manente; *(immer wieder)* sempre di nuovo

Andenken *n* memoria *f*; zum ~ an in ricordo di

ander altro; ein ~es Mal un'altra volta; unter ~em fra l'altro; nichts ~es als niente altro che

ändern, sich ~ cambiare

andernfalls in caso contrario

anders altrimenti; jemand ~ qualcun altro

anderswo altrove

anderthalb uno e mezzo

Änderung *f* cambiamento *m*

andeut|en accennare [-tʃ-]; 2ung *f* insinuazione

andrerseits d'altra parte

aneignen: sich ~ appropriarsi; *Kenntnisse*: acquistare

aneinander l'uno presso l'altro; ~fügen congiùngere [-dʒu-]; ~geraten venire alle mani

anerkenn|en riconóscere [-ʃ-]; 2ung *f* riconoscimento [-ʃ-]

anfahren *v/t* carreggiare [-dʒa-]; *v/i* urtare

Anfall *m Med* accesso [-tʃ-]; 2en aggredire

anfällig incline

Anfang *m* principio [-tʃ-]; am ~, zu ~ in principio [-tʃ-]; 2en (in)cominciare [-tʃa-]

Anfänger *m* principiante [-tʃ-]

anfangs in principio [-tʃ-]; 2stadium *n* fase *f* iniziale

an|fassen toccare; **~fech-**
ten impugnare [-ɲ-]; **~fer-**
tigen fare, fabbricare;
~feuchten inumidire; **~**
feuern accèndere [-tʃ-];
~fliegen v/t puntare su
Anflug m Flgw volo
anforder|n esigere [-dʒ-];
2ung f esigenza [-dʒ-]
Anfrage f domanda; **2n**
domandare
anfreunden: sich ~ mit
fare amicizia [-tʃ-] con
anführ|en (leiten) guidare;
(zitieren) citare [tʃ-]; (nar-
ren) ingannare; **2er** m capo;
2ungszeichen n/pl virgo-
lette f/pl
Angabe f indicazione; ge-
naue ~n dettagli [-ʎi] m/pl
angeb|en (nennen) indicare;
(anzeigen) denunciare
[-tʃa-]; v/i F (prahlen)
darsi delle arie; **~lich**
preteso
angeboren innato
Angebot n offerta f
ange|bracht opportuno;
~brannt bruciato [-tʃa-];
~bunden legato [-tʃ-]; **~heitert**
un po' brillo
angehen (betreffen) riguardare
Angehörige pl: **meine ~n**
i miei (parenti)
Angeklagte(r) m accusato
Angel f amo m; (Tür2)
càrdine
Angelegenheit f faccenda
[-tʃ-]
angelehnt socchiuso [-k-]
Angel|haken m amo; **2n**

pescare all'amo; fig ade-
scare; **~rute** f canna (da
pesca); **~schnur** f lenza
ange|messen conveniente;
~nehm gradévole; **~nom-**
men daß supposto che
[ke]; **~schlossen** affiliato;
~sehen rispettato; **~**
spannt Arbeit: intenso;
Lage: teso
Angestellte(r) m impiegato
ange|strengt intenso; **~**
trunken brillo; **~wöhnen**
avvezzare; **sich ~wöhnen**
abituarsi
Angina f angina [-dʒ-]
angleichen assimilare
Angler m pescatore (all'a-
mo)
Angorawolle f lana d'An-
gora
angreif|en toccare; fig at-
taccare; **2er** m aggressore
angrenzen (an A) confinare (con)
Angriff m attacco; **2s-**
lustig aggressivo
Angst f ansietà; paura
ängst|igen angosciare
[-ʃa-]; **sich ~igen** aver
paura; **~lich** ansioso
anhaben Kleider: avere
(indosso)
anhalt|en v/t tenere; fer-
mare; v/i fermarsi; (dau-
ern) continuare; **2er** m:
per 2er fahren (reisen)
viaggiare [-dʒa-] per auto-
stop
Anhaltspunkt m punto
d'appoggio [-dʒo]
Anhang m appèndice [-tʃe-]

anhäng|en attaccare; ℒer m (Person) seguace [-tʃe]; (Wagen) rimorchio [-k-]; (Schmuck) ciondolo [tʃo-]; ℒsel n appèndice [-tʃe] f

an|häufen accumulare; ℒheben alzare; ℒheften attaccare; ℒheizen cominciare [-tʃa] a riscaldare; ℒheuern arruolare

Anhieb m: auf ℒ di colpo

Anhöhe f altura

anhören ascoltare; sich ℒ suonare

Anislikör m anisetta f

Ankauf m compra f

Anker m àncora f; vor ℒ gehen ancorarsi; vor ℒ liegen èssere ancorato; ℒkette f catena dell'àncora; ℒplatz m ancoraggio [-dʒo]

Anklage f accusa; ℒerheben muòvere un'accusa; ℒn accusare

Anklang m: ℒ finden incontrar favore

ankleben appiccicare [-tʃ-]

ankleiden vestire; sich ℒ vestirsi

an|klopfen bussare; ℒknipsen Licht: accèndere [-tʃ-]; ℒknüpfen annodare; ℒkommen arrivare; es kommt darauf an dipende (da)

ankündig|en annunziare; ℒung f avviso m

Ankunft f arrivo m

an|kuppeln agganciare [-tʃa-]; ℒkurbeln fig ravvivare; ℒlächeln sorrídere [-k-]

Anlage f (Werk) costru-

zione; impianto m; (Beilage) allegato m; (Grün℈) giardini [dʒa-] m/pl pùbblici [-tʃi]; ℒkapital n capitale m d'investimento

Anlaß m motivo; ℒ geben (zu) dar luogo a

anlass|en Motor: méttere in moto; Kleider: tenere addosso; ℒer m avviatore

anlaufen Hafen: toccare; (sich beschlagen) appannarsi; angelaufen kommen venire correndo

Anlege|brücke f pontile m d'approdo; ℒn v/t (et an et) méttere; Garten, Straße: costruire; Geld: collocare; Gewehr: spianare; Verband: applicare; v/i (Schiff) approdare; ℒstelle f approdo m

anlehnen appoggiare [-dʒa-]; accostare; Tür: socchiùdere [-k-]; sich ℒ an accostarsi a

Anleihe f prèstito m

anleit|en avviare; ℒung f avviamento m

anlernen istruire in

anlieg|en èssere vicino [-tʃ-]; ℒen n domanda f; ℒer m confinante

an|locken adescare; ℒlöten saldare; ℒmachen (befestigen) attaccare; Licht, Feuer: accèndere [-tʃ-]; Kochk condire

anmaß|en: sich et. ℒen arrogarsi qc.; ℒend presuntuoso; ℒung f presunzione

Anmelde|formular n mòdulo m d'iscrizione; **~frist** f tèrmine m d'iscrizione; **~gebühr** f tassa di registrazione [-dʒ-]; 2n annunziare; **sich** 2n annunziarsi; iscriversi; **~pflicht** f obbligo m di denuncia [-tʃa]

Anmeldung f annunzio m **anmerk|en** notare; **sich nichts ~en lassen** far finta di nulla; 2ung f nota

Anmut f grazia; 2ig grazioso

an|nageln inchiodare [-k-]; **~nähen** attaccare (cucendo) [-tʃ-])

annäher|nd approssimativo; 2ung f avvicinamento [-tʃ-]

Annahme f accettazione [-tʃ-]; (Vermutung) supposizione; **~stelle** f ufficio [-tʃo] m per l'accettazione [-tʃ-]; **~verweigerung** f rifiuto m di accettazione [-tʃ-]

annehm|bar accettàbile [-tʃ-]; **~en** accettare [-tʃ-]; (voraussetzen) supporre; 2lichkeit f piacere [-tʃ-] m; confort m

Annonce f avviso m pubblicitario [-tʃ-]

annullieren annullare

anonym anònimo

Anorak m anorak

anordn|en disporre; 2ung f (Reihenfolge) órdine m; (Verfügung) disposizione f

anpass|en adattare; **sich**

~en (D) adattarsi (a); 2ung f adattamento m; **~ungsfähig** adattàbile

an|peilen rilevare la posizione; **~pfeifen** Sp Spiel: fischiare [-sk-] l'inizio; **~pöbeln** insultare in modo volgare; 2prall m urto; **~preisen** decantare

Anprob|e f prova; 2ieren provare

an|raten consigliare [-ʎa-]; **~rechnen** méttere in conto; 2recht n diritto m; 2rede f discorso m; intestazione; **~reden** rivòlgere [-dʒ-] la parola a

anreg|en (vorschlagen) proporre; (beleben) stimolare; **~end** interessante; 2ung f stimolo m; 2ungsmittel n stimolante m

Anreiz m stimolo

Anrichte f credenza; 2n (auftragen) preparare; Unheil usw: fare

Anruf m chiamata [k-] f (telefònica); 2en chiamare [k-] (al teléfono)

anrühren toccare; Kochk rimestare

ans = an das

Ansage f annunzio m; 2n annunziare; 2r m annunciatore [-tʃa-]

Ansammlung f assembramento m

ansässig domiciliato [-tʃ-]

Ansatz m disposizione f; **~punkt** m punto di partenza

anschaff|en: sich ~en procurarsi; 2ung f provvista; acquisto m

anschau|en guardare; ~ lich chiaro, evidente; 2ung f (Auffassung) concezione

Anschein m apparenza f; **allem ~ nach** con ogni [-ɲi] probabilità; 2end apparente

anschicken: sich ~ accingersi [-tʃindʒ-]

Anschlag m (Plakat) manifesto; (Attentat) attentato; 2en v/t affiggere [-dʒ-]; toccare; ~säule f colonna degli [-ʎi] affissi

anschließen attaccare; Tel usw: collegare; **sich ~** (D) unirsi (a); ~d seguente

Anschluß m Esb coincidenza [-tʃ-]; El contatto; Tel comunicazione f

anschnall|en affibbiare; **sich ~en** méttersi la cintura [tʃ-] di sicurezza; 2gurt m cintura [tʃ-] f di sicurezza

anschneiden intaccare; fig intavolare

Anschovis f acciuga [-tʃu-]

an|schrauben avvitare; ~schreiben notare; 2schrift f indirizzo m; ~schwellen gonfiarsi; Fluß: ingrossarsi

ansehen guardare; (halten für) prèndere per; (j-m A) vedere; **sich ~** (A) guardare (qc.)

Ansehen n apparenza f; ~ genießen godere la stima

ansehnlich cospicuo

anseilen: (sich) ~ legare (legarsi) con la corda

ansetzen v/t méttere; applicare; Fett ~ ingrassare

Ansicht f veduta; fig opinione; **zur ~** in esame, per prova

Ansichts|(post)karte f cartolina illustrata; ~sache f questione di opinioni

ansiedeln stabilire

anspannen (straff machen) tèndere; Zugtier: attaccare; fig Kräfte: impiegare

anspiel|en: auf (A) ~en allùdere a qc.; 2ung f allusione

anspitzen appuntare

Ansporn m sprone

Ansprache f discorso m

ansprechen v/t dirigere [-dʒ-] la parola a; v/i (gefallen) piacere [-tʃ-]; ~d piacévole [-tʃ-]

anspringen v/i (Motor) accèndersi [-tʃ-]

Anspruch m pretesa f; **in ~ nehmen** et: approfittare di qc.; j-n: occupare qu.

anspruchs|los senza pretese; ~voll esigente [-dʒ-]

Anstalt f stabilimento m; istituzione

Anstand m decoro

anständig ammodo

anstands|halber per creanza; ~los senza esitazione

anstarren fissare

anstatt invece [-tʃe] (di)

anstechen pùngere [-dʒ-]

ansteck|en (*befestigen*) appuntare; *Ring*: infilare; (*anzünden*) incendiare [-tʃ-]; accèndere [-tʃ-]; (*infizieren*) contagiare [-dʒa-]; **sich ~en** infettarsi; **~end** contagioso [-dʒo-]; **2ung** f contagio [-dʒo] m, infezione

anstehen (*Schlange stehen*) fare la coda

ansteigen salire

anstell|en (*Arbeiter*: impiegare; *Radio usw*: accèndere [-tʃ-]; **2ung** f impiego m

Anstieg m salita f

anstift|en causare; *j-n*: istigare; **2er** m autore; **2ung** f istigazione

Anstoß m *Sp* primo colpo; (*Anregung*) impulso; **~ nehmen an** scandalizzarsi di; **2en** v/i (*angrenzen*) confinare; (*beim Trinken*) toccare; (*anecken*) urtare; *v/t Ball*: dare il calcio [-tʃo] d'invio

an|stößig indecente [-tʃ-]; **~streben** aspirare a; **~streichen** imbiancare; **2streicher** m imbianchino [-k-]

anstreng|en affaticare; **sich ~en** sforzarsi; **~end** faticoso; **2ung** f sforzo m; fatica

Anstrich m tinta f

anstücke(l)n rappezzare

Ansturm m assalto

antasten *fig* toccare

Anteil m parte f; **~ nehmen an** (*D*) partecipare [-tʃ-] a;

~nahme f partecipazione [-tʃ-]

Antenne f antenna

antik antico; **2e** f antico m

Antilope f antilope

Anti|quariat n antiquariato m; **2quarisch** d'occasione; **2quitätenladen** m negozio di antichità [-k-]; **2septisch** antisèttico

Antrag m petizione f; **~steller** m richiedente [-k-]

an|treffen trovare; incontrare; **~treiben** (*zur Eile*) sollecitare [-tʃ-]; *Maschine*: muòvere; **~treten** v/i presentarsi; v/t *Reise*: cominciare [-tʃa-]; *Stellung*: entrare in; **2tritt** m comando; *fig* impulso; **~tun** *Leid, Zwang*: fare

Antwort f risposta; **2en** v/i rispóndere

anvertrauen affidare; **sich ~** (*D*) confidarsi (con)

anwachsen créscere [-ʃ-]; *fig* aumentare

Anwalt m avvocato

anwärmen riscaldare

Anwärter m aspirante

anweis|en *j-m*: assegnare [-ɲ-]; (*belehren*) istruire; (*anordnen*) ordinare; *Platz*: indicare; *Geld*: dare órdine di pagare; **2ung** f assegnazione [-ɲ-]

anwend|en applicare; usare; **2ung** f uso m; applicazione

Anwesen n podere m

anwesen|d presente [-z-]; **2heit** f presenza

anwidern: es widert mich an mi ripugna [-ɲa]

Anzahl f nùmero m; quantità

anzahl|en pagare in acconto; **Łung** f acconto m

Anzeichen n indizio m

Anzeige f annunzio m; avviso m; (Annonce) avviso m pubblicitario [-tʃ-]; **~ erstatten** fare una denunzia; **Łn** annunziare; (melden) denunziare; **Meßinstrument:** segnare [-ɲ-], indicare

anzieh|en Kleid: méttersi; Schraube: serrare; (anlokken) attirare; **sich ~en** vestirsi; **~end** attraente; **Łung** f attrazione; **~ungskraft** f forza d'attrazione

Anzug m àbito

anzüglich allusivo

anzünden accèndere [-tʃ-]

apart fuor del comune

apathisch apàtico

Apfel m mela f; **~baum** m melo; **~kompott** n mele f/pl cotte; **~kuchen** m torta f di mele; **~mus** n passata f di mele; **~saft** m succo di mele

Apfelsine f arancia [-tʃa]

Apfel|torte f torta di mele; **~wein** m sidro

Apostel m apòstolo

Apothek|e f farmacia [-tʃ-]; **~er** m farmacista [-tʃ-]

Apparat m apparecchio [-k-]; apparato

Appell m appello

Appetit m appetito; **Łan-**

regend che stùzzica l'appetito; **Łlich** appetitoso; **~losigkeit** f disappetenza

Applaus m applauso

Aprikose f albicocca

April m aprile; **~scherz** m pesce [-ʃe] d'aprile

Aqua|rell n acquerello m; **~rium** n acquario m

Äquator m equatore

Arab|er m, **Łisch** àrabo

Arbeit f lavoro m; **Łen** lavorare; **~er** m lavoratore, operaio; **~geber** m datore di lavoro; **~nehmer** m prestatore d'òpera; **Łsam** laborioso

Arbeits|amt n ufficio [-tʃo] m del lavoro; **Łfähig** in grado di lavorare; **Łlos** disoccupato; **~platz** m posto m di lavoro; **~tag** m giornata [dʒo-] f lavorativa; **Łunfähig** inàbile al lavoro; **~zeit** f orario m di lavoro

Archäologie f archeologia [-keolodʒ-]

Architekt m architetto [-k-]; **~ur** f architettura [-k-]

Archiv n archivio [-k-] m

argentinisch argentino [-dʒ-]

Ärger m indignazione [-ɲ-] f; **Łlich** (verärgert) indispettito; (unangenehm) spiacévole [-tʃ-]; **Łn** indispettire; **sich Łn über** adirarsi di; **~nis** n scàndalo m

arg|listig maligno [-ɲo]; **~los** ingènuo [-dʒ-]; **Ł-**

wohn m sospetto; ~**wöh-nisch** sospettoso

Arie f aria

aristokratisch aristocràtico

arm pòvero; *fig* misero

Arm m braccio [-tʃo]

Armaturenbrett n cruscotto m

Armband n braccialetto [-tʃa-] m; ~**uhr** f orologio [-dʒo] m da polso

Armbinde f braccale [-tʃa-] m

Armee f armata

Ärmel m mànica f; **2los** senza màniche [-ke]

Arm|lehne f bracciuolo [-tʃu-] m; ~**leuchter** m candelabro

ärmlich pòvero

armselig misero

Armut f povertà

Aroma n aroma m

Arrest m arresto

arrogant arrogante

Arsen n arsènico m

Art f gènere [-dʒ-] m; (*Wesen*) natura; **in dieser ~** in questo modo; **eine ~ ...** una specie [-tʃe] di ...

Arterie f artèria

artig gentile [-dʒ-]; (*Kind*) buono

Artikel m *Hdl, Gr* articolo

Artillerie f artiglieria [-ʎe-]

Artischocke f carciofo [-tʃo-] m

Artist(in f) m artista

Arznei f ~**mittel** n medicina [-tʃ-] f, medicamento m

Arzt m mèdico

Ärzt|in f medichessa [-k-]; **2lich** mèdico

As n asso m

Asbest m amianto

asch|blond biondo cenerino [tʃ-]; **2e** f cénere [tʃ-]; **2enbahn** f pista di carbonella; **2(en)becher** m, **2er** m portacénere [-tʃ-]; **2ermittwoch** m (mercoledi delle) Céneri [tʃ-] f/pl; ~**grau** cenerògnolo [tʃe-nero:ɲ-]

aseptisch asèttico

Asien n Asia f

asozial asociale [-tʃa-]

Asphalt m asfalto

Assistent(in f) m assistente

Ast m ramo

Aster f àstero m

Asthma n asma [azma] m

Astro|loge m astròlogo; ~**naut** m astronauta; ~**nom** m astrònomo; ~**nomie** f astronomia; **2nomisch** astronòmico

Asyl n asilo m

Atelier n laboratorio m; *Mal* studio m

Atem m fiato; **außer ~** senza respiro; ~ **holen** prèndere fiato; ~**los** ansante; ~**not** f dispnea; ~**zug** m fiato

Äther m ètere m

Äthiop|ier m, **2isch** etiope

Athlet m atleta; ~**ik** f atlètica

atlantisch atlàntico

Atlas m (*Karten2*) atlante; (*Stoff*) raso

atmen respirare

Atmosphär|e f atmosfera; **2isch** atmosfèrico

Atmung f respirazione

atom|ar atòmico; **2ener-gie** f energia [-dʒ-] nucleare; **2waffen** f/pl armi atòmiche [-ke]

Attaché m addetto

Atten|tat n attentato m; **~täter** m attentatore

Attest n attestato m

Attraktion f attrazione

Attrappe f tranello m

ätzen corródere; **~d** corrosivo

Aubergine f melanzana

auch anche [-ke]; (sogar) persino; **~ nicht** neppure

auf (örtlich) (wohin? A) su; in, sopra; a; (wo? D) su, sopra; a, in; (zeitlich) per; fino a; **~ ein Jahr** per un anno; **~ deutsch** in tedesco; **~ einmal** ad un tratto; **bis ~** fino a; **er ist schon ~** è già [dʒa] alzato

auf|arbeiten finire; (Kleidung) rinnovare; **~atmen** respirare liberamente; **~-bahren** deporre nella bara

Aufbau m costruzione f; **~ten** pl Mar soprastrutture f/pl; **2en** costruire

auf|bauschen gonfiare; **~bekommen** (öffnen) riuscire [-ʃ-] ad aprire; Hausaufgaben: ricévere [-tʃ-] per còmpito; **~be-reiten** preparare; **~bes-sern** Gehalt: aumentare

aufbewahr|en conservare; **2ung** f custodia; depòsito m

auf|bieten Kräfte: impiegare; **~blähen, blasen** gonfiare; **~bleiben** (nicht schlafen) restare alzato; (offen bleiben) restare aperto; **~blenden** accèndere [-tʃ-] i fari abbaglianti [-ʎa-]; **~blicken** alzare lo sguardo [zg-]; **~blitzen** balenare; **~blühen** sbocciare [zbot-tʃa-]; **~brausen** andare in effervescenza [-ʃ-]; (zornig werden) andare in còllera; **~brechen** v/t aprire; v/i aprirsi; fig andársene; partire

Aufbruch m partenza f

auf|brühen Tee: fare; **~decken** scoprire; (enthüllen) svelare [zv-]

aufdrängen: sich ~ appiccicarsi [-tʃ-]

auf|drehen Hahn usw: aprire; **~dringlich** importuno; **2druck** m stampa f

aufeinander l'uno sopra (od dopo) l'altro; **~folgen** succèdersi [-tʃ-]; **~prallen, ~stoßen** urtarsi

Aufenthalt m dimora f; soggiorno [-dʒo-]; Esb fermata f

Aufenthalts|dauer f durata del soggiorno [-dʒo-]; **~genehmigung** f permesso m di soggiorno [-dʒo-]; **~ort** m dimora f; soggiorno m; **~raum** m (sala f di) soggiorno [-dʒo-]

auf|erlegen imporre; **2er-stehung** f risurrezione;

~essen mangiare [-dʒa-] tutto

auffahr|en (auf A) urtare contro; fig andare in còllera; ℒt(**srampe**) f (rampa d'accesso [-tʃ-] m; **ℒunfall** m tamponamento

auffall|en dare nell'occhio [-k-]; **~end, auffällig** vistoso

auffangen acchiappare [-k-]; Funkspruch: intercettare [-tʃ-]

auffass|en (begreifen) intèndere; ℒung f concezione [-tʃ-]

auf|finden trovare; **~fliegen** volare in alto; (Tür) spalancarsi; fig far fiasco

aufforder|n invitare; (höflich) pregare; ℒung f invito m

aufführ|en Thea rappresentare; **sich ~en** comportarsi; ℒung f rappresentazione

auffüllen riempire

Aufgabe f còmpito m; (Verzicht) rinuncia [-tʃa]; **~ort** m luogo d'impostazione; **~stempel** m timbro dell'ufficio [-tʃo] di spedizione

Aufgang m salita f; (Haus℃) scala f

aufge|ben Brief usw: impostare; Rätsel: dare; (verzichten) rinunciare [-tʃa] a; **~blasen** tronfio; ℒbot n pubblicazioni f/pl (matrimoniali); **~bracht** furioso

aufgehen Gestirn: spun-

tare; (sich öffnen) aprirsi; (sich lösen) sciògliersi [ʃɔː.ʎe-]; Rechnung: tornare; Naht: scucirsi [-tʃ-]

aufge|räumt messo in órdine; fig di buon umore; **~regt** eccitato [-tʃ-]; **~schlossen** aperto; **~weckt** sveglio [zve:.ʎo]

auf|gießen Tee: fare; ℒguß m infusione f; **~haben** Hut: avere in capo; **~halten** (anhalten) fermare; (offen halten) tenere aperto; **sich ~halten** fermarsi

aufhäng|en appèndere; ℒer m laccetto [-tʃ-]

auf|heben raccògliere [-ʎe-]; (aufbewahren) custodire; Gesetz: abolire; Verbot: annullare; ℒheiterung f rasserenamento m; **~hellen** schiarire [sk-]; **~hetzen** aizzare; **~holen** (ein-, nachholen) riguadagnare [-ɲ-]; **~horchen** tèndere gli [ʎi] orecchi [-k-]; **~hören** finire; cessare [tʃ-] (zu di); **~kaufen** incettare [-tʃ-]; **~klappen** aprire; ribaltare

aufklär|en (j-n über A) illuminare (di); Verbrechen: far luce [-tʃe] su; mil esplorare; ℒer m ricognitore [-ɲ-]; ℒung f schiarimento [sk-] m

aufkleben appiccicare [-tʃ-]

auf|knöpfen sbottonare [zb-]; **~kochen** (far) bollire; **~kommen** Mode: venire in voga; Verdacht:

sòrgere [-dʒ-]; (für et.) garantire (qc.); ~kriegen s aufbekommen; ~laden caricare; Akku: ricaricare

Auflage f (Buch) edizione

auf|lauern (D) appostare (qu.); 2lauf m (Menschen) assembramento; Kochk sgonfiotto [zg-]; ~laufen Schiff: arrenare; ~lesen raccògliere [-ʎe-]; ~leuchten risplèndere; ~lockern smuòvere [zm-]; allentare

auflös|en Knoten: sciògliere [ʃɔ:ʎe-]; Rätsel: risòlvere; (im Wasser usw) decomporre; Versammlung: sciògliere [ʃɔ:ʎe-]; sich ~en sciògliersi [ʃɔ:ʎe-]; 2ung f scioglimento [ʃoʎi-] m

aufmach|en (öffnen) aprire; 2ung f presentazione

Aufmarsch m sfilata f

aufmerksam attento; (zuvorkommend) gentile [dʒ-]; ~ machen auf (A) richiamare l'attenzione a; 2keit f attenzione

Aufnahme f Fot foto; (Ton) incisione f [-tʃ-]; (Empfang) accoglienza [-ʎe-]; ~leiter m direttore di presa; ~prüfung f esame m d'ammissione

aufnehmen (aufheben) raccògliere [-ʎe-]; (Verein) ammèttere; Fot fáre la fotografia; Protokoll: fare; Gast: accògliere [-ʎe-];

(Tonaufnahmen machen) registrare [-dʒ-]

auf|passen stare attento; 2prall m rimbalzo; urto; ~prallen rimbalzare; urtare; 2preis m supplemento; ~pumpen gonfiare

aufräum|en méttere in órdine; 2ungsarbeiten f/pl lavori m/pl di sgómbero [zg-]

aufrecht diritto; ~erhalten mantenere

aufreg|en agitare [-dʒ-]; sich ~en über (A) arrabbiarsi a causa di; 2ung f agitazione [-dʒ-]

aufreib|en Haut: escoriare; fig (vernichten) sterminare; (erschöpfen) estenuare; ~end estenuante

auf|reißen Fenster usw: spalancare; Straße: disfare; Haut: screpolarsi; ~richten rizzare

aufrichtig sincero [-tʃ-]; 2keit f sincerità [-tʃ-]

auf|rollen arrotolare; (entrollen) svòlgere [zvɔldʒ-]; ~rücken avanzare

Aufruf m proclama; 2en chiamare [k-]

Auf|ruhr m tumulto; rivolta f; 2runden arrotondare; 2rüsten riarmare; 2rütteln suòtere; 2sagen recitare [-tʃ-]; 2sammeln raccògliere [-ʎe-]; 2sässig ribelle; ~satz m articolo; (Abhandlung) trattato; 2scheuchen scovare; 2-

schieben (*zeitlich*) rimandare

Aufschlag *m* (*Aufprall*) rimbalzo; (*Ärmel*2) manòpola *f*; (*Preis*2) rialzo; *Sp* (*Tennis*) battuta *f*; 2en *v/t Buch*: aprire; *Zelt*: piantare; *v/i* (*aufprallen*) bàttere

auf|schließen aprire; ~schlußreich istruttivo; ~schneiden tagliare [-ʎa-]; *fig* (*prahlen*) sballarle [zb-] grosse; 2**schnitt** *m Kochk* affettato; ~schnüren slacciare [zlat-tʃa-]; ~schrauben (*auf A*) avvitare (*sopra*); (*lösen*) svitare [zv-]; ~schrecken spaventare

Aufschrei *m* urlo, grido **auf|schreiben** scrivere; 2**schrift** *f* iscrizione

Aufschub *m* pròroga *f*
aufschütten versare sopra
Aufschwung *m* (*Turnen*) volata *f*; *fig* sviluppo [zv-]

Aufseh|en *n* sensazione *f*; ~en erregen fare scalpore; 2**enerregend** sensazionale; ~er *m* sorvegliante [-ʎa-]

aufsetzen *Brille, Hut*: méttersi

Aufsicht *f* sorveglianza [-ʎa-]

Aufsichts|beamte(r) *m* ispettore; ~**personal** *n* personale *m* soprintendente; ~**rat** *m* consiglio [-ʎo] d'amministrazione

auf|sitzen (*aufs Pferd*) montare a cavallo; ~**spannen** tèndere; *Schirm*: aprire;

~**sperren** aprire; ~**spießen** infilzare; ~**springen** balzare su; (*sich öffnen*) aprirsi; (*platzen*) spaccarsi; ~**spüren** rintracciare [-tʃa-]; ~**stacheln** stimolare [-tʃa-]; ~**stacheln** stimolare

Auf|stand *m* insurrezione *f*; ~**ständische(r)** *m* insorto

auf|stapeln accatastare; ~**stecken** *Haar*: fermare al capo; ~**stehen** alzarsi; ~**steigen** salire; *s* **aufrücken**

aufstell|en (*aufrichten, hinstellen*) erìgere [-dʒ-]; collocare; (*errichten*) innalzare; *Kandidaten*: presentare; *Rekord*: stabilire; 2**ung** *f* (*Liste*) tabella riassuntiva

Aufstieg *m* salita *f*; ascensione [-ʃ-] *f*; *Flgw* decollo; *fig* (*Vorrücken*) ascesa [-ʃ-] *f*

auf|stocken innalzare di un piano; ~**stoßen** *Tür*: sfondare; ~**suchen** ricercare [-tʃ-]

Auftakt *m fig* preludio

auf|tanken fare rifornimento; ~**tauchen** emèrgere [-dʒ-]; *fig* nàscere [-ʃ-]; ~**tauen** sgelare [zdʒ-]; ~**teilen** dividere

Auftrag *m* incàrico; (*Bestellung*) ordinazione *f*; im ~(e) per órdine; 2**en** *Farbe, Schminke*: dare (il colore, il belletto); *Speisen*: servire; ~**geber** *m* committente

auf|treiben (*beschaffen*) procurarsi; ~**trennen** disfare; **~treten** *Thea* prodursi; (*sich benehmen*) comportarsi; (*vorkommen*) comparire

Auftritt *m Thea* scena [ʃ-] *f*

auf|wachen svegliarsi [zvɛʎa-]; ♀**wand** *m* (*Einsatz*) spese *f/pl*; (*Luxus*) lusso; ♀**wärmen** riscaldare; ♀**wartefrau** *f* donna di mezzo servizio; **~wärts** insù; **~weichen** *v/t* ammollire; *v/i* ammollirsi; ♀**wendungen** *f/pl* spese; **~werten** rivalorizzare; ♀**wertung** *f* rivalorizzazione; **~wickeln** avvòlgere [-dʒ-]; **~wiegeln** sollevare; **~wirbeln** *Staub*: sollevare; **~wischen** asciugare [-ʃu-]; **~wühlen** rimuòvere

aufzähl|en enumerare; ♀**ung** *f* enumerazione

aufzeichn|en notare; ♀**ung** *f* annotazione; (*Ton♀*) registrazione [-dʒ-]

auf|ziehen *Uhr*: caricare; *Kind*: allevare; ♀**zug** *m* (*Fahrstuhl*) ascensore [-ʃ-]; *Thea* atto

Aug|apfel *m* globo dell'occhio [-k-]; **~e** *n* occhio [-k-]; *m*; **im ~e behalten** tenere d'occhio [-k-]; **ins ~e fallen** dare nell'occhio [-k-]; **ein ~e zudrücken** chiùdere un occhio [-k-]

Augen|arzt *m* oculista; **~blick** *m* momento; istante; ♀**blicklich** momentàneo; (*sofort*) sùbito; (*gegenwärtig*) presente, at-

tuale; **~braue** *f* sopracciglio [-tʃi:ʎo] *m*; ♀**höhle** *f* òrbita; **~leiden** *n* malattia *f* degli [-ʎi] occhi [-ki]; **~maß** *n* misura *f* ad occhio [-k-]; **~zeuge** *m* testimone oculare

August *m* (*Monat*) agosto

Auktion *f* asta

Aula *f* aula

aus (*örtlich*) da; di; (*Stoff*) di; (*Grund*) per; **... ist ~** è finito; **von mir ~** per conto mio

aus|arbeiten elaborare; **~arten** degenerare [-dʒ-]; **~atmen** espirare; ♀**bau** *m* compimento; (*vergrößern*) ingrandire; **~bauen** (*vergrößern*) ingrandire; **~bessern** raccomodare

Ausbeut|e *f* prodotto *m*; frutto *m*; (*an Menschen*) sfruttare (*a Bgb*); **~er** *m* sfruttatore; **~ung** *f* sfruttamento *m*

ausbild|en formare; istruire; ♀**er** *m* istruttore; ♀**ung** *f* educazione

aus|blasen soffiare; **~bleiben** non venire; ♀**blick** *m* vista *f*; **~brechen** *v/t* (*her-*) levare rompendo; *v/i* (*Feuer*, *Krieg*) scoppiare; (*entfliehen*) evàdere; **in Tränen ~brechen** prorómpere in làcrime; **~breiten** (e)stèndere; **~brennen** *v/t Wunde*: cauterizzare; *v/i* spègnersi [-ɲ-]; ♀**bruch** *m* (*Flucht*) evasione *f*; (*Vulkan♀*) eruzione *f*; (*des Krieges*) scoppio; **~brüten**

covare; ~bürsten spazzolare

Ausdauer f perseveranza; Qnd perseverante

ausdehn|en estèndere; **sich ~en** estèndersi; Qung f estensione

ausdenken: sich ~ immaginarsi [-dʒ-]

ausdrehen Licht: spègnere [-ɲ-]

Ausdruck m espressione f

ausdrück|en (auspressen) sprèmere; (aussprechen) esprìmere; **sich ~en** esprìmersi; **~lich** espresso

ausdrucks|los senza espressione; **~voll** espressivo; Qweise f modo m d'esprìmersi

Ausdünstung f esalazione f

auseinander l'un dall'altro; **~bringen** separare; **~fallen** cadere in pezzi; **~gehen** separarsi; (entzweigehen) rómpersi; **~nehmen** disfare

auseinandersetz|en esporre; **sich ~en mit** riflèttere su; Qung f (Streit) alterco m

ausfahr|en v/t condurre fuori; v/i uscire [-ʃ-]; Qt f gita [dʒ-]; (Torweg) uscita [-ʃ-]

Ausfall m (Verlust) pèrdita f; (Haar) caduta f; (Nichtstattfinden) cadere m; (en Haare usw): cadere; (nicht stattfinden) non aver luogo; **gut** (**schlecht**) Qen andare bene (male); Qend aggres-

sivo; ~straße f strada di sbocco [zb-]

aus|fegen spazzare; **~findig: ~findig machen** riuscir [-ʃ-] a trovare; **~fließen** colare; Qflug m gita [dʒ-] f; escursione f; Qflügler m escursionista; Qfluß m Med efflusso; **~fragen** interrogare minutamente

Ausfuhr f esportazione

ausführen (tun) eseguire; (exportieren) esportare; j-n: menare fuori

Ausfuhrgenehmigung f permesso m d'esportazione

ausführ|lich dettagliato [-ʎa-]; Qung f esecuzione

Ausfuhrverbot n divieto m d'esportazione

ausfüllen Platz, Lücke: occupare; Formular: riempire

Ausgabe f (Geld2) spesa; (Buch2) edizione; (Verteilung) distribuzione

Ausgang m uscita [-ʃ-] f; (Ende) fine f; (Ergebnis) èsito [di partenza] m

Ausgangspunkt m punto

ausgeben distribuire; (spendieren) pagare, offrire; **sich ~ für** (A) spacciarsi per

ausge|dehnt esteso; **~fallen** stravagante; **~glichen** equilibrato

ausgehen (hin~) uscire [-ʃ-]; Licht, Feuer: spègnersi [-ɲ-]; (enden) finire; **~ von** partire da ausge|lassen molto allegro; ~leiert lógoro; ~nommen eccetto [-t/-]; ~prägt rilevato; ~rechnet proprio; ~schlafen dormito abbastanza; ~schlossen escluso; ~schnitten *Kleid*: scollato; ~sprochen spiccato; ~storben estinto; wie ~storben come deserto; ~sucht scelto [/-], ~zeichnet eccellente [-t/-]

ausgiebig abbondante
ausgießen versare
Ausgleich *m* compensazione *f*; 2en compensare; ~sport *m* sport di compenso
ausgleiten scivolare [/-]
ausgrab|en scavare; 2ungen *f/pl* scavi *m/pl*
Ausguß *m* acquaio
aus|halten (*ertragen*) sopportare; (*standhalten*) sostenere; ~händigen consegnare [-ɲ-]; 2hang *m* avviso pùbblico; ~heben *Graben*: scavare; ~heilen guarire completamente; ~helfen (*D mit*) aiutare (qu. con)
Aushilf|e *f* aiuto *m*; 2sweise provvisoriamente
aus|höhlen incavare; ~holen (*zum Schlag*) alzare il braccio [-t/o]; ~horchen spiare; ~hungern affamare; ~kehren spazzare
auskennen: sich ~ in intèndersi di
Aus|klang *m* fine *f*; 2~klopfen bàttere; 2knipsen

Licht: spègnere [-ɲ-]; 2~kochen estrarre bollendo; 2kommen (mit *D*) andare d'accordo (con qu.); avere abbastanza (con qc.); 2~kratzen raschiare [-sk-]; 2kundschaften indagare
Auskunft *f* informazione; ~geben dare informazioni; ~sbüro *n*, ~sstelle *f* ufficio [-t/o] *m* d'informazioni
aus|lachen deridere; ~laden scaricare; 2lage *f* (*Schaufenster*) vetrina; 2~land *n* èstero
Ausländ|er(in *f*) *m* straniero *m* (-a *f*); 2isch straniero
aus|lassen *Wort usw*: omèttere; *Butter*: fóndere; *Kleid*: allargare; *(Wasser usw)* colare; *(Schiff)* partire; 2läufer *m* contraforte; ~legen *Waren*: esporre; *Geld*: sborsare [zb-]; *(deuten)* interpretare; *(mit D)* rivestire (di); 2leger *m (Boots2)* fuoriscalmo; ~leihen prestare, dare in prèstito
Auslese *f* scelta [/-]
ausliefer|n rimèttere; consegnare [-ɲ-]; 2ung *f* consegna [-ɲa]
aus|löffeln vuotare a cuc-

chiaiate [-k-]; ~losen sorteggiare [-dʒa-]; ~lösen svincolare [zv-]; ꝗlosung f sorteggio [-dʒo] m; ~lüften ventilare; ~machen (*ausschalten*) spègnere [-ɲ-]; (*verabreden*) fissare; (*betragen*) ammontare a; (*wahrnehmen*) distinguere; (*bedeuten*) importare
ausmalen dipingere [-dʒ-]; sich ~ figurarsi
Ausmaß n misura f
aus|merzen scartare; ~**messen** misurare
Ausnahme f eccezione [-tʃ-]; **mit ~ von** ad eccezione [-tʃ-] di; ~**zustand** m stato eccezionale [-tʃ-]
ausnahms|los senza eccezione; ~**weise** in via eccezionale
aus|nutzen, ~nützen approfittarsi di; ~**packen** sballare [zb-]; *Koffer:* disfare; *fig* vuotare il sacco; ~**pfeifen** fischiare [-sk-]; ~**plaudern** propalare; ~**plündern** saccheggiare [-ked-dʒa-]; ~**pressen** sprèmere; ~**probieren** provare
Auspuff m scàrico; scappamento; ~**gase** n/pl gas m/pl di scàrico; ~**topf** m marmitta f di scàrico
aus|pumpen vuotare con la pompa; ~**punkten** Sp sconfiggere [-dʒ-] ai punti; ~**quetschen** sprèmere; ~**radieren** cancellare (*a fig*); raschiare [-sk-]; ~**rangie-**

ren scartare; *Esb* staccare; ~**rasieren** ràdere; ~**rauben** saccheggiare [-ked-dʒa-]; ~**räumen** sgomberare [zg-]; ~**rechnen** calcolare; **sich ~rechnen** figurarsi
Ausrede f scusa; ꝗn (*j-m A*) dissuadere (qu. da qc.); ꝗn **lassen** lasciar [-ʃa-] finire il discorso
ausreich|en bastare; ~**end** abbastanza
Ausreise f viaggio [-dʒo] m (all'èstero); **~erlaubnis** f permesso m di uscita [-ʃ-]; ꝗn **partire**, uscire [-ʃ-]; ~**visum** n visto m di uscita [-ʃ-]
ausreiß|en strappare; F (*davonlaufen*) scappare; ꝗer m fuggitivo [-dʒ-]
aus|renken slogare [zl-]; ~**richten** allineare; (*bestellen*) Grüße: portare; (*erwirken*) concludere; ~**rollen** v/t spianare; v/i Flgw rullare (sul suolo); ~**rotten** estirpare; ~**rücken** (*flüchten*) scappare
Ausruf m esclamazione f; ꝗen esclamare; ꝗ(ungs)**zeichen** n punto m esclamativo
ausruhen, sich ~ riposarsi
ausrüst|en fornire; ꝗung f equipaggiamento [-dʒa-] m
ausrutschen scivolare [ʃ-]
Aussaat f sementa
Aussag|e f dichiarazione [-k-]; *jur* deposizione; ꝗen riferire; *jur* deporre

Aussatz m lebbra f

aus|saugen succhiare [-k-]; **~schachten** scavare; **~schalten** interrómpere; spègnere [-ɲ-]; fig eliminare; **2schank** m méscita [-ʃ-] f

Ausschau f: **~halten nach** (D) guardare se si vede (A); **2en** avere l'aria

ausscheid|en v/t separare [-ʃa-]; eliminare; (absondern) secèrnere [-tʃ-]; v/i (aus e-m Amt) lasciare [-ʃa-]; Sp ritirarsi; **2ung** f ritiro m; eliminazione; Med secrezione; **2ungskampf** m eliminatoria f; **2ungsspiel** n partita f eliminatoria

aus|scheren v/i (aus e-r Kolonne) uscire [-ʃ-] dalla fila; **~schiffen** sbarcare [zb-]; **~schimpfen** sgridare [zg-]; **~schlafen** v/t Rausch: smaltire [zm-]; v/i far una bella dormita

Ausschlag m Med eruzione f; das gibt den **~** questo decide [-tʃ-]; **2en** Zahn, Auge: far saltare; (ablehnen) respingere [-dʒ-]; v/i (Pferd) tirare calci [-tʃi]; (Bäume) spuntare; **2gebend** decisivo [-tʃ-]

ausschließen (von D) esclùdere (da); **~lich** esclusivo

Ausschluß m esclusione f

aus|schmücken ornare; **~schneiden** ritagliare [-ʎa-]; **2schnitt** m ritaglio [-ʎo]; (Kleid2) scollatura f;

~schreiben Zahlen: scrivere per intero; Stelle: méttere a concorso; (ausstellen) rilasciare [-ʃa-]

Ausschuß m (defekte Ware) scarto; (Komitee) comitato; **~ware** f merce f di scarto

ausschütten versare; Flüssigkeit: rovesciare; distribuire

ausschweif|end licenzioso [-ʃa-]; Gewinn: distribuire; **2ung** f dissolutezza [-tsa-]

aussehen (erscheinen) avere l'aria; parere; hübsch j-m **~** guardare se viene qu.; **es sieht nach ... aus** pare che [ke] ...; **2** n aria f; **dem 2 nach** secondo l'apparenza

aussein F: **... ist aus ...** è finito; **wir waren gestern aus** ieri siamo stati usciti [-ʃ-]; **auf** et **~** avere di mira

außen hinten; **nach ~** all'infuori; **von ~** dal di fuori; **2aufnahme** f esterno m; **2bordmotor** m fuoribordo; **2dienst** m servizio esterno; **2handel** m commercio [-tʃo] esterno; **2ministerium** n ministero m degli [-ʎi] èsteri; **2seite** f esteriore m; emarginato [-dʒ-]; Sp outsider; **2stürmer** m ala f; **2wand** f parete esterna

außer (~halb) fuori (di); (ausgenommen) eccetto [-tʃ-]; **~ daß** fuorché [-ke]; **~ Betrieb** fuori esercizio

[-tʃ-]; **~ Dienst** fuori servizio; **~ der Reihe** fuori turno; **~dem** oltracciò [-tʃɔ]

äußere esterno, esteriore; 2(s) n esteriore m

außer|ehelich illegittimo [-dʒ-]; **~gewöhnlich** straordinario; **~halb** (G) (al di) fuori di

äußerlich esteriore; fig superficiale [-tʃa-]

äußern esternare; **sich ~** esprimersi

außer|ordentlich straordinario; **~planmäßig** fuori programma

äußerst (letzt-) estremo; ùltimo; adv (sehr) assai

außerstande: ~ sein non èssere in grado

Äußerung f manifestazione

aussetzen Belohnung: prométtere; Kind: esporre; (der Sonne, Gefahr usw) esporre; v/i (Motor usw) fermarsi; et. auszusetzen haben an (D) trovar da ridire su qc. [ranza]

Aussicht f vista; fig speɔ; **aussichts|los** disperato; **2turm** m belvedere

aussöhn|en riconciliare [-tʃ-]; **2ung** f riconciliazione [-tʃ-]

aus|sortieren eliminare; **~spannen** v/t Pferde: staccare; v/i (sich erholen) riposarsi; **~sperren** serrare; **2sperrung** f serrata; **~spielen** Karte: portare in gioco [dʒɔ-]

Aussprache f pronuncia [-tʃa]; (Meinungsaustausch) discussione

aussprechen pronunciare [-tʃa-]; **sich ~** spiegarsi

Aus|spruch m detto; 2**spucken** sputare; 2**spülen** sciacquare [ʃa-]; **~stand** m sciòpero [ʃɔ-]

ausstatt|en corredare; 2**ung** f equipaggiamento [-dʒa-] m

ausstehen (erleiden) sopportare; (fehlen: Antwort, Zahlung) èssere in arretrato; mancare; **nicht ~ können** non poter soffrire

aussteigen scéndere [ʃ-]

ausstell|en esporre; (ausschreiben) rilasciare [-ʃa-]; 2**ung** f esposizione, mostra

Ausstellungs|gelände n àrea f d'esposizione; **~stand** m stand; **~stück** m pezzo m d'esposizione

aus|sterben estinguersi; 2**steuer** f corredo m; 2**stieg** m uscita [-ʃ-] f; **~stopfen** imbottire; **~stoßen** Schrei: eméttere; (entfernen) espèllere; **~strahlen** irradiare

ausstrecken (s)téndere; **sich lang ~** sdraiarsi [zd-]

aus|streichen cancellare [-tʃ-]; **~strömen** v/t Duft: esalare; v/i (entweichen) emanare; **~suchen** scégliere [ʃeʎe-]

Austausch m cambio; 2**en** (s)cambiare; **~student** m studente di scambio

austeilen distribuire
Auster f òstrica
austragen Briefe: consegnare [-ɲ-]; Kampf, Spiel: disputare
Australien n Australia f
aus|treiben espèllere; **~treten** (aus e-r Partei usw) lasciare [-ʃa-]; (Toilette aufsuchen) andare al gabinetto; **~trinken** bere tutto; **2tritt** m ritiro; **~trocknen** disseccarsi; **~üben** Beruf: praticare; Einfluß: esercitare [-tʃ-]
Ausverkauf m saldi m/pl di fine stagione [-dʒo-]; véndita f totale; **2t** esaurito
Aus|wahl f scelta [ʃ-]; **2wählen** scègliere [ʃeʎe-]; **~wahlmannschaft** f squadra di selezione
Auswander|er m emigrante; **2n** emigrare; **~ung** f emigrazione
auswärt|ig straniero; forestiero; **~s** fuori; **von ~s** (Ausland) dall'èstero
aus|waschen Wäsche: lavare; Ufer: scalzare; **~wechseln** cambiare
Ausweg m uscita [-ʃ-] f; **2los** senza speranza
ausweichen (D) scansare (qu.); **~d** evasivo
Ausweis m carta f d'identità; **2en** (des Landes verweisen) espèllere; sich **2en** legittimarsi [-dʒ-]; **~papiere** n/pl documenti m/pl; **~ung** f espulsione
aus|weiten allargare; **~**

wendig a memoria; **~werten** valorizzare; **2wertung** f valorizzazione; **~wickeln** disfare [cuòtersi]
auswirken: sich ~ riper-f
aus|wischen pulire; **~wringen** tòrcere [-tʃ-]; **2wüchse** m/pl aberrazioni f/pl; **2wurf** m Med espettorazione f; **~zahlen** pagare; sich **~zahlen** rèndere conto; **~zählen** contare; **2zahlung** f pagamento m; **2zählung** f conteggio [-dʒo] m
auszeichn|en Waren: contrassegnare [-ɲ-]; j-n: distinguere; **2ung** f contrassegno [-ɲo] m; distinzione
auszieh|bar allungàbile; **~en** v/t (her..) estrarre; allungare; Kleid: tògliere [-ʎe-]; v/i (aus e-m Haus) sgomberare [zg-]; sich **~en** spogliarsi [-ʎa-]; **2tisch** m tàvola f da allungare
authentisch autèntico
Auto n auto(mòbile) f, màcchina [-k-] f; **~bahn** f autostrada
Autobus m àutobus f; (Reise2) torpedone; **~haltestelle** f fermata dell'àutobus; **~linie** f linea dell'àutobus
Auto|didakt m autodidatta; **~droschke** f tassì m; **~fähre** f autotraghetto [-g-] m; **~fahrer** m autista
Autogramm n autògrafo m; **~jäger** m cacciatore [-tʃa-] d'autògrafi

Auto|karte f carta per autisti; ~kino n autocinema [-tʃ-] m

Automat m (distributore) automàtico; ~ion f automazione; ೭isch automàtico; ೭isieren automatizzare

autonom autònomo

Autor m autore

Auto|reifen m pneumàtico; ~rennen n corsa f automobilìstica; ~reparaturwerkstatt f officina [-tʃ-] di riparazioni

autori|tär autoritario; ೭tät f autorità

Auto|straße f autostrada; ~verkehr m tràffico automobilìstico; ~vermietung f noleggio [-dʒo] m automòbili; ~zubehör n accessori [-tʃ-] m/pl per l'automòbile

Axt f ascia [-ʃa]

Azalee f azàlea

Azeton n acetone [-tʃ-] m

Azetylen n acetilene [-tʃ-] m

azurblau azzurro celeste [tʃ-]

B

Baby n bebè m; ~ausstattung f biancheria [-k-] per neonato

Bach m ruscello [-ʃ-]

Backbord n babordo m

Backe f guancia [-tʃa]

backen cuòcere [-tʃ-]; (in Öl) friggere [-dʒ-]

Backen|bart m fedine f/pl; ~knochen m zìgoma; ~zahn m dente molare

Bäcker m fornaio; ~ei f, ~laden m panetteria f

Back|hähnchen n pollo m novello arrosto; ~obst n frutta f seccata al forno; ~ofen m forno; ~pfeife f ceffone [tʃ-] m; ~pflaumen f/pl prugne [-ɲe] secche [-ke]; ~werk n pasticceria f

Bad n bagno [-ɲo] m; (Ort) stazione f balneare

Bade|anstalt f stabilimento m balneario; ~anzug m costume da bagno [-ɲo]; ~hose f calzoncini [-tʃ-] m/pl da bagno [-ɲo]; ~kappe f cuffia da bagno [-ɲo]; ~mantel m accappatoio; ~meister m bagnino [-ɲ-]

baden v/t bagnare [-ɲ-]; v/i fare il bagno [-ɲo]

Bade|ort m s Bad; ~schuhe m/pl scarpette f/pl da bagno [-ɲo]; ~strand m spiaggia [-dʒa] f; ~wanne f vasca da bagno [-ɲo]; ~zimmer n càmera f da bagno [-ɲo]

Bagger m draga f

Bahn f Esb ferrovìa; (Straßen೭) tram m; (Renn೭) pista; ~beamte(r) m ferroviere; ~damm m terrapieno della ferrovìa; ೭en:

(sich) **e-n Weg** ℓen farsi strada
Bahnhof m stazione f
Bahnhofs|halle f atrio m della stazione; **~vorsteher** m capostazione
bahn|lagernd fermo in stazione; **ℓpolizei** f polizia ferroviaria
Bahnsteig m marciapiede [-tʃa-]; **~karte** f biglietto [-ʌe-] m d'ingresso ai binari; **~sperre** f cancello [-tʃ-] m
Bahn|überführung f cavalcavia m; **~übergang** m passaggio [-dʒo] a livello; **~wärterhäuschen** n casello m ferroviario
Bahre f barella f
Baiser n meringa f
Bajonett n baionetta f; **~verschluß** m attacco a baionetta
Bake f gavitello m
Bakte|rie f batterio m; **ℓriologisch** batteriològico [-dʒ-]
balancieren bilanciare [-tʃa-]; tenersi in equilibrio
bald presto; **~ darauf** sùbito dopo; **so ~ wie möglich** il più presto possibile
Baldriantropfen m/pl (olio m di) valeriana f
Balg m pelle f; (Kind) marmocchio [-k-]
Balken m trave f
Balkon m balcone; Thea balconata f

Ball m palla f; (Fußℓ) pallone; (Tanzfest) ballo
Ballast m zavorra f
ballen Faust: serrare
Ballen m (Warenℓ) balla f; (Fußℓ) polpaccio [-tʃo]
Ballett n balletto m
Ballon m pallone
Ballspiel n giuoco [dʒu-] m della palla
Balsam m bàlsamo m
Bambus m bambù
banal banale
Banane f banana
Band¹ m volume
Band² n nastro m
Banda|ge f fasciatura [-ʃa-]; **ℓgieren** bendare
Bandaufnahme f registrazione [-dʒ-] a nastro
Bande f banda
bändigen domare
Bandit m bandito
Band|maß n nastro m mètrico; **~scheibe** f nisco m; **~wurm** m tenia f
bang(e) angoscioso [-ʃo-]
Bank f panca; (Geldinstitut) banca; **~anweisung** f assegno [-ɲo] m bancario; **~beamte(r)** m bancario; **~halter** m tenitore del banco; **~konto** n conto m in banca; **~note** f bancotota
bankrott fallito
Bantamgewicht n peso m gallo
bar (bloß) puro; **gegen ~** in contanti
Bar f bar m
Bär m orso

Baracke f baracca
barbarisch bàrbaro
Barbe f barbio m
Bardame f intrattenitrice [-tʃe]
Bären|hunger m fame f da lupo; **2stark** forte come un orso
barfuß scalzo
Bargeld n contanti m/pl; **2los** per assegno [-ɲo]
barhäuptig a capo scoperto
Barhocker m sgabello [zg-]
Bariton m baritono
Barkasse f barcaccia [-tʃa]
barmherzig misericordioso; **2keit** f misericordia
Barmixer m barista
barock barocco; **2stil** m stile barocco
Barometer n baròmetro m
Barren m (Gold²) verga f; (Turngerät) parallele f/pl
Barrikade f barricata
barsch brusco
Barsch m pesce [-ʃe] pèrsico
Bar|schaft f contanti m/pl; **~scheck** m assegno [-ɲo] circolare [tʃ-]
Bart m barba f; **~flechte** f mentagra; **2los** imberbe
Barzahlung f pagamento m in contanti
Basalt m basalto
Base¹ f Chem base f
Base² m (Kusine) cugina [-dʒ-]
Basilika f basilica
Basis f base f
Baskenmütze f berretto m basco
Basketball m pallacanestro

Baß m basso
Bast m libro
basteln distrarsi con lavori manuali
Bastler m costruttore dilettante
Batist m batista f
Batterie f batteria, pila
Batzen m: e-n ~ kosten costare un bel grùzzolo
Bau m costruzione f; (Gebäude) edificio [-tʃo]; **~arbeiten** f/pl lavori m/pl di costruzione; **~arbeiter** m operaio edile; **~art** f stile m (architettònico [-k-])
Bauch m ventre; **~fell** n peritonèo m; **~fellentzündung** f peritonite; **~schmerzen** m/pl dolori al ventre; **~speicheldrüse** f pàncreas m
Baude f ricòvero m
bauen costruire
Bauer¹ m contadino; (Schach) pedina f
Bauer² n gabbia f
Bauern|haus n casa f colònica; **~hof** m masseria f
bau|fällig cadente; **2gerüst** n impalcatura f; **2ingenieur** m ingegnere [-dʒen-] edile; **2jahr** n anno m di costruzione; **2kosten** pl spese f/pl di costruzione; **2kunst** f architettura [-k-]
Baum m àlbero
Bau|material n materiale m da costruzione; **~meister** m architetto [-k-]
Baum|grenze f limite m

della vegetazione [-dʒ-] arbòrea; **~krone** f corona dell'àlbero; **~schule** f vivaio m; **~stamm** m tronco d'àlbero; **~wolle** f cotone m

Bausch m cuscinetto [-ʃ-]; **Żig** gonfio

Bau|stelle f àrea fabbricàbile; **~stil** m stile architettònico [-k-]; **~stoff** m materiale da costruzione; **~werk** n edificio [-tʃo] m

Bayer m, **Żisch** bavarese

Bazillus m bacillo [-tʃ-]

beabsichtigen intèndere

beacht|en (wahrnehmen) guardare; (befolgen) osservare; **~enswert** degno [-ɲo] di nota; **~lich** considerévole; **Żung** f attenzione

Beamte(r) m impiegato (od funzionario) statale

beanspruchen (fordern) pretèndere; Platz, Zeit: richièdere [-k-]

beanstand|en fare delle critiche [-ke] a; **Żung** f obiezione

beantragen proporre, chièdere [-k-]

beantwort|en rispóndere (a); **Żung** f risposta

bearbeit|en lavorare, **Żung** f lavorazione

beaufsichtig|en sorvegliare [-ʎa-]; **Żung** f sorveglianza [-ʎa-]

beauftrag|en incaricare; **Żte(r)** m incaricato

bebauen costruire; Land: coltivare

beben tremare

Becher m bicchiere [-k-]

Becken n (Bassin) bacino [-tʃ-] m (a Anat)

bedächtig circospetto [tʃ-]

bedanken: sich ~ ringraziare

Bedarf m bisogno [-ɲo]; **nach ~** a seconda del bisogno [-ɲo]

Bedarfs|artikel m articolo di prima necessità [-tʃ-]; **~haltestelle** f fermata a richiesta [-k-]

bedauer|lich spiacévole [-tʃ-]; **~licherweise** sfortunatamente; **~n** deplorare; **Żn** n rammàrico m; **~nswert** deplorévole

bedenk|en pensare (a); **~lich** serio; **Żzeit** f tempo m per riflèttere

bedeut|en significare [-ɲ-]; **~end** importante; **Żung** (Sinn) significato [-ɲ-] m; (Wichtigkeit) importanza; **~ungslos** insignificante [-ɲ-]

bedien|en servire; sich **~en** (G) servirsi (di); **Żung** f servizio m

Bedienungsanleitung f indicazione per l'uso

Bedingung f condizione; **Żslos** incondizionato

bedräng|en incalzare; **~t** (Lage) penoso; **Żnis** f imbarazzo m

bedroh|en minacciare [-tʃa-]; **~lich** minaccioso [-tʃo-]

bedrück|en opprimere;

~end opprimente; **~t depresso**

bedürf|en (G) aver bisogno [-no] (di); **2nis** n bisogno [-no] m; **2nisanstalt** f gabinetto m pùbblico; **~tig** bisognoso [-no-]

Beefsteak n bistecca f

beeilen: sich ~ affrettarsi

beein|drucken impressionare; **~flussen** influire su; **~trächtigen** pregiudicare [-dʒu-]

beenden finire

beerben ereditare

beerdig|en ~ seppellire; **2ung** f sepoltura

Beere f bacca f

Beet n aiuola f

Befähigung f abilitazione

befahr|bar praticàbile; **~en** v/t passare per; **stark ~en** (Straße) battuto

befallen cògliere [-ʌe-]; **~ werden von** venir colto da

befangen prevenuto; (verlegen) imbarazzato; **2heit** f imbarazzo m

befassen: sich ~ mit occuparsi di

Befehl m órdine m; comando; **2en** comandare

Befehlshaber m comandante

befestigen fermare; assicurare

befeuchten umettare

befind|en: sich ~en èssere; (sich fühlen) star ~n (Meinung) parere m; (Gesundheit) salute f

be|flissen applicato; **~flügeln** fornire ali a; **~folgen** seguire

beförder|n trasportare; (im Rang) promuòvere; **2ung** f trasporto m; promozione f

befragen interrogare; (konsultieren) consultare

befrei|en (von D) liberare (da); **2er** m liberatore; **2ung** f liberazione

befremd|end, ~lich sorprendente, strano; **2ung** f sorpresa

befreund|en: sich ~en mit fare amicizia [-tʃ-] con; familiarizzarsi (con); **~et sein** èssere amico

befriedig|en soddisfare; **~end** soddisfacente [-tʃ-]; **~t** soddisfatto; **2ung** f soddisfazione

befristet a scadenza

befrucht|en fecondare; **2ung** f fecondazione

Befug|nis f autorizzazione; **2t** autorizzato; (zuständig) competente; **2t sein** èssere autorizzato

Befund m (Zustand) stato; (Ergebnis) risultato; **ohne ~** senza reperto

befürcht|en temere; **2ung** f timore m [[-dʒa-]]

befürworten appoggiare

begab|t ingegnoso [-ɲ-]; **2ung** f dono m della natura

Begebenheit f avvenimento m

begegn|en (D od sich) incontrare (qu.); **2ung** f incontro m

begehen *Fest*: celebrare [tʃ-]; *Verbrechen*: comméttere

begehr|en desiderare; **~enswert** desideràbile; **~t** desiderato

begeister|n entusiasmare [-zm-]; **sich ~n für** appassionarsi per; ₂**ung** *f* entusiasmo [-zmo] *m*

Begier|de *f* brama; ₂**ig** àvido

Beginn *m* principio [-tʃ-]; **zu ~** al principio [-tʃ-]; ₂**en** (in)cominciare [-tʃa-]

beglaubig|en autenticare; **~t** attestato; vidimato; ₂**ung** *f* autenticazione

begleit|en accompagnare [-ɲ-] (*a Mus*); ₂**er** *m* accompagnatore [-ɲ-]; ₂**schreiben** (léttera *f*) accompagnatoria [-ɲ-] *f*; ₂**ung** *f* compagnia [-ɲ-]

beglückwünschen congratularsi con

begnadig|en graziare; ₂**ung** *f* grazia

begnügen: sich ~ mit contentarsi di

Begonie *f* begonia

be|graben seppellire; **~graben liegen** stare sepolto; ₂**gräbnis** *n* sepoltura *f*; **~gradigen** rettificare

begreif|en comprèndere; **~lich** comprensibile; **~lich machen** spiegare

begrenz|en limitare; ₂**ung** *f* limitazione

Begriff *m* (*Vorstellung*)

idea *f*; (*Ausdruck*) tèrmine; **im ~ sein zu ... ** èssere in procinto [-tʃ-] di ...; ₂**stutzig** duro di comprendonio

begründ|en fondare; motivare; ₂**ung** *f* fondazione; motivazione

begrüß|en salutare; ₂**ung** *f* saluto *m*

begünstig|en favorire; (*fördern*) promuòvere; ₂**ung** *f* favore *m*

be|gutachten dare il suo parere; **~gütert** benestante; **~haart** peloso; **~häbig** còmodo

behag|en (*et j-m*) piacere [-tʃ-] (qc. a qu.); **~lich** piacévole [-tʃ-]; **sich ~lich fühlen** sentirsi a suo agio [-dʒo]; ₂**lichkeit** *f* comodità

behalten (ri)tenere

Behälter *m* recipiente [-tʃ-]

behand|eln trattare; *Med* curare; ₂**lung** *f* trattamento *m*; cura

beharr|en (auf *D*) insistere (su); **~lich** perseverante; insistente; ₂**lichkeit** *f* perseveranza

behaupt|en (*nicht aufgeben*) mantenere; (*versichern*) asserire; **sich ~en** affermarsi; ₂**ung** *f* asserzione

beheben *Schaden*: riparare

behelfen: sich ~ mit accontentarsi di

Behelfs|brücke *f* ponte *m* provvisorio; ₂**mäßig** provvisorio

beherbergen alloggiare [-dʒa-]

beherrsch|en dominare; ♀ung ƒ dominio m

beherzigen far tesoro di

behilflich: ~ **sein** (D) aiutare (qu.)

behinder|n impedire; ♀ung ƒ impedimento m

Behörd|e ƒ autorità ƒ/pl; ♀lich ufficiale [-tʃa-]

behüten (**vor** D) preservare (da)

behutsam cauto; ♀keit ƒ cautela

bei presso; ~ **Berlin** presso Berlino; ~ **Tisch** a tàvola; ~ **mir** (in der Tasche) con me; ~ **j-m** (zu Hause) da qu.; ~ **Gelegenheit** all'occasione; ~ **Nacht** di notte; ~**m Namen** per nome

beibehalten conservare

Beiboot n scialuppa [ʃa-] ƒ

beibringen: **j-m** (A) ~ fare apprèndere (qc.) a qu.

Beicht|e ƒ confessione; ♀en confessarsi; ~**stuhl** m confessionale; ~**vater** m confessore

beide ambedue; **alle** ~ tutt'e due; **eins von** ~**n** l'uno dei due

beidrehen Mar accostarsi

beieinander l'uno accanto all'altro

Bei|fahrer m secondo autista; ~**fall** m applauso; ♀**fällig** favorévole; ♀**fügen** aggiùngere [-dʒundʒ-]; ~**gabe** ƒ giunta [dʒu-]

beige bigio [-dʒo]

Bei|geschmack m sapore strano; ~**hilfe** ƒ (Geld♀) sovvenzione; jur complicità [-tʃ-]

Beil n scure ƒ

Beilage ƒ aggiunta [-dʒu-]; Kochk contorno m

beiläufig incidentale [-tʃ-]

beilegen s **beifügen**; Streit: comporre

Beileid n condoglianza [-ʃa-] ƒ; ~**skarte** ƒ biglietto [-ʎe-] m di condoglianza [-ʃa-]

beiliegend (qui) accluso; ~**messen** attribuire

Bein n gamba ƒ; (Knochen) osso m; ~ **mir** (in der Tasche) con me; ~ j-m (zu Hause) da

beinah(e) quasi [osso m]

Beiname m soprannome

Bein|bruch m frattura ƒ della gamba; ~**prothese** ƒ gamba artificiale [-tʃa-]

bei|pflichten (D) aderire (a); ♀**programm** n programma n supplementare

beirren: **sich nicht** ~ **lassen** non lasciarsi [-ʃa-] sconcertare [-tʃ-]

beisammen insieme; ♀**sein** n ritrovo m

Beisein n: **im** ~ **von** alla presenza di

beiseite: ~ **legen** méttere da parte; ~ **schaffen** far sparire

Beisetzung ƒ funerali m/pl

Beisitzer m assessore

Beispiel n esempio m; **zum** ~ per esempio; ♀**haft** esemplare; ♀ **ohne** ~ senza esempio; ♀**weise** a mo' d'esempio

beiß|en mòrdere; pizzicare; *fig* dolere; **2zange** *f* pinzette *f/pl*

Bei|stand *m* aiuto; **2stehen** (*D*) assistere (qu.); **~trag** *m* contributo; **2tragen** (**zu**) contribuire (a); **2treten** (*D*) aderire (a); *e-m Verein:* entrare (in); **~wagen** *m* carrozzino; rimorchio [-k-]; **2wohnen** (*D*) assistere (a)

beizeiten a tempo

bejahen rispóndere di sì; **~d** affermativo

bejahrt attempato

bekämpf|en combàttere; **2ung** *f* lotta

bekannt conosciuto [-ʃu-]; noto; (*berühmt*) rinomato; **~ machen** (**mit**) presentare (a); **2e(r)** *m* conoscente [-ʃ-]; **2gabe** *f* pubblicazione; **~geben** rèndere noto; **~lich** notoriamente; **~machen** rèndere pùblico; **2machung** *f* notificazione; (*Anschlag*) manifesto *m*; **2schaft** *f* conoscenza [-ʃ-]; (*Bekannte*) conoscenti [-ʃ-] *m/pl*

bekehren convertire

bekenn|en confessare; **2t-nis** *n* confessione *f*

beklag|en deplorare; sich **~en über** (*A*) lagnarsi [-ɲ-] di; **~enswert** deplorévole; **2te(r)** *m* querelato

bekleid|en *fig Amt usw:* coprire; **2ung** *f* vestiti *m/pl*; **2ungsindustrie** *f* indùstria confezionaria

beklemmend (*Luft*) afoso; *fig* opprimente

bekommen (*erhalten*) ricévere [-tʃ-]; *Krankheit:* venire a; *Kind:* avere; *Hunger:* venire a; *j-m gut* (**schlecht**) **~** far bene (male)

be|kömmlich sano; **~köstigen** dare il vitto; **~kräftigen** confermare

bekreuzigen: sich **~** farsi il segno [-ɲo] della croce [-tʃe]

bekund|en manifestare; **2ung** *f* manifestazione

beladen caricare; *adj* càrico

Belag *m* affettato; *Med* pàtina *f*

belager|n assediare; **2ung** *f* assedio *m*

belangen: **j-n ~ wegen** far causa a qu. per

belanglos senza importanza

belast|en caricare; *Konto:* addebitare; **~end** *jur* aggravante

belästig|en molestare, importunare; **2ung** *f* seccatura

Belastung *f* càrico *m*; *fig* peso *m*

belaufen: sich **~ auf** ammontare a

belauschen origliare [-ʎa-]

beleb|en (ri)animare; **~end** vivificante; **~t** animato; *fig* frequentato; **2ung** *f* animazione

Beleg *m* documento; prova *f*; **2en** (*beweisen*) provare; *Platz:* occupare; *Kursus:*

iscriversi a; ~schaft f personale m; Șt Platz: occupato; Zunge: patinoso; Brötchen: imbottito

belehr|en istruire; informare; Șung f ammaestramento m

beleidig|en offèndere; ~end offensivo; ~t offeso; Șung f offesa

beleucht|en illuminare; Șer m lumaio; Șung f illuminazione

Belgien n Belgio [-dʒo]

belicht|en Fot esporre alla luce [-tʃe]; Șung f esposizione; posa

Belichtungs|messer m esposimetro; ~tabelle f tàvola di posa; ~zeit f tempo m d'esposizione

Belieb|en n: nach ~en a piacere [-tʃ-]; Șig qualsiasi

beliebt ben visto; in voga; Șheit f favore m

beliefern fornire a

bellen abbaiare

belohn|en ricompensare; Șung f ricompensa

Belüftung f ventilazione

belügen dire delle bugie [-dʒ-] a

belustig|end divertente; Șung f divertimento m

be|malen dipingere [-dʒ-]; ~mängeln criticare

bemerk|bar percettibile; sich ~bar machen farsi sentire; ~en osservare; notare; (sagen) dire; ~enswert notévole; Șung f osservazione; nota

bemitleiden compiàngere [-dʒ-]

bemüh|en incomodare; sich ~en adoprarsi; Șung f premura

benachbart vicino [-tʃ-]

benachrichtig|en avvertire; avvisare; Șung f avviso m

benachteilig|en pregiudicare [-dʒu-]; ~t pregiudicato [-dʒu-]; Șung f pregiudizio [-dʒu-] m

benehm|en: sich ~en comportarsi; Șen n condotta f

beneiden invidiare; ~swert invidiàbile [zione]

Benennung f denomina-Ș

Bengel m monello

benommen stordito; Șheit f stordimento

benötigen aver bisogno [-ɲo] di

benutz|en, benützen approfittare di; adoperare; Șer m utente; Șung f uso m

Benzin n benzina f; ~kanister m bidone di benzina; ~pumpe f pompa della benzina; ~tank m serbatoio di benzina

beobacht|en osservare; Șer m osservatore; Șung f osservazione

be|packt càrico, ~pflanzen piantare

bequem còmodo; (mühelos) senza sforzi; (handlich) maneggévole [-dʒ-]; es sich ~ machen accomodarsi; Șlichkeit f comodità

berat|en consigliare [-ʎa-]; Ջer *m* consigliere [-ʎe-]; Ջung *f* consiglio [-ʎo] *m*; Ջungsstelle *f* consultorio *m*

berauben derubare

berausch|en inebriare; ⁓end inebriante; ⁓t inebriato

berechn|en calcolare; Ջung *f* càlcolo *m*; *fig* intenzione

berechtigen (zu) autorizzare (a); ⁓t autorizzato; Ջung *f* autorizzazione

Bereich *m* àmbito

bereichern: sich ⁓ (an) arricchirsi [-k-] (di)

Bereifung *f* pneumàtici [-tʃi] *m/pl*

bereit (*fertig*) pronto; (*gewillt*) disposto; ⁓ **sein** (zu) èssere a disposto (a); ⁓en preparare (*a Kochk*); ⁓halten tenere a disposizione; ⁓machen prepararsi

bereits già [dʒa]

Bereitschaft *f* disposizione; ⁓sdienst *m* servizio di guardia

bereit|stellen méttere a disposizione; Ջung *f* messa a disposizione; ⁓willig pronto

bereuen pentirsi

Berg *m* monte; Ջab in discesa [-ʃ-]; Ջan, Ջauf in salita; ⁓arbeiter *m* minatore; ⁓bahn *f* funicolare *m*; ⁓bau *m* indùstria *f* mineraria

bergen ricuperare

Berg|führer *m* guida *f* alpina; ⁓hütte *f* rifugio [-dʒo] *m*; Ջig montuoso; ⁓mann *m* minatore; ⁓rutsch *m* frana *f*; ⁓sport *m* alpinismo [-zmo]; ⁓steiger *m* alpinista; ⁓tour *f* gita [dʒ-] in montagna [-ɲa]; ⁓-und-Tal-Bahn *f* montagne [-ɲe] *f/pl* russe

Bergung *f* ricùpero *m*; salvataggio [-dʒo] *m*

Bergwerk *n* miniera *f*

Bericht *m* relazione *f*; rapporto; Ջen riferire; ⁓erstatter *m* relatore

berichtigen rettificare; Ջung *f* rettifica

berieseln irrigare

Berliner *m* berlinese

Bernstein *m* ambra *f*

bersten crepare

berüchtigt famigerato [-dʃ-]

berücksichtigen tener conto (di); Ջung *f* considerazione

Beruf *m* professione *f*

berufen chiamare [k-]; **sich ⁓ auf** (*A*) appellarsi a

beruflich professionale

Berufs|beratung *f* avviamento *m* professionale; ⁓krankheit *f* malattia professionale; Ջmäßig professionale; Ջschule *f* scuola d'avviamento professionale; ⁓sportler *m* sportivo professionista; Ջtätig che esèrcita [-tʃ-] una professione

Berufung *f* nòmina; *jur*

appello *m*; ~ einlegen interporre appello

beruhen (auf *D*) fondarsi (su); et. auf sich ~ lassen lasciare [-ʃa-] una cosa come è

beruhig|en calmare; **~end** calmante; **~t** calmo; tranquillamente *m*; ♀ungsmittel *n* calmante *m*

berühmt célebre [tʃ-]; ♀heit *f* celebrità [tʃ-]

berühr|en toccare; ♀ung *f* tatto *m*

besänftigen placare

Besatz *m* guarnizione *f*

Besatzung *f mil* occupazione; (*Mannschaft*) equipaggio [-dʒo] *m*

beschädig|en danneggiare [-dʒa-]; **~t** danneggiato [-dʒa-]; ♀ung *f* danneggiamento [-dʒa-] *m*

beschaff|en *v/t* procurare; **gut** (**schlecht**) **~en sein** èssere in buono (cattivo) stato; ♀enheit *f* natura; stato *m*; ♀ung *f* procurazione

beschäftig|en occupare; **sich ~en mit** occuparsi di; **~t** occupato; ♀ung *f* occupazione

beschäm|en confóndere; **~end** umiliante; **~t** confuso

beschatten *j-n*: spiare

Bescheid *m* (*Antwort*) risposta *f*; (*Auskunft*) informazioni *f/pl*; ~ wissen èssere pràtico (di); **~ geben** dare risposta

bescheiden modesto; ♀heit *f* modestia

bescheinig|en certificare [tʃ-]; ♀ung *f* attestazione

Bescherung *f* regali *m/pl*; **eine schöne ~!** un bel pasticcio [-tʃo]!

be|schießen bombardare; **~schimpfen** ingiuriare [-dʒu-]; **~schirmen** protèggere [-dʒ-]

Beschlag *m*: **in ~ nehmen** sequestrare; ♀en *v/t Pferd*: ferrare; *v/i* (*anlaufen*) coprirsi (di); *adj* ben istruito; **~nahme** *f* sequestro *m*

beschleunig|en affrettare; ♀ung *f* accelleramento [-tʃ-] *m*

beschließen (*beenden*) chiùdere [k-]; finire; (*entscheiden*) decidere [tʃ-]

Beschluß *m* fine *f*; decisione [-tʃ-] *f*; ♀fähig *adj* in nùmero legale

be|schmieren imbrattare; **~schmutzen** sporcare; **~schneiden** tagliare [-ʎa-]; **~schnüffeln** fiutare; **~schönigen** trovare delle scuse (per)

beschränk|en limitare; **sich ~en auf** (*A*) limitarsi a; **~t** limitato; (*geistig*) corto di mente; ♀ung *f* limitazione

beschreib|en descrìvere; ♀ung *f* descrizione

beschriften méttere un'iscrizione su

beschuldig|en incolpare; accusare; ♀te(r) *m* accusato; 2ung f incolpazione

Beschuß m bombardamento

beschütz|en proteggere [-dʒ-]; 2er m protettore

Beschwer|de f reclamo m; ~den pl Med incòmodi m/pl; 2en: sich 2en über (A) lagnarsi di; 2lich gravoso

beschwichtig|en acquietare; 2ung f acquietamento m

be|schwindeln imbrogliare [-ʎa-]; ~schwingt animato; ~schwipst brillo; ~schwören et: giurare [dʒu-]; (anflehen) scongiurare [-dʒu-]; ~seitigen rimuòvere

Besen m scopa f

besetz|en Platz: occupare (a mil); Stelle: affidare a; ~t occupato; 2ung f occupazione

besichtig|en visitare; 2ung f visita

besiegen vìncere [-tʃ-]

besinn|en: sich ~en auf (A) rammentarsi di; ~lich contemplativo; 2ung f sensi m/pl; (Überlegung) riflessione; zur 2ung kommen ricuperare i sensi; ~ungslos privo di sensi

Besitz m possesso; 2en possedere; ~er m possessore; ~tum n possesso m

besohlen risolare

Besoldung f stipendio m

besonder (spezifisch, spe-

ziell) particolare, speciale [-tʃa-]; (separat) separato; ~e Kennzeichen segni [-ɲi] m/pl particolari; 2heit f particolarità; ~s particolarmente [dʒu-]

besonnen adj giudizioso

besorg|en (beschaffen) procurare; (erledigen) attèndere a; 2nis f apprensione; ~niserregend preoccupante; ~t preoccupato; ~t sein (um A) stare in pensieri per; 2ung f commissione; 2ungen machen fare delle spese

be|spannen (mit D) rivestire (di); ~spitzeln spiare

besprech|en discùtere; sich ~en conferire; 2ung f discussione; (Kritik) recensione [-tʃ-]

bespritzen spruzzare

besser migliore [-ʎo-]; um so (od desto) ~ tanto meglio [-ʎo-]; ~n migliorare [-ʎo-]; 2ung f miglioramento [-ʎo-] m; gute 2ung! Le àuguro una pronta guarigione [-dʒo-]

best: der (die) ~e il (la) migliore [-ʎo-]; am ~en nel miglior [-ʎo:r] modo possibile; der erste ~e il primo venuto

Be|stand m effettivo; (Dauer) durata f; 2ständig costante; ~standteil m elemento; ~stärken confermare

bestätig|en confermare; 2ung f conferma

bestatt|en seppellire; ♀ung *f* sepoltura; ♀ungsinstitut *n* impresa *f* di pompe fùnebri

bestech|en corrómpere; **~end** affascinante [-ʃ-]; **~lich** corruttìbile; ♀ung *f* corruzione

Besteck *n* posata *f*

bestehen *(durchstehen)* superare; *(existieren)* esìstere; **~ auf** (D) insìstere su; **~ aus** (D) consìstere di

be|stehlen derubare; **~steigen** *Pferd usw.:* montare; *Berg:* salire (su); **~stellen** *Ware:* ordinare; *Feld:* coltivare; *Gruß:* fare

Bestell|nummer *f* nùmero *m* di ordinazione; **~schein** *m* scheda [sk-] *f* di ordinazione; **~ung** *f* ordinazione

besten|falls nel migliore [-ʎo-] dei casi; **~s** il meglio [-ʎo] possibile

besteuern tassare [bestìa]

besti|alisch bestiale; ♀e *f* ʃ

bestimm|en *(festlegen)* fissare; stabilire; *(j-n zu)* destinare (a); *(entscheiden)* decidere [-tʃ-]; **~t** *(sicher)* certo [tʃ-]; *(festgelegt)* stabilito; ♀theit *f* determinatezza; ♀ung *f* determinazione; ♀ungsort *m* luogo di destinazione

Bestleistung *f* Sp record *m*

bestraf|en punire; ♀ung *f* punizione

bestrahl|en irradiare; ♀ung *f* irradiazione; *Med* raggi [-dʒi] *m/pl*

Be|streben *n* sforzo *m*; ♀streichen spalmare; ♀streiten *(verneinen)* contestare; *Kosten:* frontegiare [-dʒa-]; ♀streuen cospàrgere [-dʒ-]

bestürz|t costernato; ♀ung *f* costernazione

Bestzeit *f* Sp tempo *m* di record

Besuch *m* visita *f*; ♀en visitare; *Schule:* frequentare; **~er** *m* visitatore; **~szeit** *f* ore *f/pl* di visita

betagt attempato

betasten palpare

betätig|en azionare; **sich ~en** prèndere parte (a qc.); ♀ung *f* azionamento *m*

betäub|en assordare; ♀ung *f* assordamento *m*; ♀ungsmittel *n* narcòtico *m*

Bete *f:* **rote ~** barbabiètola rossa

beteilig|en *j-n:* interessare; **sich ~en an** (D) partecipare [-tʃ-] a; ♀ung *f* partecipazione [-tʃ-]

beten pregare

beteuern asseverare

Beton *m* cemento [tʃ-] armato

beton|en accentuare [-tʃ-]; **~t** accentuato [-tʃ-]; ♀ung *f* accentuazione [-tʃ-]

Betracht *m:* **in ~ ziehen** tener conto di; **nicht in ~ kommen** non entrare in questione; ♀en guardare; ♀en als considerare come

beträchtlich considerèvole

Betrachtung *f* contempla-

zione; (*Erwägung*) considerazione
Betrag *m* importo
betrag|en ammontare (a); **sich ~en** comportarsi; **~en** *n* condotta *f*
betreffen riguardare; **~d** concernente [-tʃ-]
betreffs riguardo a
betreiben (*ausüben*) esercitare [-tʃ-]; (*vorantreiben*) sollecitare [-tʃ-]
betreten entrare in; ♀ **verboten!** vietato l'ingresso!
betreu|en provvedere a; **♀er** *m* fiduciario [-tʃa-]; **♀ung** *f* cura
Betrieb *m* movimento; (*Werk*) azienda *f*; impresa *f*; **in** (*außer*) **~** in (fuori) esercizio [-tʃ-]; **in ~ setzen** méttere in movimento
Betriebs|kapital *n* capitale *m* dell'esercizio [-tʃ-]; **~rat** *m* consiglio [-ʎo] di azienda; **~sicherheit** *f* funzionamento *m* sicuro; **~unfall** *m* infortunio sul lavoro; **~wirtschaft** *f* economia aziendale
betrinken: sich ~ ub(b)riacarsi
betroffen (**von** *D*) colpito (da); (*betreten*) confuso
betrübt triste
Betrug *m* inganno; frode *f*
betrüg|en ingannare; **♀er** *m* ingannatore; **~erisch** ingannatore
betrunken ub(b)riaco; **♀e(r)** *m* ub(b)riaco
Bett *n* letto *m*; **zu ~ gehen**

andare a letto; **~couch** *f* divano-letto *m*; **~decke** *f* coperta da letto
betteln mendicare
bett|läg(e)rig allettato; **♀laken** *m* lenzuolo *f*
Bettler(in *f*) *m* mendicante
Bett|ruhe *f* riposo *m* a letto; **~schüssel** *f* scodella da letto; **~stelle** *f* lettiera; **~vorleger** *m* scendiletto [ʃ-]; **~wäsche** *f* biancheria [-k-] da letto
beugen piegare
Beule *f* ammaccatura
beunruhigen inquietare; **sich ~** inquietarsi
beurlauben dare il permesso **o**
beurteil|en giudicare [dʒu-]; **♀ung** *f* giudizio [dʒu-] *m*
Beute *f* preda
Beutel *m* borsa *f*
Bevölkerung *f* popolazione
bevollmächtig|en autorizzare; **♀te(r)** *m* delegato
bevor prima che (*mit conj*); prima di (*mit inf*); **~munden** esercitare [-tʃ] la tutela su; **~stehen** (*et j-m*) èssere imminente; **~stehend** imminente; **~zugen** preferire; **♀zugung** *f* preferenza
bewach|en sorvegliare [-ʎa-]; **♀er** *m* guardiano; **♀ung** *f* guardia
bewaffn|en armare; **♀ung** *f* armamento *m*; (*Waffen*) armi *f*/*pl*
bewahren (*auf~*) serbare;

conservare (a Geheimnis, Andenken); **Schweigen** ~ mantenere il silenzio

bewähr|en: sich (gut) ~en dare buoni risultati; ℒung f: mit ℒung con la condizionale; ℒ**ungsfrist** f tempo m di prova

bewaldet boscoso

bewältig|en vincere [-tʃ-]; superare; ℒ**ung** f superamento m

bewandert: ~ **sein in** (D) èssere versato in

bewässer|n irrigare; ℒ**ung** f irrigazione

beweg|en muòvere; ℒ**grund** m motivo; ~**lich** mòbile; ~**t** (ergriffen) commosso; See: agitato [-dʒ-]; ℒ**ung** f movimento m; **sich in ℒung setzen** méttersi in moto

Bewegungs|freiheit f libertà di azione; ℒ**los** immòbile

Beweis m prova f; ~**aufnahme** f audizione delle prove; ℒ**en** provare; ~**stück** n documento m di prova

bewerb|en: sich ~**en um** (A) chièdere [k-] qc.; ℒ**er** m aspirante; ℒ**ung** f domanda

bewert|en valutare; ℒ**ung** f valutazione

bewillig|en concèdere [-tʃ-]; ℒ**ung** f concessione [-tʃ-]

bewirken effettuare

bewirt|en trattare; ~

schaften amministrare; ℒ**ung** f trattamento m

bewohn|en abitare; ℒ**er** m abitante

bewölk|en: sich ~**en** rannuvolarsi; ~**t** Himmel: nuvoloso; ℒ**ung** f nuvolosità

bewunder|n ammirare; ~**nswert** ammiràbile; ℒ**ung** f ammirazione

bewußt cosciente [-ʃe-]; (bekannt, erwähnt) noto; **sich des (der)** ... ~ **sein** rèndersi conto di ...; ~**los** privo di sensi; ℒ**losigkeit** f incoscienza [-ʃe-]; ℒ**sein** n coscienza [-ʃe-] f

bezahl|en pagare; ℒ**ung** f pagamento m

bezähmen domare

bezaubernd incantévole

bezeichn|en segnare [-ɲ-]; (bedeuten) significare [-ɲ-]; ~**end** caratteristico; [-ɲ-]; ℒ**ung** f segno [-ɲo] m

be|zeigen (di)mostrare; ~**zeugen** attestare

bezieh|en Haus: andare ad abitare in; Ware: ricévere [-tʃ-]; Rente, Gehalt: riscuòtere; Bett: fare; sich ~**en auf** (A) riferirsi a; ℒ**ung** f rapporto m; in **jeder ℒung** sotto tutti gli [ʎi] aspetti; ℒ**ungen** pl relazioni f/pl; ~**ungsweise** oppure

Bezirk m distretto

Bezug m copertura f; **Bezüge** pl entrate f/pl; in ℒ **auf** (A) riguardo a

be|züglich (G) relativo (a);

biologisch

~zwecken mirare a; **~zweifeln** méttere in dubbio; **~zwingen** vincere [-tʃ-]; *Gipfel:* conquistare

Bibel f Bibbia

Biblio|graphie f bibliografia; **~thek** f biblioteca; **~thekar** m bibliotecario

biblisch biblico

bieder leale

bieg|en v/t piegare; v/i **um die Ecke ~en** voltare l'àngolo; **sich ~en** piegarsi; **~sam** pieghévole [-g-]; **Ωung** f curvatura

Biene f ape

Bienen|stock m alveare; **~zucht** f apicultura

Bier n birra f; **~brauerei** f birreria; **~deckel** m sottocoppa f; **~flasche** f bottiglia [-ʎa] da birra; **~glas** n bicchiere [-k-] m da birra

Biest n bestiaccia f [-tʃa]

bieten offrire; **sich ~** presentarsi; **sich nicht ~ lassen** non tollerare

Bikini m due pezzi

Bilanz f bilancio [-tʃo] m

Bild n immàgine [-dʒ-] f; *Mal* quadro m; *Fot* foto f (-grafia) f; **~bericht** m documentario fotográfico

bilden formare; (*geistig*) istruire; **~de Künste** arti f/pl figurative

Bilder|buch n libro m illustrato; **~galerie** f galleria; **~rahmen** m cornice f [-tʃe] f

Bild|format n formato m della fotografia; **~hauer** m

scultore; **Ωlich** figurato; **~nis** n ritratto m; **~schirm** m schermo [sk-]; **Ωschön** bellissimo; **~ung** f (*Gestaltung*) formazione; (*Kultur*) cultura; (*Ausß*) educazione; istruzione

Billard n biliardo m; **~kugel** f palla da biliardo; **~stock** m stecca f

billig a buon mercato; (*gerecht*) giusto [dʒu-]; **~en** approvare; **Ωkeit** f equità; **Ωung** f approvazione

Bimsstein m pómice [-tʃe] f

Binde f (*Armß*) fascia [-ʃa]; (*Verband*) fasciatura [-ʃa-]; **~gewebe** n tessuto m connettivo; **~glied** n anello m di congiunzione [-dʒu-]

Bindehaut f congiuntiva [-dʒu-]; **~entzündung** f congiuntivite [-dʒu-]

Bind|emittel n agglutinante m; **Ωen** legare; *Buch:* rilegare; **Ωend** obbligatorio; **~er** m (*Schlips*) cravatta f; **~faden** m spago; **~ung** f legatura; (*Schiß*) attacco m

binnen (*D od G*) entro; **~ kurzem** fra poco; **~ einer Woche** entro una settimana; **Ωhandel** m commercio [-tʃo] interno; **Ω-land** n interno m del paese; **Ωschiffahrt** f navigazione interna; **Ωverkehr** m servizio interno

Binse f giunco [dʒu-] m

Bio|graphie f biografia; **~logie** f biologia [-dʒ-]; **Ωlogisch** biològico [-dʒ-]

Birke f betulla

Birn|baum m pero; **~e** f pera; **El** lampadina

bis (örtlich u zeitlich) fino (a); **~ dahin** fino lì; **~ jetzt** fino adesso; **~ auf** (A) eccetto [-tʃ-]; **~ auf weiteres** fino a nuovo órdine; **~ wann?** per quando?

Bisam m muschio [-sk-]

Bischof m véscovo

bisher finora; **~ig** che ha durato finora

Biskuit n biscotto m

Biß m morso

bißchen: **ein ~** un poco, un po'; **ein ~ viel (wenig)** un po' troppo (poco)

Bissen m boccone

bissig mordace [-tʃe]

Bißwunde f morso m

Bistum n episcopato m

bisweilen talvolta

bitte per favore, prego; **~?** come?; **~ sehr!** prego!; (keine Ursache) non c'è [tʃe] di che [ke]!

Bitte f preghiera [-g-]

bitten pregare

bitter amaro; fig acerbo [-tʃ-]; duro; **2keit** f amarezza; **~lich** amaramente; **2salz** n sale m amaro

Bittschrift f súpplica

Blähungen f/pl flatulenze

blamieren comprométtere; **sich ~** far brutta figura

blank (glänzend) lùcido [-tʃ-]; (rein) netto, pulito

Blanko|scheck m assegno

[-ɲo] in bianco; **~vollmacht** f procura in bianco

Bläschen n bollicina [-tʃ-] f

Blase f bolla; Anat vescica [-ʃ-]; **~balg** m mantice [-tʃe]

blas|en v/i soffiare; v/t Trompete usw: sonare; **2instrument** n strumento m a fiato; **2kapelle** f banda

blaß pállido (di ottoni)

Blatt n Bot foglia [-ʎa] f; (Papier) foglio [-ʎo] m; (Zeitung) giornale [dʒo-] m

blättern sfogliare [-ʎa-]

Blätterteig m pasta f sfoglia [-ʎa]; **~pastete** f sfogliatino [-ʎa-] m

Blatt|gold n oro m in foglie [-ʎe]; **~laus** f pidocchio [-k-] m delle foglie [-ʎe]

blau blu; azzurro; fig (betrunken) brillo; **~er Fleck** lìvido m

Blau n azzurro m; **ins ~e** (Fahrt) con destinazione sconosciuta [-ʃu-]; **2äugig** dagli [-ʎi] occhi [-k-] azzurri; **~beere** f mirtillo m; **2grau** grigio [-dʒo] turchino [k-]

bläulich azzurrógnolo [-ɲ-]

Blau|säure f àcido [-tʃ-] m prùssico, **~stift** m matita f copiativa

Blech n lamiera f; **~dose** f scàtola di latta

blechen F pagare

Blei n piombo m

bleiben restare, rimanere; **~d** permanente; **~lassen** lasciar [-ʃa-] stare

bleich pàllido; ~en imbiancare; 2sucht f anemia

Bleistift m lapis, matita f; ~anspitzer m temperalapis

Blend|e f Fot diaframma m; 2en abbagliare [-Аa-]; 2end abbagliante [-Аa-]; fig fantàstico

Blick m sguardo [zg-]; **auf den ersten** ~ a prima vista; 2en guardare; **sich** ~ **lassen** farsi vivo; ~feld n campo m visivo; ~punkt m punto prospèttico; ~winkel m fig punto di vista

blind cieco [tʃɛ-]; ~er **Alarm** allarme m falso; ~er **Passagier** viaggiatore [-dʒa-] m di contrabbando; ~ **werden** diventare cieco [tʃɛ-]

Blinddarm m intestino cieco [tʃɛ-]; ~entzündung f appendicite [-tʃ-]

Blinden|hund m cane per ciechi [tʃɛ:ki]; ~schrift f alfabeto m per ciechi [tʃɛ:ki]

Blinde(r) m cieco [tʃɛ-]

Blind|gänger m proiéttile inesploso; ~heit f cecità [tʃetʃ-]; 2lings alla cieca [tʃɛ-]

blink|en brillare; (Zeichen geben) segnalare [-ɲ-]; 2er m lampeggiatore [-dʒa-]; 2feuer n faro m ad eclisse; 2licht n luce [-tʃe] f ad intermittenze; Auto: lampeggiatore [-dʒa-] m

blinzeln ammiccare

Blitz m lampo; (Wetterstrahl) fùlmine; ~ableiter m parafùlmine; 2blank scintillante [ʃ-]; 2en lampeggiare [-dʒa-]; es 2t lampeggia [-dʒa]; ~gerät n Fot flash m; ~lampe f (Birne) lampadina da flash; ~leuchte f Fot làmpada-lampo; ~lichtaufnahme f fotografia al flash; ~schlag m colpo di fùlmine; 2schnell in un lampo; ~telegramm n telegramma m lampo; ~würfel m Fot cubo-flash

Block m blocco; (Zeichen2, Schreib2) blocco (da disegno [-ɲo], da scrivere); (Häuser2) quadrato m; ~ade f blocco m; ~flöte f flauto m a becco; 2ieren bloccare; ~schrift f stampatello m

blöd(e) scemo [ʃ-]

Blödsinn m cretinismo [-zmo]; (dummes Zeug) stupidàggini [-dʒ-] f/pl

blöken belare

blond biondo

bloß nudo; (nur) solo

Blöße f nudità; fig punto m débole

bloß|legen scoprire; ~stellen compromèttere

Bluff m bluff

blühen fiorire

Blume f fiore m

Blumen|beet n aiuola f; ~geschäft n, ~handlung f negozio m di fiori; ~kohl m cavolfiore; **~strauß** m mazzo di fiori; **~topf** m vaso di fiori; **~vase** f vaso m da fiori

Bluse f camicetta [-tʃ-]

Blut n sangue m; **~armut** f anemia; **~druck** m pressione f del sangue

Blüte f fiore m; fioritura

blut|en sanguinare; **2er** m emofiliaco; **2erguß** m travaso di sangue; **2gefäß** n vaso m sanguigno [-ɲo]; **2gruppe** f gruppo m sanguigno [-ɲo]; **~ig** insanguinato; **2probe** f emoscopia; **~rünstig** sanguinario; **2schande** f incesto [-tʃ-] m; **2spender** m donatore di sangue

blutstillend: ~es Mittel rimedio m emostàtico

Blut|sturz m sbocco [zb-] di sangue; **~transfusion** f, **~übertragung** f trasfusione del sangue; **~ung** f emorragìa [-dʒ-]; **2unterlaufen** insanguinato; **~untersuchung** f emoscopia; **~vergiftung** f setticemìa [-tʃ-]; **~verlust** m pèrdita f di sangue; **~wurst** f sanguinaccio [-tʃo] m

Bö f ràffica

Bock m maschio [-sk-]; (*Gestell*) cavalletto; **2ig** capríccio

Boden m (*Erd2*) suolo m; (*Dach2*) solaio; (*Gefäß2*) fondo; **zu ~ fallen** cadere a terra; **~kammer** f soffitta;

2los sfondato; *fig* immenso; **~personal** n personale m a terra; **~schätze** m/pl ricchezze [-k-] f/pl del sottosuolo; **2ständig** nativo; **~turnen** n ginnàstica [dʒ-] f al suolo

Bogen m arco (*a Arch, Waffe*); (*Biegung*) svolta [zv-] f; (*Papier*) foglio [-ʎo]; **~gang** m pòrtico; **~lampe** f làmpada ad arco; **~schießen** n tiro m all'arco; **~schütze** m arciere [-tʃ-]

Bohle f pancone m

böhmisch boemo

Bohne f fagiolo [-dʒo-] m; **grüne ~n** fagiolini [-dʒo-] m/pl

Bohnen|kaffee m vero caffè; **~suppe** f minestra di fagioli [-dʒo-]

bohner|n lucidare [-tʃ-]; **2wachs** n cera [tʃ-] f per lucidare [-tʃ-] pavimenti

bohr|en forare; trivellare; **2er** m trivello; **2maschine** f perforatrice [-tʃe]; **2turm** m torre f di trivellazione; **2ung** f trivellazione

böig a ràffiche [-ke]

Boje f gavitello m

Bollwerk n *fig* baluardo m

Bombe f bomba

Bomben|angriff m bombardamento; **~erfolg** m successo [-tʃ-] strepitoso; **2fest, 2sicher** a prova di bombe; **~flugzeug** n bombardiere m

Bon m buono

Bonbon *m* caramella *f*

Bonbonniere *f* bomboniera

Boot *n* battello *m*; barca *f*

Boots|anhänger *m* rimorchio-canotto [-k-]; ~fahrt *f* viaggio [-dʒo] *m* in barca; ~haken *m* gaffa *f*; ~mann *m* battelliere

Borax *n* borace [-tʃe] *m*

Bord¹ *m* Mar bordo; an ~ a bordo

Bord² *n* scaffale *m*

Bordell *n* bordello *m*

Bordstein *m* bordo del marciapiede [-tʃa-]

borgen *et*: prèndere in prèstito; *j-m et*: prestare

Borke *f* corteccia [-tʃa]

Bor|salbe *f* unguento *m* bòrico; ~säure *f* àcido [-tʃ-] *m* bòrico

Börse *f* borsa, (Geld⁹) portamonete *m*

Borste *f* sétola

Borte *f* passamano *m*

bösartig maligno [-ɲo] (*a Med*); ⁹keit *f* malignità [-ɲ-]

Böschung *f* pendìo *m*

böse cattivo; (*schlimm, krank*) malato; (*zornig*) adirato; ~ sein (*D*) èssere in còllera (con qu.); ⁹wicht *m* malvagio [-dʒo]

bos|haft maligno [-ɲo]; ⁹heit *f* malignità [-ɲ-]

böswillig malévolo

Botani|k *f* botànica; ⁹scher Garten giardino [dʒa-] *m* botànico

Bote *m* messagg(i)ero

[-dʒe-]; durch ~n per corriere

Botschaft *f* messaggio [-dʒo] *m*; (*Amt*) ambasciata [-ʃa-]; ~er *m* ambasciatore [-ʃa-]

Bottich *m* tino

Bouillon *f* brodo *m*

Bowle *f* vino *m* con frutta

Box *f* Auto: posteggio [-dʒo] *m*, box *m*

box|en fare il pugilato [-dʒ-]; ⁹er *m* pugilatore [-dʒ-]; ⁹kampf *m* incontro di pugilato [-dʒ-]; ⁹ring *m* quadrato [-dʒ-]; ⁹sport *m* pugilato [-dʒ-]

Boykott *m* boicottaggio [-dʒo] *m*; ⁹ieren boicottare

brach incolto; ⁹land *n* maggese [-dʒ-] *m*; ⁹liegen stare in maggese [-dʒ-]

Branche *f* ramo *m*; ~(n)-kenntnis *f* esperienza speciale [-tʃa-]

Brand *m* incendio [-tʃ-]; *Med* cancrena *f*; in ~ geraten pigliare [-ʎa-] fuoco; in ~ stecken incendiare [-tʃ-]; ~binde *f* benda al bismuto; ~blase *f* vescica [-ʃ-] da scottatura

branden fràngersi [-dʒ-]

Brand|geruch *m* puzzo *m* di bruciato [-tʃa-]; ~mal *n* marchio [-k-] *m*; ⁹marken bollare; ~salbe *f* unguento *m* per scottature; ~stifter *m* incendiario [-tʃ-]; ~stiftung *f* incendio [-tʃ-] *m* doloso

Brandung f frangenti [-dʒ-] m/pl

Brandwunde f scottatura

Branntwein m acquavite f

Brasilia|ner m, ♀**nisch** brasiliano

brat|en arrostire; (backen) friggere [-dʒ-]; ♀**en** m arrosto; ♀**fisch** m pesce [-ʃe] fritto; ♀**hering** m aringa f arrosta; ♀**huhn** n pollo m arrosto; ♀**kartoffeln** f/pl patate fritte; ♀**pfanne** f padella; ♀**rost** m gratella f

Bratsche f viola

Brat|spieß m spiedo; ♀**wurst** f salsiccia [-tʃa] arrosta

Brauch m costume, uso; ♀**bar** utilizzàbile; ♀**en** (nötig haben) aver bisogno [-ɲo] di; (erfordern) richièdere [-k-]; (verwenden) adoperare; usare; ♀**tum** n usanze f/pl e costumi m/pl

Braue f sopracciglio [-tʃi-ʎo] m

braue|n fare (la birra); ♀**rei** f birreria

braun bruno

Bräun|e f (Sonnen♀) brunezza; ♀**en** abbrunire; **sich** ♀**en** lassen abbronzarsi

braun|gebrannt abbronzato; ♀**kohle** f lignite [-ɲ-]

bräunlich bruniccio [-tʃo]

Brause f doccia; ♀**limonade** f gazzosa

brausen (rauschen) frèmere; (brodeln) bollire; (rasen) infuriare

Braut f sposa; ♀**führer** m padrino della sposa

Bräutigam m sposo

Braut|kleid n àbito m da sposa; ♀**paar** n (coppia f di) sposi m/pl

brav bravo; m (Kind) buono

Brech|durchfall m colerina f; ♀**eisen** n leva f; ♀**en** v/t rómpere; v/i rómpersi; Med vomitare; ♀**mittel** n vomitivo m; ♀**reiz** m nàusea f

Brei m pappa f; purè

breit largo; ♀**beinig** a gambe larghe [-ge]; ♀**e** f larghezza [-g-]; Geogr latitùdine; ♀**machen: sich** ♀**machen** occupare molto posto; ♀**schultrig** dalle spalle larghe [-ge]; ♀**wand** f schermo [sk-] m panorámico

Brems|belag m ferodo per i freni; ♀**e** f freno m; Zo tafano m; ♀**en** frenare; ♀**flüssigkeit** f liquido m per i freni idràulici [-tʃi]; ♀**klotz** m ceppo [tʃ-] del freno; ♀**licht** n fanali m/pl d'arresto; ♀**spur** f traccia [-tʃa] della frenata; ♀**weg** m distanza f di frenatura

brenn|bar combustibile; ♀**en** v/t bruciare [-tʃa-]; v/i (in Flammen stehen) èssere in fiamme; (Sonne) scottare; (Wunde) bruciare [-tʃa-]; ♀**end** ardente; Schmerz: cocente [-tʃ-]; ♀**erei** f distilleria

Brennessel f ortica

Brenn|holz *n* legna [-ɲa] *f*; **~punkt** *m* fuoco; **~schere** *f* calamistro *m*; **~spiritus** *m* spirito da àrdere; **~stoff** *m* combustibile; **~weite** *f* distanza focale

brenzlig bruciaticcio [-tʃa-tit-tʃo]

Bresche *f* breccia [-tʃa]

Brett *n* asse *f*, tàvola *f*; **~spiel** *n* giuoco [dʒu-] *m* con la scacchiera [-k-]

Brezel *f* ciambella [tʃa-]

Brief *m* lèttera *f*; **~kasten** *m* cassetta *f* postale; **für lèttera; **~marke** *f* francobollo *m*; **~markensammler** *m* filatèlico; **~papier** *n* carta *f* da lèttere; **~tasche** *f* portafoglio [-ʎo] *m*; **~telegramm** *n* telegramma *m* lèttere; **~träger** *m* portalèttere; **~umschlag** *m* busta *f*; **~waage** *f* pesalèttere *m*

Briefwechsel *m* corrispondenza *f*; **im ~ stehen** èssere in corrispondenza

Brigade *f* brigata

Brikett *n* mattonella *f* di carbone

Brillant *m* brillante

Brille *f* occhiali [-k-] *m/pl*; **~nfassung** *f* suste *f/pl*

bringen portare; *(geleiten)* accompagnare [-ɲ-]; **in Ordnung ~** méttere in órdine; **in Sicherheit ~** portare in salvo; **mit sich ~** portare con sé; **zu Bett ~** portare a letto; **es zu et. ~** fare carriera; **zum Stehen**

**~ fermare; zur Welt ~ dare alla luce [-tʃe]

Brise *f* brezza

britisch britànnico

bröckeln sbriciolare [zbritʃo-]

Brocken *m* pezzo

brodeln gorgogliare [-ʎa-]

Brokat *m* broccato

Brom *n* bromo *m*

Brombeere *f* mora di rovo

Bronchitis *f* bronchite [-k-]

Bronze *f* bronzo *m*

Brosche *f* spillone *m*

Broschüre *f* opùscolo *m* non rilegato

Brot *n* pane *m*

Brötchen *n* panino *m*

Brot|korb *m* paniere; **~rinde** *f* crosta di pane; **~schnitte** *f* fetta di pane; **~teig** *m* pasta *f* per il pane

Bruch *m* rottura *f*; *Med* frattura *f*; *Math* frazione *f*; *fig* violazione *f*; **~band** *m* cinto [tʃ-] *m* erniario; **~fläche** *f* superficie [-tʃe] *f* di rottura

brüchig fràgile [-dʒ-]

Bruch|landung *f* atterraggio [-dʒo] *m* con avaria; **~rechnung** *f* operazione con nùmeri frazionari; **~stück** *n* frammento *m*; **~teil** *m* mìnima parte *f*; **~zahl** *f* frazione

Brücke *f* ponte *m* (*a Mar*)

Bruder *m* fratello

brüderlich fraterno

Brüh|e *f* brodo *m*; **~en** scottare; **~heiß** caldo bol-

lente; ~würfel m dado per
brodo
brüllen muggire [-dʒ-];
fig urlare
Brumm|bär m bronto-
lone; ℓen brontolare; fig
èssere in gattabuia
brünett castano; scuro
Brunnen m fonte f; (Mine-
ralwasser) acque f/pl minerali; ~kur f cura delle
acque minerali
brüsk brusco; ~ieren of-
fèndere
Brust f petto m; (Busen)
seno m; ~bild n busto m
brüsten: sich ~ mit van-
tarsi di
Brust|fell n pleura f; ~fell-
entzündung f pleurite;
~korb m torace [-tʃe];
~schwimmen n nuoto m
a rana
Brüstung f parapetto m
Brustwarze f capèzzolo m
Brut f cova
brutal brutale; ℓität f
brutalità
brüten covare
Brut|kasten m Med incu-
batrice [-tʃe] f; ~stätte f
fig covo m
brutto lordo; ℓgewicht n
peso m lordo; ℓpreis m
prezzo lordo; ℓregister-
tonne f tonnellata di re-
gistro [-dʒ-]
Brutzeit f covatura
Bube m ragazzo; (Karte)
fante
Buch n libro m; ~binderei
f legatoria; ~deckel m

copertina f; ~druckerei f
tipografia
Buch|e f faggio [-dʒo] m;
~ecker f faggiola [-dʒ-]
buchen Flug usw: riservare
Bücher|brett n scaffale m;
~ei f libreria; ~schrank m
biblioteca f; ~stand m
chiosco [k-] di libri
Buchfink m fringuello
Buchhalt|er m contàbile;
~ung f contabilità
Buch|händler m libraio;
~handlung f libreria; ~
macher m allibratore
Büchse f bòssolo m; scà-
tola; (Flinte) schioppo [sk-]
m
Büchsen|fleisch n carne f
in scàtola; ~milch f latte m
condensato; ~öffner m
apriscàtole
Buchstab|e m lèttera f;
ℓieren sillabare
buchstäblich letterale
Bucht f baia
Buchung f registrazione
[-dʒ-]
Buckel m gobba f
bücken: sich ~ abbassarsi
bucklig gobbo
Bückling m (Hering) aringa
f affumicata
buddeln F scavare
Bude f (Kiosk) chiosco [k-]
m; (Hütte) baracca
Büfett n credenza f; kaltes
~ tàvola f fredda
Büffel m bùfalo
Bug m prua f
Bügel m attaccapanni; ~
brett n asse m da stiro

~eisen n ferro m da stiro;
~falte f piega; 2frei senza
stiratura

bügeln stirare

bugsieren rimorchiare [-k-]

Bugwelle f onda di prua

Bühne f palcoscènico [-ʃ-] m

Bühnen|bild n scenario
[ʃ-] m; ~bildner m scenò-
grafo [ʃ-]; ~stück n dramma m

Bulette f polpetta di carne

Bulgar|e [-] bùlgaro m;
2isch bùlgaro

Bull|auge n oblò m; ~dog-
ge f bulldògg m

Bulle m toro

Bulletin n bollettino m

Bummel m passeggiata
[-dʒa-] f; ~ei f lentezza;
2n (schlendern) gironzolare
[dʒ-]; (trödeln) balloccarsi;
~streik m sciòpero [ʃ-] à
singhiozzo; ~zug m treno
lumaca

Bummler m fannullone

Bund[1] n fascio [-ʃo] m

Bund[2] m legame; (am
Kleid) cinturino [tʃ-]

Bündel n fascio [-ʃo] m

Bundes|genosse m alleato;
~republik f repùbblica
federale; ~staat m con-
federazione f

bündig: kurz und ~ laco-
nicamente

Bündnis n alleanza f

Bunker m fortino

bunt variopinto; (Stoff) a
colori; fig (abwechslungs-
reich) vario; 2metall n
metallo m non ferroso;
2stift m matita f colorata

Bürde f càrico m

Burg f castello m

Bürg|e m garante; 2en (für
A) garantire (per)

Bürger m cittadino [tʃ-];
~krieg m guerra f civile
[tʃ-]; 2lich civile [tʃ-];
~meister m sìndaco; ~
steig m marciapiede [-tʃa-];
~tum n classe f media

Bürgschaft f garanzia

Büro n ufficio [-tʃo] m;
agenzia [-dʒ-] f; ~klam-
mer f fermaglio [-ʎo] m;
~kraft f impiegato m (-a f)
d'ufficio [-tʃo]; 2kratisch
burocràtico   [dʒo-]

Bursche m giovanotto]

Bürste f spàzzola; 2n
spazzolare

Bus m àutobus

Busch m cespuglio [tʃespu:-
ʎo]; 2ig cespuglioso [tʃe-
spuʎo:-]

Büschel n cespo [tʃ-] m

Busen m seno; (Meer2)
golfo

Bussard m abuzzago

Buße f penitenza; (Geld2)
ammenda, multa

büßen espiare; mit dem
Leben ~ pagare con la vita

Bußgeld n ammenda f

Büste f busto m

Büstenhalter m reggipetto
[-dʒ-]   [mano]

Büttenpapier n carta f fa

Butter f burro m; ~brot n
panino m imburrato; ~
dose f burriera; ~milch f
latticello [-tʃ-] m

byzantinisch bizantino

C

Café n caffè m
Camping n campeggio [-dʒo] m; **~ausrüstung** f equipaggiamento [-dʒa-] m per il campeggio [-dʒo]; **~platz** m campeggio [-dʒo]
Cello n violoncello [-tʃ-] m
Champagner m sciampagna [ʃampaːɲa] f
Champignon m prataiuolo
Charakter m carattere; **2istisch** caratteristico
chartern noleggiare [-dʒa-]
Chaussee f strada maestra
Chef m capo; **~... in Zssgn** ... capo
Chemie f chimica [k-]; **~faser** f fibra sintètica
Chemikalien f/pl prodotti m/pl chìmici [kiːmitʃi]
Chemiker m chìmico [k-]

chemisch chìmico [k-]
Chiffre f cifra [tʃ-]
chinesisch cinese [tʃ-]
Chinin n chinino [k-] m
Chirurg m chirurgo [k-]; **2isch** chirùrgico [kirurdʒ-]
Chlor n cloro m; **2haltig** clorifero
Cholera f colera m
Chor m coro
Christ m cristiano; **~entum** n cristianésimo m; **2lich** cristiano; **~us** Cristo
Clown m pagliaccio [-ʎat-tʃo]
Computer m calcolatore elettrònico
Conférencier m presentatore
Couch f poltrona-letto
Creme f crema; **2farben** color crema

D

da (dort) là; qui, qua; (dann) allora; (als) allorché [-ke]; (weil) siccome
dabei (außerdem) oltracciò [-tʃo]; (nahe) accanto
dableiben restare qui
Dach n tetto m; **~boden** m solaio; **~decker** m conciatetti [-tʃa-]; **~kammer** f soffitta; **~pappe** f cartone m incatramato; **~rinne** f grondaia
Dachs m tasso; **~hund** m bassotto

Dach|stuhl m cavalletto (del tetto); **~ziegel** m tégola f
Dackel m bassotto
dadurch per di là; (Grund) per questo
dafür per questo; **ich kann nichts ~** non ci [tʃi] ho colpa
dagegen contro; **~ sein** èssere contrario
daheim a casa
daher (von dort) di là; di qua; (deshalb) perciò [-tʃo]
dahin là; (vergangen) pas-

sato; *zeitlich*: **bis** ~ fino a
quel momento; ~**ter** là
dietro

daliegen stare

damals allora

Dame *f* signora [-ɲ-]; ~
spielen giocare [dʒo-] a
dama

Damen|binde *f* tampone
m; ~**friseur** *m* parrucchiere
[-k-] per signora [-ɲ-];
~**wahl** *f*: ~**wahl!** l'invito al
ballo è alle signore [-ɲ-!];
~**wäsche** *f* biancheria [-k-]
intima per signora [-ɲ-]

Damhirsch *m* daino

damit con ciò [tʃo]; (*auf
daß*) affinché [-ke]

Damm *m* terrapieno;
(*Fahr*2) mezzo della strada

dämmern (*morgens*) al-
beggiare [-dʒa-]; (*abends*)
imbrunire; 2**ung** *f* crepùscolo *m*; (*Morgen*2) alba

Dampf *m* vapore; ~**bad** *n*
bagno [-ɲo] *m* a vapore;
2**en** fumare

dämpfen *Stimme*: abbassare; *Licht*: smorzare [zm-];
Speisen: stufare; *Zorn*:
sedare

Dampf|er *m* piròscafo;
~**heizung** *f* riscaldamento
m a vapore; ~**maschine** *f*
màcchina [-k-] a vapore;
~**schiff** *n s* **Dampfer**

danach (*nach es*) dopo
questo; *zeitlich*: dopo, poi

daneben accanto; (*außerdem*) oltracciò [-tʃo]

dänisch danese

Dank *m* ringraziamento; 2

(*D*) grazie a; 2**bar** grato;
~**barkeit** *f* gratitùdine

dank|en ringraziare (j-m
qu.); ~**e schön!** grazie!;
~**e, nein** no grazie

dann allora; (*nachher*) poi;
~ **und wann** di quando in
quando

dar|an a ciò [tʃo], a questo;
ci [tʃi], vi; ~**nahe** ~**an** (zu)
poco mancò che [ke]; ~**auf**
a ciò [tʃo]; sopra; *bald*
~**auf** poco dopo; ~**aufhin**
in conseguenza; ~**aus** da
ciò [tʃo]; di là; ne

darbiet|en offrire; presen-
tare; 2**ung** *f* esibizione

darin dentro

darlegen esporre

Darleh(e)n *n* prèstito *m*

Darm *m* intestino; ~**katarrh** *m* catarro intestinale; ~**trägheit** *f* atonia
intestinale

darstell|en esporre, pre-
sentare; *Thea* recitare [-tʃ-];
(*beschreiben*) rappresentare;
2**er(in** *f*) *m* intèrprete *m u f*

darüber sopra; (*davon*) ne;
(*mehr*) più; ~ **hinaus** oltre
a ciò [tʃo]

darum intorno, attorno;
(*deshalb*) perciò [-tʃo]

darunter sotto; (*dazwischen*) frammezzo; (*weniger*) meno

das art il, lo, la; *pron*
questo; ciò [tʃo]; che [ke];
~ **heißt** vale a dire

da|sein (*dabei sein*) èssere
presente; (*vorhanden sein*)
esistere; 2**sein** *n* esistenza *f*

daß che [ke]; **außer** ~ salvo che [ke]; **so** ~ sicché [-ke]
dasselbe lo stesso
Daten *n/pl* dati *m/pl*
datieren datare
Dattel *f* dàttero *m*
Datum *n* data *f*
Dauer *f* durata; ♀**haft** *f* durévole; resistente
dauern durare; ~**d** continuo
Dauer|regen *m* pioggia [-dʒa] *f* incessante [-tʃ-]; ~**welle** *f* permanente
Daumen *m* pòllice [-tʃe]
davon da questo; (*od* di) ciò [tʃɔ]; (*darüber*) ne; ~**laufen** dàrsela a gambe
davor davanti; **er fürchtet sich** ~ ne ha paura
dazu a ciò [tʃɔ]; a questo; (*überdies*) oltracciò [-tʃɔ]; (*zu diesem Zweck*) per questo; ~**gehören** farne parte; ~**tun** aggiùngervi [-dʒundʒ-]
dazwischen in mezzo a; fra le altre cose; ~**kommen** sopravvenire
Debatte *f* discussione
Deck *n* coperta *f*; ~**auf-bauten** *m/pl* sovrastrutture *f/pl* di coperta
Decke *f* (*Bett*♀) coperta; (*Zimmer*♀) soffitto *m*
Deckel *m* coperchio *m*
deck|en *Tisch*: apparecchiare [-k-]; *Bedarf*: coprire; (*schützen*) riparare; ♀**engemälde** *n* pittura *f* del soffitto; ♀**ung** *f* copertura; (*Schutz*) riparo *m*; *Hdl* (*Mittel*) fondi *m/pl*

defekt difettoso; **... ist** ~ ... è guasto
Defekt *m* difetto
deformieren deformare
Degen *m* spada *f*
dehn|bar distendibile; ~**en** stèndere; ♀**ung** *f* stendimento *m*
Deich *m* diga *f*
Deichsel *f* timone *m*
dein (il) tuo, (la) tua; ~**er-seits** da parte tua; ~**et-wegen** per te
deklarieren dichiarare [-k-]
Deklination *f* declinazione
Dekolleté *n* scollatura *f*
Dekor *m od n* ornamento *m*; ~**ateur** *m* decoratore; ~**ation** *f* decorazione
dekorieren decorare
Dele|gation *f* delegazione; ~**gierte(r)** *m* delegato
delikat delicato; (*lecker*) squisito
Delikatesse *f* delizia; ~**n** *pl* gèneri [dʒ-] *m/pl* alimentari fini
Delikateßgeschäft *n* pizzicheria [-k-] *f*
Delle *f* ammaccatura
dem|entsprechend conforme; ~**nach** dunque; ~**nächst** fra breve
Demokra|t *m* democràtico; ~**tie** *f* democrazia; ♀**tisch** democràtico
demolieren demolire
Demonstration *f* dimostrazione; (*Kundgebung*) manifestazione
demonstrieren dimostrare

demütig ùmile; **~en** umiliare

denk|bar immaginàbile [-dʒ-]; **~en** pensare; **~en an** et. (*sich erinnern*) ricordarsi di qc.; **sich et. ~en** figurarsi qc.

Denkmal *n* monumento *m*

Denk|spruch *m* motto; **♀würdig** memoràbile; **~zettel** *m fig* lezione *f*

denn (*begründend*) poiché [-ke]; (*als*) di, che [ke]; **wo ist er ~?** ma dov'è?; **mehr ~ je** più che [ke] mai

dennoch tuttavia

deponieren depositare

Depositenbank *f* banca di depòsito

Depot *n* depòsito *m*

der *art* il, lo; la; (*welcher*) che [ke]; il quale; **~artig** siffatto

derb (*kräftig*) robusto; (*grob*) grossolano

der|en ne; il (la, i, le) cui; **~gleichen** simile; **~jenige** colui; **~selbe** lo stesso

desertieren disertare

des|gleichen similmente; **~halb** perciò [-tʃɔ]

Desinfektion *f* disinfezione; **~smittel** *n* disinfettante *m*

des|infizieren disinfettare; **♀odorans** *n* deodorante *m*; **~odorieren** deodorare

dessen di cui; il (la, i, le) cui; **~ungeachtet** nonostante ciò [tʃɔ]

Dessert *n* dessert *m*; **~wein** *n* vino dolce [-tʃe]

destillier|en distillare; **~tes Wasser** acqua *f* distillata

desto tanto; **~ mehr** tanto più

deswegen perciò [-tʃɔ]

detailliert particolareggiato [-dʒa-]

Detektiv *m* investigatore privato; **~büro** *n* agenzia [-dʒ-] *f* investigativa

deuten interpretare; **auf et. ~** accennare [-tʃ-] a qc.

deutlich (*klar*) chiaro [k-]; (*verständlich*) intelligibile [-dʒ-]; **♀keit** *f* chiarezza [k-]

deutsch tedesco; **auf ~** in tedesco

Deutsch *n* tedesco *m*; **sprechen Sie ~?** parla tedesco?; **~e(r)** *m* tedesco; **~land** *n* Germania [dʒ-] *f*

Deutung *f* interpretazione

Devise *f* divisa; **~n** *pl* divisa *f* èstera; **~nbestimmungen** *f|pl* disposizioni *f|pl* cambiarie

Dezember *m* dicembre [-tʃ-]

Dezimalsystem *n* sistema *m* decimale [-tʃ-]

Dia *n s* Diapositiv

Diagnose *f* diàgnosi [-ɲ-]

Dialekt *m* dialetto

Dialog *m* diàlogo

Diamant *m* diamante

Dia|positiv *n* diapositiva *f*; **~projektor** *m* proiettore per diapositive; **~rähm-**

Diarähmchen

282

Diät *f* regime [-dʒ-] *m*, dieta; 2 essen stare a dieta

dich ti; te; für ~ per te

dicht fitto; ~ an (am) vicino [-tʃ-] a [rare]

dichten poetare; *Tech* tu-)

Dichter *m* poeta

Dichtung *f* (*Poesie*) poesia; *Tech* guarnizione

dick spesso; *Person*; grasso; (*geschwollen*) gonfio

Dick|icht *n* folto *m*; ~kopf *m* zuccone; 2köpfig testardo

die *art* la; *pl* i, le; *pron* che [ke], la quale

Dieb *m* ladro; 2isch ladro, furtivo; ~stahl *m* furto

Diele *f* (*Brett*) asse; (*Raum*) vestibolo *m*

dien|en servire; 2er *m* servo

Dienst *m* servizio; (*Gefälligkeit*) favore; außer ~ in ritiro; ~ haben, im ~ sein essere in servizio

Dienstag *m* martedì

dienstbereit serviziévole

Dienst|bote *m* servo; 2frei libero; ~grad *m* grado di servizio; ~leistung *f* servizio *m*; 2lich di servizio; ~mädchen *n* donna *f* di servizio; ~mann *m* fattorino; ~reise *f* viaggio [-dʒo] *m* d'ufficio [-tʃo]; ~stelle *f* posto *m* di servizio; ~stunden *f/pl* ore di servizio

Dienstweg *m*: auf dem ~ in via geràrchica [dʒerark-]

diesbezüglich relativo

Diesel|(motor) *m* motore Diesel; ~kraftstoff *m* carburante Diesel; ~öl *n* olio *m* Diesel

dies|er, ~e, ~es questo, questa; ~e *pl* questi, queste; ~jährig di quest'anno; ~mal questa volta; ~seits di qua

Dietrich *m* grimaldello

Differential *n* differenziale *m*

Differenz *f* differenza

Diktat *n* dettato *m*

diktieren dettare

Dilettant *m* dilettante

Ding *n* cosa *f*

Diphtherie *f* difterite

diplomatisch diplomàtico; ~e Vertretung missione *f* diplomàtica

dir ti, a te

direkt diretto

Direktion *f* direzione

Direktor *m* direttore

Direktübertragung *f* trasmissione [-zm-] diretta

Dirigent *m* direttore d'orchestra [-k-]

dirigieren dirigere [-dʒ-]

Diskontsatz *m* tasso di sconto

diskret discreto

Diskus *m* disco; ~werfen *n* lancio [-tʃo] *m* del disco

Diskussion *f* discussione

diskutieren discùtere

Disposition *f* disposizione

disqualifizieren squalificare

Distanz *f* distanza

distanzieren: sich ~ distanziarsi
Distel f cardo m
Disziplin f disciplina
dividieren dividere
doch pure; ~! sì, certo [tʃ-]!; nicht ~! ma no!
Docht m lucignolo [-tʃi:ɲo-]
Dock n bacino [-tʃ-] m di carenaggio [-dʒo]
Dogge f dogo m
Doktor m dottore
Dokument n documento m
Dolch m pugnale [-ɲ-]
Dollar m dòllaro
Dolmetscher m intèrprete
Dom m duomo
Domäne f bene m demaniale
Donner m tuono; Qn tuonare; es Qt tuona
Donnerstag m giovedì [dʒo-]
dopen (Sport) drogare
Doppel n (Kopie) duplicato m; (Spiel) doppio m; ~bett n letto m matrimoniale; ~fenster n controfinestra f; ~gänger m sosia m; ~punkt m doppio punto; Qseitig bilaterale; Qsinnig ambiguo
doppelt doppio; ~ soviel due volte tanto; das Qe il doppio
Doppel|tür f porta doppia; ~zentner m quintale; ~zimmer n càmera f a due letti
Dorf n villaggio [-dʒo]
Dorn m spina f; Qig spinoso
dörren seccare

Dorsch m merluzzo (fresco)
dort lì, là; ~ ist ecco; ~ oben lassù; ~ unten laggiù [-dʒu]; von ~ di là; ~hin là
Dose f scàtola
dosieren dosare
Dosis f dose
Dotter n torlo m
Dragée n compressa f
Draht m filo metàllico; ~anschrift f indirizzo m telegràfico; ~auslöser m Fot scatto a filo; ~bürste f spàzzola metàllica
drahtlos senza fili
Draht|schere f pinza tagliafili [-ʎa-]; ~seilbahn f funicolare; telefèrica; ~zaun m recinto [-tʃ-] di filo di ferro
Drama n dramma m; Qtisch drammàtico
dran s daran; jetzt bin ich ~ tocca a me
Drang m stretta f; impulso m; (Notdurft) bisogno [-ɲo] naturale
drängen spingere [-dʒ-]; die Zeit drängt il tempo stringe [-dʒe]; sich ~ affollarsi
drauf s darauf
draußen fuori; von ~ da fuori
Drechsel|bank f tornio m; Qn tornire
Dreck m sudiciume [-tʃu-]; Qig sùdicio [-tʃo]; sporco; fig cattivo
Dreh|bank f tornio m; Qbar girévole [dʒ-]; ~blei-

stift m matita f automàtica; ~brücke f ponte m giràvole [dʒ-]; ~buch n copione m; ~bühne f palcoscènico [-ʃ-] m giràvole [dʒ-]

drehen girare [dʒ-] (a Film); (wenden) voltare; sich ~ girarsi [dʒ-]

Dreh|er m tornitore; ~knopf m rotella f; ~kreuz n tornello m; ~scheibe f piattaforma giràvole [dʒ-]; ~stuhl m sedia f giràvole [dʒ-]; ~tür f porta giràvole [dʒ-]; ~ung f giro [dʒ-] m

drei tre

Dreieck n triàngolo m; ℓig triangolare

Dreieinigkeit f trinità

drei|erlei di tre specie [-tʃe]; ~fach triplo; ~hundert trecento [-tʃ-]; ~mal tre volte; ℓrad n triciclo

dreißig trenta [-tʃ-] m/

dreist ardito

drei|stöckig a tre piani; ~stündig di tre ore; ~viertel tre quarti; ~zehn trédici [-tʃi]

dreschen f trebbiare [-tʃ-]; ℓmaschine f trebbiatrice [-tʃe]

dressieren ammaestrare

Dressur f addestramento

drin s darin

dringen (durch, in) penetrare (attraverso, in); auf et. ~ insistere su qc.

dringend urgente [-dʒ-]

drinnen la dentro

dritt|e(r) terzo; ℓel n terzo m; ~ens in terzo luogo

Drog|e f droga; ~erie f drogheria [-g-]; ~ist m droghiere [-g-]

Droh|brief m lèttera f minatoria; ℓen minacciare [-tʃa-]; ℓend minaccioso)

Drohne f fuco m [-tʃo-]ʃ

dröhnen rintronare

Drohung f minaccia [-tʃa]

drollig buffo

Droschke f vettura di piazza; (Taxi) tassì m

Drossel f tordo m

Drosselklappe f vàlvola di strozzamento

drosseln strozzare

drüben dall'altra parte

drüber s drunter

Druck m pressione f; (Buchℓ) stampa f; ℓen stampare

drücken prèmere; Hand: stringere [-dʒ-]; an sich ~ stringere [-dʒ-] a sé; sich ~ svignàrsela [zvíŋa-]; ~d heiß soffocante

Drucker m stampatore

Drücker m (Türℓ) saliscendi [-ʃ-]

Druckerei f stampería

Druck|fehler m errore di stampa; ~knopf m El pulsante; an Kleid: bottone automàtico; ~luft f aria compressa; ~sache f stampe f/pl; ~taste f pulsante

drum s darum; das ℓ und Dran gli [ʎi] annessi e connessi

drunter s darunter; ~ und drüber sotto e sopra

Drüse f glàndola

Dschungel m giungla [dʒu-] f

du tu

Dübel m tassello

ducken: sich ~ abbassarsi

Dudelsack m cornamusa f

Duft m profumo [-tʃ-]; 2en (nach D) avere l'odore (di); 2ig odoroso [tollerante]

duld|en soffrire [-tʃ-]; ~sam f

dumm stùpido; 2heit f stupidezza; (Unüberlegtheit) imprudenza; 2kopf m imbecille [-tʃ-]

dumpf (Luft) pesante; (Laut) cupo; (Gefühl) vago

Düne f duna

Dünger m concime [-tʃ-]

dunkel oscuro; buio; (Farbe) cupo; es wird ~ si fa buio; im 2n all'oscuro

Dünkel m presunzione f

Dunkel|heit f oscurità; ~kammer f càmera oscura; 2rot rosso cupo

dünn sottile; (Kaffee, Suppe) lungo; (Haar) rado

Dunst m (Dampf) vapore; (Rauch) fumo; (Nebel) nébbia

dunstig nebbioso

Duplikat n duplicato m

Dur m maggiore [-dʒo-] m; C-Dur do m maggiore [-dʒo-]

durch per; con; (quer, mitten) attraverso; (Mittel, Ursache) per mezzo di; da; ~ und ~ da parte a parte; ~ die Post per posta

durchaus interamente; ~ nicht niente affatto

durch|blättern sfogliare [-ʎa-]; ~blicken lassen dare a intèndere; ~bohren traforare; ~braten arrostire bene; gut ~gebraten ben cotto

durch|brechen et: spezzare; v/i (einbrechen) rómpersi; ~brennen (Sicherung usw) bruciare [-tʃa-] f; 2bruch m apertura f; ~denken esaminare a fondo; ~drehen (Motor) girare [dʒ-] a vuoto; (Fleisch) macinare [-tʃ-]; ~dringen penetrare

durcheinander sottosopra; 2 n confusione f

Durch|fahrt f passaggio [-dʒo] m; ~fall m diarrèa f; (Mißerfolg) bocciatura [-tʃa-] f; 2fallen (Kandidat) èssere bocciato [-tʃa-]; (Theaterstück) fare fiasco; 2fließen scórrere attraverso [~en seguire]

durchführ|bar eseguibile; Durchgang m passaggio [-dʒo]; kein ~! passaggio [-dʒo] vietato!

Durchgangs|bahnhof m stazione f di trànsito; ~straße f strada di trànsito; ~verkehr m movimento di trànsito; ~wagen m vagone intercomunicante; ~zug m (D-Zug) treno diretto

durch|gehen percórrere; (Pferd) tògliere [-ʎe-] la mano; ~gehen lassen lasciar [-ʃa-] passare; ~gießen versare attraverso;

durchhalten 286

~halten resistere; ~hauen (*spalten*) spezzare

durchhelfen: j-m ~ aiutare qu.; **sich** ~ cavàrsela

durch|kauen masticare bene; ~**kommen** passare; *fig* scamparla; ~**kreuzen** incrociare [-tʃa-]; *fig* buttare all'aria; ~**lassen** lasciar [-ʃa-] passare; (*Flüssigkeit*) èssere permeàbile; ~**laufen** passare; ~**lesen** lèggere [-dʒ-] per intero

durchleucht|en *Med* radiografare; **2ung** *f* radioscopia

durch|löchern perforare; ~**lüften** arieggiare [-dʒa-]; ~**machen** (*erdulden*) soffrire; **2messer** *m* diàmetro; ~**näßt** bagnato [-ɲ-]; ~**queren** attraversare

Durchreise *f* passaggio [-dʒo] *m*; **auf der** ~ di passaggio [-dʒo]; ~**visum** *n* visto *m* di trànsito

durch|reißen strappare; ~**schauen** guardare attraverso; ~**scheinen** trasparire

Durchschlag *m* (*Sieb*) colatoio; (*Kopie*) copia *f*; ~**papier** *n* carta *f* copiativa

durchschneiden tagliare [-ʎa-]

Durchschnitt *m* media *f*; (*Mittelwert*) valore medio; **im** ~, **2lich** in media; ~s**geschwindigkeit** *f* velocità [-tʃ-] media

durchsehen rivedere

durchsetzen (*erreichen*) ottenere; *Willen*: imporre; **sich** ~ affermarsi

Durchsicht *f* revisione; **2ig** trasparente

durch|sickern trapelare; ~**stechen** (per)forare; ~**streichen** cancellare [-tʃ-]

durchsuch|en perquisire; **2ung** *f* perquisizione

durch|trieben scaltrito; ~**wachsen** grasso; ~**wählen** *Tel* comunicare direttamente; ~**wandern** percórrere a piedi

durchweg in gènere [dʒ-]

durch|wühlen rovistare; ~**ziehen** (*Faden*) infilare; (*Truppen*) percórrere; **2zug** *m* passaggio [-dʒo]; (*Luft*) corrente *f* d'aria

dürfen potere; **darf ich ...?** posso...?; **man darf nicht** non è permesso

dürftig meschino [-sk-]; (*spärlich*) scarso

dürr (*trocken*) secco; (*Land*) àrido; (*mager*) magro

Dürre *f* secchezza [-k-]

Durst *m* sete *f*; **ich habe** ~ ho sete; **2ig** assetato

Dusch|e *f* doccia [-tʃa]; **2en** fare la doccia [-tʃa]

Düse *f* getto [dʒ-] *m*

Düsen|flugzeug *n* apparecchio [-k-] *m* a reazione; ~**jäger** *m* caccia [-tʃa] a reazione

düster tetro

Dutzend *n* dozzina *f*

duzen: j-n ~ dare del tu a qu.

Dynamit *n* dinamite *f*

Dynamo *m* dinamo *f*

D-Zug *m* treno diretto

ehrgeizig

E

Ebbe f riflusso m
eben (*flach*) piano; (*genau das*) proprio; (*zeitlich*) or ora; **erst** proprio adesso
Ebene f pianura
ebenfalls altrettanto
ebenso tale quale; **... wie** così ... come; **viel** altrettanto; **viel wie** tanto quanto; **wenig wie** altrettanto poco come
Eber m cinghiale [tʃiŋ-]
Eberesche f sorbo m selvàtico
ebnen appianare
Echo n eco f; (*rein*) puro
echt autèntico; (*rein*) puro
Eck|ball m calcio [-tʃo] d'àngolo; **e** f àngolo m; **um die e biegen** voltare l'àngolo; **haus** n casa f d'àngolo; **ig** angolare; **pfeiler** m pilastro angolare; **platz** m posto d'àngolo; **zahn** m dente canino; **zimmer** n càmera f d'àngolo
edel nòbile
Edel|metall n metallo m prezioso; **stein** m pietra f preziosa; **weiß** n stella f alpina
Efeu m èdera f
Effekt m effetto m; **voll** di grande effetto
egal tutt'uno; **das ist mir ganz ...** me ne importa un càvolo
Egge f èrpice [-tʃe] m

Egoist m egoista; **isch** egoístico
ehe prima che [ke]
Ehe f matrimonio m; **bett** n letto m matrimoniale; **bruch** m adulterio; **frau** f moglie [-ʎe]; **leute** pl còniugi [-dʒi] m/pl; **lich** coniugale; (*Kind*) legittimo [-dʒ-]
ehe|malig antico; **ex...**; **mals** altre volte
Ehe|mann m marito; **paar** n coppia f
eher (*früher*) prima; (*lieber*) più volentieri; (*vielmehr*) piuttosto
Ehe|ring m anello matrimoniale; **scheidung** f divorzio m
ehestens al più presto
ehr|bar onesto; **e** f onore m; **en** onorare
ehren|amtlich a tìtolo onorario; **bürger** m cittadino [tʃ-] onorario; **haft** rispettàbile; **mitglied** n membro m onorario; **rechte** n/pl diritti m/pl civili [tʃ-]; **sache** f questione d'onore; **wort** n parola f d'onore; **auf Wort** sulla parola
ehrerbietig rispettoso; **ung** f rispetto m
Ehr|furcht f venerazione; **gefühl** n sentimento m d'onore; **geiz** m ambizione f; **geizig** ambizioso

ehrlich onesto; **&keit** f onestà

ehr|los disonesto; **&ung** f onoranze f/pl; **&würdig** venerando

Ei n uovo m; **&er** pl uova f/pl; **&hart(gekocht)es ~** uovo sodo; **weich(gekocht)es ~** uovo alla coque [kɔk]

Eibe f tasso m

Eiche f quercia [-tʃa]

Eichel f ghianda [g-]

eichen¹ *Gewichte:* verificare

eich|en² (*aus Eiche*) di quercia [-tʃa]; **&hörnchen** n scoiàttolo m

Eichmaß n misura f normale

Eid m giuramento [dʒu-]; **an ~es Statt** in luogo di giuramento [dʒu-]

Eidechse f lucèrtola [-tʃ-]

eidesstattlich: ~e Erklärung dichiarazione [-k-] f giurata [dʒu-]

Eidotter m torlo m d'uovo

Eier|becher m portauova; **&kuchen** m frittata f; **&likör** m zabaione; **&schale** f guscio [-ʃo] m d'uovo; **&stock** m ovaia f

Eifer m zelo; fervore; **&sucht** f gelosia [dʒ-]; **&süchtig** geloso [dʒ-]

eifrig fervente

Eigelb n rosso m d'uovo

eigen proprio; (*besonder*) speciale [-tʃa-]; **&artig** singolare; **&bedarf** m proprio fabbisogno; **&gewicht** n peso m specifico [-tʃ-]-;

~händig di proprio pugno [-ɲo]; **~mächtig** arbitrario; **&name** m nome proprio; **&nützig** interessato

Eigen|schaft f qualità; **&sinnig** ostinato; **&tlich** proprio; vero; **~tum** n proprietà f; **~tümer** m proprietario; **&tümlich** particolare; **&willig** ostinato

eignen: sich ~ für et. èssere adatto a qc.

Eil|auftrag m commissione f urgente [-dʒ-]; **~bote** m: **durch ~boten** per espresso; **~brief** m (lèttera f per) espresso

Eile f fretta; **ich bin in ~** ho fretta [preme!]

eilen córrere; **es eilt!** è urgente

eilends in fretta

Eil|gespräch n comunicazione f urgente [-dʒ-]; **~gut** n grande velocità [-tʃ-] f

eilig frettoloso; **es ~ haben** avere fretta

Eilzug m treno diretto

Eimer m secchia [-k-] f; **&weise** a secchie [-k-]

ein: ~e, ~er, ~ (~es) uno, una; **~** (*jemand*) uno; **~ und derselbe** lo stesso; **~ für allemal** una volta per sempre; **in ~em fort** di continuo; **~ Uhr** l'una; **~er meiner Freunde** un mio amico

einander l'un l'altro

einarbeiten: sich ~ impratichirsi [-k-]

einäscher|n cremare; 2ung f cremazione

Einbahnstraße f strada a senso ùnico

Einband m rilegatura f

einbegriffen compreso

einberuf|en convocare; *mil* richiamare [-k-]; 2ung f convocazione

Einbettzimmer n càmera f singola

ein|beziehen inclùdere; ~biegen *(in e-e Straße)* svoltare [zv-]

einbild|en: sich ~en figurarsi; 2ung f immaginazione [-dʒ-]

Einblick m occhiata [-k-] f

einbrech|en *(eindrücken)* sfondare; *(einstürzen)* crollare; *(Eis)* rómpersi; *(Dieb)* penetrare; 2er m ladro

einbringen *(Gewinn)* fruttare; *(Ernte)* riporre nel granaio

einbrocken inzuppare

Einbruch m rottura f; bei ~ der Nacht sul calar della notte; 2diebstahl m furto con scasso; 2sicher sicuro contro il scasso

einbüßen pèrderci [-tʃi]; an Wert ~ diminuire di valore *(provvederdi di)*

eindecken: sich ~ mit}

eindeutig univoco

eindring|en penetrare; invàdere; 2ling m intruso

Eindruck m impressione f; *(Druckspur)* impronta f

eindrücken schiacciare [skiat-tʃa-]

eindrucksvoll suggestivo [-dʒ-]

einebnen spianare

ein(und)einhalb uno e mezzo

einengen stringere [-dʒ-]

einer s ein; was für ~? che [ke] ...?; ~lei lo stesso; es ist ~lei è tutt'uno; ~seits da una parte

einfach sémplice [-tʃe]; *(schlicht)* modesto; es ist ganz ~ è molto sémplice [-tʃe]

einfädeln infilare

einfahr|en entrare; 2t f entrata; *(Hafen?)* imboccatura; *(Tor)* portone m

Einfall m *(Idee)* idèa f; *mil* invasione f; 2en cadere; rovinare; invàdere; ... fällt mir nicht ein ... non mi viene in mente; es fällt mir nicht ein non ci [tʃi] penso nemmeno

einfältig sémplice [-tʃe]

Einfamilienhaus n casa f unifamiliare

ein|fangen acchiappare [-k-]; ~farbig unicolore; ~fassen *Kleidung:* guarnire; *Edelsteine:* incastonare; ~fetten ùngere [-dʒ-]

einfinden: sich ~ trovarsi

ein|flößen ispirare; 2flugschneise f corridoio m aèreo

Einfluß m influenza f; 2reich influente

ein|förmig uniforme [-dʒ-]; ~frieren congelare [-dʒ-]; ~fügen inserire

Einfuhr f importazione; **~bestimmungen** f/pl norme per l'importazione
einführen introdurre; (*importieren*) importare
Einfuhrgenehmigung f permesso m d'importazione
Einführung f introduzione; (*Vorstellung*) presentazione
Einfuhr|verbot n divieto m d'importazione; **~zoll** m dazio d'importazione
Ein|gabe f domanda; **~gang** m ingresso; (e-r Sendung) arrivo; **~gangstür** f porta d'ingresso
ein|geben (*Medizin*) dare; (*Gedanken*) ispirare; **~gebildet** immaginario [-d-]; presuntuoso; **Qgeborene(r)** m indigeno [-d-]; **Qgebung** f ispirazione; **~gehen** (*Vertrag*): conclùdere; *Ehe*: contrarre; (*Brief*) arrivare; (*Stoff*) restringersi [-d-]; **eine Wette ~gehen** fare una scommessa
eingemacht (messo) in conserva; **Qe(s)** n conserva f
eingeschrieben: **~er Brief** lèttera f raccomandata
Einge|ständnis n confessione f; **Qstehen** confessare
Eingeweide n viscere [-ʃ-] m
ein|gießen versare; **~gipsen** ingessare [-d-]; **~gleisig** a un binario; **~gliedern** incorporare; **~**

greifen intervenire; (*Zahnräder*) ingranare; **~griff** m intervento; *Med* operazione f; **~halten mit, in** et: fermarsi; *Versprechen, Vertrag*: mantenere, osservare; **~händigen** consegnare [-ɲ-]
einheimisch nostrano; **Qe(r)** m indigeno [-d-]
Einheit f unità; **Qlich** unito; **~spreis** m prezzo ùnico
ein|heizen far fuoco; **~holen** (*erreichen*) raggiùngere [-d-und-]; *Zeit, Versäumtes*: riguadagnare [-ɲ-]; (*einkaufen*) andare a fare spesa; *Segel*: ammainare; **~hüllen** avvòlgere [-d-]
einig d'accordo; **~ werden** (*sein*) méttersi (èssere) d'accordo
einige alcuni, alcune; **~ wird ~ Zeit dauern** durerà qualche [-ke] tempo; **~mal** alcune volte
einigen unificare; unire; **sich ~ (über et.)** méttersi d'accordo (su qc.)
einigermaßen in certo [tʃ-] qual modo; **~es** qualche [-ke] cosa; **Qkeit** f unione; **Qung** f unificazione; (*Vergleich*) accordo m
ein|jährig di un anno; **~kassieren** incassare; **Qkauf** m compra f; **Qkäufe machen** fare le spese; **~kaufen** comprare
Einkaufs|preis m prezzo

d'acquisto; ~tasche f borsa delle spese

ein|kehren entrare al ristorante; ~klammern méttere tra parèntesi

Einklang m: in ~ bringen méttere d'accordo

ein|kleben incollare; ~kleiden vestire; ~klemmen Finger: schiacciare [skiat--fa-]; ~kochen (eindikken) condensare; (einmachen) conservare

Einkommen n rèddito m; ~steuer f imposta sul rèddito

ein|kreisen accerchiare [-tſerk-]; ~kremen méttere la crema su; ~laden Waren: caricare; j-n: invitare; ♀ladung f invito m

Einlage f (Schuh♀) supporto m; (Zahn♀) medicazione; (Spar♀) depòsito m

Einlaß m ingresso

einlassen lasciar [-ſa-] passare; sich auf et. ~ avventurarsi in qc.

Einlaßkarte f biglietto [-ʎe-] m d'ingresso

einlaufen (in den Hafen) arrivare; (Stoff) restringersi [-dʒ-]

Einlege|arbeit f intarsio m; ♀n (in Essig) méttere sotto aceto [-tſ-]; Geld: investire; depositare; Kfz Gang: innestare; ~sohle f soletta

einleit|en introdurre; Untersuchung: istruire; ~end

introduttivo; ♀ung f introduzione

einleuchtend evidente

einliefern: in ein Krankenhaus ~ ricoverare all'ospedale; ins Gefängnis ~ tradurre nelle càrceri [-tſ-]

Einlieferungsschein m Postw certificato [tſ-] della consegna [-ɲa]; (bei Überweisungen) ricevuta [-tſ-] f

ein|lösen riscattare; Versprechen: adémpiere; ~machen Früchte: méttere in conserva

einmal una volta; (künftig) un giorno [dʒo-]; auf ~ ad un tratto; nicht ~ nemmeno; noch ~ ancora una volta; ♀eins n abbaco m; ~ig ùnico

Einmarsch m entrata f

einmisch|en: sich ~en immischiarsi [-sk-]; ♀ung f ingerenza [-dʒ-]

einmotorig monomotore

Einmündung f (Fluß) sbocco [zb-] m; (Straße) imbocco m

einmütig unànime

Einnahme f Hdl. intròiti m/pl; mil presa; ~n und Ausgaben entrate e uscite [-ſ-] f/pl

einnehmen Geld: ricévere [-tſ-]; Steuern: riscuòtere; Arznei: prèndere; Stellung: occupare

ein|ölen inoliare; ~packen impaccare; ~pflanzen piantare; ~pökeln insalare

10*

einprägen imprimere

ein|quartieren acquartie-rare; **~räumen** (*ordnen*) méttere in órdine; (*Wohnung*: ambobiliare; *Recht, Vorrang*: riconóscere [-ʃ-]; (*zugeben*) concèdere [-tʃ-]

einreib|en fare frizioni a; **♀ung** *f* frizione

einreichen presentare

einreihig (*Anzug*) ad un petto

Einreise *f* entrata; **~erlaubnis** *f* permesso *m* d'entrata

einreisen entrare

ein|reißen stracciare [-tʃa-]; **~renken** *Med* ri-méttere un membro slogato [zl-]

einricht|en (*arrangieren*) disporre; (*justieren*) rego-lare; *Zimmer*: arredare; **♀ung** *f* disposizione; arre-damento *m*

einrücken inserire

eins uno; **♀** *f* uno *m*

einsalzen salare

einsam (*Person*) solo; (*Ort*) isolato; **♀keit** *f* solitùdine

einsammeln raccògliere [-ʎe-]

Einsatz *m* (*eingesetztes Stück*) pezzo inserto; (*am Kleid*) davanti; (*im Spiel*) posta *f*; *mil* azione *f*

ein|saugen succhiare [-k-]; **~schalten** *El* accèndere [-tʃ-]; *Kupplung, Gang*: innestare; **sich ~schalten** intervenire

ein|schärfen raccoman-

dare; **~schätzen** valutare; **~schenken** versare; **~schicken** inviare; **~schieben** introdurre

einschiff|en imbarcare; **♀ung** *f* imbarco *m*

ein|schlafen addormen-tarsi; (*Glieder*) intorpidire; **~schläfern** addormen-tare; **~schlagen** *Nagel*: conficcare; (*in Papier*) in-cartare; *Weg*: bàttere; *Glasscheibe*: frantumare; (*Blitz*) cadere; *fig* (*Erfolg haben*) far furore

einschließ|en chiùdere [k-]; (*umzingeln*) accer-chiare [-tʃerk-]; **~lich** com-preso

einschmeicheln: sich ~ insinuarsi

einschmieren ùngere [-dʒ-]

einschmuggeln introdurre di contrabbando

einschneid|en tagliare [-ʎa-]; **~end** incisivo [-tʃ-]

Einschnitt *m* incisione [-tʃ-] *f*

einschränk|en limitare; **sich ~en** limitarsi nelle spese; **♀ung** *f* limitazione

einschrauben avvitare

Einschreibe|brief *m* lèt-tera *f* raccomandata; **~ge-bühr** *f* tassa d'iscrizione (*Postw* di raccomanda-zione); **♀n** iscrivere; *Postw* raccomandare

ein|schreiten intervenire; **~schüchtern** intimidire; **~schütten** versare

einsegn|en confermare; ℒ**ung** f confermazione

ein|sehen esaminare; (*verstehen*) comprèndere; ~**seifen** insaponare; ~**seitig** unilaterale

einsend|en inviare; (*einreichen*) consegnare [-ɲ-]; ℒ**er** m mittente; ℒ**ung** f invio m; (*Zuschrift*) lèttera

einsetz|en méttere; (*einfügen*) inserire; *Pflanzen:* piantare; (*aufwenden*) impiegare; (*in ein Amt*) insediare; (*beginnen*) (in)cominciare [-tʃa-]; **sich** ~**en für** adoperarsi per

Einsicht f esame m; accorgimento [-dʒ-] m; ℒ**ig** intelligente [-dʒ-]

Ein|siedler m eremita; ℒ**sitzig** monoposto; ℒ**sperren** rinchiùdere [-k-]; ℒ**springen** (*für j-n*) supplire (qu.)

einspritz|en iniettare; ℒ**pumpe** f pompa d'iniezione; ℒ**ung** f iniezione

Einspruch m protesta f; ~ **erheben** protestare

einspurig a un solo binario

einst una volta

ein|stecken méttere dentro; (*in die Tasche*) intascare; *Brief:* impostare; ~**steigen** salire

einstell|en (*regulieren*) regolare; *j-n:* occupare; *Auto:* méttere in garage [-aːʒ]; (*aufhören mit et*) sospèndere; **sich** ~**en** presentarsi; ℒ**ung** f colloca-

mento m; (*Ansicht*) opinione

ein|stimmig unànime; ~**stöckig** a un solo piano; ~**studieren** studiare; ~**stufen** inquadrare; ℒ**sturz** m crollo; ~**stürzen** crollare; ℒ**sturzgefahr** f pericolo m di crollo

einstweil|en frattanto; ~**ig** provvisorio

ein|tauchen immèrgere [-dʒ-]; ~**tauschen** cambiare

einteil|en divìdere; *Zeit:* disporre; ~**ig** di un pezzo; ℒ**ung** f divisione

ein|tönig monòtono; ℒ**topf(gericht** n) m piatto m ùnico; ℒ**tracht** f concordia; ~**tragen** registrare [-dʒ-]; ~**träglich** lucrativo; ℒ**tragung** f registrazione [-dʒ-]; ~**träufeln** istillare

ein|treffen (*ankommen*) arrivarsi; (*sich erfüllen*) avverarsi; ~**treten** entrare; (*sich ereignen*) avvenire; **für j-n** ~**treten** intercèdere [-tʃ-] in favore di qu.

Eintritt m entrata f; ingresso

Eintritts|geld n prezzo m d'ingresso; ℒ**karte** f biglietto [-ʎe-] m d'ingresso

ein|trocknen seccarsi; ~**üben** esercitare [-tʃ-]; ~**verleiben** incorporare **mit et einverstanden:** ~ **sein** èssere d'accordo

Einverständnis n accordo m

Einwand

294

Einwand *m* obiezione *f*

Einwander|er *m* immigrante; **♀n** immigrare; **♢ung** *f* immigrazione

einwandfrei irrefutàbile; senza difetti

ein|wechseln cambiare; **♢weichen** méttere a molle; **♢weihen** *Rel* consacrare; *Denkmal:* inaugurare; *in et:* iniziare; **♀weihung** *f* consacrazione

einwenden obiettare

einwerfen *Brief:* imbucare

einwickel|n involtare; **♀-papier** *n* carta *f* da involtare

einwillig|en consentire; **♀ung** *f* consenso *m*

einwirk|en influire; **♀ung** *f* influenza

Einwohner *m* abitante; **♢meldeamt** *n* anàgrafe *f*; **♢zahl** *f* nùmero *m* degli [-λi] abitanti

Einwurf *m* (*Schlitz*) buca *f*; fessura *f*; (*Sport*) rimessa *f* in gioco [d33-]

Einzahl *f* singolare *m*

einzahl|en pagare, versare; **♀ung** *f* pagamento *m*

Einzahlungsschein *m* ricevuta [-tʃ-] *f* [*m*]

Einzäunung *f* recinto -tʃ-]

Einzel|fall *m* caso isolato; **♢gänger** *m* solitario; **♢handel** *m* commercio [-tʃo] al minuto; **♢heit** *f* dettaglio [-λo] *m*; **♢kabine** *f* cabina singola

einzeln singolo; **im ♢en** in particolare

Einzel|verkauf *m* véndita *f* al minuto; **♢zimmer** *n* càmera ad un letto (*od* singola)

einziehen *mil* chiamare [k-] sotto le armi; *Fahrwerk:* ritrarre; *Flagge:* ammainare; *Erkundigungen:* prèndere; *Luft:* aspirare; (*konfiszieren*) confiscare; *v/i* (*in e-e Wohnung*) occupare un alloggio [-d3o]; (*Flüssigkeit*) penetrare

einzig ùnico; **kein ♢er** nessuno; **♢artig** ùnico

einzuckern inzuccherare [-k-]

Einzug *m* ingresso

Eis *n* ghiaccio [giat-tʃo] *m*; (*Speise♀*) gelato [d3-] *m*; **♢bahn** *f* pista di ghiaccio [giat-tʃo]; **♢bein** *n* zampa *f* di maiale; **♢decke** *f* strato *m* di ghiaccio [giat-tʃo]; **♢diele** *f* gelateria [d3-]

Eisen *n* ferro *m*

Eisenbahn *f* ferrovia; (*Zug*) treno *m*; **♢er** *m* ferroviere; **♢linie** *f* linea ferroviaria; **♢netz** *n* rete *f* ferroviaria; **♢unglück** *n* incidente [-tʃ-] *m* ferroviario; **♢wagen** *m* vagone

Eisenblech *n* latta *f*

eisern di ferro

eis|frei libero dai ghiacci [giat-tʃi]; **♢gekühlt** ghiacciato [giat-tʃa-]; **♀getränk** *n* ghiacciata [giat-tʃa-] *f*; **♀hockey** *n* hockey *m* su ghiaccio [giat-tʃo]

eisig glaciale [-tʃa-]

Eis|kaffee m granita di caffè; **2kalt** gèlido [dʒ-]; **~keller** m ghiacciaia [giat--tʃa-] f; **~lauf** m pattinaggio [-dʒo]; **~pickel** m piccozza f; **~schokolade** f cioccolata [tʃo-] con gelato [dʒ-]; **~schrank** m frigorìfero; **~waffel** f cialdone [tʃa-] m; **~würfel** m cubetto di ghiaccio [giat-tʃo]; **~zapfen** m ghiacciuolo [giat-tʃu-]

eitel (*gefallsüchtig*) vanitoso; (*nichtig*) vano; **2keit** f vanità

Eiter m marcia [-tʃa] f, pus

eit(e)rig purulento

eitern suppurare

Eiweiß n chiaro [k-] m d'uovo

Ekel m nàusea f; **2haft** ripugnante [-ɲ-]

Ekzem n eczema m

elastisch elàstico

Elefant m elefante

elegan|t elegante; **2z** f eleganza

Elektriker m elettricista [-tʃ-]

elektrisch elèttrico; **~er Strom** corrente f elèttrica; **~er Schlag** colpo m elèttrico; **~er Antrieb** propulsione f elèttrica

elektrisieren elettrizzare

Elektrizität f elettricità [-tʃ-]

Elektrizitäts|versorgung f rifornimento m di energia [-dʒ-] elèttrica; **~werk** n centrale [tʃ-] f elèttrica

Elektro|gerät n apparecchio [-k-] m elèttrico; **~geschäft** n negozio m di apparecchi [-ki] elèttrici [-tʃi]; **~motor** m elettromotore

Elektronen|blitz m lampo elettrònico; **~gehirn** n cervello [tʃ-] m elettrònico

Elektrotechnik f elettrotècnica; **~er** m elettrotècnico

Element n elemento m

elementar elementare

elend misero

Elend n miseria f; **~sviertel** n quartiere m dei pòveri [-tʃi]

elf ùndici [-tʃi]; **2** f ùndici [-tʃi] m

Elfenbein n avorio m

Elfmeter m calcio [-tʃo] di rigore

Ell(en)bogen m gómito

Elster f gazza

Eltern pl genitori [dʒ-] m/pl; **2los** òrfano

Email n smalto [zm-] m; **~geschirr** n stoviglie [-ʎe] f/pl smaltate [zm-]

Empfang m ricevimento [-tʃ-]; (*Radio*) ricezione [-tʃ-] f; **in ~ nehmen** prèndere in consegna [-ɲa]; **2en** ricévere [-tʃ-]; accògliere [-ʎe-]

Empfänger m ricevitore [-tʃ-] (a *Gerät*)

empfänglich suscettibile [-ʃ-]

empfängnisverhütend: **~es Mittel** preservativo m

Empfangs|bestätigung f

ricevuta [-tʃ-]; ~chef *m*
direttore di ricezione [-tʃ-];
~zimmer *n* parlatoio *m*
empfehl|en (*als geeignet*)
raccomandare; es emp-
fiehlt sich è consigliàbile
[-ʃa-]; ~enswert racco-
mandàbile; ℚung *f* rac-
comandazione; ℚungs-
schreiben *n* lèttera *f* di
raccomandazione
empfinden sentire
empfindlich sensibile (gegen a); ℚkeit *f* sensibilità
Empfindung *f* sensazione;
(*Gefühl*) sentimento *m*
empor (in) su, in alto
empör|en indignare [-ɲ-];
sich ~ ribellarsi; ~d scan-
daloso
empor|heben sollevare; ~-
ragen sovrastare; ~stei-
gen salire
Empörung *f* indignazione
[-ɲ-]; (*Aufstand*) ribellione
emsig assiduo
Ende *n* fine *f*, tèrmine *m*;
~ April alla fine di aprile;
am ~ alla fine; letzten ~
alla fin fine; zu ~ sein
èssere finito; ℚn finire
End|ergebnis *n* risultato *m*
finale; ℚgültig definitivo
Endiviensalat *m* indivia *f*
End|kampf *m* (*Sport*) fi-
nale *f*; ℚlich (*schließlich*)
finalmente; ℚlos senza
fine; (*unbegrenzt*) illimitato; ~punkt *m* tèrmine;
~spiel *n* (*Sport*) finale *f*;
~station *f* stazione tèrmine; ~ung *f* desinenza

Energie *f* energìa [-dʒ-]
energisch enèrgico [-dʒ-]
eng stretto; (*dicht gedrängt*)
fitto; (*innig*) intimo; ~er
machen restringere [-dʒ-];
~anliegend (*Kleid*) attillato
Enge *f* strettezza; (*Meer*ℚ)
stretto *m*; in die ~ treiben
méttere alle strette
Engel *m* àngelo [-dʒ-]
Eng|land *n* Inghilterra *f*;
~länder *m*, ℚlisch inglese
engmaschig a maglia [-ʎa]
stretta
Engpaß *m* gola *f*
Enkel(in *f*) *m* nipote
Enklave *f* territorio *m*
staccato
enorm enorme
Ensemble *n* complesso *m*;
compagnìa [-ɲi-]
entartet degenerato [-dʒ-]
entbehr|en (*vermissen*)
mancare di; (*auskommen
ohne*) fare a meno di;
~lich supèrfluo
Entbindung *f* parto *m*;
~anstalt *f* clìnica ostè-
trica
entblößt nudo; scoperto
entdeck|en scoprire; ℚer *m*
scopritore; ℚung *f* sco-
perta
Ente *f* ànitra
entehren disonorare
enteign|en espropriare;
ℚung *f* espropriazione
Enten|braten *m* arrosto
d'ànitra; ~ei *n* uovo *m*
d'ànitra
enterben diseredare

Enterhaken m arpagone
entfallen cadere di mano;
fig j-m ~ sfuggire [-dʒ-]
qu. di mente; **auf j-n ~**
toccare a qu.
entfalten spiegare; **sich ~**
svilupparsi [zv-]
entfern|en allontanare; **~t**
lontano; distante; ꝰ**ung** f
distanza; ꝰ**ungsmesser** m
telèmetro
ent|fesseln scatenare; ꝰ**fet-tungskur** f cura per dima-
grare; **~flammen** infiam-
mare; **~fliehen** fuggire
[-dʒ-]; **~fremden** alienare
entführ|en rapire; ꝰ**ung** f
rapimento m
entgegen contro; **~gehen**
andare incontro a; **~ge-setzt** opposto; **~kommen**
venire incontro; ꝰ**kom-men** n compiacenza [-tʃ-]
f; **~nehmen** gradire; **~se-hen** attèndere; **~stellen**
opporre; **~treten** opporsi
a
entgegn|en replicare; ꝰ**ung**
f rèplica
ent|gehen sfuggire [-dʒ-];
das ist mir ~gangen
questo mi è sfuggito [-dʒ-]
Entgelt n ricompensa f
entgleis|en deragliare
[-ʎa-]; ꝰ**ung** f deraglia-
mento [-ʎa-] m
Enthaarungsmittel n de-
pilatorio m
enthalt|en contenere; **sich
~en** astenersi; **~sam** asti-
nente
enthüll|en scoprire; *Ge-*

heimnis: rivelare; ꝰ**ung** f
scoprimento m
ent|kleiden spogliare
[-ʎa-]; **~kommen** scap-
pare; *e-r Gefahr*: scam-
pare; **~korken** sturare;
~kräften estenuare; *Be-hauptung*: invalidare
entladen scaricare; **sich ~**
(Gewitter) scaricarsi; *(Zorn)*
scatenarsi
entlang lungo; **die Straße
~** lungo la strada
entlarven smascherare
[zmask-]
entlass|en *Arbeiter*: licen-
ziare [-tʃ-]; *Häftling*: scar-
cerare [-tʃ-]; *aus d. Kran-kenhaus*: dimèttere; ꝰ**ung** f
licenziamento [-tʃ-] m
entlast|en scaricare; ꝰ**ung**
f scàrico m; ꝰ**ungsstraße** f
strada ausiliaria
entlaufen fuggire [-dʒ-]
entledigen: sich ~ disfarsi;
e-r Aufgabe: disimpegnarsi
[-ɲ-]
ent|legen remoto; **~leihen**
prèndere in prèstito; **~locken** strappare
entlüft|en aerare; ꝰ**ung** f
aerazione; ꝰ**ungsanlage** f
impianto m di ventilazione
ent|mündigen porre sotto
curatela; **~mutigen** scoraggiare [-dʒa-]; **~nehmen**
levare; **~reißen** strappare
entrüst|en indignare [-ɲ-];
ꝰ**ung** f indignazione [-ɲ-]
entschädig|en indenniz-
zare; ꝰ**ung** f indennità
entscheid|en decidere

[-tʃ-]; sich ~en decidersi [-tʃ-]; ~end decisivo [-tʃ-]; 2ung f decisione [-tʃ-]

entschieden fermo

entschließ|en: sich ~en risòlversi; 2ung f risoluzione

entschlossen risoluto; 2heit f risolutezza

Entschluß m risoluzione f; zu e-m ~ kommen prèndere una risoluzione

entschuldig|en: scusare; sich ~en scusarsi; ~en Sie! scusi!; 2ung f scusa

Entsetz|en n orrore m; 2lich terribile; 2t: ich bin 2t sono spaventato

entsinnen: sich ~ ricordarsi di

entspann|en: sich ~en rilassarsi; 2ung f rilassamento m

entsprech|en corrispòndere; ~end corrispondente; Ihrem Wunsch ~end conforme al Suo desiderio

entspringen (Fluß) nàscere [-ʃ-]; fig provenire

entsteh|en nàscere [-ʃ-]; 2ung f formazione

entstell|en sfigurare; fig svisare [zv-]; ~t sfigurato; 2ung f difformazione

enttäusch|en disingannare; ~t disingannato; 2ung f disinganno m

ent|waffnen disarmare; 2wässerung f prosciugamento [-ʃu-] m

entweder: ~ ... oder o ... o

ent|weichen (Luft, Gas)

fuggire [-dʒ-]; ~weihen profanare; ~wenden sottrarre; ~werfen abbozzare; ~werfen Marken: annullare; Währung: deprezzare

entwick|eln sviluppare [zv-] (a Fot); sich ~eln svilupparsi [zv-]; 2ler m sviluppatore [zv-]; 2lung f sviluppo [zv-] m; 2lungsland n paese m sottosviluppato [zv-]

ent|wirren strigare; ~wischen scappare; ~wöhnen Kind: slattare [zl-]; ~würdigend umiliante

Entwurf m (Plan) piano; (Konzept) minuta f; (Skizze) abbozzo

entwurzeln sradicare [zr-]

entzieh|en tògliere (-Áe-); sich ~en sottrarsi (a); 2ungskur f cura di disintossicazione

ent|ziffern decifrare [-tʃ-]; ~zückend incantévole

entzünd|en accèndere [-tʃ-]; sich ~en infiammarsi; 2ung f Med infiammazione

entzwei rotto; ~brechen spezzare in due; sich ~en mit j-m rómperla con qu.; ~gehen rómpersi

Enzian m genziana [dʒ-] f

Epidemie f epidemìa

epidemisch epidémico

Epoche f època

er lui, egli [eÁi]; ~ selbst lui stesso

Erachten n: meines ~s
a mio parere
erbarmen: sich ~ avere
pietà di; 2 n pietà f
erbärmlich compassioné-
vole; (elend) miseràbile
erbarmungslos spietato
erbau|en edificare; ~lich
edificante
Erbe 1. n eredità f; 2. m
erede; 2n ereditare
erbeuten predare
erbieten: sich ~ offrirsi
Erbin f erede
erbitten sollecitare [-tʃ-]
erbitter|t esasperato; 2ung
f esasperazione
erblassen impallidire
erblich ereditario
erblicken scòrgere [-dʒ-]
erblind|en divenire cieco
[tʃe-]; ~et accecato [-tʃ-];
2ung f accecamento [-tʃ-]
m
erbost arrabbiato
erbrechen forzare; sich ~
vomitare; 2 n vòmito m
Erbschaft f eredità
Erbse f pisello m; ~nsuppe
f zuppa di piselli
Erd|ball m globo terrestre;
~beben n terremoto m;
~beere f fràgola; ~boden
m suolo; terra f
Erde f terra
erden (Radio) méttere a
terra
erdenklich immaginàbile
[-dʒ-]
Erd|geschoß n pianterreno
m; ~kunde f geografia
[dʒ-]; ~öl n petrolio m

erdrosseln strangolare
erdrücken   schiacciare
[skiat-tʃa-]
Erd|rutsch m frana f;
~satellit m satèllite ter-
restre; ~stoß m scossa f
di terremoto; ~teil m con-
tinente; ~ung f messa a
terra
ereifern: sich ~ accalorarsi
ereignen: sich ~ avvenire
Ereignis n avvenimento m
erfahr|en sapere; provare;
~en in et. esperto in qc.;
2ung f esperienza; aus
eigener 2ung per espe-
rienza propria; in 2ung
bringen venire a sapere
erfassen afferrare; (einbe-
ziehen; verstehen) com-
prèndere
erfind|en inventare (a fig);
2er m inventore; 2ung f
invenzione (a fig)
Erfolg m successo [-tʃ-];
2en (stattfinden) succèdere
[-tʃ-]; 2los senza successo
[-tʃ-]; 2reich fruttuoso
erforder|lich   necessario
[-tʃ-]; ~n richièdere [-k-]
erforschen Land: esplo-
rare; (untersuchen) inda-
gare
erfreu|en:j-n~enrallegrare
qu.; ~lich rallegrante; ~t
lieto
erfrieren morire di freddo
erfrisch|en rinfrescare;
2ung f rinfresco m; (Ge-
tränk) rinfrescante m;
2ungsraum m buffè
erfüll|en Bitte: accondi-

scéndere [-ʃ-] a; *Plan usw*:
raggiùngere [-dʒu-]; (**mit**
D) riempire di; **sich ~en**
avverarsi; 2ung *f* adempimento *m*; **in 2ung gehen**
realizzarsi

ergänz|en completare;
2ung *f* completamento *m*

ergeben (*erbringen*) risultare; **sich ~** (*folgen aus*)
seguire da; *mil* arrèndersi;
(*sich hingeben*) darsi; 2heit
f devozione

Ergebnis *n* risultato *m*;
2los senza risultato

ergiebig produttivo

ergießen: sich ~ riversarsi

ergötzlich dilettévole

ergraut incanutito

ergreif|en afferrare; *fig
Gelegenheit*: cògliere [-ʎe-];
Beruf: abbracciare [-tʃa-];
(*rühren*) commuòvere; **die
Flucht ~en** darsi alla fuga;
das Wort ~en prèndere la
parola; **~end** commovente; 2ung *f* (*des Täters*)
cattura

ergriffen commosso

ergründen scandagliare
[-ʎa-]

Erguß *m* sfogo

erhaben (*konvex*) rilevato;
fig sublime

erhalten ricévere [-tʃ-];
(*bewahren*) mantenere; **gut
~ in** buono stato

erhältlich in véndita

erhängen: sich ~ impiccarsi

erheb|en *Zoll, Gebühr*:
riscuòtere; *Klage*: inten-

tare; **sich ~en** (*aufstehen*)
levarsi; (*emporragen*) elevarsi; (*revoltieren*) sollevarsi; **~lich** rilevante;
2ung *f* elevazione; (*Aufstand*) insurrezione

erheitern rasserenare

erhellen rischiarare [-sk-]

erhitzen riscaldare; **sich ~**
accalorarsi

erhöh|en rialzare; (*steigern*) aumentare; 2ung *f*
(*Steigerung*) aumento *m*;
(*Anhöhe*) altura

erhol|en: sich ~en riméttersi; 2ung *f* ricreazione;
riposo *m*

Erholungs|heim *n* casa *f*
di riposo; **~pause** *f* pausa
di ricreazione; **~reise** *f*
viaggio [-dʒo] di diporto;
~urlaub *m* ferie *f/pl* di
ricreazione

erinner|n: ~n an et. ~n
ricordare qc. a qu.; **sich
~n** ricordarsi; 2ung *f* ricordo *m*; **zur 2ung** in
ricordo (di)

erkalten raffreddarsi

erkält|en: sich ~en raffreddarsi, costiparsi; 2ung
f raffreddore *m*; costipazione

erkennen riconóscere [-ʃ-]

erkenntlich: sich ~ zeigen mostrarsi riconoscente
[-ʃ-]

Erkenntnis *f* conoscenza
[-ʃ-]

Erkennungszeichen *n*
contrassegno [-ɲo] *m*

Erker *m* balcone chiuso [k-]

erklär|en (*erläutern*) spiegare; (*bekanntmachen*) dichiarare [-k-]; **Krieg ~en** dichiarare [-k-] la guerra; **~lich** spiegàbile; **2ung** *f* spiegazione; (*Deklaration*) dichiarazione [-k-]

erklingen risonare

erkrank|en ammalarsi; **2ung** *f* malattia

erkund|en perlustrare; **~igen: sich ~igen** (*nach et.*) informarsi (di qc.); **2igung** *f* informazione

erlangen ottenere

Erlaß *m* (*Straf2*) condono; (*Verfügung*) decreto

erlassen *Strafe:* condonare; *Verordnung:* emanare

erlaub|en perméttere; **2nis** *f* permesso *m*

erläutern spiegare

Erle *f* ontano *m*

erleb|en vivere; (*erfahren*) sperimentare; **2nis** *n* avvenimento *m*

erledig|en sbrigare [zb-]; **~t** sbrigato [zb-]; (*erschöpft*) finito; **2ung** *f* disbrigo [-zb-] *m*

erlegen *Wild:* ammazzare

erleichter|n alleggerire [-dʒ-]; (*mildern*) alleviare; **2ung** *f* alleggerimento [-dʒ-] *m*

erleiden soffrire

erlernen imparare

erlesen (*ausgewählt*) scelto [ʃ-]

erleuchten illuminare

erlogen inventato

Erlös *m* ricavo

erlöschen spègnersi [-ɲ-]; (*verfallen*) scadere

erlös|en redimere; **2er** *m* *Rel* Redentore; **2ung** *f* liberazione; *Rel* redenzione

ermächtig|en autorizzare; **2ung** *f* autorizzazione

ermahn|en ammonire; **2ung** *f* ammonizione

ermäßig|en ridurre; **~t** ridotto; **2ung** *f* riduzione

ermessen (*beurteilen*) giudicare [dʒu-]; **nach Ihrem 2** al Suo parere

ermitteln accertare [-t-]; (*ausfindig machen*) scoprire; *jur* indagare

Ermittlung *f* accertamento [-tʃ-] *m*; **~en anstellen** fare delle ricerche [-tʃerke]

ermöglichen rèndere possibile

ermorden assassinare

ermüden stancare

ermuntern (*zu et*) incoraggiare [-dʒa-]

ermutig|en incoraggiare [-dʒa-]; **~end** incoraggiante [-dʒa-]; **2ung** *f* incoraggiamento [-dʒa-] *m*

ernähr|en nutrire; **2er** *m* sostenitore; **2ung** *f* nutrizione; (*Nahrung*) nutrimento *m*; (*Unterhalt*) mantenimento *m*

ernenn|en nominare; **2ung** *f* nòmina

erneuer|n rinnovare; **2ung** *f* rinnovamento *m*

erneut di nuovo

erniedrigen *s* demütigen

ernst serio; (*wichtig*) im-

Ernst
302

portante; (*Krankheit*) grave; ♀ *m* serietà *f*; **im ♀** sul serio; **♀fall** *m*: **im ♀fall** in caso d'emergenza [-dʒ-]; **~haft**, **~lich** serio; **~lich krank** gravemente malato

Ernte *f* raccolta; **♀n** raccògliere [-ʌe-]

Erober|er *m* conquistatore; **♀n** conquistare; **~ung** *f* conquista

eröffn|en aprire; inaugurare; **♀er** *m* ricattatore; **♀ung** *f* apertura; inaugurazione

erörtern discùtere

erpress|en strappare; *j-n*: ricattare; **♀er** *m* ricattatore; **♀ung** *f* ricatto *m*

erprob|en provare; **♀ung** *f* prova

erquickend ricreante

erraten indovinare

erregbar: leicht ~ eccitàbile [-tʃ-]

erreg|en eccitare [-tʃ-]; (*reizen*) irritare; (*erwecken*) destare; **♀ung** *f* eccitazione [-tʃ-]

erreich|bar raggiungìbile [-dʒundʒ-]; **~en** raggiùngere [-dʒundʒ-] (*a Zug*); (*erlangen*) ottenere

errichten erigere [-dʒ-]

erringen *Sieg*: riportare

erröten arrossire

Errungenschaft *f* conquista

Ersatz *m* (*Vergütung*) compenso; (*Austausch*) ricambio; (*Ersatzstoff*) surrogato; **~rad** *n* ruota *f* di ricambio; **~reifen** *m* gom-

ma *f* di scorta; **~spieler** *m* attore supplente; **~teil** *n* pezzo *m* di ricambio

erschallen risonare

erschein|en (*sich einfinden*) apparire; comparire; (*Zeitung*) uscire [-ʃ-]; (*den Anschein haben*) avere l'apparenza; **♀ung** *f* apparizione; (*Aussehen*) aspetto *m*; (*Natur♀*) fenòmeno *m*

erschießen fucilare [-tʃ-]

erschlaffen rilassarsi

erschlagen uccidere [-tʃ-]

erschließen aprire; **♀ung** *f* apertura

erschöpf|en (*ermüden*) affaticare; *Vorräte usw*: esaurire; **~end** esauriente; **~t** esausto; **♀ung** *f* esaurimento *m*

erschrecken *j-n*: spaventare; (*e-n Schreck bekommen*) spaventarsi

erschütter|n scuòtere; *fig* commuòvere; **♀t** commosso; **♀ung** *f* scossa; commozione

erschweren rèndere diffìcile [-tʃ-]

erschwinglich alla portata (di)

ersetzen sostituire; *Schaden*: risarcire [-tʃ-]

ersichtlich visibile; evidente

ersinnen ideare

erspar|en risparmiare; **♀nis** *f* risparmio *m*

erst prima; (*anfangs*) dapprima; (*nicht früher als*) non prima di; **~ gestern**

soltanto ieri; **~ recht** ancora di più

erstarken rinvigorirsi

erstarren irrigidire [-dʒ-]; *(vor Kälte)* intirizzire

erstatten *Auslagen*: rimborsare; *Schaden*: risarcire [-tʃ-]; *Bericht, Anzeige*: fare

Erstaufführung f prima (rappresentazione); *(Film)* prima visione

Erstaun|en in stupore m; **℃lich** sorprendente; **℃t** stupito

erste, ~r, ~s primo, prima; **am ~n Juni** il primo giugno [dʒu:ŋo]; **~r Klasse** di prima classe; **℃ Hilfe** pronto soccorso m; **fürs ~** per il momento; **der ~ beste** il primo venuto; **zum ~n Mal** per la prima volta

erstechen accoltellare

erstens in primo luogo

ersticken soffocare; **Tod durch ℃ morte** f per asfissia

erst|klassig di prima categoria; **~mals** per la prima volta

erstreben aspirare a; **~s-wert** desiderabile

erstrecken: sich ~ estèndersi

ersuchen pregare; **ich möchte Sie um ... ~** vorrei chièder Le (qc.)

ertappen sorprèndere; **auf frischer Tat ~** cògliere [-ʎe-] sul fatto

erteilen dare *(a Auskunft, Unterricht)*

ertönen risonare

Ertrag m provento; *(Ernte)* rendimento

ertragen sopportare; **nicht zu ~** insopportàbile

erträglich sopportàbile

ertränken annegare

ertrinken annegare; **Tod durch ℃ morte** f per annegamento

erübrig|en *Geld*: risparmiare; *Zeit*: riservare; **es ~t sich** è supèrfluo

erwachen svegliarsi [zve-ʎa-]; ℃ n il svegliarsi [zveʎa-]

erwachsen *(volljährig)* adulto; ℃e(r) m adulto

erwäg|en ponderare; ℃ung f considerazione

erwähn|en menzionare; ℃ung f menzione

erwärmen riscaldare

erwart|en aspettare; **es ist zu ~en c'è** [tʃe] d'aspettarsi; ℃ung f attesa

erwecken *(erregen)* destare

erweichen ammollire; *fig* intenerire

erweisen *Dienst, Ehre*: rèndere; **sich ~ als** (di)mostrarsi come

erweitern allargare

Erwerb m acquisto; *(Kauf)* compra f; ℃en *(kaufen)* acquistare; comprare; *Fähigkeiten*: acquisire

erwerbs|fähig capace [-tʃe] di guadagnarsi [-ɲ-] la vita; **~los** disoccupato;

~unfähig incapace [-tʃe] al lavoro

erwider|n rèndere; (*antworten*) replicare; 2**ung** f ricambio; rèplica

erwirken ottenere

erwischen acchiappare [-k-]

erwünscht desiderato; (*günstig*) opportuno

erwürgen strozzare

Erz n minerale m

erzähl|en raccontare; 2**ung** f racconto m

Erzbischof m arcivéscovo [-tʃ-]

erzeug|en produrre; *Laute*: formare; 2**nis** n prodotto m

erzieh|en educare; 2**er** m istitutore; 2**erin** f istitutrice [-tʃe]; 2**ung** f educazione; 2**ungsanstalt** f collegio [-dʒo] m; 2**ungswesen** n educazione f pùbblica

erzielen ottenere

erzürnen sdegnare [zdeŋ-]; **sich ~** (**über**) andare in còllera (per)

erzwingen ottenere con la forza

erzwungen forzato

es il; lo; esso m; sono io; **~ bin ~** sono io; **~ ist spät** è tardi; **~ lebe ~ !** evviva ... !

Esche f fràssino m

Esel m àsino; **~treiber** m asinaio

eßbar mangiàbile [-dʒa-]

Eßbesteck n posate f/pl

Esse f fumaiolo m

essen mangiare [-dʒa-]; **zu**

Mittag ~ pranzare; **zu Abend ~** cenare [tʃ-]; **zu ~ geben** dare da mangiare [-dʒa-]

Essen n (*Nahrung*) cibo [tʃ-] m; (*Mahlzeit*) pasto m

Essig m aceto [-tʃ-]; **~gurke** f cetriolino [tʃ-] m sotto aceto [-tʃ-]; 2**saure Tonerde** acetato [-tʃ-] m d'alluminio

Eß|löffel m cucchiaio [-k-]; **~tisch** m tàvolo m da pranzo; **~waren** f/pl commestìbili m/pl; **~zimmer** m sala f da pranzo

Etablissement n stabilimento m

Etage f piano m

Etappe f tappa

Etat m bilancio [-tʃo]

Etikett n etichetta [-k-] f

etliche diversi

Etui n astuccio [-tʃo] m

etwa circa [tʃ-]; **~ig** eventuale

etwas qualche [-ke] cosa, qualcosa; (*ein wenig*) un po' (di)

euch voi; a voi; vi

euer vostro

Eule f civetta [tʃ-]

euretwegen per voi

europäisch europèo

Euter n mammella f

evangeli|sch evangèlico [-dʒ-]; 2**um** n Vangelo [-dʒ-] m

eventuell eventuale

ewig eterno; 2**keit** f eternità

exakt esatto

Examen n esame m
Exemplar n esemplare m
Exil n esilio m
Exist|enz f esistenza; **2ie-ren** esistere
Expedition f spedizione
Experiment n esperimento m; **2ieren** sperimentare
explodieren esplòdere

Explosion f esplosione
Export m esportazione f; **2ieren** esportare
extra extra; a parte; **2-blatt** n edizione f straordinaria
Extrakt m estratto
extrem estremo
Exzeß m eccesso [-tʃ-]

F

Fabel f fàvola; **2haft** favoloso
Fabrik f fàbbrica; **~ar-beiter** m operaio
Fabrikat n fabbricato m
Fabrikations|fehler m difetto di fabbricazione; **~nummer** f nùmero di serie
Fabrik|besitzer m industriale; **~marke** f, **~zei-chen** m marchio [-k-] m di fàbbrica
fabrizieren fabbricare
Fach n compartimento m; fig (Fachgebiet) ramo m; **~arbeiter** m operaio specializzato [-tʃa-]; **~arzt** m mèdico specialista [-tʃa-]; **~ausbildung** f istruzione professionale
Fächer m ventaglio [-ʎo]
Fach|kenntnisse f/pl conoscenze [-ʃ-] speciali [-tʃa-]; **~mann** m esperto
Fackel f fiàccola; **~zug** m fiaccolata f
fade insipido
Faden m filo
fähig capace [-tʃe] (**zu** di, a); **2keit** f capacità [-tʃ-]

fahl scialbo [ʃa-]
fahnden ricercare [-tʃ-] (**nach** j-m qu.)
Fahne f bandiera
Fahr|bahn f carreggiata [-dʒa-]; **~dienstleiter** m capo servizio
Fähre f traghetto [-g-] m
fahren andare; viaggiare [-dʒa-]; (lenken) condurre, guidare; (et befördern) trasportare; **~ sie mir bitte nach ...** per favore, mi porti a ...
Fahr|er m conducente [-tʃ-]; **~erflucht** f latitanza del conducente [-tʃ-]; **~gast** m passeggero [-dʒ-]; **~gastschiff** n piròscafo m passeggeri [-dʒ-]; **~geld** n prezzo m della corsa; **~gestell** n Auto: telaio m; **~karte** f biglietto [-ʎe-] m; **~kartenschalter** m sportello dei biglietti [-ʎe-]
fahrlässig trascurato; **2-keit** f trascuratezza
Fahr|lehrer m maestro di guida; **~plan** m orario; **2planmäßig** in orario

Fahrpreis m prezzo del biglietto [-ʎe-]; **~ermäßigung** f riduzione (sul prezzo) del biglietto [-ʎe-]

Fahr|rad n bicicletta [-tʃ-] f; **~schein** m biglietto [-ʎe-]

Fährschiff n traghetto [-g-] m [percorso m]

Fahrstrecke f tratto m;

Fahrstuhl m ascensore [-ʃ-]; **~führer** m ascensorista [-ʃ-]

Fahrt f viaggio [-dʒo] m; corsa; **freie ~** via libera

Fährte f traccia [-tʃa]

Fahrt|richtung f direzione; **~unterbrechung** f interruzione del viaggio [-dʒo]

Fahr|wasser n acqua f navigàbile; **~zeit** f ora della partenza; (Dauer) durata della corsa; **~zeug** n veicolo m

Fakultät f facoltà

Falke m falco(ne)

Fall m caduta f; (Angelegenheit) affare; caso; **auf jeden ~** in ogni [-ɲi] caso; **auf keinen ~** in nessun caso

Falle f tràppola

fallen cadere; (sinken) scéndere [-ʃ-]; **es fällt mir schwer** mi riesce [-ʃe] difficile [-tʃ-]

fällen Bäume: abbàttere; Urteil: pronunciare [-tʃa-]

fallenlassen abbandonare

fällig in scadenza; **~ sein** scadere

falls nel caso che [ke]; **~ nicht** a meno che [ke] non

Fallschirm m paracadute; **~springer** m paracadutista

falsch falso; (gefälscht) falsificato; (unrichtig) sbagliato [zbaʎa-]; (unecht) finto; **~ verbunden** sbagliato [zbaʎa-] nùmero

fälschen falsificare; falsare

Falsch|geld n moneta f falsa; **~meldung** f annuncio [-tʃo] m falso

Fälschung f falsificazione

Faltboot n canotto m smontàbile [zm-]

Falt|e f piega, (Runzel) ruga; **~en** piegare; **die Hände ~en** giùngere [dʒundʒ-] le mani; **~enrock** m gonna f a pieghe [-ge]

Falter m lepidòttero

faltig a pieghe [-ge]

familiär familiare

Familie f famiglia [-ʎa]

Familien|angehörige(r) m familiare; **~name** m nome di famiglia [-ʎa]; **~stand** m stato civile [tʃ-]

Fang m cattura f; (Beute) preda

fangen prèndere; acchiappare [-k-]; **Feuer ~** prèndere fuoco

Farb|band n nastro m per màcchina [-k-] da scrivere; **~e** f color m; **~echt** di colore indelèbile

färben colorire

farben|blind daltonista; ~prächtig dai colori vistosi

Farb|fernsehen n televisione f a colori; ~film m film a colori; 2ig colorato; 2los senza colore; ~photographie f fotografia a colori; ~stift m matita f colorata; ~ton m tinta f

Färbung f colorazione

Farn(kraut n) m felce [-tʃe] f

Fasan m fagiano [-dʒa-]

Fasching m carnevale

faseln fantasticare

Faser f fibra

faserig fibroso

Faß n botte f; barile m

Fassade f facciata [-tʃa-]

fassen prèndere; (fangen) acchiappare [-k-]; (begreifen) comprèndere; (Raum bieten) contenere; sich ~ calmarsi; sich kurz ~ èssere breve

Fassung f (Umrahmung) montatura; (Glühbirnen2) portalàmpada m; (Wortlaut) versione; aus der ~ bringen sconcertare [-tʃ-]

fassungslos sconcertato [-tʃ-]

fast quasi

fast|en digiunare [-dʒu-]; 2en n digiuno [-dʒu-] m; 2nacht f martedì m grasso

faszinierend affascinante [-ʃ-]

fatal fatale

faul (träge) pigro; (verfault) marcio [-tʃo]; pùtrido; ~e Sache affare m

marcio [-tʃo]; ~er Witz freddura f

faulen marcire [-tʃ-]

faulenz|en stare a far niente; 2er m fannullone

Fäulnis f putrefazione

Faust f pugno [-ɲo] m; ~handschuh m guanto a sacco; ~schlag m pugno [-ɲo]

FD-Zug m ràpido

Februar m febbraio

fecht|en tirare di scherma [sk-]; 2en n, 2kunst f scherma [sk-] f

Feder f penna (a Schreib2); (Spiral2) molla; ~ball m volano; ~bett n piumino m; ~gewicht n peso m piuma; ~halter m portapenne; ~messer n temperino m

feder|n èssere elàstico; 2ung f sospensione

Fee f fata

fegen spazzare

Fehlbetrag m ammanco

fehl|en mancare; (abwesend sein) èssere assente; was ~t Ihnen? che [ke] cosa ha?

Fehler m (Mangel) difetto; (Versehen) sbaglio [zba:ʎo]; (Irrtum) errore; 2frei senza errori; 2haft difettoso

fehlschlagen fallire

Feier f celebrazione [tʃ-]; festa; ~abend m: nach ~abend dopo aver finito il lavoro; 2lich solenne

feier|n festeggiare [-dʒa-]; 2tag m giorno [dʒo-] festivo

feige vile
Feige f fico m
Feig|heit f viltà; **~ling** m vigliacco [-ʎa-]
Feile f lima
feilen limare
feilschen tirare sul prezzo
fein fino, fine; (*zart*) delicato; (*vornehm*) distinto; (*erlesen*) squisito; (*Gehör*) fine; **das ist nicht ~** questo non è bello
Feinbäckerei f pasticceria [-tʃ-]
Feind m nemico; **~lich** ostile; **~schaft** f inimicizia [-tʃ-]; **2selig** ostile
fein|fühlig delicato; **2gold** n oro m fino; **2heit** f finezza; **~körnig** di grana fine; **2kosthandlung** f pizzicheria [-k-]; **2mechaniker** m meccànico di precisione [-tʃ-]; **2schmecker** m buongustaio; **2schnitt** m taglio [-ʎo] fine
Feld n campo m; (*Schachspiel*2) quadretto m; **~bett** n branda f; **~flasche** f borraccia [-tʃ-]; **2stecher** m binòccolo; **~weg** m via f campestre
Felge f cerchione [tʃerk-]
Fell n pelle f
Fels|en m roccia [-tʃa] f; **2ig** roccioso [-tʃo-]; **~wand** f parete rocciosa [-tʃo-]
Fenchel m finocchio [-k-]
Fenster n finestra f; **~brett** n davanzale m; **~laden** m

scure f; **~platz** m posto al finestrino; **~rahmen** m telaio della finestra; **~scheibe** f vetro m
Ferien pl vacanze f/pl; ferie f/pl; **~heim** n colònia f feriale; **~lager** n campo m feriale; **~reise** f viaggio [-dʒo] m di ferie
Ferkel n porcellino [-tʃ-] m
fern lontano
Fern|amt n centralino [tʃ-] m interurbano; **~aufnahme** f telefotografia; **2bleiben** non prèndere parte a
Ferne f lontananza
ferner ulteriore; poi; **~hin** in avvenire
Fern|fahrer m camionista; **2gelenkt** teleguidato; **~gespräch** n telefonata f interurbana; **~glas** n binòccolo m [-k-]; **~heizung** f riscaldamento m a distanza; **~licht** n fari m/pl abbaglianti [-ʎa-]; **~meldewesen** n telecomunicazioni f/pl; **2mündlich** telefònico; **~rohr** n telescopio m; **~schnellzug** m treno diretto a lungo percorso; **~schreiber** m telescrivente f
Fernseh|apparat m televisore; **~empfang** m ricezione [-tʃ-] f televisiva; **~en** n televisione f; **~programm** n programma m televisivo; **~schirm** m teleschermo [-sk-] m; **~sender** m teletrasmittente [-zm-] f; **~sendung** f

trasmissione [-zm-] tele-
visiva
Fernsicht f vista
Fernsprech|amt n ufficio
[-tʃo] m telefònico; **_an-
schluß** n abbonamento al
telèfono; **_buch** n elenco
m telefònico; **_er** m telèfono; **_gebühren** f/pl ta-
riffe telefòniche [-ke]; **_
teilnehmer** m abbonato al
telèfono; **_zelle** f cabina
telefònica
Fern|steuerung f teleco-
mando m; **_studium** n
studio m per corrispon-
denza; **_verkehr** m trasporti m/pl a grande distanza; **_zug** n treno delle
grandi linee
Ferse f calcagno [-ɲo] m;
die _n le calcagna [-ɲa]
fertig (beendet) finito; (bereit) pronto; **Qhaus** n casa f
prefabbricata; **_machen**
preparare; **sich _machen**
prepararsi; **Qprodukt** n
prodotto m finito
Fessel f vìncolo m; **_n** pl
ceppi [tʃ-] m/pl; [-zn] incatenare; **Qnd** avvincente]
Fest n festa f [-tʃ-]
fest fermo; (nicht flüssig)
sòlido; (Preis) fisso; (stabil) stàbile; **_binden** legare
Festessen n banchetto [-k-]
m
festhalten tenere fermo;
an et. _ attenersi a qc.;
sich _ tenersi saldo
Fest|igkeit f fermezza;
_land n terra f ferma;

festlich festivo; (feierlich)
solenne
fest|machen fissare; **_
nehmen** arrestare
Festsaal m salone delle
feste
festsetzen stabilire
Festspiele n/pl festival m
fest|stehen èssere fissato;
_stellen constatare; **Per-
sonalien:** identificare
Festung f fortezza
Festzug m corteo
fett grasso; **_ werden** diventare grasso
Fett n grasso m; **_fleck** m
macchia [-k-] f di grasso;
Qhaltig adiposo
fettig grasso
Fetzen m brandello; (Pa-
pier2) pezzetto (di carta)
feucht ùmido
Feuchtigkeit f umidità
Feuer n fuoco m; (Brand)
incendio [-tʃ-]; **_bestat-
tung** f cremazione; **_fest**
a prova di fuoco; **Qgefähr-
lich** infiammàbile; **_leiter**
f scala incendi [-tʃ-]; **_
löscher** m estintore; **_
melder** m avvisatore d'incendio [-tʃ-]; **_spritze** f
pompa per incendio [-tʃ-];
_stein m (im Feuerzeug)
pietrina f; **_wehr** f pòm-
pieri m/pl; **_werk** n fuoco
m artificiale [-tʃa-]; **_zeug**
n accendisigari [-tʃ-] m
feurig focoso
Fibel f sillabario m
Fichte f abete m rosso;
pino m

Fieber

310

Fieber n febbre f; **~anfall** m accesso [-tʃ-] di febbre; **2frei** senza febbre; **2haft** febbrile; **~kurve** f gràfico m della temperatura; **~mittel** n febbrifugo m

fiebern avere la febbre

fiebrig febbrile

Figur f figura

Filet n filetto m; **~steak** n bistecca f di filetto

Filiale f filiale, succursale

Film m film; **Fot** pellicola f; **~atelier** n studio m; **~aufnahme** f ripresa cinematogràfica [tʃ-]; **2en** filmare

Film|festspiele n/pl festival m cinematogràfico [tʃ-]; **~gesellschaft** f società [-tʃe-] cinematogràfica [tʃ-]; **~kamera** f màcchina [-k-] da presa; **~kassette** f portapellicola m; **~projektor** m proiettore cinematogràfico [tʃ-]

Filmschauspieler m attore del cinema [tʃ-]; **~in** f attrice [-tʃe-] del cinema [tʃ-]

Film|star m divo m, diva f; **~vorführung** f proiezione

Filter m filtro; **~papier** n carta f da filtro; **~zigarette** f sigaretta col filtro

filtrieren filtrare

Filz m feltro

Finanz|amt n ufficio [-tʃo] m imposte; **~en** pl finanze f/pl; **2iell** finanziario; **2ieren** finanziare

finden trovare; (*entdecken*)

scoprire; **das wird sich ~** aspetta che [ke] vedremo; **wie ~ Sie das?** come Le pare?

Finder m trovatore; **~lohn** m ricompensa f al trovatore

Finger m dito (*pl* le dita); **~abdruck** m impronta f digitale [-dʒ-]; **2dick** largo un dito; **~hut** m ditale; **~kuppe** f punta del dito; **~ling** m ditale; **~nagel** m unghia [-g-] f; **~spitze** f punta del dito

fingiert finto

Fink m fringuello

finster oscuro; **2nis** f oscurità

Firma f ditta

Firnis m vernice [-tʃe] f

Fisch m pesce [-ʃe]

fischen pescare

Fischer m pescatore; **~boot** n barca f da pesca

Fisch|erei f, **~fang** m pesca f; **~filet** n filetto m di pesce [-ʃe]; **~gericht** n piatto m di pesce [-ʃe]; **~geruch** m odore m di pesce [-ʃe]; **~geschäft** n pescheria [-sk-]; **~gräte** f lisca; **~konserve** f pesce [-ʃe] m conservato; **~markt** m mercato del pesce [-ʃe]; **~otter** m lontra f; **~suppe** f zuppa di pesce [-ʃe]; **~teich** m piscina [-ʃ-] f; **~vergiftung** f intossicazione f di pesce [-ʃe]; **~zucht** f piscicultura [-ʃ-] f

fix (*schnell*) presto; **~ und fertig** bell'e pronto

fixieren fissare

flach piatto; (*eben*) piano
Fläche f (*Ober♀*) superficie [-tʃe]; (*Ebene*) pianura
Flächeninhalt m superficie [-tʃe] f
Flach|land n pianura f; **~relief** n bassorilievo m
Flachs m lino
Flachzange f tenaglia [-ʎa] piatta
flackern vacillare [-tʃ-]
Flagge f bandiera
Flamme f fiamma
Flanell m flanella f
Flanke f fianco m (*a mil*)
Flasche f bottiglia [-ʎa]
Flaschen|bier n birra f in bottiglia [-ʎa]; **~milch** f latte m in bottiglia [-ʎa]; **~öffner** m apribottiglie [-ʎe]
flattern svolazzare [zv-]; (*Tuch*) sventolare [zv-]
flau fiacco
Flaum m peluria f; **~feder** f piuma
Flaute f calma
Flechte f treccia [-tʃa]; *Bot* lichene [-k-] m; *Med* èrpete f
flechten intrecciare [-tʃa-]
Fleck m (*Stelle*) posto; (*Schmutz♀*) macchia [-k-] f
Flecken|entferner m, **~wasser** n smacchiatore [zmak-] m
Fleckfieber n febbre f petecchiale [-k-]
fleckig macchiato [-k-]
Fledermaus f pipistrello m
Flegel m (*Grobian*) villano
flehen supplicare

Fleisch n carne f; (*Frucht♀*) polpa f; **~brühe** f brodo m
Fleischer m macellaio [-tʃ-]; **~ei** f, **~laden** m macelleria [-tʃ-] f
fleischig carnoso; polposo
Fleisch|kloß m polpetta f; **~konserve** f carne in scàtola; **~vergiftung** f intossicazione da carne; **~wunde** f ferita nella carne
Fleiß m diligenza [-dʒ-] f
fleißig diligente [-dʒ-]
flicken rappezzare
Flieder m lilla f
Fliege f mosca; (*Querbinder*) farfalla
fliegen volare
Fliegen|fänger m acchiappamosche [ak-kiap-pa-moske]; **~gewicht** n peso m mosca; **~pilz** m fungo moscario; **~schrank** m moscaiuola f
Flieger m aviatore
fliehen fuggire [-dʒ-]
Fliese f mattonella
Fließ|band n trasportatore m a nastro; **2en** scórrere; **2end** corrente
flimmern scintillare [ʃ-]
flink svelto [zv-]
Flinte f fucile [-tʃ-] m
flirten flirtare
Flitter m lustrino; **~gold** n orpello m; **~wochen** f/pl luna f di miele
flitzen sfrecciare [-tʃa-]
Flocke f fiocco m
Floh m pulce [-tʃe] f
Flor m (*Blüte*) fiore; (*auf*

Samt usw) pelo; *(dünnes Gewebe)* velo

Florett n fioretto m

florieren fiorire

Floß n zàttera f

Flosse f pinna

Flöte f flauto m

flott *(lustig)* allegro; *(schnell)* svelto [zv-]; *(schick)* ele-} svelto [zv-]; *(schick)* ele-)

Flotte f flotta [gante}

Fluch m maledizione f; ℒen bestemmiare

Flucht f fuga; **die ~ ergreifen** fuggire [-dʒ-]; **in die ~ schlagen** méttere in fuga

flücht|en fuggire [-dʒ-]; **~ig** *(entflohen)* fuggitivo [-dʒ-]; *(vergänglich)* fugace [-tʃe]; *(oberflächlich)* superficiale [-tʃa-]; ℒling m fuggitivo [-dʒ-]; *Pol* pròfugo

Flug m volo; **~blatt** n foglio [-ʎo] m volante; **~dauer** f durata di volo

Flügel m ala f; *Mus* piano a coda; **~mutter** f dado m ad alette

Flug|gast m passeggero [-dʒ-]; **~hafen** m aeroporto; **~karte** f biglietto [-ʎe-] m di volo; **~linie** f aviolinea; **~plan** m orario di volo; **~platz** m aeroporto; **~sicherheit** f sicurezza di volo; **~strecke** f percorso m aèreo; **~verkehr** m tràffico aèreo; **~zeit** f durata di volo

Flugzeug n aeroplano m, aèreo m; **~führer** m pilota; **~träger** m nave f portaèrei

Flunder f pesce [-ʃe] m pàssera

Flur m *(Haus℈)* àndito

Fluß m fiume; ℒab(wärts) a valle; ℒauf(wärts) a monte

flüssig liquido; ℒkeit f liquido m

Fluß|krebs m gàmbero d'acqua dolce [-tʃe]; **~mündung** f foce [-tʃe] del fiume

flüstern sussurrare

Flut f flusso m; *(Gezeiten)* alta marèa; *(Überschwemmung)* inondazione f

Flutlicht n illuminazione f indiretta

Flutwelle f onda di alta marèa

Fohlen n puledro m

Folge f séguito m; serie; **zur ~ haben** avere per conseguenza; **~ leisten** aderire a

folgen (j-m) seguire (qu.); **daraus folgt** da ciò [tʃɔ] consegue; **~dermaßen** nel modo seguente

folger|n conclùdere; ℒung f conclusione

folg|lich per conseguenza; **~sam** dòcile [-tʃ-]

Folie f foglia [-ʎa] (di metallo)

Folter f tortura; *fig* **auf die ~ spannen** tenere in sospeso

foltern torturare

Fön m asciugatore [-ʃu-] elèttrico

Fonds m fondi m/pl

Fontäne f fontana
fordern pretèndere
fördern (j-n) promuòvere;
Bgb estrarre
Forderung f pretesa
Forelle f trota
Form f forma
formal formale; **~itäten**
f/pl formalità
Format n formato m
Formel f fòrmula
formell formale
formen formare
förmlich formale
formlos informe
Formular n mòdulo m
forsch|en (treiben) indagare; **~end** scrutatore;
~er m indagatore; **~ung** f
indàgine [-d-]; ricerca
[-tʃ-]
Forschungs|institut n istituto m di ricerche [-tʃerke];
~reise f viaggio [-dʒo] m
d'esplorazione
Forst m foresta f
Förster m guardaboschi
[-ski]
Forsthaus n casa f del
guardaboschi [-ski]
fort (weiter) avanti; (weg)
via; **in einem ~** continuamente; **und so ~** e così
via; **~bestehen** perdurare
fortbewegen: sich ~ muòversi
fortbilden: sich ~ perfezionarsi
fort|bringen portare via;
~fahren partire; continuare; **~gehen** andàrsene;
~geschritten progredito;

(Kurs) superiore; **~schaffen** portare via
Fortschritt m progresso;
~lich progressiva
fortsetz|en continuare;
~ung f continuazione;
~ung folgt continua
fort|treiben spingere [-dʒ-]
via; (weggetrieben werden)
andare alla deriva; **~während** (di) continuo
Foto n foto f; **~album** n
albo m di fotografie; **~apparat** m apparecchio [-k-]
fotogràfico; **~graf** m fotògrafo; **~grafie** f fotografia;
~grafieren fotografare;
~kopie f copia fotogràfica;
~kopieren fotocopiare;
~zelle f cèllula [tʃ-] fotoelèttrica
Foyer n atrio m, ridotto m
Fracht f càrico m; (Beförderungspreis) trasporto; **~brief** m lèttera di càrico;
~gut n piccola velocità
[-tʃ-] f; **~schiff** n nave f
da càrico; **~tarif** m tariffa f
di trasporto
Frack m frac; **~hemd** n
camicia [-tʃa] f da frac
Frage f domanda; **eine ~**
stellen fare una domanda;
das kommt nicht in ~
questo non c'entra [tʃe-];
ohne ~ senza dubbio
Fragebogen m questionario
fragen domandare; chièdere [k-]
Frag|zeichen n punto m
interrogativo; **~lich** (zwei-

felhaft) incerto [-tʃ-]; (*strittig*) in questione

Franken *m*: **Schweizer ~** franco svizzero [zv-]

frankieren (af)francare

Frankreich *n* Francia [-tʃa] *f*

Franse *f* frangia [-dʒa]

Fran|zose *m*, ⠎zösisch francese [-tʃ-]

fräsen fresare

Fratze *f* smorfia [zm-]

Frau *f* donna; (*Anrede*) signora [-ɲ-]; (*Ehe*⠎) moglie [-ʎe]

Frauen|arzt *m* ginecòlogo [dʒ-]; **~klinik** *f* clinica ginecològica [dʒinekɔlɔ-dʒ-]; **~krankheiten** *f/pl* malattie femminili; **~zeitschrift** *f* rivista per la donna

Fräulein *n* signorina [-ɲ-] *f*

frech sfacciato [-tʃa-]; ⠎heit *f* sfacciatàggine [-tʃatad-dʒ-]

frei libero *m*; (*zwanglos*) franco (*a Hdl*); (*kostenlos*) gratùito; **unter ~em Himmel** allo scoperto

Frei|bad *n* bagno [-ɲo] *m* all'aperto; ⠎bekommen (*Schule*) avere vacanza; ⠎beruflich di professione libera; ⠎bleibend senza impegno [-ɲo]

Frei|e *n*: **im ~en, ins ~e** all'aperto; **~exemplar** *n* esemplare *m* gratùito; ⠎geben liberare [dʒ-]; ⠎gebig generoso [dʒ-]; **~gepäck** *n* franchigia [-ki:dʒa] *f* di

bagaglio [-ʎo]; **~hafen** *m* porto franco; ⠎halten *Platz*: riservare; ⠎händig a mani libere

Freiheit *f* libertà

Freiheits|kampf *m* lotta *f* per la libertà; **~strafe** *f* pena detentiva

Frei|karte *f* biglietto [-ʎe-] *m* gratùito; ⠎lassen rilasciare [-ʃa-]; **~lassung** *f* liberazione; **~lauf** *m* ruota *f* libera

freilich (*bejahend*) sicuro; (*einräumend*) bensì

Frei|lichtbühne *f* teatro *m* all'aperto; **~los** *n* biglietto [-ʎe-] *m* di lotteria gratùito

freimachen *Brief*: affrancare; **sich ~** (*ausziehen*) svestirsi [zv-]

Frei|marke *f* francobollo *m*; ⠎mütig franco; ⠎sprechen assòlvere; **~spruch** *m* assoluzione *f*; **~staat** *m* Stato libero

freistehen: es steht Ihnen frei zu ... è libero di ...

Freistil|ringen *n* lotta *f* libera; **~schwimmen** *n* nuoto *m* a stile libero

Freistoß *m* calcio [-tʃo] di punizione

Freitag *m* venerdì

Frei|treppe *f* gradinata; ⠎willig voluntario; **~willige(r)** *m* voluntario

Freizeit *f* ore *f/pl* libere; **~beschäftigung** *f* attività ricreativa; **~hemd** *n* casacca *f*

fremd (*unbekannt*) scono-

sciuto [-ʃu-]; (*ausländisch*)
straniero; (*Eigentum*) altrui;
~artig strano
Fremde *f* èstero *m*
Fremde(r) *m* straniero;
forestiero
Fremden|buch *n* registro
[-dʒ-] *m* dei forestieri;
~führer *m* guida *f* turistica; ~verkehr *m* movi-
mento turistico; ~ver-
kehrsverein *m* ufficio
[-tʃo] di turismo [-zm-]
fremd|ländisch straniero;
Qsprache *f* lingua stra-
niera; ~sprachig di lingua
straniera; Qwort *n* parola *f*
straniera
Frequenz *f* frequenza
fressen mangiare [-dʒa-]
Freude *f* gioia [dʒɔ-]
freudig lieto
freuen: sich über et. ~
rallegrarsi di qc.; sich auf
et. ~ attèndere qc. con
gioia [dʒɔ-]; es freut mich
mi rallegro
Freund *m* amico; ~in *f*
amica
freundlich amichévole
[-k-]; Qkeit *f* amichevo-
lezza [-k-]
Freundschaft *f* amicizia
[-tʃ-]; Qlich da amico
Frevel *m* delitto; Qhaft
delittuoso
Frieden *m* pace [-tʃe] *m*
Friedens|richter *m* giùdice
[dʒu:ditʃe] conciliatore
[-tʃ-]; ~vertrag *m* trattato
di pace [-tʃe]
Friedhof *m* cimitero [tʃ-]

friedlich pacifico [-tʃ-];
(*ruhig*) plàcido [-tʃ-]
frieren avere freddo; ge-
larsi [dʒ-]; es friert fa
freddo; mich friert ho
freddo
Fries *m* fregio [-dʒo]
Frikassee *n* fricassèa *f*
frisch fresco; ~ gestrichen
vernice [-tʃe] fresca; auf
~er Tat sul fatto
Frisch|e *f* freschezza [-sk-];
~haltepackung *f* imbal-
laggio [-dʒo] *m* di con-
servazione
Friseur *m* parrucchiere
[-k-]
Friseuse *f* parrucchiera
[-k-]
frisier|en pettinare; Qsa-
lon *m* salone da parruc-
chiere [-k-]; Qtoilette *f*
tavolino *m* d'acconciatura
[-tʃa-]; Qumhang *m* accappatoio
Frist *f* tèrmine *m*; pròroga;
tempo *m*; Qgerecht nel
tèrmine stabilito; Qlos
senza preavviso
Frisur *f* pettinatura
froh lieto; ich bin ~, daß
... sono contento di ...
fröhlich allegro
fromm devoto
Fronleichnam *m* Corpus
Dòmini
Front *f* *Arch* facciata [-tʃa-];
mil fronte *m*; Qal frontale;
~antrieb *m* trazione *f*
anteriore
Frosch *m* rana *f*
Frost *m* gelo [dʒ-]

fröstel|n: mich ~t ho dei brividi

frostig freddo (*a fig*)

Frostschutzmittel *n* anticongelante [-dʒ-] *m*

Frot|teetuch *n*, **~tiertuch** *n* accappatoio *m* a spugna [-ɲa]; **2tieren** fare frizioni a

Frucht *f* frutto *m* (*pl* le frutta); **2bar** fèrtile; **~eis** *n* gelato [-dʒ-] *m* di frutta; **~fleisch** *n* polpa *f*; **2los** infruttuoso; **~saft** *m* succo di frutta

früh presto; **zu ~** troppo presto; **heute ~** stamattina

Frühe *f*: **in aller ~** di mattina presto

früher (*vorher*) prima

Früh|gemüse *n* primizie *f/pl*; **~jahr** *n*, **~ling** *m* primavera *f*; **~messe** *f* prima messa; **2morgens** di buon mattino; **2reif** precoce [-tʃe]

Frühstück *n* (prima) colazione *f*; **2en** fare colazione

früh|zeitig precoce [-tʃe]; **2zug** *m* treno del mattino; **2zündung** *f* accensione [-tʃ-] anticipata [-tʃ-]

Fuchs *m* volpe *f*; **~jagd** *f* caccia [-tʃa] alla volpe; **~schwanz** *m* gattuccio [-tʃo]

Fuge *f* *Mus* fuga; *Tech* commessa

fügen disporre; **sich ~** adattarsi

fühl|bar sensibile; **~en** sentire; **sich ~en** sentirsi

Fühlung *f*: **in ~ bleiben** rimanere in contatto

Fuhre *f* carrata

führen condurre; *Geschäft*: gestire [dʒ-]; *Krieg*: fare; **sich (gut) ~** comportarsi (bene)

Führer *m* guida *f*; *Pol* duce [-tʃe]; **~schein** *m* patente *f* (di guida)

Führung *f* (*Leitung*) guida; (*Rundgang*) vìsita con guida; (*Betragen*) condotta; **in ~ liegen** èssere in testa

Führungszeugnis *n* certificato [-tʃ-] *m* di buona condotta

Fuhrunternehmen *n* impresa *f* di trasporti

Fülle *f*: **in Hülle und ~** in grande quantità

füllen riempire

Füll(federhalt)er *m* (penna *f*) stilogràfica *f*

Füllung *f* empimento *m*; *Kochk* ripieno *m*; (*Zahn^*) otturazione

Fund *m* scoperta *f*

Fundament *n* fondamento *m*

Fund|büro *n* ufficio [-tʃo] *m* oggetti [-dʒ-] smarriti [zm-]; **~grube** *f* miniera; **~sache** *f* oggetto [-dʒ-] *n* trovato

fünf cinque [tʃ-]; **~hundert** cinquecento [tʃiŋkuetʃ-]; **~zehn** quìndici [-tʃi]; **~zig** cinquanta [tʃ-]

Funk *m* radio *f*; **~bild** *n* telefoto *f*

Funke(n) *m* scintilla [ʃ-] *f*

funkel|n brillare; ~nagel-neu nuovo fiammante

funk|en radiotelegrafare; ♀er m radiotelegrafista; ♀gerät n apparecchio [-k-] m radiotrasmittente [-zm-]; ♀sprechverkehr m collegamento radio; ♀spruch m radiogramma; ♀station f posto m radiotelegráfico; ♀streifenwagen m pattuglia [-ʎa] f radiocomandata   [m funzionario]

Funktion f funzione; ~är♀ funktionieren funzionare für per; ~ sich tra sé

Fürbitte f intercessione [-tʃ-]

Furche f solco m

Furcht f paura; ♀bar terribile

fürchte|n: sich ~n (vor) avere paura (di); ich ~, daß ... temo che [ke] ... fürchterlich terribile

furcht|los intrépido; ~sam timido

Furnier n piallaccio [-tʃo] m

Fürsorge f previdenza; ~r(in f) m assistente previdenziale

fürsorglich premuroso

Fürsprache f intercessione [-tʃ-]

Fürst m principe [-tʃ-]; ~entum n principato [-tʃ-] m; ~in f principessa [-tʃ-]; ♀lich principesco [-tʃ-]

Furt f guado m

Furunkel n furùncolo m

Fusel m zozza f

Fuß m piede (a e-s Berges); auf freiem ~ a piede

líbero; ~ fassen prèndere piede; zu ~ a piedi; ♀bad n pediluvio m

Fußball m pallone; (Spiel) calcio [-tʃo]; ~mann-schaft f squadra di calcio [-tʃo]; ~platz m campo di calcio [-tʃo]; ~spiel n gioco [dʒɔ-] m del calcio [-tʃo]; ~spieler m calciatore [-tʃa-]; ~toto n totocalcio [-tʃo] m

Fuß|bank f sgabello [zg-] m; ~boden m pavimento; ~bremse f freno m a pedale

Fußgänger m pedone; ~überweg m passaggio [-dʒo] pedonale

Fuß|gelenk n articolazione f del piede; ~hebel m pedale; ~knöchel m mallèolo; ~leiden n malattia f del piede

Fuß|matte f stuoia; ~note f nota a piè di pàgina [-dʒ-]; ~pflege f pedicure; ~sohle f pianta del piede; ~spitze f punta del piede; ~spur f orma; ~tritt m (Stoß) calcio [-tʃo]; ~weg m sentiero

Futter n (Nahrung) mangime [-dʒ-] m; (Kleider♀) fòdera f

Futteral n astuccio [-tʃo] m

füttern dar da mangiare [-dʒa-] a; Kleidung: foderare

Futterstoff m stoffa f per♀

Fütterung f alimentazione f

Futur n futuro m

G

Gabe f dono m; (Begabung)
dote; (Almosen) elemòsina;
(Dosis) dose
Gabel f forchetta [-k-];
(Heu♀) forca; (Fahrrad)
forcella [-tʃ-]; **~frühstück**
n colazione f alla forchetta
[-k-]
gabeln: sich ~ biforcarsi
gaffen guardare a bocca)
Gage f paga   [aperta]
gähnen sbadigliare [zba-
diʎa-]
galant galante
Galerie f galleria
Galgen m patibolo; **~hu-
mor** m umorismo [-zmo]
disperato
Galle f bile
Gallen|kolik f còlica bi-
liosa; **~stein** càlcolo biliare
Galopp m galoppo
galoppieren galoppare
Gamasche f ghetta [g-]
Gammler m capellone
Gang m (das Gehen) andatura f; andamento (a fig);
(e-r Maschine) movimento;
Kochk portata f; (Auto)
marcia [-tʃa] f; (Korridor)
corridoio; **den 3. ~ einschalten (einlegen)** in-
nestare la terza (marcia
[-tʃa]); **in ~ bringen
(setzen)** méttere in moto;
~art f (Pferd) andatura;
♀bar praticàbile; **~schal-
tung** f cambio m delle
marce [-tʃe]

Gangster m bandito
Gangway f passerella
Ganove m bandito
Gans f oca
Gänse|braten m arrosto
d'oca; **~brust** f petto m
d'oca; **~klein** n frattaglie
[-ʎe] f/pl d'oca; **~leber-
pastete** f pasticcio [-tʃo]
m di fégato d'oca; **~
marsch** m: **im ~marsch**
in fila indiana
ganz tutto; (vollständig)
intero; **nicht ~** non del
tutto; **~ und gar nicht**
niente affatto; **~ gut**
discreto
gänzlich totalmente
gar (Speise) cotto; adv ~
keiner nessuno; **~ nicht**
non affatto; **~ nichts**
niente affatto
Garage f rimessa
Garantie f garanzìa; ♀ren
garantire; **~schein** m certificato [tʃ-] f di garanzia
Garbe f covone m
Garde f guardia
Garderobe f guardaroba
(a Thea)
Garderoben|frau f guar-
darobiera; **~marke** f con-
tromarca
Gardine f tenda
gären fermentare
Garn n filo m; (Netz) rete f
Garnele f granchiolino
[-k-] m
garnier|en   guarnire;

Kleid: orlare; **Qung** *f* guarnizione

Garnison *f* guarnigione [-dʒo-]

Garnitur *f* (*Satz*) assortimento *m*; (*Wäsche*Q) combinazione

Garten *m* giardino [dʒa-]; (*Gemüse*Q) orto; **arbeit** *f* lavori *m/pl* del giardinaggio [dʒardinad-dʒo]; **bau** *m* orticultura *f*; **fest** *n* festa *f* nel giardino [dʒa-]; **haus** *n* villino *m*; **liege** *f* sedia a sdraio [zd-]; **möbel** *n/pl* mòbili *m/pl* da giardino [dʒa-]; **schlauch** *m* tubo da annaffiare; **stadt** *f* città-giardino [-dʒa-]; **zaun** *m* steccato

Gärtner *m* giardiniere [dʒa-]; **ei** *f* (*Betrieb*) giardinaggio [dʒardinad-dʒo] *m*

Gärung *f* fermentazione

Gas *n* gas *m*; **geben** accelerare [-tʃ-]; **wegnehmen** tògliere [-ʎe-] il gas; **anzünder** *m* accendigas [-tʃ-]; **brenner** *m* becco del gas; **feuerzeug** *n* accendisigari [-tʃ-] *m* a gas; **flasche** *f* bómbola; **hahn** *m* rubinetto del gas; **hebel** *m* acceleratore [-tʃ-]; **heizung** *f* riscaldamento *m* a gas; **kocher** *m* fornello a gas; **maske** *f* màschera [-sk-] antigas; **pedal** *n* pedale *m* del gas

Gasse *f* vìcolo *m*

Gassenjunge *m* monello

Gast *m* òspite; (*Besucher*) visitatore; (*Hotel*Q) òspite; turista; **zu ~ sein** èssere òspite (da); **~arbeiter** *m* lavoratore straniero

Gästebuch *n* libro *m* degli [-ʎi] òspiti

gast|frei ospitale; **Qfreundschaft** *f* ospitalità; **Qgeber(in** *f*) *m* òspite; **Qhaus** *n* ristorante *m*; trattoria *f*

gastlich ospitale, **Qkeit** *f* ospitalità

Gast|spiel *n* rècita [-tʃ-] *f* straordinaria; **stätte** *f* ristorante *m*; **vorstellung** *f* rappresentazione straordinaria; **wirt** *m* oste

Gas|vergiftung *f* intossicazione da gas; **werk** *n* fàbbrica *f* di gas; **zähler** *m* contatore del gas

Gatte *m* marito

Gattin *f* moglie [-ʎe-]

Gattung *f* specie [-tʃe] *f*; gènere [dʒ-] *m*

Gaul *m* ronzino

Gaumen *m* palato

Gauner *m* imbroglione [-ʎo-]

Gaunerei *f* truffa

Gaze *f* garza

Gazelle *f* gazzella

Gebäck *n* paste *f/pl*; biscotti *m/pl*

gebacken cotto; fritto

Gebärde *f* gesto [dʒ-] *m*

gebär|en partorire; **Qmutter** *f* ùtero *m*

Gebäude *n* edificio [-tʃo] *m*

Gebell n abbaiamento m

geben dare; (schenken) donare; Thea rappresentare; ~ **Sie mir bitte ...** mi dia, per favore ...; **es gibt c'è** [tʃe], ci [tʃi] sono; **was gibt es?** cosa c'è [tʃe]?

Gebet n preghiera [-g-] f

Gebiet n territorio m

gebiet|en comandare; **~erisch** imperioso

Gebilde n creazione f

gebildet colto

Gebirg|e n montagna [-ɲa] f; **2ig** montuoso

Gebirgs|bach m ruscello [-ʃ-] di montagna [-ɲa]; **~dorf** n villaggio [-dʒo] m di montagna [-ɲa]; **~kette** f catena di montagne [-ɲe]; **~massiv** n massiccio [-tʃo] m di montagna [-ɲa]; **~paß** m passo di montagna [-ɲa]

Gebiß n dentatura f; (künstliches) dentiera f

Gebläse n mantice [-tʃe] m

geblümt a fiori

geboren nato; **~e ...** nata ...; **~er Deutscher** tedesco di nàscita [-ʃ-]

geborgen al sicuro

Gebot n òrdine m; Rel comandamento m

gebraten arrosto; ai ferri

Gebrauch m uso m; **zu eigenem ~** per proprio uso; **~ machen von et.** servirsi di qc.; zen usare; **nicht zu 2en** non serve a nulla

gebräuchlich usato; in uso

Gebrauchs|anweisung f istruzioni f/pl per l'uso;

~artikel m artìcolo di prima necessità [-tʃ-]; **2fertig** pronto per l'uso

Gebrauchtwagen m auto f usata

gebräunt abbronzato

Gebrech|en n difetto m; **2lich** malaticcio [-tʃo]; (altersschwach) infermo

gebrochen rotto

Gebrüder pl fratelli m/pl

Gebrüll n ruggito [-dʒ-] m

Gebühr f diritto m; tassa; 2end dovuto

gebühren|frei libero da diritti; **2pflichtig** soggetto [-dʒ-] a diritti

Geburt f nàscita [-ʃ-]; parto m

Geburten|kontrolle f controllo m delle nàscite [-ʃ-]; **~rückgang** m denatalità f; **~überschuß** m eccedenza [-tʃ-] f delle nàscite [-ʃ-]

gebürtig: ~ aus nativo di

Geburts|anzeige f annuncio [-tʃo] m di nàscita [-ʃ-]; **~fehler** m difetto congènito [-dʒ-]; **~helfer** m ostètrico; **~hilfe** f ostetricia [-tʃ-]; **~jahr** n anno m di nàscita [-ʃ-]; **~ort** m luogo di nàscita [-ʃ-]; **~tag** m compleanno; **~urkunde** f certificato [tʃ-] m di nàscita [-ʃ-]

Gebüsch n boschetto [-sk-] m

Gedächtnis n memoria f; **~schwund** m amnesia f

gedämpft Kochk stufato; (Ton) moderato

Gedanke m pensiero

Gedanken|austausch m scambio d'idee; **~gang** m corso delle idee; **2los** distratto; **~strich** m lineetta f di sospensione; **~übertragung** f trasmissione [-zm-] del pensiero

Gedeck n coperto m; (*Menü*) pranzo m a prezzo fisso

gedeihen prosperare

gedenken (*e-r Sache*) ricordarsi di; **was ~ Sie zu tun?** che [ke] cosa pensa di fare?

Gedenk|feier f commemorazione; **~stein** m làpide f commemorativa; **~tafel** f lastra commemorativa; **~tag** m anniversario

Gedicht n poesia f

gediegen sòlido

Gedränge n ressa f

Geduld f pazienza; **2en:** sich 2en avere pazienza; **2ig** paziente; **~(s)spiel** n gioco [dʒɔ-] m di pazienza

geeignet adatto

Gefahr f pericolo m; **außer ~** fuori pericolo; **auf eigene ~** a proprio rischio [-sk-]; **bei ~** in caso di pericolo

gefährden méttere in pericolo

Gefahrenstelle f punto m pericoloso

gefährlich pericoloso

gefahrlos senza pericolo

Gefährt|e m compagno [-ɲo]; **~in** f compagna [-ɲa]

gefahrvoll pericoloso

Gefälle n pendìo m

gefallen[1] piacere [-tʃ-]; **es gefällt mir (nicht)** (non) mi piace [-tʃe]; **sich et. ~ lassen** sopportare qc. ~

Gefallen[2] (*tor*) caduto

Gefallen m: **würden Sie mir e-n ~ tun?** mi farebbe un piacere [-tʃ-]?; **~ an:** ~ finden an et. trovar piacere [-tʃ-] a qc.

gefällig (*ansprechend*) piacévole [-tʃ-]; (*zuvorkommend*) cortese; **2keit** f piacere [-tʃ-] m

gefälligst per favore

gefangen, 2e(r) m prigioniero [-dʒo-]; **2enlager** n campo m di prigionia [-dʒo-]; **~nehmen** far prigioniero [-dʒo-]; **2schaft** f prigionia [-dʒo-]

Gefängnis n càrcere [-tʃ-] m; **~strafe** f pena f di càrcere [-tʃ-]

Gefäß n vaso m (*a Blut2*)

gefaßt preparato; **auf alles ~** pronto a tutto

Gefecht n combattimento m

Gefieder n piumaggio [-dʒo] m [m]

Geflecht n intreccio [-tʃo-]

gefleckt macchiettato [-k-]

geflissentlich apposta

Geflügel n volàtili m/pl; **~handlung** f polleria; **~schere** f trinciapolli [-tʃa-] m; **~zucht** f pollicoltura

Geflüster n sussurro m

Gefolge n séguito m

gefräßig vorace [-tʃe]

Gefreite(r) m caporale

gefrier|en congelarsi [-dʒ-]; **2fleisch** n carne f congelata; **2punkt** m punto di congelazione [-dʒ-]

Gefrorene(s) n gelato [dʒ-] m

gefügig dòcile [-tʃ-]

Gefühl n (*Tastempfindung*) tatto m; (*innere Regung*) sentimento m; **2los** insensibile; **2voll** sensibile

gefüllt ripieno

gegebenenfalls se si dà il caso

gegen (*wider*) contro; (*in Richtung auf*) verso; (*annähernd*) circa [tʃ-]; (*verglichen mit*) in confronto con; ~ **Quittung** dietro ricevuta [-tʃ-]; **nur** ~ **bar** soltanto verso contanti; **2angriff** m contrattacco; **2besuch** m controvisita f

Gegend f regione [-dʒo-]

Gegen|dienst m favore di ricambio; **2einander** l'uno verso l'altro; **~frage** f controdomanda; **~gewicht** n contrappeso m; **~gift** n contravveleno m; **~licht** n controluce [-tʃe]; **~mittel** n rimedio m; **~partei** f partito m avversario; **2satz** m contrasto; **im ~satz zu** in contrasto con; **~schlag** m contrattacco; **~seite** f lato m opposto

gegenseitig reciproco [-tʃ-]; **2keit** f reciprocità [-tʃiprotʃ-]

Gegen|stand m oggetto [-dʒ-]; **~stück** n riscontro m; **~teil** n contrario m; **ganz im ~teil** tutto al contrario

gegenüber di fronte; **2-stellung** f confrontazione

Gegen|wart f presente m; (*Anwesenheit*) presenza; **~wärtig** presente; **~wert** m equivalente; **~wind** m vento contrario; **~wirkung** f reazione; **~zug** m Esb treno in senso inverso

Gegner m avversario

Gehackte(s) n carne f tritata

Gehalt[1] m contenuto; ~[2] n stipendio m; paga f; **2los** senza valore

Gehalts|erhöhung f aumento m di stipendio; **~empfänger** m stipendiato

gehaltvoll sostanzioso

gehärtet temperato

gehässig odioso; **2keit** f odiosità

Gehäuse n cassa f

Gehege n steccato m

geheim segreto

Geheimnis n segreto m; **2voll** misterioso

Geheim|polizei f polizia segreta; **~schrift** f scrittura segreta; **~sender** m stazione f trasmittente [-zm-] clandestina

Geheiß n: **auf j-s** ~ per órdine di qu.

gehen andare (*a Uhr*); **wann geht der Zug?**

quando parte il treno?; **das Fenster geht auf den Hof** la finestra dà sul cortile; **in Erfüllung ~** avverarsi; **zu Bett ~** andare a letto; **wie geht das vor sich?** come si fa?; **zu Ende ~** finire; **wie geht es dir?** come stai?; **sich ~ lassen** lasciarsi [-ʃa-] andare

Geheul n urlio m

Gehilfe m aiutante

Gehirn n cervello [tʃ-] m; **~erschütterung** f commozione cerebrale [tʃ-]; **~hautentzündung** f meningite [-dʒ-]; **~schlag** m colpo d'apoplessia cerebrale [tʃ-]

Gehöft n casale m

Gehölz n boschetto [-sk-] m

Gehör n udito m

gehorchen ubbidire

gehören appartenere; **das gehört sich nicht** questo non si conviene

Gehörgang m condotto auditivo

gehörig come si deve

gehorsam ubbidiente

Gehorsam m ubbidienza f

Gehsteig m marciapiede [-tʃa-]

Geier m avvoltoio

Geige f violino m; **~ spielen** sonare il violino

Geiger m violinista

Geisel f ostaggio [-dʒo] m

Geiß f capra; **~bock** m caprone

Geißel f fig (*Plage*) flagello [-dʒ-] m

Geist m spirito; (*Verstand*) intelletto; (*Spuk*) spettro; **der Heilige ~** lo Spirito Santo

geistes|abwesend distratto; **2blitz** m lampo d'ingegno [-dʒ-]; **2gegenwart** f prontezza di spirito

geisteskrank alienato; **2-heit** f malattia mentale

Geisteszustand m stato mentale

geistig spirituale; **~e Getränke** alcòlici [-tʃi] m/pl

geistlich spirituale; clericale; **2e(r)** m ecclesiàstico

geistreich spiritoso

Geiz m avarizia f; **~hals** m avaro

geizig avaro

Geklapper n strèpito m

Geknatter n crepitìo m

gekocht cotto

gekörnt granuloso

Gekritzel n scarabocchi [-ki] m/pl

gekünstelt affettato

Gelächter n risata f

Gelage n banchetto [-k-] m

gelähmt paralitico

Gelände n terreno m; **~lauf** m corsa f campestre

Geländer n ringhiera [-g-] f

gelangen (zu D) giùngere [dʒund3-] (a)

gelassen calmo; **2heit** f calma

Gelatine f gelatina [dʒ-]

geläufig corrente

gelaunt: gut ~ di buon

umore; **schlecht ~ di**
cattivo umore

Geläut n scampanio m

gelb giallo [dʒa-]; **~braun**
lionato; **2filter** m Fot
filtro giallo [dʒa-]; **~lich**
giallastro [dʒa-]; **2sucht**
f itterizia

Geld n denaro m; **~an-
weisung** f assegno [-ɲo]
m; **~beutel** m borsellino;
~buße f multa; **~mittel**
n/pl mezzi m/pl finanziari;
~schein m biglietto [-ʎe-]
di banca; **~schrank** m
cassaforte f; **~sendung** f
rimessa di denaro; **~strafe**
f multa; **~stück** n moneta
f; **~tasche** f portamonete
m; **~wechsel** m cambio;
~wert m valore monetario

Gelee n gelatina [dʒ-] f

gelegen situato; fig **das
kommt mir sehr ~**
questo mi viene proprio a
propòsito

Gelegenheit f occasione;
bei ~ a propòsito

gehōrⅼig dòcile [-tʃ-]; **2-
samkeit** f erudizione; **~t**
dotto; **2te(r)** m scienziato
[ʃe-]

Geleit n accompagnamento
[-ɲ-] m; **freies ~** salvacon-
dotto m; **2en** accompagnare
[-ɲ-]; **~schiff** n nave f di
scorta; **~zug** m convoglio
[-ʎo]

Gelenk n articolazione f;
~entzündung f artrite;
2ig àgile [-dʒ-]; **~igkeit** f
agilità [-dʒ-]; **~rheuma-**

tismus m reumatismo
[-zmo] articolare

gelernt (Arbeiter) qualifi-
cato

Geliebte(r) m amante

gelingen riuscire [-ʃ-]; **es
ist mir nicht gelungen**
non ci [tʃi] sono riuscito

gellend stridulo [-ʃ-)]

geloben prométtere

Gelöbnis n voto m

gelten valere; (gültig sein)
èssere vàlido; **das gilt
nicht** questo non vale;
das gilt uns questo tocca
a noi; **~ als** passare per;
~ lassen lasciar [-ʃa-] passare

geltend vigente [-dʒ-]

Geltung f valore m; **zur ~
bringen** far risaltare

Gelübde n voto m

gelungen riuscito [-ʃ-]
bene; s **gelingen**

gemächlich còmodo

Gemahl m, **~in** f consorte

Gemälde n quadro m;
~ausstellung f esposizione
di quadri; **~sammlung** f
pinacoteca

gemäß conforme a; **den
Umständen ~** secondo le
circostanze [tʃ-]

gemäßigt moderato

Gemäuer n muraglie [-ʎe]
f/pl

gemein (gewöhnlich) comune; (niederträchtig) vile

Gemeinde f comune m;
Rel comunità; **~rat** m consiglio [-ʎo] m comunale;
~vorsteher m sìndaco

gemein|gefährlich di pericolo pùbblico; 2heit f bassezza; ~nützig di utilità pùbblica; ~sam collettivo
Gemeinschaft f collettività; 2lich (in) comune
Gemeinwohl n bene m pùbblico
Gemenge n mescolanza f
gemessen (langsam) misurato; (würdig) compassato
Gemetzel n macello [-tʃ-] m
Gemisch n miscela [-ʃ-] f
gemischt misto; ~es Doppel doppia f mista; 2warenhandlung f negozio m di gèneri [dʒ-] misti
Gemme f gemma [dʒ-]
Gemse f camoscio [-ʃo] m
Gemurmel n mormorio m
Gemüse n verdura f; legumi m/pl.; ~beilage f contorno m di legumi; ~garten m orto; ~händler m erbivéndolo; ~platte f piatto m di verdura; ~suppe f minestra f di verdura
gemütlich còmodo; 2keit f comodità
gemütskrank nevròtico
genau esatto; preciso [-tʃ-]; (pünktlich) puntuale; es ist ~ drei Uhr sono le tre precise [-tʃ-]; 2igkeit f esattezza
genauso ugualmente
Gendarm m carabiniere
genehmig|en gradire; 2ung f autorizzazione
geneigt inclinato; fig (zu) disposto (a)

General m generale [dʒ-]; ~agentur f agenzia [-dʒ-] generale [dʒ-]; ~direktor m direttore capo; ~konsulat n consolato m generale [dʒ-]; ~probe f prova generale [dʒ-]; ~sekretär m segretario generale [dʒ-]; ~staatsanwalt m procuratore generale [dʒ-]; ~stab m stato maggiore [-dʒo-]; ~streik m sciòpero [ʃo-] generale [dʒ-]; ~überholung f revisione generale [dʒ-]; ~vollmacht f procura generale [dʒ-]
Generation f generazione [dʒ-]
Generator m generatore [dʒ-]
generell genèrico [dʒ-]
genesen guarire
Genesung f guarigione [-dʒo-]
Genick n nuca f
Genie n genio [dʒ-] m
genieren: sich ~ avere soggezione [-dʒ-]
genieß|bar mangiàbile [-dʒa-]; bevìbile; ~en godere; (essen) gustare; nicht zu ~en immangiàbile [-dʒa-]
genormt standardizzato
Genosse m compagno [-ɲo]
Genossenschaft f società [-tʃe-] cooperativa
genug abbastanza
Genüge f: zur ~ abbastanza
genüg|en bastare; ~end sufficiente [-tʃe-]; ~sam modesto

Genugtuung f soddisfazione

Genuß m (*Vergnügen*, *Behagen*) godimento; (*v Speisen*, *Tabak*, *Alkohol*) consumo; **mit ~** con gusto; **~mittel** n gènere [dʒ-] m voluttuario

Geo|graphie f geografia [dʒ-]; **~logie** f geologia [dʒeolodʒ-]; **~metrie** f geometria [dʒ-]

geordnet ordinato

Gepäck n bagaglio [-ʎo] m; **~abfertigung** f spedizione bagagli [-ʎi]; **~annahme** f accettazione [-tʃ-] bagagli [-ʎi]; **~aufbewahrung** f depòsito m bagagli [-ʎi]; **~aufgabe** f spedizione bagagli [-ʎi]; **~ausgabe** f consegna [-ɲa] bagagli [-ʎi]; **~halter** m portabagagli [-ʎi]; **~kontrolle** f controllo m dei bagagli [-ʎi]; **~netz** n rete f portabagagli [-ʎi]; **~schein** m scontrino m; **~stück** n collo m; **~träger** m facchino [-k-]; **~versicherung** f assicurazione dei bagagli [-ʎi]; **~wagen** m bagagliaio [-ʎa-]

gepanzert corazzato

gepfeffert (*derb*) pepato; (*Preis*) salato

gepflegt distinto

gepökelt salato

Gepolter n baccano m

gerade diritto; (*Zahl*) pari; (*aufrichtig*) retto; **~ heute** proprio oggi [-dʒi]; **~ ge-**

genüber dirimpetto; **ich bin ~ dabei** sto (*mit Gerundium*)

Gerade f retta; (*Boxen*) rettilíneo m; **2aus** sempre diritto; **2biegen** raddrizzare; **2heraus** francamente

gerade|(n)wegs direttamente; **~zu** addirittura; *fig* francamente

geradlinig rettilíneo

Gerät n attrezzo m; (*Werkzeug*) utensile m

geraten[1] (*gelangen*) cadere; (*ausfallen*) riuscire [-ʃ-]; **in Schwierigkeiten ~** incontrare ostàcoli; **ins Stocken ~** languire; **ins Schleudern ~** sbandare [zb-]; **in Vergessenheit ~** cadere in oblìo

geraten[2]: ich halte es (nicht) für ~ (non) lo ritengo opportuno

Geräteturnen n ginnàstica [dʒ-] f agli [aʎi] attrezzi

Geratewohl n: **aufs ~ a** casaccio [-tʃo]

geräuchert affumicato

geräumig spazioso

Geräusch n rumore m; **2los** silenzioso; **2voll** rumoroso

gerben conciare [-tʃa-]

Gerberei f concerìa [-tʃ-]

gerecht giusto [dʒu-]; (*wohlbegründet*) fondato; **2fertigt** giustificato [dʒu-]; **2igkeit** f giustizia [dʒu-]

Gerede n dicerìa [dʒ-] f; (*Klatsch*) pettegolezzi m/pl

gereizt irritato

Gericht *n Kochk* pietanza *f*, piatto *m*; *jur* giudizio [dʒu-] *m*; tribunale *m*; ℭlich giudiziario [dʒu-]

Gerichts|arzt *m* mèdico legale; ⁓barkeit *f* giurisdizione [-dʒurizd-]; ⁓beschluß *m* decisione [-tʃ-] *f* del tribunale; ⁓kosten *pl* spese *f/pl* processuali [-tʃ-]; ⁓saal *m* sala *f* di udienza; ⁓verfahren *n* processo [-tʃ-] *m*; ⁓verhandlung *f* dibattimento *m*; ⁓vollzieher *m* agente [-dʒ-] esecutivo

gering piccolo; poco; basso; nicht im ⁓sten non ... punto; ⁓fügig insignificante [-ɲ-]; ⁓schätzung *f* sprezzante; ℭschätzung *f* disprezzo *m*; ⁓wertig di poco valore

gerinn|en rapprèndersi; ℭsel *n* coagulo *m*

Gerippe *n* schèletro [sk-] *m*

gern *n* volentieri; sehr ⁓ molto volentieri; j-n ⁓ haben volere bene a qu.; ⁓ geschehen! non c'è [tʃe] di che [ke]!; ich möchte ⁓ ... vorrei ...

Geröll *n* ciòttoli [tʃɔ-] *m/pl* rotolati

geröstet arrostito

Gerste *f* orzo *m*

Gerstenkorn *n Med* orzaiuolo *m*

Gerte *f* frusta

Geruch *m* odore; (*Sinn*) odorato; ℭlos inodoro

Gerücht *n* voce [-tʃe] *f*

geruhsam còmodo

Gerüst *n* palco *m*; impalcatura *f*

gesalzen salato; *fig* mordace [-tʃe]

gesamt totale; tutto; ℭansicht *f* vista generale [dʒ-]; ℭbetrag *m* importo totale; ℭeindruck *m* impressione *f* generale [dʒ-]; ℭschaden *m* danno complessivo

Gesandte(r) *m* ambasciatore [-ʃa-]

Gesandtschaft *f* legazione

Gesang *m* canto; ⁓buch *n* libro *m* dei canti; ⁓verein *m* società [-tʃe-] *f* corale

Gesäß *n* sedere *m*

gesättigt sazio

Geschäft *n* affare *m*; (*Firma*) ditta *f*; (*Laden*) negozio *m*; (*Büro*) ufficio [-tʃo] *m*; ℭig affaccendato [-tʃ-]; ℭlich di (*od* per) affari

Geschäfts|abschluß *m* conclusione *f* di un affare; ⁓bereich *m* giro [dʒ-] d'affari; ⁓beziehungen *f/pl* relazioni commerciali [-tʃa-]; ⁓brief *m* lèttera *f* commerciale [-tʃa-]; ⁓freund *m* corrispondente; ⁓führer *m* gerente [dʒ-]; ⁓mann *m* uomo d'affari; ⁓ordnung *f* regolamento *m*; ⁓papiere *n/pl* carte *f/pl* d'ufficio [-tʃo]; ⁓reise *f* viaggio [-dʒo] *m* d'affari; ⁓schluß *m* chiusura [k-] *f* dei negozi; ⁓verbindung *f* relazione commerciale [-tʃa-]; ～viertel *n* quartiere *m* dei negozi; ～zeit *f* ore *f/pl* d'ufficio [-tʃo]

geschält sbucciato [zbut--tʃa-]

geschehen accadere

Geschehen *n* avvenimento *m*

gescheit giudizioso [dʒu-]

Geschenk *n* regalo *m*; ～artikel *m* articolo da regalo; ～packung *f* pacchetto [-k-] *m* in omaggio [-dʒo]

Geschicht|e *f* storia; (*Erzählung*) racconto *m*; ²lich stòrico

Geschicklichkeit *f* abilità

geschickt àbile

geschieden divorziato

Geschirr *n* (*Küchen*²) vasellame *m*; (*Pferde*²) finimenti *m/pl*

Geschlecht *n* (*Stamm*) stirpe *f*; *Anat*, *Zo* sesso *m*; *Gr* gènere [dʒ-] *m*; ²lich sessuale

Geschlechts|krankheit *f* malattia venèrea; ～organe *n/pl* òrgani *m/pl* genitali; ～verkehr *m* rapporti *m/pl* sessuali

geschlossen chiuso [k-], *fig* unito

Geschmack *m* gusto; (*Speise*) sapore; ²los senza gusto; ～(s)sache *f* questione di gusto; ²voll di buon gusto

geschmeidig àgile [-dʒ-]; elàstico; (*gewandt*) versàtile

geschmolzen fuso

Geschöpf *n* creatura *f*

Geschoß *n* proiéttile *m*; (*Stockwerk*) piano *m*

Geschrei *n* grida *f/pl*

Geschütz *n* cannone *m*

Geschwader *n* squadra *f*

Geschwätz *n* chiàcchiera [kiak-] *f*

geschweige: ～ denn senza parlare di

Geschwindigkeit *f* velocità [-tʃ-]

Geschwindigkeits|begrenzung *f* limitazione di velocità [-tʃ-]; ～messer *m* tachìmetro [-k-] *m*

Geschwister *pl* fratello *m* e sorella *f*

geschwollen gonfio

Geschworenengericht *n* Corte *f* d'Assise

Geschwulst *f* tumore *m*

Geschwür *n* úlcera [-tʃ-] *f*

Geselle *f* garzone

gesellig socièvole [-tʃe-]; ²keit *f* socievolezza [-tʃe-]

Gesellschaft *f* società [-tʃe-]; compagnia [-ɲ-] (*beide a Hdl*); würden Sie mir ～ leisten? mi farebbe compagnia [-ɲ-]?; ～er *m* (*e-r Firma*) socio [-tʃo]; ²lich sociale [-tʃa-]

Gesellschafts|kapital *n* capitale *m* sociale [-tʃa-]; ～ordnung *f* ordinamento *m* sociale [-tʃa-]; ～reise *f* viaggio [-dʒo] *m* in comitiva; ～spiel *n* gioco [dʒɔ-] *m* di società [-tʃe-]

Gesetz *n* legge [-dʒe] *f*;

~buch n còdice [-tʃe] m; ~gebung f legislazione [-dʒizl-]; ℓlich legale; ℓlos senza legge [-dʒe]; ℓmäßig legale; ℓwidrig illegale

Gesicht n faccia [-tʃa] f; viso m; zu ~ bekommen vedere; gut zu ~ stehen stare bene

Gesichts|ausdruck m espressione f; ~farbe f carnagione [-dʒo-]; ~massage f massaggio [-dʒo] m al viso; ~punkt m punto di vista; ~wasser n lozione f per il viso; ~züge m/pl lineamenti

Gesindel n plebaglia [-ʎa] f

Gesinnung f sentimenti m/pl

gesinnungslos senza princìpi [-tʃ-]

gesittet costumato

gesondert separato

Gespann n tiro m

gespannt teso; (neugierig) curioso

Gespenst n fantasma [-zma] m; ℓisch spettrale

gespickt lardato

Gespött n: zum ~ machen méttere in ridìcolo

Gespräch n conversazione f; ℓig loquace [-tʃe]

Gesprächs|partner m interlocutore; ~stoff m, ~thema n argomento m

gespreizt allargato; fig affettato

Gestalt f forma; figura; ℓen formare; ~ung f formazione

Gestammel n balbettio m

geständ|ig confesso; ℓnis n confessione f

Gestank m puzzo

gestatten perméttere; ~ Sie! con permesso!

Geste f gesto [dʒ-] m

gestehen confessare

Gestein n pietrame m; Min roccia [-tʃa] f

Gestell n (Regal) scaffale m; (Rahmen) telaio m

gestern ieri; ~ abend ieri sera; bis ~ fino ad ieri; seit ~ da ieri

gestikulieren gesticolare [dʒ-]

Gestirn n astro m

gestorben morto

gestreift rigato, a righe [-ge]

gestrig di ieri

Gestrüpp n sterpaglia [-ʎa] f

Gestüt n scuderia f

Gesuch n domanda f

gesucht richiesto [-k-]

gesund sano; ~ werden guarire; ℓheit f salute; (zur) ℓheit! salute!

Gesundheits|behörde f autorità f/pl sanitarie; ℓ-schädlich nocivo [-tʃ-] alla salute; ~wesen n sanità f; ~zustand m stato di salute

Getöse n fragore m

Getränk n bevanda f

Getränke|karte f lista delle bevande; ~steuer f imposta sugli [-ʎi] alcòlici [-tʃi]

Getreide n cereali [tʃ-] m/pl

getrennt separato

getreu (*gemäß*) conforme

Getriebe n Tech ingranaggio [-dʒo] m; (*Auto⦵*) cambio m delle marce [-tʃe]; **⸗kasten** m scàtola f del cambio

getroffen colpito; incontrato

getrost fiducioso [-tʃo-]

Getue n cerimònie [tʃ-] f/pl

Getümmel n trambusto m

Gewächs n pianta f; Med escrescenza [-ʃ-] f; **⸗haus** n serra f

gewagt pericoloso

Gewähr f garanzia

gewähren concèdere [-tʃ-]; **⸗ lassen** lasciar [-ʃa-] fare

gewährleisten garantire

Gewahrsam m custodia f

Gewährsmann m garante

Gewalt f potere m; (*Kraft*) forza; (*⸗samkeit*) violenza; **höhere ⸗** forza maggiore [-dʒo-]; **mit ⸗** con la forza; **⸗ anwenden** usare la forza; **⸗ antun** fare forza (a)

gewaltig potente

Gewalt|marsch m marcia [-tʃa] f forzata; **⸗maßnahme** f misura coercitiva [-tʃ-]; **⦵sam** violento; **⦵tätig** violento

gewandt àgile [-dʒ-]; **⦵heit** f agilità [-dʒ-]

Gewässer n acque f/pl

Gewebe n tessuto m (a Anat)

Gewehr n fucile [-tʃ-] m

Geweih n corna f/pl

geweiht consacrato

Gewerbe n artigianato [-dʒa-] m; **⸗treibende(r)** m esercente [-tʃ-]

gewerblich industriale

gewerbsmäßig professionale

Gewerkschaft f sindacato m; **⸗(l)er** m sindacalista; **⦵lich** sindacale

Gewicht n peso m; **nicht ins ⸗ fallen** non contare; **nach ⸗ (verkaufen)** (véndere) al peso; **⸗heben** n sollevamento m di pesi

gewichtig pesante; importante

Gewichts|abnahme f pèrdita di peso; **⸗klasse** f (Sport) classe di peso; **⸗zunahme** f aumento m di peso

Gewimmel n brulichìo [-k-] m

Gewimmer n lamenti m/pl

Gewinde n Tech filetto m

Gewinn m guadagno [-ɲo]; (*Spiel⦵*) vincita [-tʃ-] f; **⸗anteil** m dividendo; **⦵bringend** lucrativo

gewinnen guadagnare [-ɲ-]; (*erlangen*) ottenere; (*beim Spiel*) vincere [-tʃ-]

Gewinn|er m vincitore [-tʃ-]; **⸗spanne** f màrgine [-dʒ-] m di guadagno [-ɲo]; **⸗ung** f Bgb estrazione

Gewirr n garbuglio [-ʎo] m

gewiß certo [tʃ-]; (*sicher*) sicuro; **ganz ⸗** certissimamente [tʃ-]; **ein gewisser Herr ...** un certo [tʃ-] signor [-ɲ-] ...

Gewissen n coscienza [-ʃe-] f; ℒ**haft** coscienzioso [-ʃe-]; ℒ**los** senza coscienza [-ʃe-]

Gewissens|bisse m/pl rimorsi m/pl; ℒ**frage** f caso m di coscienza [-ʃe-]; ℒ**zwang** m coercizione [-tʃ-] f morale

Gewißheit f certezza [tʃ-]; **sich ～ verschaffen** accertarsi [-tʃ-]

Gewitter n temporale m; ℒ**neigung** f tendenza a temporale; ℒ**schauer** m pioggia [-dʒa] f dirotta; ℒ**wolke** f nùvola temporalesca

gewitzt ammalizzito

gewöhnen (an et.) abituare (a qc.); **sich ～** abituarsi

Gewohnheit f abitùdine f

gewöhnlich (*üblich*) sòlito; corrente; (*ordinär*) volgare; *adv* (*meist*) di sòlito

gewohnt: ich bin es ～ sono abituato a; **in ～er Weise** nel sòlito modo; **zur ～en Stunde** alla sòlita ora

Gewölbe n volta f

Gewühl n mischia [-k-] f

Gewürz n droga f; condimento m; ℒ**gurke** f cetriolo [tʃ-] m sott'aceto; ℒ**kräuter** n/pl erbe f/pl aromàtiche [-ke]; ℒ**nelke** f garòfano m

gewürzt condito

gezackt dentellato

Gezeiten pl alta e bassa marèa f

geziemend conveniente

geziert affettato

Gezwitscher n cinguettìo [tʃ-] m

gezwungen forzato; (*unnatürlich*) innaturale

Gicht f gotta

Giebel m frontone; ℒ**fenster** n abbaino m; ℒ**wand** f frontespizio m

gierig àvido

Gieß|bach m torrente; ℒ**en** versare; (*Blumen*) annaffiare; *Tech* fóndere; **es ℒt** piove a dirotto; ℒ**erei** f fonderìa; ℒ**kanne** f innaffiatoio m

Gift n veleno m; ℒ**gas** n gas m tòssico

giftig velenoso; tòssico

Gift|mord m veneficio [-tʃo] m; ℒ**pflanze** f pianta velenosa; ℒ**pilz** m fungo velenoso; ℒ**schlange** f serpente m velenoso

Gin m gin [tʃ-] m

Ginster m ginestra [dʒ-] f

Gipfel m cima [tʃ-] f; *fig* cùlmine m

Gips m gesso [dʒ-]; ℒ**abguß** m calco in gesso [dʒ-]; ℒ**figur** f figura di gesso [dʒ-]; ℒ**verband** m ingessatura [-dʒ-] f

Giraffe f giraffa [dʒ-]

Girlande f ghirlanda [g-]

Giro|bank f banca di giro [dʒ-]; ℒ**konto** n partita f di giro [dʒ-]; ℒ**verkehr** m bancogiro [-dʒ-]

Gischt m schiuma [sk-] f

Gitarre f chitarra [k-]

Gitter n grata f; ~fenster n finestra f con una inferriata; ~tür m cancello [-tʃ-] m; ~zaun m steccato

Glacéhandschuhe m/pl guanti di pelle lùcida [-tʃ-] f

Glanz m splendore (a fig)

glänzen splèndere; ~d splèndido; fig brillante

Glanz|leistung f capolavoro m; 2los senza lustro; ~papier n Fot carta f lùcida [-tʃ-]; 2voll splèndido

Glas n vetro m; (Trink2) bicchiere [-k-] m; (Konserven2) vaso m; (Brillen2) lenti f/pl

Gläschen n bicchierino [-k-] m

Glaser m vetraio

gläsern di vetro

Glas|faser f fibra di vetro; ~hütte f vetrerìa; 2ieren smaltare [zm-]; 2ig vitreo; ~malerei f pittura su vetro; ~papier n carta f vetrata; ~scheibe f (lastra di) vetro m; ~scherbe f coccio [-tʃo] m di vetro; ~tür f vetrata

Glasur f smaltatura [zm-]

Glaswolle f lana di vetro

glatt liscio [-ʃo]; (schlüpfrig) sdrucciolévole [zdrut--tʃo-]; fig eine ~ Lüge una bugia [-dʒ-] bell'e buona; es ging alles ~ tutto andò liscio [-ʃo]

Glätte f liscezza [-ʃ-]

Glatteis n gelo [dʒ-] m

glätten lisciare [-ʃa-]

glattrasiert rasato liscio [-ʃo]

Glatz|e f testa calva; 2köpfig calvo

Glaube m fede f; im guten ~n in buona fede

glauben crédere

Glaubens|bekenntnis n professione f di fede; ~freiheit f libertà religiosa [-dʒo-]

glaubhaft credìbile

gläubig credente; 2er m Hdl creditore

glaubwürdig degno [-ɲo] di fede

gleich uguale; (sogleich) sùbito; in ~er Weise nello stesso modo; zu ~er Zeit nello stesso tempo; es ist uns (ganz) ~ per noi fa lo stesso; wir kommen ~ veniamo sùbito; ~ an der Tür vicino [-tʃ-] alla porta; ~altrig coetàneo; ~artig omogèneo [-dʒ-]; ~bedeutend equivalente; ~berechtigt di diritti uguali

gleichen (j-m od einander) rassomigliare [-ʎa-] (a qu.), rassomigliarsi [-ʎa-]

gleich|falls altrettanto; 2gewicht n equilibrio m; ~gültig indifferente; 2heit f uguaglianza [-ʎa-]; 2klang m consonanza f; ~lautend cònsono; ~mäßig simmètrico; 2mut m impassibilità f; ~namig omònimo

Gleich|nis n immàgine [-dʒ-] f; **~richter** m raddrizzatore; **2schalten** coordinare; **~schritt** m passo compassato; **2stellen** parificare; **~strom** m corrente f continua; **~ung** f equazione

gleich|wertig equivalente; **~zeitig** contemporàneo

Gleis n binario m; **~anschluß** m raccordo di binario; **~übergang** m passaggio [-dʒo] a livello

Gleit|boot n idroscivolante [-ʃ-] m; **2en** scivolare [ʃ-]; **~flug** m volo planato; **~schutz** m antiscivolante [-ʃ-]

Gletscher m ghiacciaio [giat-tʃaːio]; **~spalte** f crepaccio [-tʃo] m

Glied n (Körper2) membro m; (Ketten2) anello m; **in Reih und ~** in fila

glieder|n dividere; disporre; **sich ~n** dividersi; **2ung** f disposizione

Gliedmaßen pl membra f/pl

glimmen àrdere senza fiamma

glimpflich: **~ davonkommen** passàrsela liscia [-ʃa]

glitzern scintillare [ʃ-]

global globale

Globetrotter m giramondo [dʒ-]

Globus m globo

Glöckchen n campanella f

Glocke f campana

Glocken|geläut(e) n scam-

panìo m; **~spiel** n cariglione [-ʎo-] m; **~turm** m campanile

glorreich glorioso

glotzen spalancare gli [ʎi] occhi [-ki]

Glück n fortuna f; **zum ~** per fortuna; **auf gut ~** a caso; **2bringend** che [ke] porta fortuna

Glucke f chioccia [kiɔt-tʃa]

glück|en riuscire [-ʃ-]; **~lich** felice [-tʃe]; **~licherweise** fortunatamente; **~selig** beato

Glücks|fall m caso fortunato; **~spiel** n gioco [dʒɔ-] m d'azzardo

Glückwunsch m augùrio; **herzlichen ~!** i miei migliori [-ʎo-] augùri!; **~karte** f biglietto [-ʎe-] m d'auguri; **~telegramm** n telegramma m d'auguri

Glüh|birne f lampadina (elèttrica); **2en** èssere rovente; fig àrdere (vor di); **2end heiß** cocente [-tʃ-]; **~wein** m vino caldo; **~würmchen** n lùcciola [-tʃo-] f

Glut f brace [-tʃe] f; (sengende Hitze) calore m soffocante; **2rot** rosso acceso [-tʃ-]   [glitʃe-] f}

Glyzerin n glicerina}

Gnade f grazia; **ohne ~** senza perdono

Gnadengesuch n ricorso m di grazia

gnädig clemente; **~e Frau!** signora [-ɲ-]!

Gobelin *m* arazzo

Gold *n* oro *m*; ~barren *m*
lingotto d'oro; ~dublee *n*
dublè *m*; 2en d'oro; (*gold-
farbig*) dorato; ~fisch *m*
pesce [-fe] rosso; ~gehalt
m contenuto àureo; ~
münze *f* moneta d'oro;
~schmied *m* oréfice [-tfe];
~stück *n* moneta d'oro

Golf *n* (*Spiel*) golf *m*;
~platz *m* campo di golf;
~schläger *m* bastone da
golf

Gondel *f* góndola

gönnen concèdere [-tf-];
sich et. Ruhe ~ permét-
tersi un po' di riposo

gönnerhaft generoso [dʒ-]

Göre *f* marmocchio [-k-] *m*

Gosse *f* acquaio *m*

Gotik *f* stile *m* gòtico

Gott *m* Dio; ~ sei Dank!
grazie a Dio!; um ~es
willen! per amor di Dio!

Gottes|dienst *m* ufficio
[-tfo] divino; ~mutter *f*
Madre di Dio

gott|gläubig credente in
Dio; 2heit *f* divinità

Göttin *f* dea

göttlich divino

gottlos empio; 2igkeit *f*
empietà

Götze *m* ìdolo

Gouverneur *m* governatore

Grab *n* tomba *f*; ~denkmal
n monumento *m* sepolcrale

graben scavare

Graben *m* fossa *f*

Grab|esstille *f* silenzio *m*
sepolcrale; ~gewölbe *n*

cripta *f*; ~hügel *m* tùmulo;
~inschrift *f* epitaffio *m*;
~mal *n* monumento *m*
sepolcrale; ~stein *m* làpide *f*

Grad *m* grado; im höch-
sten ~e estremamente;
20 ~ über Null venti
gradi sopra zero; ~ein-
teilung *f* graduazione

Graf *m* conte

Gräfin *f* contessa

Grafschaft *f* contèa

grämen: sich ~ afflìggersi
[-dʒ-]

Gramm *n* grammo *m*

Grammatik *f* grammàtica

Granatapfel *m* melagrana *f*

Granate *f* granata

grandios grandioso

Granit *m* granito

Grapefruit *f* pompelmo *m*

Graphik *f* gràfica; ~er *m*
gràfico

Graphit *m* grafite *f*

Graphologie *f* grafologìa
[-dʒ-]

Gras *n* erba *f*; 2en pascolare; ~halm *m* filo d'erba

grassieren infierire

gräßlich orribile

Grat *m* cresta *f*

Gräte *f* lisca, spina

gratis gratuitamente

Gratulation *f* congratula-
zione

gratulieren: j-m zu et. ~
congratularsi di qc. con qu.

grau grigio [-dʒo]; 2brot *n*
pane *m* misto

grauen: mir graut vor ...
sento orrore di ...

Grauen n orrore m; ♀**haft**
òrrido

grauhaarig canuto

Graupeln f/pl granelli m/pl
di gràndine

Graupen f/pl orzo m perlato; ~**suppe** f minestra di
orzo perlato

grausam crudele; ♀**keit** f
crudeltà

grausig orribile

gravierend aggravante

gravitätisch grave

Gravüre f incisione [-tʃ-]

Grazi|e f grazia; ♀**ös** gra-
zioso

greifbar palpàbile

greifen acchiappare [-k-];
afferrare; **in die Tasche** ~
méttere la mano in tasca;
zu e-m Mittel ~ ricórrere
ad un mezzo; **um sich** ~
propagarsi

Greis m vecchio [-k-]; ~**in** f
vecchia [-k-]

grell (*Licht*) sfacciato
[-tʃa-]; (*Farbe*) stridente

Grenz|bahnhof m stazione
f di confine; ~**bewohner** m
abitante di confine

Grenze f limite m; (*Lan-
des♀*) confine m, frontiera f;
wo verläuft die ~? dove
corre la frontiera?

grenzen confinare (**an** con);
~**los** sconfinato

Grenz|gebiet n zona f di
confine; ~**ort** m località f
di confine; ~**posten** m
posto di frontiera; ~**-
schutz** m guardia f di
frontiera; ~**soldat** m sol-

dato di frontiera; ~**sperre**
f chiusura [k-] dei confini;
~**stein** m pietra f termi-
nale; ~**übergangsstelle** f
passaggio [-dʒo] m di
frontiera; ~**verkehr** m
tràffico di frontiera; ~**ver-
letzung** f violazione di
frontiera; ~**zwischenfall**
m incidente [-tʃ-] di frontiera

Greuel m orrore

Griech|e n, ♀**isch** greco;
~**enland** n Grecia [-tʃa] f

Grieß m semolino; ~**brei** m
pappa f di semolino

Griff m (*Koffer♀*) mànico;
(*Tür♀*) maniglia [-ʎa] f;
(*Mus*) tasto; *fig* **e-n guten**
~ **tun** avere la mano felice
[-tʃe]

Griffel m gessetto [dʒ-]

griffig maneggévole [-dʒ-]

Grill m griglia [-ʎa] f

Grille f grillo m; (*Laune*)
capriccio [-tʃo] m

Grimasse f smorfia [zm-]

grimmig arrabbiato

Grind m tigna [-ɲa] f

grinsen ghignare [giɲ-]

Grippe f influenza

grob grosso; (*derb*) rùvido;
(*unhöflich*) brusco; ~**er
Fehler** sbaglio [zba:ʎo] m
grosso; ♀**heit** f grossezza;
♀**ian** m maleducato

gröblich gravemente

Grog m ponce [-tʃe] f

grölen gridare

Groll m astio; ♀**en** (*Donner*) brontolare; (*ärgerlich
sein*) portare rancore a

Gros n grosso m

groß grande; (hoch) alto; (weit) vasto; **~artig** grandioso; **2aufnahme** f primo piano m; **2betrieb** m grande azienda f; **2britannien** n Gran Bretagna [-ɲa] f

Größe f grandezza; (Körperhöhe) statura; (Konfektions2) taglia [-ʎa]; nùmero m; (Erhabenheit) grandiosità; (Ausmaß) misura

Groß|eltern pl nonni m/pl; **~grundbesitz** m latifondo; **~handel** m commercio [-tʃo] all'ingrosso; **~handelspreis** m prezzo all'ingrosso; **~handlung** f véndita all'ingrosso; **~herzog** m granduca f; **~macht** f grande potenza; **~maul** n spaccone m

großmütig generoso [-dʒ-]

Groß|mutter f nonna; **~reinemachen** n pulizia f generale [-dʒ-]; **2spurig** spaccone m; **2stadt** f grande città [-tʃ-]; **2städtisch** da metròpoli

größtenteils per la maggiór [-dʒɔ:r] parte

Groß|vater m nonno; **~wild** n selvaggina [-dʒ-] f grossa; **2ziehen** allevare; **2zügig** generoso [-dʒ-]

grotesk grottesco; **2e** f farsa

Grotte f grotta

Grübchen n fossetta f

Grube f fossa; Bgb miniera

grübeln stillarsi il cervello [tʃ-]

Grubenunglück n incidente [-tʃ-] m di miniera

Gruft f tomba

grün verde; **~e Welle** onda f verde; **~er Hering** aringa f fresca; **~ werden** diventare verde; **2anlage** f giardini [dʒa-] m/pl pùbblici [-tʃi]

Grund m fondo; (Boden) terreno; (Ursache) causa f; motivo; **e-r Sache auf den ~ gehen** esaminare qc. a fondo; **von ~ aus** radicalmente; **ohne ~** senza motivo; **aus diesem ~** per questa ragione [-dʒo-]; **~ausbildung** f istruzione fondamentale; **~bedingung** f condizione principale [-tʃ-]; **~besitz** m proprietà f fondiaria; **~buch** n catasto m

gründ|en fondare; **2er** m fondatore

Grund|erwerb m acquisto di terreno; **~fläche** f base; **~gebühr** f tariffa base; **~gehalt** n stipendio m base; **~gesetz** n statuto m fondamentale; **~lage** f base; **2legend** fondamentale

gründlich a fondo

Grund|lohn m salario base; **2los** senza fondo

Gründonnerstag m giovedì m santo

Grund|regel f règola fondamentale; **~riß** m Arch

pianta f; ~satz m principio [-tʃ-]; 2sätzlich per principio [-tʃ-]; ~schule f scuola elementare; ~steuer f imposta fondiaria; ~stück n terreno m; ~stücksmakler m sensale di terreni

Gründung f fondazione

Grün|e(s): im ~en, ins ~e all'aperto; 2en verdeggiare [-dʒa-]; 2kohl m verza f; 2lich verdógnolo [-ɲ-]; ~span m verderame

grunzen grugnire [-ɲ-]

Gruppe f gruppo m

Gruppen|aufnahme f (ritratto m di un) gruppo m; ~führer m comandante di squadra

gruppieren aggruppare

gruselig orripilante

Gruß m saluto; e-n ~ bestellen, ausrichten salutare; herzliche Grüße an ... cordiali saluti a ...

grüßen salutare

Grütze f tritello m

gucken guardare

Guerillakrieg m guerriglia [-ʎa] f

Gulasch n spezzatino m di carne

gültig vàlido; 2keit f validità; 2keitsdauer f durata della validità

Gummi n gómma f; ~absatz m tacco di gomma; ~ball m palla f di gomma; ~band n elàstico m; ~baum m àlbero gommifero; ~handschuhe m/pl

guanti di gomma; ~knüppel m sfollagente [-dʒ-]; ~mantel m impermeàbile; ~ring m cerchio [tʃerkio] di gomma; ~schuhe m/pl calosce [-ʃe] f/pl; ~sohle f soletta di gomma; ~unterlage f supporto m di gomma; ~zug m elàstico m

günstig favorévole

Gurgel f gola; 2n gargarizzare; ~wasser n acqua f per gargarismi [-zmi]

Gurke f cetriolo m [tʃ-]

Gurkensalat m insalata f di cetrioli [tʃ-]

Gurt m cinghia [tʃiŋgia] f; cinturone [tʃ-]

Gürtel m cintura [tʃ-] f; (Zone) cinta [tʃ-] f

Guß m (Regen) acquazzone; ~eisen n ferro m fuso; ~form f forma

gut buono; im ~en con le buone; kurz und ~ insomma; so ~ wie sicher praticamente certo [tʃ-]; schon ~! bene, bene!; es schmeckt ~ ha un buon sapore

Gut n (Habe) bene m; (Land2) podere m; ~achten n parere m; 2artig buono; Med benigno [-ɲo]

Gutdünken n: nach ~ come pare e piace [-tʃe]

Güte f bontà; (Qualität) qualità; in aller ~ con le buone

Güter n/pl (Waren) merci [-tʃi] f/pl; ~abfertigung f

spedizione merci [-tʃi]; ~bahnhof m scalo merci [-tʃi]; ~wagen m vagone merci [-tʃi]; ~zug m treno merci [-tʃi]

Gütezeichen n marchio [-k-] m di qualità

gut|gelaunt di buon umore; ~gläubig in buona fede; Ωhaben n crédito m; ~heißen approvare

gütig buono

gütlich (friedlich) amichévole [-k-]

gutmachen: wieder ~ riparare a

gutmütig bonario [tario]

Gutsbesitzer m proprie-
~schreiben méttere a crédito; ~schrift f crédito m; Ωwillig compiacente [-tʃ-]

Gymnasium n ginnasio [dʒ-] m; licèo [-tʃ-] m

Gymnastik f ginnàstica [dʒ-]

Gynäkologe m ginecòlogo [dʒ-]

H

Haar n (einzelnes) pelo m; capello m; (KopfΩ) capelli m/pl; um ein ~ per un pelo; ~ausfall m caduta f dei capelli; ~bürste f spàzzola per i capelli; ~farbe f colore m dei capelli; ~färbemittel n tintura f per i capelli; ~festiger m fissativo per i capelli

Haar|nadel f forcina [-tʃ-]; ~nadelkurve f tornante m; ~netz n reticella [-tʃ-] f; ~öl n olio m per i capelli; ~pflege f cura dei capelli; ~schneiden n, ~schnitt m taglio [-ʎo] m dei capelli; ~spray m spruzzatore m per i capelli; Ωsträubend orripilante; ~teil n posticcio [-tʃo] m; ~trockner m asciugacapelli [-ʃu-]; ~wasser n lozione f per i capelli; ~wuchs m créscita

[-ʃ-] f dei capelli; ~wurzel f bulbo m capillare

Habe f avere m

haben avere; tenere; da hast du ... èccoti ...; was ~ Sie? che [ke] ha?; bei sich ~ avere con sé

Habgier f avidità; Ωig àvido

Habicht m astore [m/pl]

Habseligkeiten f/pl averi

Hack|braten m arrosto di carne tritata; ~e f zappa; ~en (m) f (Schuh) tacco m; (Fuß) tallone m; Ωen spaccare; bàttere; ~fleisch n carne f tritata

Hafen m porto; ~amt n ufficio [-tʃo] m portuale; ~arbeiter m portuale; ~damm m molo; ~gebühr f diritti m/pl portuali; ~polizei f polizia portuaria; ~stadt f citta [tʃ-] portuale

Hafer m avena f; ~**flocken** f/pl fiocchi [-ki] m/pl d'avena; ~**schleim** m avena f cotta

Haft f arresto m; **in** ~ **nehmen** arrestare

haftbar responsàbile

Haftbefehl m mandato di cattura

haften (an et.) èssere attaccato (a qc.); ~ **für** garantire per

Häftling m arrestato

Haftpflicht f responsabilità civile [t∫-]; ~**versicherung** f assicurazione di responsabilità civile [t∫-]

Hagebutte f frutto m di rosa canina

Hagel m gràndine f; ~**schauer** m grandinata f

hager magro

Hahn m gallo; Tech rubinetto; (Gewehr♀) cane

Hai m pescecane [-∫-]

Hain m boschetto [-sk-]

Häkchen n uncinetto [-t∫-] m

Häkel|arbeit f lavoro m all'uncinetto [-t∫-]; ♀n lavorare all'uncinetto [-t∫-]; ~**nadel** f uncinetto [-t∫-] m

Haken m gancio [-t∫o]; uncino [-t∫-]

halb mezzo; ~**e Stunde** mezz'ora f; **auf** ~**em Wege** a metà strada; ~ **leer (voll)** mezzo vuoto (pieno); ~**zwölf** le ùndici [-t∫i] e mezzo; ~ **so groß** la metà (di)

Halb|dunkel n penombra

f; ~**gefrorene(s)** n sorbetto m

halbieren dimezzare

Halb|insel f penisola; ~**jahr** n semestre m; ~**kreis** m semicerchio [-t∫erkio]; ~**kugel** f semisfera; Geogr emisfero m; ♀**laut** a mezza voce [-t∫e]; ~**mond** m mezzaluna f

halb|nackt seminudo; ~**offen** semiaperto; ♀**pension** f mezza pensione; ♀**rechte(r)** m (Fußball) mezz'ala f destra; ~**rund** semirotondo; ♀**schuh** m scarpa f bassa; ♀**schwergewicht** n peso m mediomàssimo; ~**stündlich** ogni [oɲi] mezz'ora; ~**tägig** di mezza giornata [dʒo-]; ♀**tagsarbeit** f lavoro m a mezza giornata [dʒo-]

Halbzeit f: ~**erste (zweite)** ~ primo (secondo) tempo m

Halde f Bgb scorie f/pl

Hälfte f metà; **zur** ~ a metà

Halle f atrio m; sala

hallen risonare

Hallenbad n piscina [-∫-] f coperta

hallo! ohè!; Tel pronto!

Hals m collo; (Kehle) gola f; **aus vollem** ~**e** a squarciagola [-t∫a-]; ~ **über Kopf** a rompicollo; ~**ausschnitt** m scollatura f; ~**band** n collana f; (Hund♀) collare m; ~**entzündung** f infiammazione della gola; ~**Nasen-Ohren-Arzt** m otorinolaringoiatra; **~schlagader** f carotide; **~schmerzen** m/pl mal m di gola; ℚ**starrig** ostinato; **~tuch** n fazzoletto m da collo; **~weite** f misura del collo

Halt m: **keinen ~ finden** non trovare sostegno [-ɲo]; **den ~ verlieren** pèrdere il contegno [-ɲo]; **~ geben** dare appoggio [-dʒo]

halt! ferma!; alt!

haltbar sostenìbile; resistente

halten v; (stehenbleiben) fermarsi; **Wort ~** mantenere la paròla; **Schritt ~** tenere il passo; **eine Rede ~** fare un discorso; **es für angebracht ~** ritenere opportuno; **was ~ Sie davon?** che [ke] ne pensa?; **sich ~** conservarsi; **sich links (rechts) ~** tenere la sinistra (destra); ℚ **verboten!** divieto di sosta!; **zum ℚ bringen** fermare

Halte|platz m stazione f; fermata f; **~signal** n segnale [-ɲ-] m di fermata; **~stelle** f fermata; **~verbot** n divieto m di sosta

haltmachen fermarsi

Haltung f (Körper ℚ) portamento m; (Einstellung) atteggiamento [-dʒa-] m

Hammel m montone; **~braten** m arrosto di montone; **~fleisch** n carne f di montone; **~keule** f coscotto [-ʃɔ-] m di montone

Hammer m martello

hämmern martellare

Hammerwerfen n lancio [-tʃo] m del martello

Hampelmann m burattino

Hamster m criceto [-tʃ-]

hamstern fig accaparrare

Hand f mano; **bei der ~, zur ~** alla mano; **unter der ~;** **~ verkaufen** véndere sottomano

Hand|arbeit f lavoro m manuale; **~ball** m pallamano f; **~bewegung** f gesto [dʒ-] m; **~bremse** f freno m a mano; **~buch** n manuale m; **~bürste** f spazzolino m per le mani

Händedruck m stretta f di mano

Handel m commercio [-tʃo] (mit in, con)

handel|n commerciare [-tʃa-] (mit j-m con qu., mit et. in qc.); (wirken) agire [-dʒ-]; **es ~t sich um ...** si tratta di ...

Handels|abkommen n accordo m commerciale [-tʃa-]; **~beziehungen** f/pl rapporti m/pl commerciali [-tʃa-]; **~gesellschaft** f società f commerciale [-tʃa-]; **~kammer** f càmera di commercio [-tʃo]; **~marine** f marina mercantile; **~mission** f missione commerciale [-tʃa-]; **~schiff** n nave f mercantile; **~schule** f scuola commerciale

[-tʃa-]; **~zweig** *m* ramo
commerciale [-tʃa-]
Hand|feger *m* granatino;
~fertigkeit *f* destrezza;
2fest robusto; **~fläche** *f*
palma; **~gelenk** *n* polso *m*
handgemein: ~ **werden**
venire alle mani
Hand|gemenge *n* zuffa *f*;
~gepäck *n* bagaglio [-ʎo]
m a mano; **2gewebt** tessuto
a mano; **~granate** *f* bomba a mano; **~griff** *m* maniglia [-ʎa] *f*; maneggio
[-dʒo]; **2haben** maneggiare [-dʒa-]
Hand|karren *m* carriola *f*;
~koffer *m* valigia [-dʒa] *f*;
~kuß *m* baciamano [-tʃa-]
Händler *m* mercante
handlich maneggévole
[-dʒ-]
Handlung *f* azione (*a*
Thea); (*Geschäft*) negozio *m*
Handlungsreisende(r) *m*
commesso viaggiatore
[-dʒa-]
Hand|schellen *f/pl* manette; **~schlag** *f* stretta *f*
di mano; **~schrift** *f* scrittura; **~schuh** *m* guanto;
~tasche *f* borsa; **~tuch** *n*
asciugamano [-ʃu-] *m*
Handwerk *n* mestiere *m*;
artigiano [-dʒa-] *m*; **~er**
m artigiano [-dʒa-]
Handwerks|betrieb *m* impresa *f* artigiana [-dʒa-];
~zeug *n* arnesi *m/pl*
Hand|wurzel *f* carpo *m*;
~zeichnung *f* disegno
[-ɲo] *m* a mano

Hanf *m* cànapa *f*
Hang *m* pendìo; *fig* inclinazione *f*
Hänge|brücke *f* ponte *m*
sospeso; **~lampe** *f* làmpada sospesa; **~matte** *f*
àmaca
hängen *v/i* pèndere; èssere
sospeso; *v/t* (**an**) appèndere (a); **~bleiben** restare
attaccato; **~lassen** lasciare
[-ʃa-] pèndere
Hantel *f* manubrio *m*
hantieren maneggiare
[-dʒa-]
Happen *m* boccone
Harfe *f* arpa
Harke *f* rastrello *m*
harken rastrellare
harmlos ingènuo [-dʒ-]
Harmo|nie *f* armonia; **2-
nisch** armònico; **~nium** *n*
armonio *m*
Harn *m* urina *f*; **~blase** *f*
vescica [-ʃ-] urinaria; **~-
drang** *m* stimolo d'orinare
Harnisch *m* corazza *f*
Harn|leiter *m*, **~röhre** *f*
uretra *f*; **~vergiftung** *f*
uremia
Harpune *f* rampone *m*
hart duro; (*fest*) sodo;
(*schwer*) grave; (*streng*)
rigido [-dʒ-]; **~ werden**
indurirsi
Härte *f* durezza
Hart|geld *n* moneta *f*
metàllica; **~gummi** *n* gomma *f* dura; **2herzig** duro
di cuore; **2näckig** ostinato
Harz *n* rèsina *f*
harzig resinoso

Hasardspiel 342

Hasardspiel n gioco [dʒɔ-] m d'azzardo

Haschee n carne f tritata

haschen acchiappare [-k-]

Hase f lepre f

Haselnuß f nocciola [-tʃɔ-]

Hasen|braten m arrosto di lepre; **~scharte** f labbro m leporino

Haß m odio

hassen odiare

häßlich brutto; **2keit** f bruttezza

Hast f fretta

hastig precipitoso [-tʃ-]

hätscheln accarezzare

Haube f cuffia; Tech còfano m

Hauch m àlito

hauchen soffiare

hauen picchiare [-k-]; Bäume: abbàttere; **übers Ohr ~** imbrogliare [-ʎa-]

Hauer m (Eckzahn) zanna f

Haufen m mucchio [-k-]; (Schar) folla f

häufen ammucchiare [-k-]; **sich ~** accumularsi

haufenweise a mucchi [-ki]

häufig frequente; adv spesso; **2keit** f frequenza

Haupt n capo m

Haupt|altar m altare maggiore [-dʒɔ-]; **~bahnhof** m stazione f centrale [tʃ-]; **~bestandteil** m parte f principale [-tʃ-]; **~darsteller** m protagonista; **~deck** n coperta f principale [-tʃ-]; **~eingang** m entrata f principale [-tʃ-];

~fach n materia f principale [-tʃ-]; **~film** m film principale [-tʃ-]; **~gewinn** m primo premio

Häuptling m capo

Haupt|mahlzeit f pasto m principale [-tʃ-]; **~mann** m capitano; **~postamt** n posta f centrale [tʃ-]; **~quartier** n quartiere m generale [dʒ-]; **~rolle** f parte principale [-tʃ-]; **~sache** f essenziale m

hauptsächlich principale [-tʃ-]

Haupt|schalter m interruttore principale [-tʃ-]; **~sicherung** f vàlvola principale [-tʃ-]; **~stadt** f capitale; **~straße** f strada principale [-tʃ-]; **~teil** m parte f principale [-tʃ-]; **~verkehrszeit** f ore f/pl di punta

Haus n casa f; **nach ~e, zu ~e** a casa; **~apotheke** f farmacia [-tʃ-] domèstica; **~arbeit** f lavoro m casalingo; **~besitzer** m proprietario di casa; **~bewohner** m inquilino; **~boot** n barca f abitàbile

Häuschen n casetta f

Hauseingang m ingresso di casa

hausen dimorare; (verwüsten) infierire

Häuserblock m blocco di case

Haus|flur m vestibolo; **~frau** f casalinga; **~friedensbruch** m violazione f

di domicilio [-tʃ-]; 2ge-
macht fatto (in) casa;
~gerät n masserizie f/pl;
~halt m (governo m della)
casa f; ~hälterin f massaia
Haushalt(s)|jahr n anno m
finanziario; ~plan m bi-
lancio [-tʃo] preventivo
Hausherr m padrone di
casa
Hausierer m venditore
ambulante
häuslich casalingo
Haus|mädchen n came-
riera f; ~mannskost f cu-
cina [-tʃ-] casalinga; ~
meister m portinaio; ~
nummer f nùmero m di
casa; ~ordnung f regola-
mento m della casa; ~
schlüssel m chiave [k-] f
di casa; ~schuhe m/pl
ciabatte [tʃa-] f/pl; ~su-
chung f perquisizione;
~telefon n telèfono m
interno; ~tier n animale m
domèstico; ~tor n portone
m; ~tür f porta di casa;
~wart m portinaio; ~wirt
m padrone di casa; ~wirt-
schaft f economia do-
mèstica
Haut f pelle; ~abschür-
fung f escoriazione; ~arzt
m dermatòlogo; ~aus-
schlag m eruzione f cutà-
nea
Häutchen n pellìcola f
Hautcreme f crema per la
pelle
häuten spellare; sich ~
cambiare pelle

Haut|farbe f carnagione
[-dʒo-]; ~krankheit f ma-
lattìa cutànea; ~pflege f
cosmètica [-zm-]
Havarie f avarìa
Hebamme f levatrice [-tʃe]
Hebel m leva f
heben alzare; levare; fig
(fördern) favorire
hebräisch ebràico
Hebung f sollevamento m
Hecht m luccio [-tʃo];
~sprung m tuffo
Heck n poppa f
Hecke f siepe
Hecken|rose f rosa canina;
~schütze m franco tiratore
heck|lastig pesante di coda;
2motor m ·motore poste-
riore
Heer n esèrcito [-tʃ-]
Hefe f feccia [-tʃa]; (Sauerteig) lièvito m; ~kuchen m
dolce [-tʃe] lievitato; ~teig
m pasta f lievitata
Heft n quaderno m; (Griff)
mànico m
heft|en (befestigen) attac-
care; (nähen) imbastire;
Blick: fissare; 2faden m
filo da imbastire
heftig violento; 2keit f
violenza
Heft|klammer f morsetto
m; ~naht f imbastitura;
~pflaster n cerotto [tʃ-] m;
~zwecke f puntina da
disegno [-ɲo]
hegen custodire; fig (Zweifel) nutrire
Hehler m ricettatore [-tʃ-];
~ei f ricettazione [-tʃ-]

Heide[1] *m* pagano
Heide[2] *f* landa; **~kraut** *n* èrica *f*
Heidelbeere *f* (bacca *f* di) mirtillo *m*
heidnisch pagano
heikel delicato
heil sano; (*ganz*) intero
Heil *n* salute *f*; (*Glück*) fortuna *f*; **sein ~ versuchen** tentare la fortuna
Heiland *m* Redentore
Heil|anstalt *f* casa di salute; **~bad** *n* bagno (-ɲo) termale; **♀bar** guaribile; **♀en** guarire; **~gymnastik** *f* ginnàstica (dʒ-) terapèutica
heilig santo; sacro; **♀abend** *m* vigilia (-dʒ-) *f* di Natale; **~en** santificare; **♀enbild** *n* immàgine (-dʒ-) *f* sacra; **♀e(r)** *m* santo; **~sprechen** canonizzare; **♀tum** *n* santuario *m*
heil|kräftig salutare; **♀mittel** *n* rimedio *m*; **♀praktiker** *m* empírico; **♀quelle** *f* sorgente (-dʒ-) minerale; **~sam** salutare
Heilsarmee *f* Esèrcito (-tʃ-) *m* della Salvezza
Heil|ung *f* cura; **~verfahren** *n* trattamento *m* terapèutico; **~wirkung** *f* effetto *m* curativo
heim a casa; (*in die Heimat*) in patria
Heim *n* casa *f*; **~arbeit** *f* lavoro *m* a domicilio (-tʃ-)
Heimat *f* patria; **~hafen** *m* porto d'immatricolazione;

♀lich patrio; **♀los** senza patria; **~vertriebene(r)** *m* spatriato
Heim|fahrt *f* viaggio (-dʒo) *m* di ritorno; **♀isch** patrio; **sich ♀isch fühlen** sentirsi come a casa; **~kehr** *f* ritorno *m* a casa
heimlich segreto
Heimreise *f* ritorno *m*
heimtückisch pèrfido
heim|wärts verso casa; **♀weg** *m* ritorno; **♀weh** *n* nostalgia (-dʒ-) *f*
Heirat *f* matrimonio *m*; **♀en** *j-n*: sposare; *v/i* sposarsi
Heirats|antrag *m* richiesta [-k-] *f* di matrimonio; **~schwindler** *m* sfruttatore di donne nùbili; **~urkunde** *f* fede di matrimonio
heiser rauco; **♀keit** *f* raucèdine [-tʃ-]
heiß caldo; **kochend** bollente; **~e Musik** mùsica *f* eccitante [-tʃ-]
heißen (*genannt werden*) chiamarsi [k-]; (*bedeuten*) voler dire; **ich heiße ...** mi chiamo [k-] ...; **was soll das ...?** che [ke] significa [-ɲ-]?; **wie heißt das auf ...?** come si dice [-tʃe] in ...?; **es heißt, daß ...** si dice [-tʃe] che [ke] ...
heiter sereno (*a Himmel*); **♀keit** *f* serenità; (*Gelächter*) ilarità
heiz|bar riscaldàbile; **~en** (*Zimmer*) riscaldare; (*Ofen*)

herausschrauben

accèndere [-tʃ-]; ꙅer *m* fochista [-k-]; ꙅkissen in termòforo *m*; ꙅkörper *m* radiatore; ꙅmaterial *m* combustibile *m*; ꙅöl in olio *m* combustibile; ꙅsonne *f* radiatore *m* (parabòlico)

Heizung *f* riscaldamento *m*

Hektar *n* èttaro *m*

Held *m* eròe

helden|haft eròico; ꙅtat *f* atto *m* eròico

helfen aiutare; können Sie mir..? potrebbe aiutarmi?; sich zu.. wissen sapere arrangiarsi [-dʒa-]

Helfer *m* aiuto; assistente

hell chiaro [-k-]; es wird..; si fa giorno [dʒo-]; ꙅblau azzurro chiaro [-k-]; ꙅgrün verde chiaro [-k-]; ꙅigkeit *f* chiarezza [-k-]

Helm *m* elmo

Hemd *n* camicia [-tʃa] *f*; ꙅbluse *f* camicetta [-tʃ-]; ꙅkragen *m* colletto di camicia [-tʃa]

hemmen frenare; (behindern) ostacolare

Hemmung *f fig* inibizione *f*; ꙅslos sfrenato

Hengst *m* stallone

Henkel *m* mànico; (Topfꙅ) ansa *f*

Henker *m* boia

Henne *f* gallina

her qui, qua; von außen.. dal di fuori; von oben.. dall'alto; hin und.. qua e là; es ist eine Woche.. è una settimana

herab giù [dʒu]; in basso; von oben.. da sopra in giù [dʒu]; ꙅblicken guardare dall'alto in basso; ꙅfließen còrrere giù [dʒu]; ꙅhängen pèndere; ꙅlassen abbassare; ꙅlassend condiscendente [-ʃ-]; ꙅsetzen abbassare; *Preis:* ridurre; ꙅsteigen scèndere [ʃ-]; ꙅstoßen gettare [dʒ-] giù [dʒu]; ꙅstürzen precipitare [-tʃ-]

heran accanto, vicino [-tʃ-]; näher.. più vicino [-tʃ-]; ꙅholen andare a prèndere; ꙅkommen avvicinarsi [-tʃ-]; ꙅwachsen crèscere [-ʃ-]; ꙅziehen attirare

herauf su; ꙅbeschwören evocare; ꙅbitten pregare di salire; ꙅkommen salire; ꙅziehen (Gewitter) avvicinarsi [-tʃ-]

heraus fuori; von innen.. dall'interno; ꙅbekommen cavare; (erfahren) scoprire; Geld: avere di ritorno; ꙅbringen portare fuori; Fabrikat: lanciare [-tʃa-]; ꙅfallen cadere fuori; ꙅfließen scòrrere fuori; ꙅfordern provocare; ꙅgeben Geld: dare il resto; Buch: pubblicare; ꙅholen cavare fuori; ꙅkommen uscire [-ʃ-]; ꙅlassen lasciar [-ʃ-] uscire [-ʃ-]; ꙅnehmen prèndere fuori; ꙅragen spòrgere [-dʒ-]; ꙅschicken mandare fuori; ꙅschrauben svitare [zv-]

herausstellen méttere in risalto; **sich ~** risultare

heraus|treten uscire [-ʃ-] fuori; **~ziehen** estrarre

herb acerbo [-tʃ-]

herbei qua, qui; **~holen** andare a prèndere; **~eilen** accórrere

Herberge f locanda

herbringen portare qua

Herbst m autunno; **2lich** autunnale

Herd m focolare

Herde f gregge [-dʒe] m

herein qua, qui, qua dentro; **~!** avanti!; **~bitten** pregare d'entrare; **~dringen** penetrare dentro; **~fahren** entrare; **~fallen** fig cadere in tràppola; **~führen** condurre qui; **~kommen** entrare; **~lassen** fare entrare; **~legen** fig imbrogliare [-ʎa-]

Her|fahrt f venuta; **~gang** m andamento; **2geben** dare

Hering m aringa f

herkommen venire; **wo kommen Sie her?** da dove viene?; **komm her!** vieni qua!

herkömmlich usuale

Herkunft f orìgine [-dʒ-]

hermetisch ermètico

hernehmen prèndere

Heroin n eroina f

Herr m signore [-ɲ-]; **lieber ~ ...!** caro signor ...!; **sehr geehrter ~ ...!** egregio [-dʒo] signor ...!

Herren... in Zssgn da (od

di, per) uomo (od uòmini, signore [-ɲ-], signori; **~doppel** n doppio m maschile [-sk-]; **~einzel** n singolare m maschile [-sk-]; **~konfektion** f confezione per uomo; **2los** senza padrone; **~schneider** m sarto m da uomo

Herrin f signora [-ɲ-]

herrisch imperioso

herrlich magnìfico [-ɲ-]

Herrschaft f dominio m; **meine ~en!** signori, signore [-ɲ-]!; **2lich** signorile [-ɲ-]

herrsch|en regnare [-ɲ-]; **2er** m sovrano

her|rühren provenire (**von** da); **~schicken** mandare qua; **~stammen** discéndere [-ʃ-]

herstell|en fabbricare; produrre; **2er** m produttore; **2ung** f fabbricazione

herüber di qua; **~kommen** venire di qua

herum intorno; **~drehen** girare [dʒ-]; **~fahren** (um et) girare [dʒ-]; **~fliegen** girare [dʒ-] volando; **~führen** condurre in giro [dʒ-]; um et: condurre attorno; **~irren** errare intorno; **~liegen** èssere sparso dappertutto; **~lungern** bighellonarsi [-g-]; **~reichen** far circolare [tʃ-]; **~stehen** stare attorno a; **~treiben: sich ~ treiben** vagabondare

herunter giù [dʒu]; abbasso; **~fallen** cadere giù [dʒu]; **~klappen** abbassare; **~kommen** scéndere [ʃ-]; **~lassen** abbassare; **~nehmen** tògliere [-ʎe-]

hervor fuori; **~bringen** produrre; **~gucken** guardare fuori; **~heben** méttere in rilievo; **~holen** tirare fuori; **~ragend** sporgente [-dʒ-]; *fig* eminente; **~rufen** *fig* provocare

Herz *n* cuore *m*; *Kartensp* cuori *m/pl*; **von ganzem ~en** di tutto cuore; **~anfall** *m* attacco al cuore; **~beklemmung** *f* oppressione di cuore

herzeigen mostrare

Herzenslust *f*: **nach ~ a** piacimento [-tʃ-]

Herz|fehler *m* vizio cardíaco; **Qhaft** animoso; (*würzig*) piccante; **~infarkt** *m* infarto cardíaco; **~klopfen** *n* palpitazione *f*; **~krank** malato di cuore; **~leiden** *n* affezione *f* cardíaca

herzlich cordiale; **~ gern** molto volentieri; **Qkeit** *f* cordialità

herzlos spietato

Herzog *m* duca; **~in** *f* duchessa [-k-]

Herz|schlag *m* bàttito del cuore; (*Herzlähmung*) colpo d'apoplessia; **~stärkend** che [ke] rinforza il cuore; **Qzerreißend** straziante

Hetz|e *f* caccia [-tʃa]; (*Eile*)

fretta; **Qen** dare la caccia [-tʃa]; **~jagd** *f* caccia [-tʃa]

Heu *n* fieno *m*; **~boden** *m* fienile

Heuchelei *f* ipocrisia

heucheln fíngere [-dʒ-]

Heuernte *f* fienagione [-dʒo-]

heulen urlare; (*weinen*) frignare [-ɲ-]

Heu|schnupfen *m* febbre *f* del fieno; **~schober** *m* fienile; **~schrecke** *f* cavalletta

heut|e oggi [-dʒi]; **~e morgen** (**abend**) stamane (stasera); **~e in einer Woche** oggi [-dʒi] fra una settimana; **~ig** d'oggi [-dʒi]

heutzutage oggidì [-dʒ-]

Hexe *f* strega

Hexen|kessel *m* *fig* inferno; **~schuß** *m* lombàggine [-dʒ-] *f*

Hieb *m* colpo; **~e** *pl* botte *f/pl*

hier qui, qua; **~ ist, ~ sind** ecco; **von ~** di qui; **~auf** (*danàch*) dopo ciò [tʃo]; **~aus** *s* daraus; **~bei** qui accanto

hierbleiben rimanere qua

hier|durch per di qui; **~für** per questo

hierher qua, qui; **bis ~** fino qua; fin qui

hier|hin (di) qui; **~mit** con ciò [tʃo]; **~nach** *s* danach; **~über** *s* darüber; **~von** *s* davon

hierzu a ciò [tʃo]; **~lande** in questo paese

hiesig di qui

Hilfe f aiuto m; **mit ~ von** con l'aiuto di; **Erste ~** pronto soccorso m; **~leistung** f prestazione di soccorso; **~ruf** m grido d'aiuto

hilflos privo d'aiuto

Hilfs|aktion f azione di soccorso; **~arbeiter** m manovale; 2**bedürftig** bisognoso [-ɲ-]; 2**bereit** serviziévole; **~mittel** m rimedio m; **~motor** m motore ausiliare; **~zeitwort** n verbo m ausiliare

Himbeer|e f lampone m; **~eis** n gelato [dʒ-] m di lampone; **~saft** m sciroppo [ʃ-] di lampone

Himmel m cielo [tʃe-]; 2**blau** celeste [tʃ-]; **~fahrt** f (Christi) Ascensione [-ʃ-]; (Mariä) Assunzione

Himmels|körper m corpo celeste [tʃ-]; **~richtung** f punto m cardinale

himmlisch celeste [tʃ-]; (wunderbar) fantàstico

hin là [la]; ci [tʃi]; vi; **~ und wieder** di quando in quando; **~ und zurück** andata e ritorno

hinab (in) giù [dʒu]; **~steigen** scéndere [ʃ-]

hinauf in su, in alto; **~fahren** salire; **~führen** portare su; **~klettern** salire; **~tragen** portare su; **~ziehen** tirare su

hinaus fuori; **~begleiten** accompagnare [-ɲ-]; **~gehen** uscire [-ʃ-]; (Fenster)

dare (auf su); **~lehnen** spòrgersi [-dʒ-]; **~schieben** fig differire; **~stellen** méttere fuori; **~werfen** buttare fuori; **~zögern** tirare in lungo

Hinblick m: **im ~ auf** (in) riguardo a

hinbringen portare

hinder|lich ostacolante; **~n** impedire; 2**nis** n impedimento m; 2**nisrennen** n corsa f con ostàcoli

hindurch per; attraverso; **die ganze Nacht ~** durante tutta la notte

hinein dentro; **~bringen** portare dentro; **~fallen** cadere dentro; **~gehen**, **~kommen** entrare; **~lassen** lasciare [-ʃa-] entrare; **~legen** méttere dentro; **~passen** starci [-tʃi]; **~springen** saltare dentro; **~tun** méttere dentro

hinfahr|en andarvi; et od j-n: condurvi; 2**t** f andata

hin|fallen cadere; **~fällig** (ungültig) non vàlido; (schwach) débole; **~führen** condurre

Hin|gabe f dedizione; 2**geben** dare; **sich** 2**geben** darsi

hin|gehen andarci [-tʃi]; **~halten** (vertrösten) tenere a bada; **~hören** prestarci [-tʃi] orecchio [-k-]

hinken zoppicare

hinlegen posare; **sich ~** coricarsi

349 **Hirnhautentzündung**

hin|nehmen (dulden) sopportare; ~neigen inclinare; ₂reise f andata; ~richten giustiziare [dʒu-]; ₂richtung f esecuzione f

Hinsicht f: in dieser ~ per questo riguardo; in jeder ~ sotto tutti gli [ʎi] aspetti; ₂lich riguardo a

hinstellen porre

hinten dietro; von ~ dal di dietro; nach ~ heraus sul di dietro; ganz ~ tutt'in fondo; ~herum da nascosto

hinter dietro; ~dem Haus, ~das Haus dietro la casa; ₂achse f asse posteriore; ₂bliebenen m/pl supèrstiti; ~e posteriore; in der ~sten Reihe nell'ultima fila; ~einander l'uno dopo l'altro; ~grund m fondo; ~hältig insidioso; ₂haus n edificio [-tʃo] m posteriore

hinterher dopo; (später) dietro

Hinter|kopf m occipite [-tʃ-]; ~land n retroterra m; ₂lassen lasciare [-ʃa-]; ₂legen depositare; ₂listig astuto

Hintern m F sedere

Hinterrad n ruota f posteriore; ~antrieb m trazione f posteriore

hinter|treiben (verhindern) [zv-]; ₂treppe f scala di servizio; ₂tür f porta di dietro; ₂zimmer n retrocàmera f

hintun porre, méttere; wo soll ich das ~? dove devo métterlo?

hinüber di là; ~fahren andare (j-n: portare) di là; ~führen (Weg) condurre di là; ~gehen passare dall'altra parte; ~kommen passare di là; ~reichen passare; ~schicken mandare di là; ~schwimmen passare a nuoto; ~springen saltare (über et qc.).

hinunter giù [dʒu]; ~bringen portare giù [dʒu]; ~fallen cadere giù [dʒu]; ~führen portare giù [dʒu]; ~klettern scéndere [ʃ-]; ~lassen calare giù [dʒu]; ~schlucken inghiottire [-g-]; ~werfen gettare [dʒ-] giù [dʒu]

Hinweg m: auf dem ~ nell'andata

Hinweis m indicazione f; ₂en indicare (auf a)

hinziehen (verlängern) tirare in lungo; sich ~ (örtlich) estèndersi (bis zu fino a); (zeitlich) andare per le lunghe [-g-]

hinzu (obendrein) per di più; ~fügen aggiùngere [-dʒundʒ-]; ~kommen sopravvenire; ~rechnen, ~zählen aggiùngere [-dʒundʒ-]; ~ziehen consultare

Hirn n cervello [tʃ-] m; ~gespinst n chimera [k-] f; ~hautentzündung f meningite [-dʒ-]

Hirsch *m* cervo [tʃ-]; **~kuh** *f* cerva [tʃ-]

Hirse *f* miglio [-ʎo] *m*

Hirt *m* pastore

Hirtenjunge *n* pastorello

hissen issare

Histori|ker *m*, **2sch** stòrico

Hitze *f* caldo *m*; calore *m*; **~welle** *f* ondata di caldo

hitz|ig caldo; focoso; **2kopf** *m* testa *f* calda; **2schlag** *m* insolazione *f*

Hobby *n* passione *f*

Hobel *m* pialla *f*

hobeln piallare

hoch alto; *(nach oben)* in su; in alto; **zwei Treppen ~** al secondo piano; **hohes Alter** tarda età *f*; **auf hoher See** in alto mare

Hoch|achtung *f* stima; **2achtungsvoll** con tutta stima; **~amt** *n* messa *f* solenne; **~antenne** *f* antenna aèrea; **~betrieb** *m* attività *f* intensa; **2deutsch** tedesco puro

Hochdruck *m* alta pressione *f*; **mit ~ arbeiten** lavorare a tutto spiano; **~gebiet** *n* zona *f* di alta pressione

Hoch|ebene *f* altipiano *m*; **2empfindlich** *(Film)* molto sensibile; **~format** *n* formato *m* lungo; **~gebirge** *n* alta montagna [-ɲa] *f*; **2geschlossen** *(Kleid)* accollato; **~glanz** *m* lucentezza [-tʃ-] *f* perfetta; **~haus** *n* grattacielo [-tʃe-] *m*; **2kant** di costa; **2klap-**

pen alzare; **~land** *n* paese *m* elevato; **2mütig** altezzoso

Hoch|ofen *m* altoforno; **2prozentig** a percentuale elevata; **2rot** rosso vivo; **~saison** *f* alta stagione [-dʒo-]; **~schule** *f* accadèmia; università; **~see** *f* alto mare *m*; **~sommer** *m* cuore dell'estate; **~spannung** *f* alta tensione; **~sprung** *m* salto in alto

höchst il più alto; *fig* màssimo; *(äußerst)* estremamente; **~ selten** molto raro

Hochstapler *m* cavaliere d'indùstria

Höchst|belastung *f* càrico *m* màssimo; **2ens** al màssimo; **~geschwindigkeit** *f* velocità [-tʃi-] màssima; **~gewicht** *n* peso *m* màssimo; **~leistung** *f* potenza màssima; *(Rekord)* record *m*

hochtrabend pomposo

Hoch|verrat *m* alto tradimento; **~wald** *m* foresta *f* d'alti àlberi; **~wasser** *n* piena *f*; inondazione *f*; **2wertig** di gran valore

Hochwürden: **Ew. ~!** Vossignoria [-ɲ-] reverendissima!

Hochzeit *f* nozze *f*/*pl*; **~feiern** celebrare [tʃ-] le nozze

Hochzeits|fest *n* festa *f* nuziale; **~gast** *m* invitato alle nozze; **~geschenk** *n* regalo *m* di nozze; **~kleid** *n* àbito *m* nuziale; **~reise** *f* viaggio [-dʒo] *m* di nozze

hocken accoccolarsi

Hocker *m* sgabello [zg-]

Höcker *m* gobba *f*

Hockey *m* hockey

Hof *m* corte *f*; (*Haus♀*) cortile; **den ~ machen** fare la corte

hoffen sperare; **~tlich** speriamo (che [ke])

Hoffnung *f* speranza

hoffnungs|los disperato; **~voll** speranzoso

höflich cortese; **♀keit** *f* cortesia

Höhe *f* altezza; (*Hügel*) altura; **auf der ~ sein** èssere all'altezza; **in ~ von ...** per l'ammontare di ...

Hoheits|gewässer *n*/*pl* acque *f*/*pl* territoriali; **~zeichen** *n* emblema *m* di nazionalità

Höhen|klima *n* clima *m* di montagna [-ɲa]; **~krankheit** *f* mal *m* di montagna [-ɲa]; **~kurort** *m* luogo climàtico; **~leitwerk** *n* timone *m* di profondità; **~messer** *m* altimetro; **~sonne** *f* sole *m* alpino; **~steuer** *n* timone *m* di profondità; **~unterschied** *m* dislivello [-zl-]

Höhepunkt *m* punto culminante

höher più alto, superiore

hohl cavo; (*vertieft*) incavato; (*dumpf*) cupo; **~er Zahn** dente *m* guasto

Höhle *f* caverna; grotta; (*Tier♀*) tana

Hohl|körper *m* corpo cavo; **~spiegel** *m* specchio [-k-] còncavo

Hohn *m* scherno [sk-]

höhnisch schernévole [sk-]

holen *et*: andare a prèndere; **~ Sie e-n Arzt!** faccia [-tʃa] venire un mèdico!; **~ lassen** mandare a prèndere

Holländ|er *m*, **♀isch** olandese

Hölle *f* inferno *m*

Höllen|maschine *f* màcchina [-k-] infernale; **~stein** *m* pietra *f* infernale

höllisch infernale

holp(e)rig (*Weg*) scabroso

Holunder *m* sambuco

Holz *n* legno [-ɲo] *m*

hölzern di legno [-ɲo]

Holz|fäller *m* boscaiuolo; **♀frei** senza cellulosa [tʃ-]; **♀ig** legnoso [-ɲ-]; **~kohle** *f* carbone *m* di legno [-ɲo]; **~schnitt** *m* incisione [-tʃ-] *f* in legno [-ɲo]; **~wolle** *f* trùcioli [-tʃo-] *m*/*pl* di legno [-ɲo]; **~wurm** *m* tarlo

Homöopath *m* omeopàtico

Honig *m* miele; **~kuchen** *m* pane melato

Honorar *n* onorario *m*

Hopfen *m* lùppolo

Hör|apparat *m* apparecchio [-k-] acùstico; **♀bar** udibile

horchen stare a sentire

Horde *f* orda

hören udire; sentire; **auf j-n** ~ ascoltare qu.; **schwer** ~ sentirci [-tʃi] poco; **ich lasse von mir** ~ mi farò vivo; ~ **Sie mal!** senta un po'!

Hörer m uditore; (*Telefon2*) ricevitore [-tʃ-]

Hörfunk m radiotrasmissioni f/pl [orizzontale]

Horizont m orizzonte; 2al]

Hormon n ormone m

Horn n corno m; **brille** f occhiali [-k-] m/pl di tartaruga

Hörnchen n cornetto m

Horn|haut f *Anat* còrnea; (*Schwiele*) callosità; 2ig di corno

Hornisse f calabrone m

Horoskop n oroscopo m

Hör|rohr n cornetto m acùstico; **saal** m auditorio; aula f; **spiel** n radiocommèdia f

Hörweite f: **in (außer)** ~ a (oltre) portata dell'udito

Hose f calzoni m/pl, pantaloni m/pl

Hosen|bein n parte f della gamba; **schlitz** m sparato dei calzoni; **träger** m/pl bretelle f/pl

Hostess f hostess

Hostie f ostia

Hotel n albergo m; **besitzer** m albergatore

Hubraum m cilindrata [tʃ-] f

hübsch bello; carino

Hubschrauber m elicòttero

huckepack a cavalluccio [-tʃo]

Huf m zòccolo; **eisen** n ferro m di cavallo

Hüft|e f anca; **gelenk** n articolazione f del bacino [-tʃ-]; **knochen** m fèmore

Hügel m colle; collina f; 2ig collinoso; **kette** f catena di colline

Huhn n gallina f; *Kochk* pollo m; **junges** ~ **Hühnchen** n pollastro m

Hühner|auge n callo m; **brühe** f brodo m di pollo; **frikassee** n fricassèa f di pollo; **stall** m pollaio

Hülle f invòlucro m; (*Umschlag*) copertina f

Hülsenfrüchte f/pl legumi m/pl

Hummel f calabrone m

Hummer m aragosta f

Humor m buon umore; umorismo; 2istisch umorìstico; 2voll pieno di umore

humpeln zoppicare

Humpen m boccale

Hund m cane

Hunde|futter n pasto m per i cani; **kuchen** m biscotto per cani; **leine** f guinzaglio [-ʎo] m; **marke** f placca del cane; **rasse** f razza canina

hundert cento [tʃ-]; 2**jahrfeier** f centenario [tʃ-] m

Hunde|sperre f divieto m di libera circolazione [tʃ] dei cani; **wetter** n tempo m da cani

Hundstage m/pl canìcola f

Hunger m fame f; **~kur** f dieta assoluta

hungern aver fame

Hunger|snot f carestia; **~streik** m sciòpero [ʃɔ-] della fame

hungrig affamato

Hupe f clacson m, tromba

hupen sonare il clacson

hüpfen salt(er)ellare

Hürde f Sp ostàcolo m (a fig)

Hürdenlauf m corsa f ad ostàcoli

Hure f prostituta

huschen guizzar via

hüsteln tossicchiare [-k-]

hust|en tossire; **2en** m tosse f

Hut¹ f: auf der ~ sein stare in guardia

Hut² m cappello; **~ablage** f portacappelli m

hüten guardare (a Vieh); das Bett ~ èssere obbligato a letto; sich ~ vor guardarsi da

Hutkrempe f tesa

Hütte f (Häuschen) capanna; Tech = **~nwerk** n stabilimento m siderùrgico [-dʒ-]

Hyäne f iena

Hyazinthe f giacinto [dʒa-]

Hydrant m idrante

Hygien|e f igiene [idʒe-]; **2isch** igiènico [idʒe-]

Hymne f inno m

Hypno|se f ipnosi; **2tisieren** ipnotizzare

hysterisch istèrico

I

ich io; **~ auch** anch'io [-k-]; **~ bin's** sono io

ideal ideale

Idee f idèa

ident|ifizieren identificare; **~isch** idèntico; **2ität** f identità

ideologisch ideològico [-dʒ-]

Idiot m, **2isch** idiota

idyllisch idìllico

Igel m riccio [-tʃo]

ignorieren ignorare [-ɲ-]

ihm gli [ʎi]; betont: a lui

ihn lo; betont: lui

ihnen loro, a loro; **2** Le, a Lei; pl Loro, a Loro

ihr sg le, betont: a lei; pl voi; (wessen) sg (il) suo; pl (il) loro; **2** (il) Suo; (il) Loro

illegal illegale

illuminieren illuminare

Illusion f illusione

Illustrierte f rivista

Iltis m pùzzola f

Imbiß m spuntino; **~halle** f, **~stube** f tàvola calda; caffetteria

Imitation f imitazione

Imker m apicultore

Immatrikulation f immatricolazione

immer sempre; **~ besser** di bene in meglio [-ʎo];

~ noch sempre; ~ wieder sempre di nuovo; für ~ per sempre; ~fort continuamente; ~hin pure; ~zu sempre

immun immune

Impf|bescheinigung f certificato [tʃ-]; **~en** vaccinare [-tʃ-]; **~ung** f vaccinazione [-tʃ-]; **~zwang** m vaccinazione [-tʃ-] f obbligatoria

imponierend imponente

Import m importazione f; **~eur** m importatore; **~ieren** importare

imposant imponente

imprägniert impregnato [-ɲ-]

improvisiert improvvisato

impulsiv impulsivo

imstande: (nicht) ~ sein (non) èssere in grado

in in; (binnen) fra; **~ der Stadt** nella città [tʃ-]; **~ die Berge** in montagna [-ɲa]; **~ Kürze** fra breve

inbegriffen: alles ~ tutto compreso

indem (während) mentre; meist durch das Gerundium: **~ ich sagte** dicendo [-tʃ-]

Inder m indiano

indessen intanto

Index m índice [-tʃe]

Indianer m indiano

indirekt indiretto

indiskret indiscreto

individuell individuale

Indizien n/pl indizi m/pl;

~beweis m prova f indiziaria

Industrie f indùstria; **~gebiet** n zona f industriale; **~zentrum** n centro [tʃ-] m industriale; **~zweig** m ramo d'indústria

Infanterie f fanteria

Infektion f infezione; **~skrankheit** f malattia infettiva

infizieren infettare

Inflation f inflazione

infolge in sèguito (a); **~dessen** in consequenza

Information f informazione

informieren informare; **sich ~** informarsi

Ingenieur m ingegnere [-dʒəɲ-]

Ingwer m zénzero

Inhaber m proprietario

inhaftieren arrestare

inhalieren inalare

Inhalt m contenuto; (Wortlaut) tenore; **~sverzeichnis** n indice [-tʃe] m

Initiative f iniziativa; **aus eigener ~** di propria iniziativa

Injektion f iniezione

inklusive inclusivamente

Inland n paese m (interno); **~porto** n affrancatura f per l'interno

inländisch nazionale

inmitten nel mezzo di

innen dentro; **von ~** dall'interno; **nach ~** in dentro

Innen|architekt m arredatore; **~ministerium** n

ministero *m* degli [-ʎi] Interni; **~politik** *f* politica interna; **~stadt** *f* città [tʃ-] interna

inner interiore; **2e(s)** *n* interno *m*

inner|halb entro; (*binnen*) fra; **~lich** interno

innig intimo

Innung *f* corporazione

inoffiziell non ufficiale [-tʃa-]

Insasse *m* (*Passagier*) passeggero [-dʒ-]; (*Gefängnis*2) detenuto

insbesondere particolarmente

Inschrift *f* iscrizione

Insekt *n* insetto *m*; **~enpulver** *n* pólvere *f* insetticida [-tʃ-]

Insel *f* isola; **~bewohner** *m* isolano; **~gruppe** *f* arcipèlago [-tʃ-] *m*

Inserat *n* inserzione *f*

insgesamt tutti; in totale

insofern per questo

Inspektion *f* ispezione

Installateur *m* installatore

instand: **~ halten** mantenere; **~ setzen** assestare

Instanz *f* istanza

Instinkt *m* istinto

Institut *n* istituto *m*

Instruktion *f* istruzione

Instrument *n* strumento *m*

Inszenierung *f* messa in scena [ʃ-]

intakt intatto

intelligent intelligente [-dʒ-]

intensiv intensivo

interes|sant interessante; **2se** *n* interesse *m*; **~sieren** interessare; **ich ~siere mich für ...** m'interesso di ...

Internat *n* convitto *m*

inter|national internazionale; **~nieren** internare; **2vention** *f* intervento *m*; **2view** *n* intervista *f*; **2zonenverkehr** *m* movimento interzonale

intim intimo

Intrige *f* intrigo *m*

Invalide *m* invàlido

Invasion *f* invasione

Inventur *f* inventario *m*

invest|ieren investire; **2ition** *f* investizione

inwendig interiore

inwiefern fino a qual punto

inzwischen frattanto

irdisch terreno

irgend|ein qualche [-ke]; **~einer**, **~ jemand** qualcuno; **~ etwas** qualche [-ke] cosa; **~wie** in qualche [-ke] modo; **~wo** in qualche [-ke] luogo; **~wohin** chi [ki] sa dove

irisch irlandese

ironisch irònico

irre (*geisteskrank*) pazzo; alienato; **~ werden (an** *D*) dubitare (di)

Irre(r) *m* alienato

irre|führen ingannare; **~gehen** sbagliare strada [zbaʎa-]; **~machen** sconcertare [-tʃ-]

irren errare; *fig* sbagliare [zbaʎa-]; **ich habe mich**

12*

geirrt mi sono sbagliato
[zbaʃa-]; **Sie ~ sich** si
sbaglia [zbaːʃa]; **2anstalt** f
manicomio m
irrig erròneo
Irr|sinn m pazzia f; **~tum**
m errore; **2tümlich** erròneo

Ischias f sciàtica [ʃaː-]
islamisch islamìtico [-zl-]
Isolier|band n nastro m
isolante; **2en** isolare; **~ung**
f isolamento m
Italien n Italia f
Italien|er m, **2isch** italia-
no

J

ja sì; s **doch, sogar**
Jacht f panfilo m
Jack|e f giacca [dʒa-]; **~en-
kleid** n tailleur m; **~ett** n
giacchetta [dʒak-] f
Jagd f caccia [-tʃa]; **~flug-
zeug** n caccia [-tʃa] m;
~gewehr n fucile [-tʃ-] m
da caccia [-tʃa]; **~hütte** f
capanna da caccia [-tʃa];
~revier n riserva f di caccia
[-tʃa]; **~schein** m licenza
[-tʃ-] f di caccia [-tʃa];
~verbot n divieto m di
caccia [-tʃa]; **~zeit** f stagione [-dʒo-] della caccia
[-tʃa]
jagen v/t cacciare [-tʃa-];
v/i andare a caccia [-tʃa];
(eilen) andare di gran corsa
Jäger m cacciatore [-tʃa-]
jäh repentino
Jahr n anno m; **seit ~en** da
anni
Jahres|anfang m principio
[-tʃ-] dell'anno; **~tag** m
anniversario; **~zeit** f stagione [-dʒo-]
Jahr|gang m annata f;
~hundert n sècolo m
jährlich annuo, annuale

Jahr|markt m fiera f; **~
tausend** n millennio m;
~zehnt n decennio [-tʃ-]
m
jähzornig iracondo
Jalousie f persiana
jämmerlich miseràbile
jammern lamentarsi
Januar m gennaio [dʒ-]
Japan|er m, **2isch** giappo-
nese [dʒa-]
Jasmin m gelsomino [dʒ-]
jäten sarchiare [-k-]
Jauche f concime [-tʃ-] m
liquido
jauchzen giubilare [dʒu-]
Jause f merenda
Jazzband f orchestra [-k-]
da jazz
je (~mals) mai; (pro) ogni
[oɲi], ognuno [-ɲ-]; **~ ...
desto** più ... più; **~ nachdem** secondo (che [ke]-)
jede, ~r, ~s ogni [oɲi]
jedenfalls in ogni [oɲi]
caso
jeder|mann ognuno [-ɲ-];
~zeit a tutte le ore
jedesmal tutte le volte;
~ wenn ogni [oɲi] qual-
volta

jedoch però

jeher: von (seit) ~ **da sempre**

jemals mai

jemand qualcuno

jen|e, ~**er,** ~**es** quello, quella; ~**seitig** dell'altro lato; ~**seits** (G, von D) al di là (di)

Jesuit m gesuita [dʒ-]

jetzig presente, attuale

jetzt ora, adesso

jeweils rispettivamente

Jockei m fantino

Jodtinktur f tintura f di iodio

Joghurt m yoghurt

Johannisbeere f ribes m

Jolle f iole

Journalist m giornalista [dʒo-]

Jubel m giùbilo [dʒu-]; 2n giubilare [dʒu-]

Jubiläum n giubilèo [dʒu-] m

juck|en prùdere; **es** ~**t** prude; **sich** ~**en** grattarsi; 2**reiz** m prurito

Jude m ebrèo

Jüd|in f ebrèa; 2**isch** ebrèo

Jugend f gioventù [dʒo-]; (junge Leute) **die** ~ i gióvani

[dʒo-]; ~**fürsorge** f provvidenza sociale -[tʃa-] per la gioventù [dʒo-]; ~**heim** n casa f del gióvane [dʒo-]; ~**herberge** f albergo m per la gioventù [dʒo-]; ~**lager** n campo m per gióvani [dʒo-]; 2**lich** giovanile [dʒo-]; ~**liche(r)** m minore; gióvane [dʒo-]; ~**organisation** f organizzazione giovanile [dʒo-]

Jugoslawien n Jugoslavia [-zl-] f

Juli m luglio [-ʎo]

jung gióvane [dʒo-]; 2e m ragazzo; 2e(s) n piccolo m

jünger più gióvane [dʒo-]

Junggesell|e m scàpolo; ~**in** f nùbile

Jüngling m giovanotto [dʒo-]

jüngst il più gióvane [dʒo-]; adv recentemente [-tʃ-]

Juni m giugno [dʒu:ɲo]

Jurist m giurista [dʒu-]

Jury f giurì [dʒu-] m

Justiz f giustizia [dʒu-]

Juwel|en n/pl gioielli [dʒoi-] m/pl; ~**ier** m gioielliere [dʒoi-]

Jux m burla f

K

Kabarett n cabaret m

Kabel n cavo m

Kabeljau m merluzzo

Kabine f cabina; ~**nkoffer** m baule [maiòlica]

Kachelofen m stufa f di J

Käfer m coleòttero

Kaffee m caffè; ~**kanne** f caffettiera; ~**maschine** f màcchina -[k-] da caffè; ~**mühle** f macinino -[tʃ-] m da caffè; ~**tasse** f tazza da caffè; ~wärmer m scaldacaffè

Käfig m gabbia f

kahl nudo; *Kopf:* calvo; *Baum:* sfogliato [-ʎa-]

Kahn m barca f

Kai m banchina [-k-] f

Kaiser m imperatore; ~reich n impero m; ~schnitt m taglio [-ʎo] cesàreo [tʃ-]

Kajak m caiacco

Kajüte f cabina

Kakao m cacao

Kak|tee f, ~tus m cacto m

Kalb n vitello m; ~fleisch n carne f di vitello

Kalbs|braten m arrosto di vitello; ~schnitzel n scaloppina f di vitello

Kalender m calendario

Kalk m calce [-tʃe] f; ~stein m calcare

kalkulieren calcolare

kalt freddo; es ist ~ fa freddo; mir ist ~ ho freddo; ~ stellen méttere al fresco; ~ werden raffreddarsi; ~blütig a sangue freddo

Kälte f freddo m; *fig* freddezza

Kaltwelle f permanente a freddo

Kamel n cammello

Kamera f màcchina [-k-] fotogràfica

Kamerad m camerata; compagno [-ɲo]; ~schaft f cameratismo [-zmo] m

Kamille f camomilla; ~ntee m tè di camomilla

Kamin m camino

Kamm m pèttine

kämmen pettinare; sich ~ pettinarsi

Kammer f càmera; ~musik f mùsica da càmera

Kampf m lotta f

kämpfen lottare

Kampfer m cànfora [f]

Kämpfer m lottatore

kampf|los senza opporre resistenza; 2richter m àrbitro; ~unfähig incapace [-tʃe] di bàttersi

kampieren accamparsi

Kanal m canale; ~isation f canalizzazione

Kanarienvogel m canarino

Kandidat m candidato

kandiert: ~e Früchte frutta f candita

Kaninchen n coniglio [-ʎo] n

Kanister m bidone

Kännchen n bricchetto [-k-] m

Kanne f bricco m

Kanone f cannone m

Kante f spigolo m; (*Rand*) orlo m

Kantine f cantina

Kanu n canòa f

Kanzel f pùlpito m

Kanzlei f cancelleria [-tʃ-]

Kapazität f capacità [-tʃ-]

Kapell|e f cappella; *Mus* orchestra [-k-]; banda; ~meister m direttore d'orchestra [-k-]

Kapern f/pl càpperi m/pl

Kapital n capitale m; 2istisch capitalista

Kapitän *m* capitano
Kapitel *n* capitolo *m*
kapitulieren capitolare
Kaplan *m* cappellano
Kappe *f* (*Mütze*) berretto *m*
Kapsel *f* càpsula
kaputt F (*entzwei*) rotto, guasto; (*müde*) stanco morto; ~**gehen** rómpersi; ~**machen** rómpere
Kapuze *f* cappuccio [-tʃo] *m*
Karaffe *f* caraffa
Karambolage *f* caràmbola; (*Zusammenstoß*) collisione *f*
Karamellen *f/pl* caramelle
Karat *n* carato *m*
Karawane *f* carovana
Karbonade *f Kochk* braciola [-tʃo-]
Kardanwelle *f* àlbero *m* cardànico
Karfreitag *m* venerdì santo
kariert *a* quadri; *klein:* a quadretti
Karies *f* carie
Karikatur *f* caricatura
Karneval *m* carnevale
Karosserie *f* carrozzerìa
Karotte *f* carota
Karpfen *m* carpione
Karre (*n m*) *f* carretto *m*
Karte *f* (*Spiel*♀) carta da gioco [dʒɔ-]; *s* **Land-, Fahr-, Flug-, Postkarte;** **nach der** ~ (*essen*) (mangiare [-dʒa-]) alla carta; ~**n spielen** giocare [dʒo-] a carte
Kartei *f* cartoteca; ~**karte** *f* scheda [sk-]
Kartoffel *f* patata; ~**brei** *m*, ~**mus** *n* purè *m* di

patate; ~**klöße** *m/pl* gnocchi [-ki] di patate; ~**salat** *m* insalata *f* di patate; ~**suppe** *f* minestra di patate
Karton *m* (*Pappe*) cartone; (*Schachtel*) scàtola *f*
Karussell *n* carosello *m*
Karwoche *f* settimana santa
Käse *m* formaggio [-dʒo]; ~**kuchen** *m* schiacciata [skiat-tʃa-] *f* di formaggio [-dʒo]
Kaserne *f* caserma
Kasino *n* casinò *m*
Kaskoversicherung *f* assicurazione di corpi automòbili
Kasse *f* cassa
Kassen|anweisung *f* buono *m* di cassa; ~**arzt** *m* mèdico della cassa malati; ~**zettel** *m* scontrino
Kasserolle *f* casseruola
Kassette *f* cassetta; ~**nfilm** *m* pellicola *f* a caricatore
kassier|en incassare; 2**er** (~**in** *f*) *m* cassiere *m*, cassiera *f*
Kastanie *f* castagna [-ɲa]; *Baum:* castagno [-ɲo] *m*
Kästchen *n* cassetta *f*
Kasten *m* cassa *f*; cassettone *m*
Katalog *m* catàlogo *m*
Katarrh *m* catarro
Katastrophe *f* catàstrofe
Kater *m* gatto; F *fig* malèssere (dopo una sbornia)
Kathe|der *n* càttedra *f*; ~**drale** *f* cattedrale; ~**ter** *m* sonda *f*

katholisch cattòlico

Kattun m cotone

Katze f gatto m; gatta

kauen masticare

Kauf m compra f; ♀en comprare

Käufer m compratore

Kauf|haus n grande magazzino m; ♀mann m commerciante [-tʃa-]; ♀preis m prezzo d'acquisto; ♀vertrag m contratto di compra

Kaugummi m gomma f da masticare

kaum appena

Kautabak m tabacco da masticare

Kaution f cauzione

Kaviar m caviale

keck ardito

Kegel m Math cono; (Spiel-♀) birillo; ♀bahn f pallottolaio; ♀n giocare [dʒo-] ai birilli

Kehl|e f gola; ♀kopf m laringe [-dʒe] f

Kehr|e f (Kurve) svolta [zv-]; ♀en (fegen) spazzare; s **umkehren**; ♀icht m spazzatura f; ♀seite f rovescio [-ʃo] m

Keil m cùneo; Kl gherone [g-]

Keiler m cinghiale [tʃing-]

keil|förmig cuneiforme; ♀kissen n traversino m; ♀riemen m cinghia [tʃingia] f trapezoidale

Keim m germe [dʒ-]; ♀en germinare [dʒ-]; ♀frei sterilizzato

kein nessuno; **ich habe** ~

... non ho ...; ~ **bißchen** nemmeno un pochino [-k-]; ~e **Ursache**! non c'è [tʃe] di che [ke]!; ~er s **niemand**; vgl Fall; ~esfalls, ~eswegs in nessun caso (od modo)

Keks m biscotto

Kelle f (Maurer♀) cazzuola; (Löffel) méstola

Keller m cantina f

Kellner m cameriere; ~in f cameriera

Kelter f torchio [-k-] m; ♀n Wein: pigiare [-dʒa-]

kennen conóscere [-ʃ-]; sich ~ conóscersi [-ʃ-]; ~lernen conóscere [-ʃ-]

Kenner m conoscitore [-ʃ-]

Kenntnis f (von et.) conoscenza [-ʃ-] (di qc.);

♀se pl nozioni f/pl

Kennzeich|en n contrassegno [-ɲo] m; ♀nen contrassegnare [-ɲ-]

kentern capovòlgersi [-dʒ-]

Keramik f ceràmica [tʃ-]

Kerbe f tacca

Kerl m tipo; soggetto [-dʒ-]

Kern m nòcciolo [-tʃo-] (a fig); (Obst♀) seme; ♀energie f energía [-dʒ-] nucleare; ♀gesund sano come un pesce [-ʃe] nell'acqua; ♀kraftwerk n centrale [tʃ-] f nucleare

Kerze f candela

Kerzenhalter m portacandela

Kessel m paiolo; caldaia f; (Senke) vallata f; ~stein m incrostazione f della caldaia

Ketchup m ketchup
Kette f catena
Ketten|glied n anello ~ di catena; **~raucher** m fumatore a ripetizione
keuch|en ansare; **2husten** m tosse f canina
Keule f clava; *Kochk* coscia [-fa]
keusch casto
kichern ridere sommesso
Kickstarter m avviatore a pedale
Kiebitz m *Zo* pavoncella [-tʃ-] f; **2en** stare a guardare
Kiefer¹ m mascella [-f-] f
Kiefer² f pino m selvàtico
Kiel m *Mar* chiglia [ki:ʎa] f
Kiemen f/pl branchie [-k-]
Kies m ghiaia [g-] f
Kilo(gramm) n chilo (-grammo) [k-] m
Kilometer m chilòmetro [k-]; **~stein** m pietra f chilomètrica [k-]; **~zähler** m contachilòmetri [k-]
Kilowattstunde f chilowatt-ora [k-] f
Kind n fanciullo [-tʃu-] m, -a f; (*Sohn*) figlio [-ʎo] m; (*Tochter*) figlia [-ʎa] f; **für ~er** per (i) bambini
Kinder|arzt m pediatra, **~bett** n letto m da bambino; **~ermäßigung** f riduzione per bambini; **~fahrschein** m biglietto [-ʎe-] per bambini; **~garten** m giardino [dʒa-] d'infanzia; **~heim** n asilo m infantile; **~lähmung** f po-

liomielite; **2los** senza prole; **~mädchen** n bambinaia f; **~vorstellung** f rappresentazione per i bambini; **~wagen** m carrozzella f; **~zimmer** n stanza f dei bambini
Kind|heit f infanzia; **2isch** bambinesco; **2lich** infantile
Kinn n mento m; **~haken** m gancio [-tʃo] al mento
Kino n cinema [tʃ-] m, F cine [tʃ-] m
Kiosk m chiosco [k-]
kippen v/t far traboccare; v/i pèrdere l'equilibrio
Kirche f chiesa [k-]
Kirchen|chor m coro parrocchiale [-k-]; **~diener** m sagrestano; **~steuer** f imposta ecclesiàstica
kirch|lich ecclesiàstico; **2turm** m campanile
Kirsch|baum m ciliegio [tʃiʎe:dʒo]; **~e** f ciliegia [tʃiʎe:dʒa]; **~kuchen** m torta f di ciliege [tʃiʎe:dʒe]; **~likör** m maraschino [-sk-]; **~saft** m succo di ciliege [tʃiʎe:dʒe]
Kissen n cuscino [-ʃ-] m; (*Kopf2*) guanciale [-tʃa-] m; **~bezug** m fèdera f
Kiste f cassa; F (*Auto*) carcassa
Kitsch m robaccia [-tʃa]
Kitt m màstice [-tʃe]
Kittel m càmice [-tʃe]
kitten immasticare
kitz|eln solleticare; **prüdere**; **~lig** sensibile al sollético

Klage 362

Klage f lagnanza [-ɲ-]; *jur* querela; ♀n (*j-m A*) lagnarsi (di qc. con qu.); (**gegen** *A*) dar querela (a)

Kläg|er m querelante; ♀lich lamentévole

Klammer f grappa; fermaglio [-λo] m; ♀n: **sich** ♀n **an** (*A*) aggrapparsi a

Klang m suono

Klapp|bett n letto m pieghévole [-g-]; ♪e f válvola; ♀en: **es ♀t** (**nicht**) (non) funziona; ♀ern sonare; ♪sitz m strapuntino; ♪tisch m tàvola f a ribalta

Klaps m scappellotto

klar *Wasser*: límpido; *Luft, Himmel*: sereno; (*verständlich*) chiaro [k-]

klären chiarire [k-]

Klarheit f chiarezza [k-]

Klarinette f clarinetto n

Klasse f classe; ♪nzimmer n aula f

klassisch clàssico

Klatsch m pettegolezzo; ♀en (*Regen*) scrosciare [-ʃa-]; (**über** *A*) chiacchierare [kiak-] (su); **Beifall** ♀en applaudire

Klaue f granfia

klauen *F* rubare

Klavier n pianoforte m; ♪konzert n concerto [-tʃ-] m per pianoforte

kleb|en *v/t* attaccare; *v/i* (*haften*) attaccarsi; ♀e-**streifen** m nastro adesivo; ♪rig viscoso; ♀stoff m adesivo

Klee m trifoglio [-λo]

Kleid n vestito m, àbito m

Kleider|bügel m gruccia [-tʃa] f; ♪haken m attaccapanni; ♪schrank m armadio dei vestiti

kleid|sam che [ke] sta bene; ♀ung f àbito m; vestiario m

klein piccolo; ♀bildkamera f microcàmera; ♀geld n spiccioli [-tʃo-] m/pl; ♀igkeit f piccolezza; ♀kind n bambino m piccolo; ♀kunstbühne f teatro m di varietà; ♪laut mogio [-dʒo]; ♪lich gretto; ♀stadt f cittadina [tʃ-]

Kleister m pasta f, colla f

Klemm|e f morsetto m; *fig* **in der ♪e sitzen** èssere nell'impiccio [-tʃo]; ♀en serrare; stringere [-dʒ-]

Klempner m lattoniere

Klette f làppola

kletter|n arrampicarsi su; ♀pflanze f rampicante

Klima n clima m; ♪anlage f impianto m di condizionamento dell'aria; ♀tisch climàtico; ♪wechsel m cambiamento del clima

Klimmzug m flessione f

klimpern strimpellare

Klinge f lama

Klingel f campanello m; ♪knopf m bottone del campanello

kling|eln sonare; **es ♪elt** suona; ♪en sonare

Klinik f clinica

Klinke f saliscendi [-ʃ-]

Klippe f scoglio [-λo] m

klirren tintinnare
Klistier n clistere m
klopfen bàttere (a e-n Teppich u vom Motor); an die Tür ~ bussare alla porta; es klopft bùssano (alla porta)
Klops m polpetta f
Klosett n gabinetto m; ~bürste f spàzzola del gabinetto; ~papier n s Toilettenpapier
Kloster n convento m
Klotz m ceppo [tʃ-]
Klub m circolo [tʃ-], club
Kluft f crepaccio [-tʃo] m; abisso m; F (Anzug) divisa f
klug intelligente [-dʒ-]; ℒheit f intelligenza [-dʒ-]
Klumpen m ammasso
knabbern spilluzzicare (an et. qc.)
Knabe m ragazzo
knack|en v/t Nüsse: schiacciare [skiat-tʃa-]; Auto: scassinare; v/i scricchiolare [-k-]; ℒwurst f salsicciotto [-tʃo-] m
Knall m detonazione f; ℒen detonare
knapp (spärlich) scarso; (eng) stretto; die Zeit ist ~ manca il tempo
knarren scricchiolare [-k-]
knattern crepitare
Knäuel m gomitolo
kneif|en v/t pizzicare; v/i svignàrsela [zviɲ-]; ℒzange f tenaglie [-ʎe] f/pl
Kneipe f birreria
Kneippkur f cura idroterapèutica

kneten impastare
Knick n piega f; ℒen piegare
Knie n ginocchio [dʒinok-kio] m; ~beuge f flessione delle gambe; ℒfrei Rock: di mezza lunghezza [-g-]
knien inginocchiarsi [-dʒinok-ki-]
Knie|scheibe f rotella; ~strümpfe m/pl calze f/pl lunghe [-ge]
Kniff m piega f; fig trucco
knipsen Fahrkarte: (per-)forare; Fot fotografare
knirschen scricchiolare [-k-]; mit den Zähnen ~ digrignare [-ɲ-] i denti
knistern crepitare
knitter|frei ingualcibile [-tʃ-]; ~n sgualcire [zgualtʃ-]
Knoblauch m aglio [a:ʎo]
Knöchel m (Fuß℈) noce [-tʃe] f (del piede); (Hand℈) nocca f
Knochen m osso; ~bruch m frattura f òssea; ~mark n midollo m
Knödel m gnocco [ɲ-]
Knolle f Bot bulbo m
Knopf m bottone; ~loch n occhiello [-k-] m
Knorpel m cartilàgine [-dʒ-] f
Knospe f boccio [-tʃo] m
Knoten m nodo; ~punkt m (Verkehrs℈) crocicchio [-tʃik-]
knüpfen legare; fig stringere [-dʒ-]
Knüppel m manganello;

(*Schalt2, Steuer2*) leva *f* di comando

knurren (*Hund*) ringhiare [-g-]; (*Magen*) brontolare

knusprig croccante

Koch *m* cuoco; **~buch** *n* libro *m* di cucina [-tʃ-]; **2en** *v/t* cuòcere [-tʃ-]; *v/i* (*sieden*) bollire; (*zubereiten*) cucinare [-tʃ-]; **~er** *m* fornello; **2fest** *Wäsche*: resistente alla bollitura; **~geschirr** *n* vasellame *m* da cucina [-tʃ-]

Köchin *f* cuoca

Koch|nische *f* cucinetta [-tʃ-]; **~topf** *m* pèntola *f*

Köder *m* esca *f*

Koffer *m* baule; (*Hand2*) valigia [-dʒa] *f*; **~radio** *n* radio *f* portàtile; **~raum** *m* Kfz baule, portabagagli [-ʎi]

Kognak *m* cognàc [-ɲ-]

Kohl *m* càvolo

Kohle *f* carbone *m*; **~säure** *f* àcido [-tʃ-] carbònico; **~papier** *n* carta *f* carbone

Kohlrabi *m* càvolo rapa

Koje *f* cabina

kokett civettuolo [tʃ-]; **~ieren** civettare [tʃ-]

Kokosnuß *f* cocco *m*

Koks *m* coke

Kolben *m* Tech pistone; **~ring** *m* anello del pistone

Kolik *f* còlica

Kolleg|e *m*, **~in** *f* collega *su*

Kollekte *f* colletta

Kölnischwasser *n* acqua *f* di Colonia

Kolonie *f* colònia

Kolonne *f* colonna

Kombi|nation *f* combinazione; **~wagen** *m* giardinetta [dʒa-] *f*

Komfort *m* comodità *f|pl*; **2abel** con tutti i còmodi

Komi|ker *m*, **2sch** còmico

Komma *n* virgola *f*

Kommando *n* comando *m*; **~brücke** *f* ponte *m* di comando

kommen venire; (*an~*) arrivare; **~ lassen** far venire; **komm!** vieni!

Kommentar *m* commento

Kommissar *m* commissario

Kommode *f* cassettone *m*

Kommun|albehörde *f* autorità municipale [-tʃ-]; **~ismus** *m* comunismo [-zmo]; **2istisch** comunista

Komödie *f* commedia

Kompanie *f* compagnìa [-ɲ-]

Kompetenz *f* competenza

komplett completo

Kompli|kation *f* complicazione; **~ment** *n* complimento *m*; **2ziert** complicato

Kom|ponist *m* compositore; **~pott** *n* composta *f*; **~presse** *f* compressa; **~pressor** *m* compressore; **~promiß** *n* compromesso

Kon|densmilch *f* latte *m* condensato; **~dition** *f* Sp condizione; **~ditorei** *f* pasticcerìa [-tʃ-]; **2do-**

lieren fare le condoglianze [-ʎa-]; **~fekt** n confetto m; **~fektion** f confezione; **~ferenz** f conferenza; **~fession** f confessione; **~firmation** f confermazione; **~fitüre** f confettura; **~flikt** m conflitto

Kongreß m congresso; **~teilnehmer** m congressista

König m re; **~in** f regina [-dʒ-]; **~lich** reale; **~reich** n regno [-ŋo]

Konjunktur f congiuntura [-dʒu-]

Konkurrenz f concorrenza; **~los** senza concorrenza

können potere; (*wissen*) sapere; **(es) kann sein** può darsi

konser|vativ conservatore; **~ve** f conserva; **~vieren** conservare

Konsole f mènsola

konstru|ieren costruire; **~ktion** f costruzione

Konsul m cónsole; **~at** n consolato m

Konsum|genossenschaft f cooperativa di consumo; **~güter** n/pl beni m/pl di consumo

Kon|takt m contatto; **~tinent** m continente; **~tingent** n contingente [-dʒ-] m; **~to** n conto m; **~toinhaber** m titolare d'un conto; **~tor** n ufficio [-tʃo] m; **~toristin** f impiegata di commercio [-tʃo]; **~trast** m contrasto

Kontrollabschnitt m scontrino di controllo

Kontroll|lampe f, **~leuchte** f làmpada di segnalazione [-ŋ-]

Kontroll|e f controllo m; **~eur** m controllore; **~ieren** controllare; **~karte** f contromarca; **~punkt** m punto di controllo

kon|ventionell convenzionale; **~versation** f conversazione; **~vertierbar** *Währung:* convertibile; **~zentrationslager** n campo m di concentramento [-tʃ-]; **~zentrieren** concentrare; **~zern** m consorzio

Konzert n concerto [-tʃ-] m; **~saal** m sala f da concerto [-tʃ-]

Konzession f concessione [-tʃ-]

Kopf m testa f, capo; **~hörer** m cuffia f; **~kissen** n guanciale [-tʃa-]; **~massage** f frizione; **~salat** m insalata f di lattuga; **~schmerzen** m/pl mal m di testa; **~sprung** m tuffo; **~stand** m posizione f in verticale sulla testa; **~tuch** n panno m da testa; **~über** a capo fitto; **~wäsche** f lavaggio [-dʒo] m della testa

Kopie f còpia; **~ren** copiare

Kopierstift m lapis copiativo

Kopilot m copilota

Koralle f corallo m

Korb m cesto [tʃ-]; **~ball** m

pallacanestro; **~flasche** *f* fiasco *m*

Korken *m* tappo; **~zieher** *m* cavatappi

Korn *n* grano *m*; (*Visier*) mirino *m*; **~(branntwein)** *m* acquavite *f* di grano; **~feld** *n* campo *m* di grano

körnig granuloso

Körper *m* corpo; **~behinderte(r)** *m* impedito; **2lich** corporale, fisico; **~pflege** *f* cura personale; **~schaft** *f* corporazione

Korrespondent *m* corrispondente

Korridor *m* corridoio

korrigieren corrèggere [-dʒ-]

Korsett *n* busto *m*

Kosmetik *f* cosmètica [-zm-]; **~erin** *f* specialista [-tʃa-] cosmètica [-zm-]; **~salon** *m* istituto di bellezza

Kost *f* vitto *m*

kostbar prezioso

kost|en *v/t* provare; *v/i* (*wert sein*) costare; valere; was **~et** ...? quanto costa ...?; 2en *pl* spese *f/pl*; **~enlos** gratùito

köstlich delizioso

Kost|probe *f* degustazione; **2spielig** costoso

Kostüm *n* costume *m*

Kot *m* escrementi *m/pl*

Kotelett *n* co(s)toletta *f*

Kotflügel *m* parafango

Krabbe *f* granchiolino [-k-] *m*

Krach *m* (*Lärm*) fragore;

(*Streit*) scenata [ʃ-] *f*; **~machen** fare chiasso [k-];

2en fare un gran fracasso

krächzen gracchiare [-k-]

Kraft *f* forza

Kraftfahr|er *m* autista; **~zeug** *n* automezzo *m*; **~zeugversicherung** *f* assicurazione automobilistica

kräftig forte, robusto

kraft|los spossato; **2post** *f* (*Auto*) autocorriera; 2stoff *m* carburante; 2wagen *m* automòbile *f*; 2werk *n* centrale [tʃ-] *f* elèttrica

Kragen *m* colletto; **~weite** *f* misura del collo

Krähe *f* cornacchia [-k-]

krähen cantare

Kralle *f* artiglio [-ʎo] *m*, granfia

Kram *m* (*Zeug*) robaccia [-tʃa]

Krampf *m* crampo; **~adern** *f/pl* varici [-tʃi]; 2haft convulsivo

Kran *m* gru *f*

krank (am)malato; **~ sein** èssere malato; **~ werden** ammalarsi

kränken offèndere

Kranken|auto *n s* Krankenwagen; **~besuch** *m* visita *f* (al malato); **~fahrstuhl** *m s* Rollstuhl; **~haus** *n* ospedale *m*; **~kasse** *f* cassa malati; *F* mùtua; **~pfleger** *m* infermiere; **~schein** *m* certificato [tʃ-] di malattia; **~schwester** *f* infermiera;

~versicherung f assicurazione malattie; ~wagen m ambulanza f

Krank|e(r) m/f malato m, malata f; 2haft morboso; ~heit f malattia

kränklich malaticcio [-tʃo]

Kranz m corona f

Krapfen m bombolone

kraß forte, spinto

Krätze f scabbia

kratz|en grattare; sich ~en grattarsi; 2wunde f graffiatura

kraulen v/t grattare dolcemente [-tʃ-]; v/i nuotare a crawl

kraus crespo

Kraut n erba f

Kräuter|likör m liquore di erbe aromàtiche [-ke]; ~tee m infusione f di erbe

Krawall m putiferio

Krawatte f cravatta

Krebs m gàmbero; Med cancro

Kredit m crédito; ~brief m lèttera f di crédito

Kreide f creta; gesso [dʒ-] m

Kreis m cerchio [tʃerkio]; (Gruppe) circolo [tʃ-]; (Land2) distretto

kreischen stridere

Kreis|el m tròttola f; 2en girare [dʒ-]; 2förmig circolare [tʃ-]; ~lauf m [dʒ-]; Med circolazione [tʃ-] f; ~laufstörungen f/pl disturbi m/pl circolatori [tʃ-]; ~säge f sega circolare [tʃ-]; ~stadt f capo-

luogo m distrettuale; ~verkehr m tràffico circolare [tʃ-]

Krem f s Creme

Krematorium n crematorio m

krepieren crepare; s explodieren

Kreppapier n carta f crespata

Kreuz n croce [-tʃe] f; 2 und quer in tutti i sensi; 2en incrociare [-tʃa-]; sich 2en incrociarsi [-tʃa-]; ~er m incrociatore [-tʃa-]; ~fahrt f crociera [-tʃɛ-]; ~otter f vipera comune; ~schmerzen f/pl mal m di reni; ~ung f incrocio [-tʃo] m; (Züchtung) incrociamento [-tʃa-] m; ~worträtsel n parole f/pl incrociate [-tʃa-]

kriech|en strisciare [-ʃa-]; 2spur f (Autobahn) corsia a bassa velocità [-tʃ-]

Krieg m guerra f

kriegen f s bekommen

Kriegs|beschädigte(r) m mutilato di guerra; ~gefangene(r) m prigioniero [-dʒo-] di guerra; ~schiff n nave f da guerra; ~verbrecher m, criminale di guerra

Krimi F m s Kriminalfilm, -roman

Kriminal|beamte(r) m agente [-dʒ-] della polizia criminale; ~film m film giallo [dʒa-] m; ~polizei f

polizia criminale; ~roman
m romanzo giallo [dʒa-]
kriminell criminale
Krise *f* crisi
Kristall¹ *m*, ~² *n* cristallo *m*
Kritik *f* critica; ~er *m*
critico
kritisch critico
Krokodil *n* coccodrillo *m*
Kron|e *f* corona (*a Zahn*²);
~leuchter *m* lumiera *f*
Kropf *m* gozzo
Kröte *f* rospo *m*
Krücke *f* gruccia [-tʃa]; auf
~n con le grucce [-tʃe]
Krug *m* brocca *f*
krumm curvo; storto
krümmen curvare; sich ~
tòrcersi [-tʃ-]
Krüppel *m* storpio
Kruste *f* crosta
Kruzifix *n* crocefisso [-tʃ-] *m*
Kübel *m* bigoncia [-tʃa] *f*
Kubikmeter *m* metro cù-
bico
Küche *f* cucina [-tʃ-];
kalte ~ piatto *m* freddo
Kuchen *m* dolce [-tʃe];
(*Torte*) torta *f*
Küchen|geschirr *n* stovi-
glie [-ʎe] *f*/*pl*; ~schrank *m*
dispensa *f*
Kuckuck *m* cùculo
Kugel *f* palla; (*Geschoß*)
pallòttola; ²förmig globu-
lare; ~lager *n* cuscinetto
[-ʃ-] *m* a sfere; ~schrei-
ber *m* penna *f* a sfera;
~stoßen *n* lancio [-tʃo] *m*
del peso
Kuh *f* vacca
kühl fresco; ~en rinfre-

scare; refrigerare [-dʒ-];
²er *m* radiatore; ²schrank
m frigorifero; ²wasser *n*
acqua *f* di raffreddamento
kühn ardito
Küken *n* pulcino [-tʃ-] *m*
Kultur *f* cultura; civiltà
[tʃ-]; ~film *m* documen-
tario
Kümmel *m* comino;
(*Schnaps*) liquore al comino
Kummer *m* dolore
kümmern: sich ~ um (*A*)
occuparsi di qc.; curarsi di
qu.
Kunde *m* cliente
Kundendienst *m* servizio
clientela [zione]
Kundgebung *f* dimostra-
kündig|en (*D*) licenziare
[-tʃ-] (qu.); ²ung *f* licenziamento [-tʃ-] *m*; ²ungs-
frist *f* tèrmine *m* di disdetta [-zd-]
Kund|in *f* cliente; ~schaft *f*
clientela
Kunst *f* arte; ~ausstellung
f esposizione artistica; ~-
dünger *m* fertilizzanti
m/*pl*; ~faser *f* fibra sintètica; ~gewerbe *n* arte *f*
industriale; ~handlung *f*
negozio *m* d'oggetti [-dʒ-]
d'arte; ~leder *n* cuoio *m*
artificiale [-tʃa-]
Künst|ler(in *f*) *m* artista
su; ²lich artificiale [-tʃa-]
Kunst|sammlung *f* colle-
zione di òpere d'arte; ~-
seide *f* seta artificiale
[-tʃa-]; ~stoff *m* materia *f*

plàstic; ~stück n gioco [dʒo-] m di destrezza; ǫvoll artistico; ~werk n òpera f d'arte

kunterbunt alla rinfusa

Kupfer n rame m; ~stich m incisione [-tʃ-] f (in rame)

Kupon m tagliando [-ʎa-]

Kuppel f cùpola

Kupplung f frizione

Kur f cura

Kür f scelta [ʃ-] líbera

Kurarzt m mèdico di uno stabilimento termale

Kurbel f manovella; ~welle f àlbero a manovella

Kürbis m zucca f

Kur|gast m forestiero; ~ort m luogo di cura; ~park m parco del luogo di cura

Kurs m corso; Mar rotta f; Hdl cambio; ~buch n orario m ferroviario

Kürschner m pellicciaio [-tʃa-]

Kursus m corso

Kurswagen m vagone diretto

Kurtaxe f tassa di soggiorno [-dʒo-]

Kurve f curva

Kurverwaltung f azienda di cura e soggiorno [-dʒo-]

kurz räumlich: corto; zeitlich: breve; vor ~em poco fa; ~ vor ... a pochi [-ki] chilòmetri [k-] da ...; ǫarbeit f lavoro m a orario ridotto; ~ärmelig dalle màniche [-ke] corte

kürzen accorciare [-tʃa-]

Kurz|film m cortometraggio [-dʒo]; ǫfristig a breve scadenza; ~geschichte f storiella; ~schluß m corto circùito [tʃ-]; ǫsichtig miope; ~welle f onda corta

Kusine f cugina [-dʒ-]

Kuß m bacio [-tʃo]

küssen baciare [-tʃa-]

Küste f costa; ~nstraße f strada costiera

Kutsche f carrozza; ~r m cocchiere [-k-]

Kutte f tònaca

L

Labor n laboratorio m; ~ant(in f) m assistente su di laboratorio

lächeln sorridere; ǫ n sorriso m

lachen (über A) rídere (di)

lächerlich ridicolo

Lachs m salmone; ~schinken m filetto di maiale affumicato

Lack m vernice [-tʃe] f;

lacca f; ǫieren (in)verniciare [-tʃa-]; ǫiererei f officina [-tʃ-] del verniciatore [-tʃa-]; ~leder n cuoio m verniciato [-tʃa-]

laden caricare; s auf-, einladen

Laden m negozio; ~hüter m fondo di magazzino; ~schluß m ora f di chiusura [k-]; ~tisch m banco

Lade|rampe f rampa di
càrico; **~raum** m stiva f
Ladung f càrico m; El, mil
càrica
Lage f posizione, situa-
zione; (Schicht) strato m;
nicht in der **~** sein non
èssere in grado di; eine **~**
ausgeben pagare una por-
tata (di)
Lager n campo m; Hdl
depòsito m; Tech cusci-
netto [-ʃ-] m; **~feuer** n
fuoco m da campo; 2n v/t
méttere in depòsito; v/i
riposare
Lagune f laguna
lahm storpio; zoppo
lähm|en paralizzare; 2ung
f paràlisi
Laie m profano; **~nspiel-
gruppe** f compagnia [-ɲ-]
di filodrammàtici [-tʃi]
Laken n lenzuolo
Lamm n agnello [-ɲ-]; **~
braten** m arrosto d'agnello [-ɲ-]
Lampe f làmpada
Lampen|fieber n febbre f
della ribalta; **~schirm** m
paralume
Land n (Ggs Wasser) terra
f; Geogr paese m; (Ggs
Stadt) campagna [-ɲa] f;
an **~** gehen sbarcare [zb-]
Lande|bahn f pista d'at-
terràggio [-dʒo]; 2n Mar
sbarcare [zb-], approdare;
Flgw atterrare
Landenge f istmo m
Länder|kampf m, **~spiel** n
incontro m internazionale

Land|gut n podere m; **~
haus** n villa f; **~karte** f
carta geogràfica [dʒ-]
ländlich campestre
Land|schaft f paesaggio
[-dʒo] m; **~smann** m compatriota; **~straße** f strada
maestra; **~streicher** m
vagabondo; **~ung** f sbarco
[zb-] m; Flgw atterràggio
[-dʒo] m; **~ungssteg** m
passerella f; **~weg** m: auf
dem **~weg(e)** per terra
Landwirt m agricoltore;
~schaft f agricoltura; 2-
schaftlich agrario
lang lungo; zwei Wochen
~ per due settimane; **~**
adv a lungo; seit **~em** da
molto tempo
Länge f lunghezza [-g-];
zeitlich: durata; 2r più
lungo; zeitlich: più tempo
Langeweile f noia
lang|fristig a lungo tèr-
mine; **~haarig** dai capelli
lunghi [-gi]; **~jährig** vecchio [-k-]
läng|lich oblungo; **~s** (G)
lungo (acc)
langsam lento; adv adagio
[-dʒo]
Lang|schläfer m dormi-
glione [-ʎo-]; **~spielplatte**
f disco m microscolco
längst da gran tempo
Languste f aragosta
langweil|en annoiare;
sich **~en** annoiarsi; **~ig**
noioso
Lang|welle f onda lunga;
2wierig lungo

Lappen m cencio [tʃentʃo]
Lärche f làrice [-tʃe] m
Lärm m rumore; **en** strepitare
Larve f Zo larva
lassen (zu, dulden) lasciare [-ʃa-]; (veran) fare; (aufhören) sméttere [zm-]; (ver-lassen) abbandonare
lässig indolente
Last f càrico m; **auto** n s
Last(kraft)wagen; **en-aufzug** m montacàrichi [-ki]
Laster n vizio m
lästern dir male di
lästig noioso; molesto
Last|kahn m barcone; **-(kraft)wagen** m autocarro
lateinisch latino
Laterne f lanterna; (Straßen) lampione m; **n-pfahl** m palo della luce [-tʃe]
Latte f assicella [-tʃ-]
lau tièpido
Laub n fogliame [-ʎa-] m; **baum** m àlbero frondìfero
Laube f pèrgola
lauern (auf A) aspettare in agguato (qc.)
Lauf m corsa f; (Ver) corso; (Gewehr) canna f; **im e** (G) nel corso di; **bahn** f Astr òrbita; (Karriere) carriera; **en** (rennen) córrere; (gehen) camminare; Film: èssere in programma; Maschine: èssere in movimento; Faß: colare; **end** corrente;

lassen lasciare [-ʃa-] andare
Läufer m Sp corridore; (Schach) alfiere; (Fußball) mediano; (Teppich) guida f
Lauf|gitter n gabbia f; **masche** f smagliatura [zmaʎa-]
Lauge f lisciva [-ʃ-]
Laune f umore m; **gute (schlechte) haben** avere buon (cattivo) umore; **n-haft** lunàtico
Laus f pidocchio [-k-] m
lauschen (D) ascoltare (qc.)
laut Stimme: alto; (lärmend) rumoroso; adv forte; **Laut** m suono; **en** (Text) dire, èssere
läuten sonare
laut|los silenzioso; **spre-cher** m altoparlante; **stärke** f intensità del suono
lauwarm tièpido
lava f lava
Lawine f valanga; **nge-fahr** f pericolo m di valanghe [ge-gal]
leb|en vìvere; ** wohl!** addìo!; **en** n vita f; **en-dig** vivo
Lebens|gefahr f pericolo m di vita; **haltungs-kosten** pl costo m della vita; **länglich** vitalìzio; jur a vita; **lauf** m curriculum m vitae
Lebensmittel n/pl gèneri [dʒ-] m/pl alimentari; **ge-schäft** n negozio m di gèneri [dʒ-] alimentari;

Lebensmittelvergiftung — 372

~vergiftung f intossicazione alimentare

lebens|müde stanco di vivere; **standard** m tenore di vita; **unterhalt** m sostentamento; **versicherung** f assicurazione sulla vita; **wandel** m condotta f

Leber f fegato m; **~leiden** n malattia f del fegato; **~wurst** f salsiccia [-tʃa] di fegato

Lebewesen n èssere m vivente

lebhaft vivace [-tʃe]

Lebkuchen m panforte

leblos esànime

leck: ~ **sein** pèrdere acqua

lecken v/t leccare

lecker ghiotto [g-]; squisito; **bissen** m leccornia f

Leder n cuoio m; pelle f; **~handschuhe** m/pl guanti di pelle; **~hose** f pantaloni m/pl di cuoio; **~jacke** f giacca [dʒa-] di pelle; **~waren** f/pl pelletterie

ledig Mann: cèlibe [tʃ-]; Frau: nùbile

leer vuoto; **~en** vuotare; **gewicht** n peso m vuoto; **lauf** m marcia [-tʃa] f a vuoto; **ung** f evacuazione; Postw levata

legal legale

legen méttere; porre; Leitung: installare; Eier: fare; **sich** ~ posarsi; (Wind) calmarsi

Legierung f lega

Lehm m argilla [-dʒ-] f

Lehn|e f spalliera; **en (an** D) appoggiare [-dʒa-] (a); **sich en (an** A) appoggiarsi [-dʒa-] (a); **~stuhl** m poltrona f

Lehr|buch n libro m di testo; **~e** f insegnamento [-ɲ-] m; (Ausbildung) tirocinio [-tʃ-] m; **en** insegnare [-ɲ-]; **~er(in** f) m maestro m, maestra f; **~gang** m corso; **~ling** m apprendista; **~stuhl** m càttedra f; **~zeit** f tirocinio [-tʃ-] m

Leib m corpo; (Bauch) ventre; **~binde** f panciera [-tʃe-]

Leibes|erziehung f educazione física; **~übungen** f/pl esercizi [-tʃ-] m/pl ginnàstici [-tʃi]; **~visitation** f perquisizione personale

leib|lich corporale; **schmerzen** m/pl dolore m di ventre; **wächter** m guardia f del corpo

Leiche f morto m

Leichen|halle f càmera mortuaria; **~wagen** m carro fùnebre

Leichnam m s Leiche

leicht legg(i)ero [-dʒe-]; (einfach) fàcile [-tʃ-]; **~e Musik** mùsica f leggera [-dʒ-]; **athletik** f atlètica leggera [-dʒ-]; **~fertig** sconsiderato; **gläubig** crédulo; **igkeit** f leggerezza [-dʒ-]; fig facilità [-tʃ-]; **metall** n metallo m leggero [-dʒ-]

Leichtsinn m leggerezza [-dʒ-] f; ℒig sconsiderato
leid: es tut mir ~ mi dispiace [-tʃe]; **er tut mir** ~ mi fa pietà; ℒ n dolore m; ~en soffrire (**an et.** di qc.); **nicht** ~**en können** non poter vedere; ℒ**en** n sofferenza f; Med male m; ~**end** sofferente
Leidenschaft f passione; ℒlich appassionato
leid|er puruoppo; ~lich sopportàbile; **die** ℒ**tra-genden** pl i dolenti
Leierkasten m organetto
Leih|bücherei f biblioteca circolante [tʃ-]; ℒen prestare; **sich** ℒen prèndere in prèstito; ~**gebühr** f tassa di noléggio [-dʒo]; ~**haus** n monte m di pietà; ~**wagen** m màcchina [-k-] a noléggio [-dʒo]; ℒ**weise** a prèstito
Leim m colla f
Lein m lino f; ~**e** f corda; ~**en** n tela f; ~**samen** m/pl semi di lino; ~**wand** f tela f; Film: schermo [sk-] m
leise basso; piano
Leiste f listello m
leisten fare; prestare; Widerstand: opporre; **sich** ~ permèttersi (di)
Leistenbruch m ernia f inguinale
Leistung f prestazione; Tech potenza; ~**szulage** f premio m di operosità
Leit|artikel m articolo di fondo; ℒ**en** dirigere [-dʒ-],

condurre (**a Betrieb**); ~**er¹** m direttore; Phys condut-tore; ~**er²** f scala (a pioli); ~**faden** m (Buch) guida f; ~**ung** f (Führung) direzione; Tel, El linea, filo m; ~**ungswasser** n acqua f potàbile
Lektion f lezione
Lektüre f lettura
lenken dirigere [-dʒ-]; guidare
Lenkrad n volante m
Lenk|stange f manubrio m; ~**ung** f direzione; Auto: guida
Lepra f lebbra
Lerche f allòdola
lernen imparare
lesbar leggibile [-dʒ-]
Lese|lampe f làmpada da lettura; ℒn lèggere [-dʒ-]; (sammeln) raccògliere [-ʃe-]; ~**r** m lettore; ℒr-lich leggibile [-dʒ-]; ~**zei-chen** n segnalibro [-ʒ-] m; ~**zimmer** n sala f di lettura
letzt ùltimo
Leucht|e f lume m; làm-pada; ℒen risplèndere; ℒend luminoso; ~**er** m candeliere; ~**gas** n gas m illuminante; ~**reklame** f pubblicità [-tʃ-] luminosa; ~**turm** m faro
leugnen negare
Leukämie f leucemia [-tʃ-]
Leumundszeugnis n certi-ficato [tʃ-] m di buona condotta
Leute pl gente [dʒ-] f/sg
Leutnant m sottotenente

Lexikon n enciclopedìa [-tʃ-] f; (Wörterbuch) dizionario m
liberal liberale
Licht n luce [-tʃe] f; lume m; bei ~ alla luce [-tʃe]; ~ machen accèndere [-tʃ-] la luce [-tʃe]; s Kerze; ~bild n fotografia f; ~bildervortrag m conferenza f con proiezioni; 2echt insensibile alla luce [-tʃe]; 2en Anker: levare; ... 2et sich ... si schiarisce [skiariʃ-ʃe]; ~hupe f fanale m òttico; ~maschine f dìnamo; ~stärke f Fot luminosità; ~ung f radura
lieb caro; am ~sten più volentieri di tutto; 2e f amore m; ~en amare; ich ~e dich ti voglio [-ʎo] bene
liebenswürdig gentile [dʒ-]; 2keit f gentilezza [dʒ-]
lieber adv piuttosto; ~ wollen preferire
Liebes|brief m lèttera f d'amore; ~kummer m pene f/pl d'amore; ~paar n coppia f d'amanti; ~roman m romanzo d'amore
lieb|evoll affettuoso; ~kosen (ac)carezzare; 2ling m favorito; ~los freddo; 2ste f, 2ste(r) m amore m
Lied n canzone f; 2erabend m serata f cantante; ~erbuch n canzoniere m
liederlich trascurato
Liefer|ant m fornitore; 2bar consegnàbile [-ɲ-];

~bedingungen f/pl condizioni di consegna [-ɲa]; ~frist f tèrmine m di consegna [-ɲa]; 2n fornire; consegnare [-ɲ-]; ~schein m bolletta f di consegna [-ɲa]; ~ung f fornitura; consegna [-ɲa]; ~wagen m furgone
Liege f ottomana; ~kur f cura di riposo
liegen giacere [dʒatʃ-]; (sich befinden) èssere, stare, trovarsi; (Stadt) èssere situato; fig an j-m ~ dipèndere da qu.; ~lassen dimenticare
Liege|stuhl m sedia f a sdraio [zd-]; ~terrasse f terrazza da riposo; ~wagen m carrozza f a cuccette [-tʃ-]; ~wiese f prato m per riposare
Lift m ascensore [-ʃ-]; ~boy m ascensorista [-ʃ-]
Likör m liquore; ~glas n bicchierino [-k-] m da liquore
lila lilla
Lilie f giglio [dʒi:ʎo] m
Limonade f limonata f
Linde f tiglio [-ʎo] m
lindern lenire; 2ung f lenimento m
Lineal n riga f
Linie f linea
Linien|bus m àutobus di linea; ~richter m guardalinee; ~schiffahrt f navigazione di linea; ~verkehr m servizio di linea
link sinistro; 2e f sinistra

links, nach ~ a sinistra; **von** ~ da sinistra; **Zabbieger** m chi [ki] svolta [zv-] a sinistra; **Zhänder** m mancino [-tʃ-]; **Zverkehr** m tráffico a sinistra

Linse f lenticchia [-k-]; *Phys* lente; **~nsuppe** f minestra di lenticchie [-k-]

Lippe f labbro m; **~n** pl le labbra; **~nstift** m rossetto

lispeln bisbigliare [-zbiʎa-]

List f astuzia

Liste f elenco m; lista

listig astuto

Liter n od m litro m

Literatur f letteratura

Litfaßsäule f colonna per avvisi pubblicitari [-tʃ-]

Lizenz f licenza [-tʃ-]

Lob n lode f; **Zen** lodare; **Zenswert** lodévole

Loch n buco m; foro m; **Zen** forare; bucare; **~er** m perforatore; **~karte** f scheda [sk-] perforata

locken allettare

Lockenwickel m bigodino

locker non fermo; allentato; **~n** allentare; **sich ~n** sciògliersi [ʃɔ:ʎe-]

lockig ricciuto [-tʃu-]

Lodenmantel m mantello di lana impermeàbile

Löffel m cucchiaio [-k-]; (*kleiner* ~) cucchiaino [-k-]

Loge f loggia [-dʒa]; *Thea* palco m

Logis n alloggio [-dʒo] m

logisch lógico [-dʒ-]

Lohn m ricompensa f; salario; paga f; **~büro** n

ufficio [-tʃo] m paghe [-ge]; **Zen: es Øt sich** (**nicht**) (non) vale la pena; **Zend** rimunerativo; **~erhöhung** f aumento m salariale; **~steuer** f imposta sui salari; **~steuerkarte** f cartella delle imposte sui salari

Lokal n ristorante m

Lokomotive f locomotiva

Lorbeerblatt n *Kochk* foglia [-ʎa] f d'alloro

Lore f vagone m scoperto

los sciolto [ʃɔ-]; **~!** su, via!; **was ist ~?** che c'è? [ke tʃe]

Los n lotto m; (*Schicksal*) sorte f

lösbar solùbile

losbinden slegare [zl-]

Lösch|blatt n carta sugante; **Zen** *Feuer*, *Licht*: spègnere [-ɲ-]; *Tonband*: cancellare [-tʃ-]; *Durst*: tògliersi [-ʎe-]

lose allentato m; (*unverpackt*) sciolto [ʃɔ-]

Lösegeld n riscatto m

losen tirare a sorte

lösen (*trennen*) sciògliere [ʃɔ:ʎe-]; *Fahrkarte*: prèndere; *Aufgabe*: risòlvere; *s* **auflösen**; **sich ~ (von** *D*) sciògliersi [ʃɔ:ʎe-] (da)

los|lassen lasciare [-ʃa-] andare; **~lösen**, **~machen** staccare; **~reißen** strappare; **sich ~reißen** staccarsi

Lösung f soluzione (*a Chem*)

loswerden liberarsi di

Lot n piombino m

löten 376

löt|en saldare; ⁰kolben *m* saldatoio; ⁰lampe *f* làmpada da saldatore

Lotse *m* pilota di porto; ~ndienst *m* pilotaggio [-dʒo]

Lötstelle *f* saldatura

Lotterie *f* lotteria

Lotto *n* lotto *m*; ~schein *m* scontrino del lotto

Löwe *m* leone

Lücke *f* lacuna

lücken|haft incompleto; ~los completo

Luft *f* aria; ⁰dicht ermètico; ~druck *m* pressione *f* atmosfèrica

lüften arieggiare [-dʒa-]

Luftfahrt *f* aviazione; ~gesellschaft *f* compagnia [-ɲ-] d'aviazione

Luft|fracht *f* trasporto *m* aèreo; ~gewehr *n* fucile [-tʃ-] *m* ad aria compressa; ~kissen *n* cuscino [-ʃ-] *m* pneumàtico; ~kissenfahrzeug *n* veìcolo *m* aeroslittante [-zl-]; ~krankheit *f* mal *m* d'aria; ~kühlung *f* raffreddamento *m* ad aria; ~kurort *m* stazione *f* climàtica; ⁰leer vuoto d'aria; ~linie *f* linea d'aria; ~loch *n* sacca *f* d'aria; ~matratze *f* materasso *m* pneumàtico;

~post *f* posta aèrea; ~~pumpe *f* pompa d'aria; ~taxi *n* tassi *m* aèreo

Lüftung *f* aerazione

Luft|veränderung *f* cambiamento *m* d'aria; ~verkehr *m* servizio aèreo; ~waffe *f* arma aeronàutica; ~weg *m*: auf dem ~weg(e) per via aèrea

Lüg|e *f* bugia [-dʒ-]; ⁰en mentire; ~ner *m* bugiardo [-dʒa-]

Luke *f* abbaino *m*; *Mar* boccaporto *m*

Lümmel *m* maleducato

Lump *m* mascalzone; ~en *m* cencio [tʃentʃo]

Lunge *f* polmone *m*

Lungen|entzündung *f* polmonite; ~tuberkulose *f* tubercolosi polmonare

Lupe *f* lente d'ingrandimento

Lust *f* voglia [-ʎa]; (keine) ~ haben zu (*D*) (non) avere voglia [-ʎa] di

lüstern lascivo [-ʃ-]

lustig allegro; sich ~ machen über (*A*) beffarsi di

Lustspiel *n* commèdia *f*

lutschen succhiare [-k-]

Luxus|hotel *n* albergo *m* di lusso; ~kabine *f* cabina di lusso

M

mach|en fare; **Platz ~en**
fare largo; **Bett ~en** rifare
il letto; **wieviel ~t es?**
quanto costa?; **das ~t
nichts** non importa

Macht f potenza; **~haber**
m potentato

mächtig potente; (*sehr
groß*) immenso

machtlos impotente

Mädchen n ragazza f;
~name m nome di ragazza

Mad|e f tarma; verme m;
~ig verminoso

Magazin n magazzino f

Magen m stòmaco; **~bitter**
m bitter; **~geschwür** n
ùlcera [-tʃ-] f gàstrica;
~schmerzen m/pl dolori di
stòmaco; **~tropfen** m/pl
gocce [-tʃe] f/pl per lo
stòmaco

mager magro; **Qmilch** f
latte m scremato

Magnet m magnete [-ɲ-]

Mäh|drescher m trebbia-
trice [-tʃe] f; **Qen** mietere

Mahl n pasto m; pranzo m

mahlen macinare [-tʃ-]

Mahlzeit f pasto m; **~!**
buon appetito!

Mähmaschine f mietitrice
[-tʃe]

Mähne f criniera

mahn|en avvisare; **Qung** f
avviso m

Mai m maggio [-dʒo]; **~-
feiertag** m festa f di maggio [-dʒo]; **~glöckchen** n

mughetto [-g-] m; **~käfer**
m maggiolino [-dʒo-]

Mais m mais, granturco

Majoran m maggiorana
[-dʒo-] f

makellos senza macchia
[-k-]　　　　　　　　(viso)

Make-up n trucco m (del
[-k-]

Makkaroni pl maccheroni
[-k-] m/pl

Makler m sensale

Makrele f sgombro [zɡ-] m

Makrone f amaretto m

mal s einmal; *Math* volte;
zwei ~ zwei due volte due

Mal n (*Zeichen*) segno [-ɲo]
m; **das nächste ~** la pròs-
sima volta

Malaria f malaria

mal|en dipingere [-dʒ-];
Qer(in f) m pittore m,
pittrice [-tʃe] f

Malz|bier n birra f di
malto; **~bonbon** m caramella f di malto; **~kaffee**
m caffè d'orzo

man: **~ sagt** si dice [-tʃe],
dicono; **kann ~ ...?** si può
...?; **~ muß** si deve

manch|e, ~er, ~es qual-
cuno; qualche [-ke]; **~e** pl
alcuni; **~mal** talvolta,
qualche [-ke] volta

Mandarine f mandarino m

Mandel f màndorla; *Anat*
tonsilla; **~entzündung** f
tonsillite

Manege f pista del circo
[tʃ-]

Mangel m mancanza f; (*Fehler*) difetto; 2haft difettoso; ~ware f merce [-tʃe] rara

Manieren f/pl maniere

Manikūre f manicure

Mann m uomo; (*Ehe*2) marito

Männchen n Zo maschio [-skio] m

Mannequin n manichino [-k-] m

Männer... in Zssgn ... da uomo

mannigfaltig vario

männlich maschio [-skio]; maschile [-sk-]

Mannschaft f equipaggio [-dʒo] m; Sp squadra

Manöver n manovra f

Mansardenzimmer n soffitta f

Manschette f polsino m; ~knopf m bottone di polsino

Mantel m cappotto; soprabito; (*Reifen*2) copertone

Mappe f cartella

Marathonlauf m maratona f

Märchen n fiaba f; ~buch n libro m di fiabe; 2haft favoloso

Marder m màrtora f

Margarine f margarina f

Marinade f marinata f

Marine f marina; 2blau blu marino

mariniert marinato

Mark¹ f (*Geld*) marco m

Mark² n midollo m

Marke f (*Fabrikat*) marca; s Briefmarke; ~nartikel m articolo di marca

markier|t *Weg*: segnato [-ɲ-]; 2ung f segnalètica)

Markise f tenda [-ɲ-])

Markt m mercato; ~halle f mercato m coperto; ~platz m piazza f del mercato; ~tag m giorno [dʒo-] di mercato

Marmelade f marmellata

Marmor m marmo

Marone f castagna [-ɲa]; marrone m

Marsch m marcia [-tʃa] f (a Mus); 2ieren marciare [-tʃa-]; ~route f itinerario m

Märtyrer m màrtire

März m marzo

Marzipan m marzapane m

Masche f maglia [-ʎa]; ~ndraht m filo a maglia [-ʎa]

Maschine f màcchina [-k-]

Maschinen|bau m costruzione f di màcchine [-k-]; ~gewehr n mitragliatrice [-ʎatri:tʃe] f; ~öl n olio m per lubrificare; ~pistole f pistola automàtica; ~raum m sala f delle màcchine [-k-]; ~schaden m guasto di màcchine [-k-]

maschineschreiben scrivere a màcchina [-k-]

Maschinist m macchinista [-k-]

Masern pl morbillo m

Mask|e f màschera [-sk-]; 2ieren mascherare [-sk-]

Maß¹ n misura f; nach ~ su misura

Maß² f boccale m

Massage f massaggio [-dʒo] m

Maßanzug m àbito su misura

Masse f massa; (*Menge*) quantità

Maßeinheit f unità di misura

Massen|artikel m artícolo di gran consumo; **~grab** n fossa f comune; **2haft** in gran quantità; **~kundgebung** f dimostrazione in massa; **~tourismus** m turismo in massa

Masseur m massaggiatore [-dʒa-]

maß|gebend, ~geblich competente; normativo; **~halten** moderarsi

massieren fare massaggi [-dʒi]

mäßig moderato; **~en** moderare; **sich ~en** moderarsi

maß|los smisurato [zm-]; **2nahme** f misura; **2stab** m misura f; *Geogr* scala f; **~voll** moderato

Mast m *Mar* àlbero

Mastdarm m (intestino) retto

mästen ingrassare

Masthühnchen n pollastro m ingrassato

Mater|ial n materiale m; **~ie** f matèria; **2iell** materiale

Mathematik f matemàtica

Matinee f mattinata

Matratze f materasso m

Matrose m marinaio

matt opaco (*a Fot*); *Farbe, Licht*: pàllido; (*kraftlos*) fiacco; (*Schach*) matto

Matte f stoia

Mattscheibe f vetro m opaco

Mauer f muro m

Maul n bocca f; muso m; **~beerbaum** m gelso [dʒ-]; **~esel** m mulo; **~korb** m museruola f; **~tier** m mulo m; **~wurf** m talpa f

Maurer m muratore

Maus f topo m; **~efalle** f tràppola per i topi

Mausoleum n mausolèo f

Mayonnaise f maionese

Mecha|nik f meccànica; **~niker** m meccànico; **~nisierung** f meccanizzazione; **~nismus** m meccanismo [-zmo]

meckern belare; *fig* F criticare

Medaill|e f medaglia [-λa]; **~engewinner** m vincitore [-tʃ-] di una medaglia [-λa]; **~on** n medaglione [-λo-] m

Medikament n medicamento m

Medizin f medicina [-tʃ-] (*a Arznei*); **2isch** mèdico

Meer n mare m; **~busen** m golfo; **~enge** f stretto m; **~rettich** m ràfano; **~schweinchen** m porcellino [-tʃ-] m d'India; **~wasser** n acqua f di mare

Mehl n farina f; **~speise** f dolce [-tʃe] m

mehr più; **immer** ~
sempre più; **nichts** ~ più
nulla; **noch** ~ ancora di
più; **um so** ~ tanto più;
~deutig ambiguo
mehrere parecchi(e) [-k-]
mehr|fach ripetuto; *adv*
più volte; **2gepäck** *n* bagaglio [-ʎo] *m* eccedente
[-tʃ-]; **2gewicht** *n* sovrap-
peso *m*; **2heit** *f* maggioranza [-dʒo-]; **2kosten** *pl*
spesa *f* addizionale; **~mals**
più volte; **~tägig** di più
giorni [dʒo-]; **2zahl** *f*
maggior [-dʒo:r] parte; *Gr*
plurale *m*; **2zweck...** in
Zssgn misto; a più usi
meiden evitare
Meile *f* miglio [-ʎo] *m*
mein, ~e (il) mio, (la) mia;
pl (i) miei, (le) mie
Meineid *m* giuramento
[dʒu-] falso
meinen intèndere; *(denken)*
pensare
meinetwegen per causa
mia
Meinung *f* opinione; **~s-
verschiedenheit** *f* diver-
genza [-dʒ-] d'opinioni
Meise *f* cincialiegra
[tʃintʃa-]
Meißel *m* scalpello
meist la maggior [-dʒo:r]
parte (di); **am ~en** di più,
il più; **~ens** per lo più
Meister *m* maestro; mastro;
Sp campione; **2haft** da
maestro; **~schaft** *f* mae-
stria; *Sp* campionato [-
~werk *n* capolavoro *m*

melden annunciare [-tʃa-];
(anzeigen) denunciare
[-tʃa-]; **sich** ~ presentarsi
Melde|pflicht *f* obbligo *m*
di notificare la propria
presenza; **2schein** *m* mòdulo di denuncia [-tʃa];
~schluß *m* tèrmine *m*
dell'iscrizione
Meldung *f* annuncio [-tʃo]
m; denuncia [-tʃa]
melken mùngere [-dʒ-]
Melodie *f* melodia
Melone *f* mellone *m*
Menge *f* quantità; *(Men-
schen2)* folla
Mensch *m* uomo
menschen|leer deserto;
2menge *f* folla; **~scheu**
timido; **~unwürdig** de-
gradante
Mensch|heit *f* umanità;
2lich umano; **~lichkeit** *f*
umanità
Menstruation *f* mestruazione
Menthol *n* mentolo *m*
Menü *n* pranzo *m* a prezzo
fisso
Merk|blatt *n* foglio [-ʎo] *m*
esplicativo; **2en** notare;
sich 2en tenere a mente;
2lich percettibile [-tʃ-];
~mal *n* segno [-ɲo] *m*;
2würdig notévole; strano
Meß|band *n* nastro *m*
mètrico; **2bar** misuràbile
Messe *f* *Rel* messa; *Hdl*
fiera; **~besucher** *m* visitatore della fiera; **~gelände**
n àrea *f* della fiera; **~kata-
log** *m* catàlogo della fiera

messen misurare
Messer n coltello m
Messestand m padiglione [-ʎo-]
Messing n ottone m
Metall n metallo m; **~arbeiter** m metallúrgico [-dʒ-]
meteorologisch meteorológico [-dʒ-]
Meter n metro m; **~maß** n nastro m mètrico
Methode f mètodo m
Mettwurst f soppressata
Metzger m s **Fleischer**
Meute f muta
Meuterei f ammutinamento m
mich mi; *betont:* me; **für ~** per me; **ohne ~** senza di me
Mieder n busto m
Miene f aria
Miet|e f (af)fitto m; (*Haus*₂) pigione [-dʒo-]; (*Boots*₂) nolo m; **₂en** prèndere in affitto; **~er** m inquilino; **~vertrag** m contratto d'affitto; **~wagen** m màcchina [-k-] f a noleggio [-dʒo]
Migräne f emicrania
Mikro|phon n micrófono m; **~skop** n microscopio m
Milch f latte m; **~bar** f bar-latteria m; **~flasche** f bottiglia [-ʎa] del latte; **~kaffee** m caffelatte; **~mixgetränk** n mistura f di latte; **~reis** m riso al latte; **~zahn** m (dente) lattaiuolo
mild mite; **~ern** mitigare
Militär n esèrcito [-tʃ-] m; **₂isch** militare

Milli|meter n *od* m millìmetro m; **~on** f milione m
Milz f milza; **~brand** m splenite f
Minarett n minareto m
minder minore; inferiore; *adv* meno; **₂heit** f minoranza; **~jährig** minorenne; **~wertig** inferiore
mindest minimo; **~ens** almeno; **₂lohn** m salario minimo; **₂preis** m prezzo minimo
Mine f *mil* mina; *Bgb* miniera; (*Kugelschreiber*₂) mina di ricambio
Mineral n minerale m; **~öl** n olio m minerale; **~quelle** f sorgente [-dʒ-] f d'acqua minerale; **~wasser** n acqua f minerale
Minigolf n minigòlf m
minimal minimo
Minister m ministro; **~ium** n ministero m
minus meno; **~ 7 Grad** sette gradi sotto zero
Minute f minuto m
mir mi; *betont:* a me; **ein Freund von ~** un mio amico
misch|en mischiare [-sk-]; *Karten:* mescolare; **~maschine** f mescolatrice [-tʃe]; **₂ung** f miscuglio [-ʎo] m; mistura
miserabel miseràbile
miß|achten sprezzare; **₂bildung** f deformità; **~billigen** disapprovare; **₂brauch** m abuso; **~brauchen** abusare; **₂erfolg** m

Mißernte 382

insuccesso [-tʃ-]; **2ernte** f cattivo raccolto m; **2geburt** f aborto m; **2geschick** n sfortuna f; **~glücken** s mißlingen; **~handeln** maltrattare; **2handlung** f maltrattamento m

Mission f missione; **~ar** m missionario

miß|lingen fallire; **~mutig** scontento; **~trauen** (D) diffidare (di); **2trauen** n sfiducia f [-tʃa] f; **~trauisch** diffidente; **2verständnis** n malinteso m; **~verstehen** fraintèndere

Mist m sterco; F fig porcheria [-k-] f

Mistel f vischio [-sk-] m

mit (D) con; **2arbeiter** m collaboratore; **2benutzung** f uso m in comune; **~bringen** portare con sè; **2bürger** m concittadino [-tʃ-]; **~einander** l'uno con l'altro; **~fahren** andare con (qu.); **~geben** dare; **2gefühl** n simpatia f; **~gehen** andare con uno; **2glied** n membro m; **2gliedsbeitrag** m contributo di socio [-tʃo]; **2hilfe** f aiuto m; **~kommen** venire con (qu.)

Mitleid n compassione f; **2ig** compassionévole

mit|machen (bei D) prèndere parte (a); **~nehmen** portare (con sè); **2reisende(r)** m compagno [-ɲo] di viaggio [-dʒo]; **~schuldig** (an D) còmplice [-tʃe] (di); **2schüler** m

condiscépolo [-ʃ-]; **2spieler** m compagno [-ɲo] di gioco [dʒo-]

Mittag m mezzogiorno [-dʒo-]; **zu ~ essen** pranzare; **~essen** n colazione f; pranzo m

mittags a mezzogiorno [-dʒo-]; **2pause** f pausa di mezzogiorno [-dʒo-]; **2ruhe** f siesta; **2tisch** m tàvola f da pranzo; **2zeit** f meriggio [-dʒo] m

Mitte f mezzo m; centro [tʃ-] m

mitteil|en (j-m A) comunicare (qc. a qu.); informare (qu. di qc.); **2ung** f comunicazione; notizia

Mittel n mezzo m; modo m; Med rimedio m; **~alter** n medioevo m; **2bar** indiretto; **~finger** m (dito) medio; **2groß** di statura media; **~linie** f linea mediana; **2los** senza mezzi; **2mäßig** mediocre; **~ohrentzündung** f otite media; **~punkt** m centro [-tʃ-]; **~schule** f scuola media; **~welle** f onda media

mitten : **~ in ...** (D) in mezzo a

Mitternacht f mezzanotte

mittlere medio; mezzo

Mittwoch m mercoledì

mitunter talvolta

mitwirk|en collaborare; **2ung** f collaborazione

Mitwisser m confidente

Mix|becher m scotitoio; **2en** méscere [-ʃ-]

Möbel n/pl mòbili m/pl; **~stück** n mòbile m; **~wagen** m furgone per traslochi [-zlɔ:ki]

Mobilmachung f mobilitazione

möbliert: **~es Zimmer** càmera f ammobiliata

Mode f moda; **~artikel** m artìcolo di moda

Modell n modello m

Mode(n)|schau f rivista della moda; **~zeitung** f giornale [dʒo-] m di moda

modern adj moderno; alla moda; **~isieren** modernizzare [mode\]

Modesalon m casa f di/ modisch alla moda

mogeln F barare

mögen volere; **ich möchte ... vorrei ...; ich mag nicht ...** non ho voglia [-ʎa] di ...

möglich possibile; **2keit** f possibilità

Mohammedaner m maomettano

Mohn m papàvero

Möhre f, Mohrrübe f carota

Mokka m moca

Mole f molo m

Molkerei f latterìa

mollig (weich) molle; (rundlich) grassotto

Moment m momento; **~aufnahme** f istantànea

Monarchie f monarchìa [-k-]

Monat m mese; **2lich** mensile

Monats|karte f abbonamento m mensile; **~rate** f rata mensile

Mönch m mònaco

Mond m luna f; **~finsternis** f eclisse lunare; **~schein** m chiaro [k-] di luna; **~wechsel** m lunazione f

Montag m lunedì

Mont|age f montaggio [-dʒo] m; **~eur** m meccànico; 2ieren montare

Moor n palude f; **~bad** n bagno [-ɲo] m di fango

Moos n musco m

Moped n ciclomotore [tʃ-] m

Moral f morale

Morast m pantano

Mord m omicidio [-tʃ-]; **Mörder** m omicida [-tʃ-]

morgen domani; **~abend (früh)** domani sera (mattina)

Morgen m mattina f; **guten ~!** buon giorno! [dʒo-]; **~dämmerung** f alba; **~rock** m vestaglia [-ʎa] f

morgens di mattina

morgig di domani

Morphium n morfina f

morsch marcio [-tʃo]

Mörtel m calcina [-tʃ-] f

Mosaik n mosàico m

Moschee f moschèa [-sk-]

Moskitonetz n zanzariera f

Most m mosto; sidro

Mostrich m mostarda f

Motel n motel m

Motor m motore; **~boot** n motoscafo m; **~haube** f

còfano *m*; ⁓**öl** *n* olio *m* per il motore; ⁓**panne** *f* guasto *m* al motore; ⁓**rad** *n* motocicletta [-tʃ-] *f*; ⁓**roller** *m* motoretta *f*; ⁓**schaden** *m* guasto al motore; ⁓**schiff** *n* motonave *f*; ⁓**sport** *m* motorismo [-zmo]

Motte *f* tarma

Möwe *f* gabbiano *m*

Mücke *f* zanzara; ⁓**nstich** *m* puntura *f* di zanzara

müde stanco; ⁓ **werden** stancarsi

Müdigkeit *f* stanchezza [-k-]

muffig muffoso

Mühe *f* fatica; *fig* pena; **Ꝉlos** fàcile [-tʃ-]; **Ꝉvoll** faticoso

Mühle *f* mulino *m*; (*Spiel*) tàvola a mulino

mühsam faticoso

Mulde *f* conca; (*Tal*) valle *f*

Müll *m* immondizie *f/pl*; ⁓**abfuhr** *f* trasporto *m* delle immondizie

Mullbinde *f* fascia [-ʃa] di garza

Mülleimer *m* secchio [-k-] delle immondizie

Müller *m* mugnaio [-ɲ-]

Mülltonne *f* bidone *m* della spazzatura

multiplizieren moltiplicare

Mund *m* bocca *f*; ⁓**art** *f* dialetto *m*

münden sboccare [zb-]

Mundharmonika *f* armònica da bocca

mündʼig maggiorenne

[-dʒo-]; ⁓**lich** orale; *adv* a voce [-tʃe]

Mundstück *n* imboccatura *f*; bocchino [-k-] *m*

Mündung *f* foce [-tʃe]; sbocco [zb-] *m*

Mundwasser *n* acqua *f* dentifricia [-tʃa]

Munition *f* munizione

munter (*heiter*) allegro; (*wach*) sveglio [zve:ʎo]

Münzʼe *f* moneta; (*Einwurf*⊙) gettone [dʒ-] *m*; ⁓**fernsprecher** *m* teléfono pùbblico

mürbe frollo

murmeln mormorare

murren brontolare

mürrisch bùrbero

Mus *n* passata *f*

Muschel *f* conchiglia [-ki:ʎa]; *Kochk* vóngola

Museum *n* musèo *m*

Musik *f* mùsica; ⁓**alienhandlung** *f* negozio *m* di artìcoli musicali; **Ꝉalisch** musicale; ⁓**box** *f* musicbox *m*; ⁓**er** *m* mùsico; musicista [-tʃ-]; ⁓**instrument** *n* strumento *m* musicale

Muskatnuß *f* noce [-tʃe] moscata

Muskel *m* mùscolo *m*; ⁓**kater** *m* dolori *m/pl* muscolari; ⁓**zerrung** *f* strappo *m* muscolare

muskulös muscoloso

Muße *f* agio [a:dʒo] *m*

müssen dovere

Muster *n* modello *m*; (*Zeichnung*) disegno [-ɲo] *m*; ⁓ **ohne Wert** campione *m* senza valore; 2gültig esemplare

mustern esaminare

Mut m coraggio [-dʒo]; 2ig coraggioso [-dʒo-]

Mutter f madre; s Schraubenmutter

Mütter|beratungsstelle f

centro [tʃ-] m di maternità; 2lich materno

Mutter|mal n voglia [-ʎa] f; ~sprache f lingua materna

mutwillig malizioso

Mütze f berretto m

Mythologie f mitologìa [-dʒ-]

N

Nabe f mozzo m

Nabel m ombelico

nach (D) zeitlich: dopo; örtlich: a; in; ~ Berlin a Berlino; ~ dem Essen dopo il pranzo; ~ und ~ a poco a poco

nachahm|en imitare; 2ung f imitazione

Nachbar m vicino [-tʃ-]; ~schaft f vicinato [-tʃ-] m

nach|bestellen ordinare dopo; 2bildung f copia; imitazione; ~dem dopo; je ~dem secondo; ~denken (über A) riflèttere (su); ~denklich pensoso; ~drücklich enèrgico [-dʒ-]; ~einander l'uno dopo l'altro; 2folger m successore [-tʃ-]; ~forschen indagare; 2forschung f indàgine [-dʒ-]; 2frage f Hdl richiesta [-k-]; ~füllen riempire ancora; ~geben cèdere [tʃ-]; 2gebühr f tassa supplementare; ~gehen seguire (j-m qu.); (Uhr) ritardare; 2geschmack m

sapore; ~giebig cedévole [tʃ-]; ~haltig durévole [tʃ-]

nachher dopo, poi

Nach|hilfeunterricht m lezione f privata; 2kommen venir dopo; Wunsch: soddisfare; ~kommenschaft f discendenza [-ʃ-]; ~kriegszeit f dopoguerra m; ~kur f cura suppletiva; ~laß m Hdl riduzione f; (Erbschaft) eredità f; 2lassen (Regen) cessare [tʃ-]; (Schmerzen, Wind) calmarsi; 2lässig trascurato; 2laufen (D) còrrere dietro a; 2lösen Fahrkarte: fare il supplemento; 2machen imitare; (fälschen) contraffare

Nachmittag m pomeriggio [-dʒo]; am ~ = 2s nel (od di) pomeriggio [-dʒo]

Nachmittags|kleid n vestito m da pomeriggio [-dʒo]; ~vorstellung f rappresentazione pomeridiana

Nachnahme f porto m assegnato [-ɲ-]; gegen ~ contro assegno [-ɲo]

Nach|porto n soprattassa f; **2prüfen** riesaminare; **2prüfung** f revisione; **2rechnen** verificare un conto; **~richt** f notizia

Nachrichten|dienst m servizio d'informazioni; **~sendung** f Radio: radiogiornale [-dʒo-] m

nach|rücken muòvere dietro a (qu.); **2ruf** m necrologia [-dʒ-] f; **~sagen** (j-m A) sparlare (di qu.); **2saison** f bassa stagione [-dʒo-] f; **~schicken** far seguire; **2schlagewerk** n òpera f di consultazione; **2schlüssel** m chiave [k-] f falsa; **2schub** m rifornimento; **~sehen** (j-m) seguire qu. con lo sguardo [zg-]; (j-m et) perdonare; **~senden** far seguire; **~sicht** f indulgenza [-dʒ-]; **~sichtig** indulgente [-dʒ-]; **~nächste, ~r** (il) più vicino [-tʃ-]; pròssimo; **in den ~n Tagen** nei pròssimi giorni [dʒo-]; **am ~n** più vicino [-tʃ-] (a) **nachstellen** Uhr: méttere indietro

nächstens prossimamente **Nacht** f notte; **gute ~!** buona notte!; **in der ~** di notte; **~arbeit** f lavoro m notturno; **~dienst** m servizio notturno

Nachteil m svantaggio [zvantad-dʒo]

Nacht|falter m falena f;

~flug m volo notturno; **~frost** m gelo [d-3-] notturno; **~geschirr** n vaso m da notte; **~hemd** n camicia [-tʃa] f da notte

Nachtisch m dessert **Nacht|leben** n vita f notturna; **~lokal** n ritrovo m notturno; **~portier** m portinaio notturno

Nach|trag m supplemento; **2träglich** supplementare **Nacht|ruhe** f riposo m notturno; **2s** di notte; **~schicht** f turno m di notte; **~tisch** m comodino; **~topf** m s **Nachtgeschirr**; **~wächter** m guardiano notturno; **~zug** m treno della notte

Nach|weis m prova f; **2weisen** indicare; provare; **2wiegen** ripesare; **~wirkung** f conseguenza; **2zahlen** pagare la differenza; **2zählen** ricontare; **~zahlung** f pagamento m suppletivo; **~zügler** m ritardatario

Nacken m nuca f **nackt** nudo; **2kultur** f nudismo [-zmo] m

Nadel f ago m; (Steck2) spillo m; **~wald** m foresta f di conifere

Nagel m chiodo [k-]; (Finger2) unghia [-g-] f; **~bürste** f spazzolino m per le unghie [-g-]; **~feile** f lima per le unghie [-g-]; **~lack** m smalto [zm-] per le unghie [-g-]; **~lackent-**

ferner m dissolvente dello smalto [zm-]; ⌁n inchiodare [-k-]; ⌁schere f fòrbici [-tʃi] f/pl per le unghie [-g-] [rosicante m)

nage|n ródere; ⌁tier n]

nahe (D) vicino [-tʃ-] (a)

Nähe f vicinanza [-tʃ-]; **in der ⌁** qui vicino [-tʃ-]

nähen cucire [-tʃ-]

näher più vicino [-tʃ-]; ⌁**n: sich ⌁n** avvicinarsi [-tʃ-]

Näh|garn n filo m da cucire [-tʃ-]; ⌁**maschine** f màcchina [-k-] da cucire [-tʃ-]; ⌁**nadel** f ago m da cucire [-tʃ-]

nähr|haft nutritivo; ⌁**ung** f nutrimento m; ⌁**ungsmittel** n alimento m

Nähseide f seta da cucito [-tʃ-]

Naht f cucitura [-tʃ-]; ⌁**los** senza cucitura [-tʃ-]

Nahverkehr m tràffico a breve distanza

Nähzeug n occorrente m per cucire [-tʃ-]

naiv ingènuo [-dʒ-]

Name m nome

Namenstag m onomàstico

namentlich nominale; (besonders) specialmente [-tʃa-]

namhaft considerévole

nämlich adv cioè [tʃoe]

Napf m scodella f; ⌁**kuchen** m focaccia [-tʃa] f

Narbe f cicatrice [tʃikatri:tʃe]

Narko|se f narcosi; ⌁**tikum** n narcòtico m

Narr m matto; buffone

närrisch matto

naschen spilluzzicare

Nase f naso m

Nasen|bluten n emorragìa [-dʒ-] f nasale; ⌁**loch** n narice [-tʃe] f; ⌁**tropfen** m/pl gocce [-tʃe] f/pl per il naso

naß bagnato [-ɲ-]; **⌁ machen** bagnare [-ɲ-]; **⌁werden** bagnarsi [-ɲ-]

Nässe f umidità

naßkalt freddo ùmido

Nation f nazìone

national nazionale; ⌁**gericht** n piatto m nazionale; ⌁**ität** f nazionalità; ⌁**itätszeichen** n Kfz targa f della nazionalità; ⌁**mannschaft** f squadra nazionale

Natron n soda f

Natter f biscia [-ʃa]

Natur f natura; ⌁**ereignis** n fenòmeno m naturale; ⌁**forscher** m naturalista; ⌁**getreu** vero

natürlich naturale

Naturschutz|gebiet n, ⌁**park** m parco m nazionale

Nebel m nebbia f; ⌁**scheinwerfer** m faro antinebbia

neben (A, D) accanto a; ⌁**an** qui accanto; ⌁**anschluß** m apparecchio [-k-] secondario; ⌁**bei** (beiläufig) di passaggio [-dʒo]; ⌁**beschäftigung** f occupazione accessoria [-tʃ-]; ⌁**einander** uno accanto all'altro; ⌁**fluß** m affluente;

2**kosten** pl spese f/pl accessorie [-tʃ-]; 2**raum** m stanza f attigua; 2**straße** f strada laterale; 2**strecke** f linea secondaria; 2**wirkung** f effetto m secondario

neblig nebbioso

necken stuzzicare

Neffe m nipote

Negativ n negativa f

Neger m negro

Negligé n veste f da càmera

nehmen prèndere; (weg~) tògliere [-ʎe-]; (an~) accettare [-tʃ-]; **Platz ~** accomodarsi

Neid m invidia f; 2**isch** invidioso

neig|en inclinare; (**zu** D) tèndere verso; 2**ung** f inclinazione; fig affezione

nein no; ~, **danke!** no, grazie!

Nelke f garòfano m

nennen nominare

Neonröhre f tubo m di neon

Nerv m nervo

Nerven|arzt m neuròlogo; ~**heilanstalt** f casa di cura per malattie nervose; 2**krank** nevròtico; ~**zusammenbruch** m esaurimento nervoso

nervös nervoso

Nervosität f nervosità

Nerz m visone

Nesselfieber n orticària f

Nest n nido m

nett simpàtico; gentile [dʒ-]

netto al netto; 2**preis** m prezzo netto

Netz n rete f; ~**anschluß** m alimentazione f dalla rete; ~**haut** f rètina; ~**hemd** n camicia [-tʃa] f a rete; ~**karte** f biglietto [-ʎe-] m circolare [tʃ-]

neu nuovo; moderno; (kürzlich) recente [-tʃ-]; **von ~em** di nuovo; ~**artig** nuovo; 2**bau** m nuova costruzione f; 2**erung** f innovazione

Neugier f curiosità; 2**ig** curioso

Neu|heit f novità; 2**igkeit** f novità; nuova; ~**jahr** n capo m d'anno; **Prosit ~jahr!** buon anno!; 2**lich** recentemente [-tʃ-]; ~**mond** m novilunio

neun nove

neutral neutrale

neuvermählt sposato di fresco

nicht non; ~ **einmal, auch ~** nemmeno; ~ **wahr?** vero?

Nichte f nipote

Nichtraucher m non fumatore

nichts niente, nulla

Nichtschwimmer m non nuotatore

nicken far cenno [tʃ-] (con la testa)

nie mai; non ... mai; **noch ~** sinora mai; ~ **wieder** mai più

nieder basso; adv abbasso; ~**drücken** deprimere; ~

gehen *Gewitter*: venire giù
[dʒu]; **geschlagen** abbat-
tuto; **knien** inginocchiarsi [-dʒinok-]; **Qlage** f
sconfitta

niederlassen: sich ~ sta-
bilirsi

nieder|legen deporre; **Q-
schläge** m/pl precipita-
zioni [-tʃ-] f/pl; **schlagen** abbàttere; **trächtig**
infame

niedlich grazioso

niedrig basso; *fig* (*gemein*)
vile

niemals s nie

niemand nessuno

Niere f rene m; *Kochk*
rognone [-ɲ-] m

Nieren|braten m rogna-
nata [-ɲ-] f; **Qkrank** nefrì-
tico; **stein** m càlcolo renale

niesel|n: es **t** pioviggina
[-dʒ-]

niesen starnutire

Niet m ribattino, **e** f (*Los*)
biglietto [-ʎe-] m non vin-
cente [-tʃ-]; **Qen** ribadire

nikotin|frei senza nicotina;
Qvergiftung f nicotinismo
[-zmo] m

Nippsachen f/pl ninnoli
m/pl

nirgends in nessun luogo

Nische f nicchia [-k-] f

nisten nidificare

noch ancora; **~ etwas?**
qualcos'altro?; **mals** ancora una volta

Nockenwelle f àlbero m
delle camme

Nonne f mònaca

Nonstopflug m volo senza
scalo intermedio

Norden m nord

nördlich del nord, setten-
trionale; **~ von** (*D*) al nord
di

Nord|osten m nord-est;
pol m polo nord; **see** f
Mare m del Nord; **seite** f
lato m nord; **westen** m
nord-ovest; **wind** m vento
dal nord; tramontana f

Norm f norma

normal normale; **isieren**
normalizzare [*miseria*]

Not f bisogno [-ɲo] m;}

Notar m notaio

Not|ausgang m uscita [-ʃ-]
f di sicurezza; **beleuchtung** f illuminazione d'e-
mergenza [-dʒ-]; **bremse**
f freno m d'allarme; **Q-
dürftig** bisognoso [-ɲ-]

Note f *Mus* nota; (*Zensur*)
voto m

Notfall m caso di bisogno
[-ɲo]; **Qs** in caso di bisogno
[-ɲo]

notieren notare

nötig necessario [-tʃ-]; **es
ist** (**nicht**) **~** (non) occorre;
~ haben avere bisogno
[-ɲo] di; **en** costringere
[-dʒ-]; **enfalls** s notfalls

Notiz f nota; **buch** n
taccuino m

Not|landung f atterraggio
[-dʒo] m di fortuna; **Qlei-
dend** bisognoso [-ɲ-];
ruf m chiamata f di soc-

corso; ~signal n segnale
[-ɲ-] m d'allarme; ~sitz m
sedile d'emergenza [-dʒ-];
~verband m fasciatura
[-ʃa-] f provvisoria; ~wehr
f legittima [-dʒ-] difesa;
2wendig necessario [-tʃ-]
Novelle f novella
November m novembre
nüchtern digiuno [-dʒu-];
auf ~en Magen a stòmaco
vuoto
Nudel|n f/pl pasta f; ~sup-
pe f pastina in brodo
null zero; eins zu ~ uno a
zero; 2 f zero m; unter ~
sotto zero
numerier|en numerare;
2ung f numerazione
Nummer f nùmero m; ~n-
schild n targa f

nun ora, adesso; von ~ an
d'ora in poi; was ~? e
ora?
nur solo, soltanto
Nuß f noce [-tʃe] f; ~baum
m noce [-tʃe] m; ~knacker
m schiaccianoci [skiat-
-tʃano:tʃi]; ~torte f torta
di noci [-tʃi]
nützen v/t utilizzare; v/i
(D) giovare [dʒo-] (a);
servire (a)
Nutz|en m ùtile; profitto;
~last f càrico ùtile
nützlich ùtile; 2keit f utili-
tà
nutzlos inùtile
Nylon|hemd n camicia
[-tʃa] f di nylon; ~
strümpfe m/pl calze f/pl
di nylon

O

ob se
obdachlos senza tetto
oben sopra, su; nach ~ in
alto; von ~ dall'alto; ~an
in testa
Ober m cameriere; Herr ~!
cameriere!
Ober|arm m braccio [-tʃo]
superiore; ~deck n ponte
m superiore
obere, ~r, ~s superiore
Ober|fläche f superficie
[-tʃe]; 2flächlich super-
ciale [-tʃa-]; 2halb (G) al
di sopra di; ~hemd n ca-
micia [-tʃa] f; ~kellner m
s Ober; ~körper m busto;
~schenkel m fèmore; ~

schule f scuola superiore;
~schwester f capoinfer-
miera
Oberst m colonnello
oberste, ~r, ~s supremo;
sommo
Oberteil m od n parte f
superiore
obgleich sebbene
Obhut f custodia
objekt|iv oggettivo [-dʒ-];
2iv n obiettivo
Obst n frutta f u f/pl; ~
baum m àlbero da frutta;
~ernte f raccolta della
frutta; ~garten m frutteto;
~händler m fruttivèndolo;
~messer n coltellino m da

frutta; ~saft *m* succo di frutta; ~schale *f* buccia [-tʃa] di frutta; (*Schüssel*) fruttiera; ~wein *m* sidro
obszön osceno [-ʃ-]
Obus *m* filobus
obwohl sebbene
Ochse *m* bue (*pl* buoi); ~nschwanzsuppe *f* brodo *m* della coda di bue
öde deserto; *fig* desolato
oder o (*vor Vokal* od)
Ofen *m* stufa *f*; ~heizung *f* riscaldamento *m* con stufa; ~rohr *n* tubo *m* della stufa
offen aperto; *fig* franco; ~e See *mare m* aperto
offen|bar manifesto; heit *f* franchezza [-k-]; ~kundig notorio; ~lassen lasciare [-ʃa-] aperto; ~sichtlich evidente; ~stehen stare aperto
öffentlich pùbblico; keit *f* pùbblico *m*; pubblicità [-tʃ-]
offiziell ufficiale [-tʃa-]
Offizier *m* ufficiale [-tʃa-]
öffn|en aprire; *Flasche:* sturare; er *m* ↗ Flaschen-, Büchsenöffner; ung *f* (*das Öffnen*) apertura; (*Loch*) foro *m*; ungszeiten *f/pl* ore d'apertura
oft spesso; wie ~? quante volte?; zu ~ troppo spesso
öfter(s) spesso
ohne senza; ~ weiteres senz'altro
Ohn|macht *f* svenimento

[zv-] *m*; mächtig svenuto [zv-]
Ohr *n* orecchio [-k-] *m*
ohren|betäubend assordante; schmerzen *m/pl* mal *m* d'orecchi [-ki]
Ohr|feige *f* schiaffo [sk-] *m*; ~ring *m* orecchino [-k-]
Oktober *m* ottobre
Öl *n* olio *m*; ~bild *n* quadro *m* ad olio; en oliare; ingrassare; ~farbe *f* colore *m* ad olio; ~fleck *m* macchia [-k-] *f* d'olio; ~heizung *f* riscaldamento *m* a nafta
Olive *f* oliva; ~nbaum *m* olivo
Öl|kanne *f* oliatore *m*; ~sardinen *f/pl* sardine all'olio; ~stand *m* livello d'olio; ~wechsel *m* cambio dell'olio
olympisch: e Spiele *n/pl* giochi [dʒɔ:ki] *m/pl* olimpici [-tʃi] [letta *f*]
Omelett *n* frittata *f*, ome-
Omnibus *m* àutobus; ~bahnhof *m* stazione *f* d'àutobus; ~haltestelle *f* fermata dell'àutobus
Onkel *m* zio
Oper *f* òpera
Operation *f* operazione
Operette *f* operetta
operieren operare; sich ~ lassen farsi operare
Opern|glas *n* binòccolo *m*; ~sänger(in *f*) *m* cantante d'òpera
Opfer *n* sacrificio [-tʃo] *m*; (*das Geopferte*) vìttima *f*; n sacrificare

Opium n oppio m

Opposition f opposizione

Optiker m òttico

Optimist m ottimista

orange arancione [-tʃo-]; 2 f s Apfelsine; 2ade f aranciata [-tʃa-]

Orchester n orchestra [-k-] f

Orchidee f orchidèa [-k-]

Orden m decorazione f; (Gemeinschaft) órdine m

ordentlich ordinato; adv fig per bene

ordinär volgare

ordn|en ordinare, méttere in órdine; 2er m ordinatore; (Mappe) registratore [-dʒ-]; 2ung f órdine m

Organ n òrgano m; ~isation f organizzazione; 2isch orgànico; 2isieren organizzare

Orgel f òrgano m

orientalisch orientale

orientier|en: sich ~en orientarsi; informarsi; 2ung f orientazione

original, 2 n originale

[-dʒ-] (m); 2packung f confezione originale [-dʒ-]

originell originale [-dʒ-]

Ort m luogo; posto

Orthographie f ortografia

orthopädisch ortopèdico

örtlich, Orts... locale

Ortschaft f abitato m

Orts|gespräch n telefonata f urbana; ~kenntnis f conoscenza [-ʃ-] della località; 2kundig esperto del posto; ~zeit f ora locale

Öse f occhiello [-k-] m

Osten m est; der Ferne ~ l'Estremo Oriente; nach ~ verso est

Oster|ei n uovo m di Pasqua; ~n n Pasqua f

Österreich n Austria f; ~er m, 2isch austriaco

östlich: ~ von all'est di

Ostwind m vento di levante

Otter f biscia [-ʃa]

oval ovale

Overall m tuta f

oxydieren ossidare

Ozean m ocèano [-tʃ-]

P

Paar n Personen: coppia f; Sachen: paio m; ein 2 s einige; 2weise a due a due

Pacht f affitto m; 2en prèndere in affitto

Pächter m affittuario

Pachtvertrag m contratto d'affitto

Päckchen n pacchetto [-k-] m

pack|en imballare; Koffer: fare; seelisch: impressionare; 2papier n carta f da imballaggio [-dʒo]; 2ung f pacco m, pacchetto [-k-] m; Med impacco m

Paddel|boot n canòa f; sandolino m; 2n andare in canòa

Paket n pacco m; ~an-

nahme *f* accettazione [-tʃ-] pacchi [-ki] postali; **~ausgabe** *f* distribuzione pacchi [-ki] postali; **~karte** *f* bolletta di spedizione
Pakt *m* patto
Palast *m* palazzo
Palm|e *f* palma; **~sonntag** *m* doménica *f* delle palme
Pampelmuse *f* pompelmo *m*
paniert panato
Panik *f* pànico *m*
Panne *f* guasto *m*, panna
Panorama *n* panorama *m*
panschen sguazzare [zg-]; *Wein*: adulterare
Pantoffel *m* pantòfola *f*
Panzer *m* corazza *f*; (*Kampfwagen*) carro armato; **~schrank** *m* cassaforte *f*
Papagei *m* pappagallo
Papier *n* carta *f*; **~e** *pl* (*Dokumente*) documenti *m/pl*; **~geld** *n* carta *f* moneta; **~handlung** *f* cartolerìa; **~korb** *m* cestino [tʃ-]
Pappe *f* cartone *m*
Pappel *f* pioppo *m*
Paprika *m* pàprica *f*; **~schote** *f* peperone *m*
Papst *m* papa
päpstlich papale
Parade *f* sfilata
Paradies *n* paradiso *m*
Paragraph *m* paràgrafo
parallel parallelo
Parfüm *n* profumo *m*; **~erie** *f* profumerìa
Park *m* parco
parken parcheggiare [-ked-dʒa-]
Parkett *n* pavimento *m* intarsiato; *Thea* platèa *f*
Park|gebühr *f* tassa di parcheggio [-ked-dʒo]; **~haus** *n* edificio [-tʃo] *m* da parcheggio [-ked-dʒo]; **~platz** *m* parcheggio [-ked-dʒo]; **~uhr** *f* parcòmetro *m*; **~verbot** *n* divieto *m* di parcheggio [-ked-dʒo]
Parlament *n* parlamento *m*
Partei *f* partito *m*; *jur* parte; **~genosse** *m* compagno [-ɲo] di partito; **2los** indipendente
Parterre *n s* **Erdgeschoß**
Partie *f* partita } [-dʒa-]
Partisan *m* partigiano }
Partner(in *f*) *m* compagno [-ɲo] *m*, compagna [-ɲa] *f*
Paß *m* passaporto; (*Gebirgs2*) passo
Passage *f* gallerìa; *Mar* passaggio [-dʒo] *m*
Passagier *m s* **Fahr-, Fluggast**; **~liste** *f* lista dei passeggeri [-dʒ-]; **~schiff** *n* nave *f* passeggeri [-dʒ-]
Passant *m* passante
Paßbild *n* fotografìa *f* da passaporto
passen star bene; (*zusagen*) convenire; *Sp* passare; **~d** adatto; conveniente
passier|en *v/t* passare; *v/i* accadere; **2schein** *m* lasciapassare [-ʃa-]
Passionszeit *f* quarèsima
passiv passivo
Paß|kontrolle *f* controllo *m* dei passaporti; **~zwang** *m* òbbligo di passaporto

Pastete f pasticcio [-tʃo]
pasteurisiert pastorizzato
Pastor m pastore
Pate m padrino; **~nkind** n figlioccio [-ʌot-tʃo] m
Patent n brevetto m
Patient(in f) m paziente
Patin f madrina
patriotisch patriòt(t)ico
Patrone f cartuccia [-tʃa]
patzig impertinente
Pauke f timpano m
pauschal globale; **~e** f somma globale; **~preis** m prezzo globale
Pause f pausa; intervallo m
Pavillon m padiglione [-ʌo-]
Pech n pece [-tʃe] f; *fig* **~ haben** èssere sfortunato
Pedal n pedale m
Pediküre f pedicure
peinlich penoso; **~ genau** meticoloso
Peitsche f frusta
Pell|e f s **Schale**; **~kartoffeln** f/pl patate in camicia [-tʃa]
Pelz m, **~mantel** m pelliccia [-tʃa] f   [navetta
Pendelverkehr m tràffico/pl
Pension f (*Ruhegehalt, Fremdenheim*) pensione; s **Halb-, Vollpension**; **~är** m, **~iert** pensionato
Pensions|gast m pensionante; **~preis** m prezzo per la pensione
Pepsin n pepsina f
perfekt perfetto
Pergamentpapier n pergamena f
Periode f periodo m

Perl|e f perla; **~en** mandare bollicine [-tʃ-]; **~mutt** n madreperla f
Person f persona; *Thea* personaggio [-dʒo] m; **pro ~** a testa
Personal n personale m; **~abteilung** f reparto m personale; **~ausweis** m documento personale; **~ien** pl generalità [dʒ-] f/pl
Personen|kraftwagen m autovettura f; **~zug** m accelerato [-tʃ-]
persönlich personale; **~keit** f personalità
Perücke f parrucca
pervers perverso
Pest f peste
Petersilie f prezzémolo
Petroleum n petrolio m; **~kocher** m fornellino a petrolio; **~lampe** f làmpada a petrolio
Pfad m sentiero; **~finder** m gióvane [dʒo-] esploratore
Pfahl m palo
Pfand n pegno [-ɲo] m
Pfänderspiel n gioco [dʒo-] m dei pegni [-ɲi]
Pfann|e f padella; **~kuchen** m frittella f
Pfarr|amt n cura f; **~er** m pàrroco
Pfau m pavone
Pfeffer m pepe; **~kuchen** m pan pepato
Pfefferminz|e f menta; **~likör** m liquore di menta; **~tee** m tè di menta
Pfeffer|mühle f pepaiola; **~n** pepare

Pfeife f fischietto [-sk-] m; (*Tabaks♀*) pipa; **♀n** fischiare [-sk-]

Pfeil m freccia [-tʃa] f

Pfeiler m pilastro

Pfennig m pfennig; *fig* òbolo

Pferd n cavallo m

Pferde|fleisch n carne f equina; **✗rennbahn** f ippòdromo m; **✗rennen** n corsa f di cavalli; **✗stall** m scuderia f; **✗stärke** f cavallo-vapore m

Pfiff m fischio [-sk-]

Pfifferling m cantarello

pfiffig scaltro

Pfingsten n Pentecoste f

Pfirsich m pesca f

Pflanze f pianta; **♀n** piantare; **✗nschutzmittel** n insetticida [-tʃ-] m

Pflaster n lastricato m; *Med* impiastro m; cerotto [tʃ-] m; **✗stein** m lastra f

Pflaume f susina; prugna [-ɲa]; **✗nkuchen** m torta f di susine; **✗nmus** n marmellata f di prugne [-ɲe]

Pflege f cura; **♀n** curare; *Kranke:* assistere; **♀n** zu solere; **✗r(in** f) m infermiere m, infermiera f

Pflicht f dovere m; **✗versicherung** f assicurazione obbligatoria

Pflock m piolo

pflücken cògliere [-ʎe-]

Pflug m aratro

pflügen arare

Pförtner m portinaio

Pfosten m palo

Pfote f zampa

Pfropfen m turàcciolo [-tʃo-]

Pfund n mezzo chilo [k-] m

pfusch|en acciarpare [-tʃa-]; **♀er** m acciarpone [-tʃa-]

Pfütze f pozzànghera [-g-]

Phanta|sie f fantasìa; **♀stisch** fantàstico

Photo n *usw* s **Foto**

Physik f fisica

Pickel m piccone; *Med* pustoletta f

picken beccare

Picknick n picnic m

Pik n picche [-ke] f/pl

pikant piccante

Pilger m pellegrino; **✗fahrt** f pellegrinaggio [-dʒo] m

Pille f pillola

Pilot m pilota

Pilsner (Bier) n birra f Pilsen

Pilz m fungo; **✗krankheit** f *Med* micosi; **✗suppe** f zuppa di funghi [-gi]; **✗vergiftung** f intossicazione da funghi [-gi]

Pinsel m pennello

Pinzette f pinza

Pionier m *mil* geniere [dʒ-]

Pistazie f pistacchio [-kk-]

Piste f *Flgw, Sp* pista

Pistole f pistola

Plage f tormento m; **♀n** tormentare; **sich ♀n** affannarsi

Plakat n manifesto m

Plakette f targa

Plan m piano; (*Stadt♀*) pianta f

Plane f copertone m

planen progettare [-dʒ-]

Planet m pianeta

planieren s ebnen

Planke f tavolone m

plan|los senza piano; **~mäßig** metòdico

Plansch|becken n sguazzatoio [zg-] m; **2en** sguazzare [zg-]

Plantage f piantagione [-dʒo-]

Plan|ung f progettazione [-dʒ-]; **~wirtschaft** f economia pianificata

Plastik|beutel m, **~tüte** f borsa/f di plàstica

platinblond ossigenato [-dʒ-]

plätschern mormorare

platt piatto; piano

Plättbrett n usw s **Bügelbrett** usw

Platte f lastra; Kochk piatto m; **kalte ~** affettato m misto; s **Schallplatte**; **~nspieler** m giradischi [dʒiradiski]

Plattform f piattaforma

Platz m piazza f; (Sitz) posto; **~anweiserin** f màschera [-sk-]; **2en** scoppiare; **~karte** f posto m prenotato; **~regen** m acquazzone

Plauder|ei f chiacchierata [kiak-]; **2n** chiacchierare [kiak-]

Pleite f bancarotta

Plomb|e f piombo m; Med piombatura; **2ieren** piombare

plötzlich improvviso; adv improvvisamente

plump goffo

plünder|n saccheggiare [-ked-dʒa-]; **2ung** f saccheggio [-ked-dʒo] m

Pluszeichen n segno [-ɲo] m di più

Pöbel m plebaglia [-ʎa] f

pochen bàttere; **auf et. ~** insistere su qc.

Pocken f/pl vaiuolo m; **~schutzimpfung** f vaccinazione [-tʃ-] antivaiolosa

Podium n podio m

Pokal m coppa f

Pökelfleisch n carne f\} salata\}

Pol m polo [salata\}

Polar|kreis m circolo [tʃ-] polare; **~stern** m stella f polare

Police f pòlizza

polieren lustrare

Poli|tik f politica; **~tiker** m uomo politico; **2tisch** politico; **~tur** f lustro m

Polizei f polizia; **2lich** poliziesco; **~revier** n commissariato m di Pùbblica Sicurezza; **~streife** f pattuglia [-ʎa] di polizia; **~stunde** f ora f di chiusura [k-]

Polizist m guardia f; poliziotto

polnisch polacco

Polster n cuscino [-ʃ-] m; **~sessel** m poltrona f (imbottita)

poltern strepitare

Pommes frites pl patatine f/pl fritte

Pony n cavallo m basso; ~s pl (Frisur) frangette [-dʒ-] f/pl

populär popolare

Pore f poro m

porös poroso

Porree m porro

Portemonnaie n portamonete m

Portier m portiere

Portion f porzione

Porto n porto m; 2frei franco (di porto)

Porträt n ritratto m

Portugies|e m, 2isch portoghese [-g-]

Porzellan n porcellana [-tʃ-] f

Posaune f trombone m

Position f posizione

positiv positivo; 2 n Fot positiva f

Posse f farsa

Post f posta; **mit der ~** per posta; **~amt** n ufficio [-tʃo] m postale; **~anweisung** f vaglia [-λa] m (postale); **~bote** m portalèttere

Posten m posto m; Hdl partita f; mil sentinella f

Post|fach n casella f postale; **~karte** f cartolina postale; 2**lagernd** fermo in posta; **~leitzahl** f nùmero m del distretto postale

Postscheck m assegno [-ɲo] postale; **~amt** n ufficio [-tʃo] m; **~konten** n conti correnti postali; **~konto** n conto m corrente postale

Post|sparbuch n libretto m di risparmio postale; **~sparkasse** f cassa di risparmio postale; **~stempel** m timbro postale; 2**wendend** a volta di corriere; **~zustellung** f recàpito m della posta

Pracht f pompa; lusso m

prächtig magnifico [-ɲ-]

prahlen (mit D) vantarsi (di)

Praktik|ant m praticante; **~um** n corso m pràtico

praktisch pràtico; **~er** Arzt mèdico m genèrico [dʒ-]

praktizieren praticare

Praline f cioccolatino [tʃo-] m

prall túrgido [-dʒ-]; Sonne: pieno

Prä|mie f premio m; **~parat** n preparato m; **~sident** m presidente

prasseln crepitare

Praxis f pràtica; (Arzt2) consultorio m

predig|en predicare; 2er m predicatore; **~t** f prèdica

Preis m prezzo; (Prämie) premio; **~angabe** f indicazione del prezzo; **~ausschreiben** n concorso m a premi

Preiselbeere f mirtillo m rosso

Preis|erhöhung f aumento m dei prezzi; **~ermäßigung** f riduzione di prezzo; 2**gekrönt** premiato; **~liste** f listino m dei prezzi; **~richter** m membro della giuria [dʒu-]; ~senkung f ribasso m dei prezzi; ℒwert poco caro

Presse f torchio [-k-] m; (Zeitungen) stampa; ℒn prèmere

Preßluft f aria compressa; ~hammer m martello pneumàtico

prickeln pizzicare

Priester m prete

prima F stupendo

primitiv primitivo

Prinz m principe [-tʃ-]; ~essin f principessa [-tʃ-]

Prinzip n principio [-tʃ-] m; ℒiell per principio [-tʃ-]

privat privato; ℒbesitz m proprietà f privata; ℒ-strand m spiaggia [-dʒa] f privata; ℒzimmer n càmera f privata

pro per; ~ Stück al pezzo

Probe f prova; (Waren℧) campione m; ~fahrt f corsa di prova; ℒn assaggiare [-dʒa-]; Thea provare; ℒweise a titolo di prova

probieren provare; (kosten) assaggiare [-dʒa-]

Problem n problema m

Produkt n prodotto m; ~ion f produzione

produzieren produrre

Professor m professore

Profi m Sp professionista

Profil n profilo m (a Kfz)

Programm n programma m; ~vorschau f annuncio [-tʃo] m del programma

Projekt n progetto [-dʒ-] m; ~or m proiettore

Promenade f passeggio [-dʒo] m; ~ndeck n ponte m di passeggio [-dʒo]

Promille n quantità f per mille

prominent prominente

prompt pronto

Propan n propano m

Propeller m èlica f [-]

pro|phezeien profetare; ~sit! alla salute!; ℒspekt m prospetto; ℒstituierte f prostituta; ℒtest m protesta f; ~testieren protestare; ℒthese f pròtesi; ℒtokoll n verbale m; ℒviant m vettovaglie [-ʎe] f/pl; ℒvinz f provincia [-tʃa]; ℒvision f provvigione [-dʒo-]; ~visorisch provvisorio; ℒvokation f provocazione; ~vozieren provocare; ℒzent n percento [-tʃ-] m; ℒzeß m processo [-tʃ-]; ℒzession f processione [-tʃ-]

prüde smorfioso [zm-]

prüf|en provare; esaminare; ℒung f prova; esame m

Prügel pl busse f/pl; ℒn: sich ℒn picchiarsi [-k-]

prunkvoll sfarzoso

Psych|iater m psichiatra [-k-]; ℒisch psìchico [-k-]; ℒologisch psicològico [-dʒ-]

Publikum n pùbblico m

Pudding m budino m

Pudel m barbone m

Puder m cipria [tʃ-] f; ⁓**dose** f portacipria [-tʃ-] m; 2n incipriare [-tʃ-]

Pullover m maglia [-ʎa] f

Puls m polso

Pult n leggìo [-dʒ-] m

Pulver m pólvere f; Med polverina f; ⁓**schnee** m neve f farinosa

Pumpe f pompa; 2n pompare; F sich 2en (leihen) prèndere in prèstito

Punkt m punto

pünktlich puntuale

Punsch m ponce [-tʃe]

Pupille f pupilla

Puppe f bàmbola

pur puro; Getränk: liscio [-ʃo]

Püree n purè m

Purzelbaum m capitómbolo

Pustel f pùstola

pusten soffiare

Pute f tacchina [-k-]

putz|en pulire; far pulizìa; 2**frau** f donna delle pulizie; 2**lappen** m strofinaccio [-tʃo]; 2**macherin** f modista

Pyjama m pigiama [-dʒa-]

Pyramide f piràmide

Q

Quadrat n quadrato m; ⁓**meter** m metro quadrato

quaken gracidare [-tʃ-]

Qual f tormento m

quälen tormentare; sich ⁓ affaticarsi

Quali|fikationsspiel n gara f di qualificazione; ⁓**tät** f qualità

Qualle f medusa

Qualm m fumo denso; 2en fare fumo

Quark m ricotta f

Quartal n trimestre m

Quartett n quartetto m

Quartier n alloggio [-dʒo] m

Quarz m quarzo

Quaste f nappa

Quatsch F m sciocchezze [ʃok-] f/pl

Quecksilber n mercurio m

Quell|e f sorgente [-dʒ-]; fig fonte; 2en sgorgare [zg-]

quer trasversale [-zv-]; adv di traverso; s **kreuz**; 2**schnitt** m sezione f trasversale [-zv-]; 2**straße** f via trasversale [-zv-]

quetsch|en ammaccare; 2**ung** f Med contusione

quietschen (Tür) stridere

Quirl m frullino; 2en frullare

quitt: ⁓ **sein** èssere pari

Quitte f cotogna [-ɲa]

quitt|ieren dare quietanza, accusare ricevuta [-tʃ-]; 2**ung** f quietanza, ricevuta [-tʃ-]

Quiz n concorso m radiofònico (od televisivo)

Quotient m quoziente

R

Rabatt m ribasso; sconto

Rabe m corvo

Rache f vendetta

Rachen m gola f

rächen vendicare; **sich ~** vendicarsi

Rachitis f rachitide [-k-]

Rad n ruota f; s **Fahrrad**

Radau F m baccano

radebrechen storpiare (una lingua)

radfahr|en andare in bicicletta [-tʃ-]; **⎓er** m ciclista [tʃ-]; **⎓weg** m corsia f per ciclisti [tʃ-]

radier|en cancellare [-tʃ-]; **⎓gummi** m gomma f per cancellare [-tʃ-]; **⎓ung** f acquaforte

Radieschen n ravanello m

radikal radicale

Radio n radio f; vgl **Rundfunk**; **⎓aktiv** radioattivo

Radius m raggio [-dʒo]

Rad|kappe f coppa copriruota; **⎓rennen** n corsa f ciclistica [tʃ-]; **⎓sport** m ciclismo [tʃiklizmo]; **⎓tour** f escursione ciclistica [tʃ-]

raffiniert raffinato

Ragout n ragù m

Rahmen m cornice f

Rakete f razzo m; missile m

rammen Mar speronare; (ein⎓) conficcare

Rampe f rampa; Thea ribalta

Ramsch m robaccia [-tʃa] f

Rand m orlo

randalieren far baccano

Rand|bemerkung f nota marginale [-dʒ-]; **⎓gebiet** n zona f marginale [-dʒ-]

Rang m grado; categoria f; Thea galleria f

rangieren Esb manovrare

Ranke f viticcio [-tʃo] m; **⎓n: sich ⎓n** avviticchiarsi [-k-]

Ranzen m zaino

ranzig rancido [-tʃ-]

rar raro; di rado

rasch pronto; adv presto

rascheln frusciare [-ʃa-]

Rasen m prato

rasen èssere furioso; Auto: andare di gran carriera; **⎓d** furioso

Rasier|apparat m rasoio (elèttrico); **⎓en** fare la barba; **sich ⎓en** farsi la barba; **⎓klinge** f lametta da rasoio; **⎓krem** f crema da barba; **⎓pinsel** m pennello m da barba; **⎓seife** f sapone m da barba; **⎓wasser** n lozione f da barba

Raspel f raspa; **⎓n** raspare

Rasse f razza

rasseln far rumore

Rast f sosta; **~ machen =** **⎓en** sostare; **⎓platz** m luogo di sosta; **⎓stätte** f ristorante m stradale

Rasur f taglio [-ʎo] m della barba; **vor der ~** pre-rasura; **nach der ~** dopo la rasura

Rat *m* consiglio [-ʎo] (*a Kollegium*); (*Person*) consigliere [-ʎe-]

Rate *f* rata; **in** ~ **n a rate raten**(*j-m*) consigliare [-ʎa-] (qu.); (*er*.) indovinare

Ratenzahlung *f* pagamento *m* a rate

Rat|geber *m* consigliere [-ʎe-]; ~**haus** *n* palazzo *m* municipale [-tʃ-]

ration|alisieren razionalizzare; ~**ieren** razionare

rat|los perplesso; ~**sam** consigliàbile [-ʎa-]; **2-schlag** *m s* Rat

Rätsel *n* enigma *m*; **2haft** misterioso

Ratte *f* ratto *m*; ~**ngift** *n* ratticida [-tʃ-] *m*

rattern crepitare

Raub *m* rapina *f*; (*Entführung*) ratto; **2en** rubare; (*j-n*) rapire

Räuber *m* ladro; brigante

Raub|mörder *m* assassino (per rapina); ~**tier** *n* animale *m* rapace [-tʃe]; ~**überfall** *m* assalto a mano armata; ~**vogel** *m* uccello [-tʃ-] rapace [-tʃe]

Rauch *m* fumo; **2en** fumare; ~**en verboten!** vietato fumare!; ~**er** *m* fumatore; ~**erabteil** *n* compartimento *m* per fumatori

Räucher|aal *m* anguilla *f* affumicata; **2n** affumicare; ~**speck** *m* lardo affumicato

Rauch|fahne *f* pennacchio [-k-] *m* di fumo; **2ig** fumoso; ~**verbot** *n* divieto *m*

di fumare; ~**wolke** *f* nùvola di fumo

rauf|en: **sich** ~ **en** azzuffarsi; **2erei** *f* baruffa

rauh rùvido; *Klima:* rigido [-dʒ-]; *Stimme:* rauco [-dʒ-]; **2reif** *m* brina *f*

Raum *m* spazio *m*; (*Zimmer*) vano

räumen sgomberare [zg-]

Raum|fahrt *f*, ~**flug** *m* volo *m* spaziale

räumlich dello spazio

Raumschiff *n* astronave *f*

Räumung *f* sgómbero [zg-] *m*

Raupe *f* bruco *m*

Rausch *m* sbornia [zb-] *f*; **2en** mormorare; ~**gift** *n* stupefacente [-tʃ-] *m*

räuspern: **sich** ~ schiarirsi [sk-] la gola

Razzia *f* rastrellamento *m*

reagieren reagire [-dʒ-]

real reale; ~**istisch** realìstico; **2ität** *f* realtà

Rebe *f* vite

rebellieren ribellarsi

Rebhuhn *n* pernice [-tʃe] *f*

Rechen *m* rastrello

Rechen|aufgabe *f* problema *m* d'aritmètica; ~**fehler** *m* errore di càlcolo; ~**maschine** *f* calcolatrice [-tʃe]

Rechenschaft *f* conto *m*; ~ **ablegen** rèndere conto; **j-n zur** ~ **ziehen** domandare conto a qu.

rechn|en contare (**mit j-m** su qu.); **2ung** *f* càlcolo *m*; *Hdl* conto *m*

recht (*richtig*) giusto [dʒu-]; vero; (*Ggs link*) destro; ~ **haben** avere ragione [-dʒo-]; **zur ~en Zeit** in tempo

Recht *n* diritto *m*; **im ~ sein** avere ragione [-dʒo-]

Rechteck *n* rettàngolo *m*; 2ig rettangolare

recht|fertigen giustificare [dʒu-]; 2fertigung *f* giustificazione [dʒu-]; ~lich *jur* legale; ~mäßig legittimo [-dʒ-]

rechts a destra

Rechts|anwalt *m* avvocato; ~berater *m* consulente legale

recht|schaffen onesto; 2schreibung *f* ortografia

rechts|kräftig vàlido; 2kurve *f* curva a destra; 2verkehr *m* circolazione [tʃ-] *f* a destra; ~widrig illegale

recht|winklig rettangolare; ~zeitig in tempo

Reck *n* sbarra [zb-] *f* fissa

Redakt|eur *m* redattore; ~ion *f* redazione

Rede *f* discorso *m*; **j-n zur ~ stellen** chièdere ragione [-dʒo-] a qu.

reden parlare

Redensart *f* locuzione

Redner *m* oratore

Reede *f* rada; ~rei *f* compagnia [-ɲ-] *f* di navigazione

reell onesto; *Ware:* sòlido; *Preis:* modesto

reflektieren riflèttere

Reform *f* riforma

Regal *n* scaffale *m*

Regatta *f* regata

rege vivo; attivo

Regel *f* règola; 2mäßig regolare; 2n regolare; *Verkehr:* dirigere [-dʒ-]; 2recht normale; ~ung *f* regolazione

regen: sich ~ muòversi

Regen *m* pioggia [-dʒa] *f*; ~bogen *m* arcobaleno; ~mantel *m* impermeàbile; ~schauer *m* acquazzone; ~schirm *m* ombrello; ~wasser *n* acqua *f* piovana; ~wurm *m* lombrico

Regie *f* regìa [-dʒ-]

regier|en *v/t* governare; *v/i* regnare [-ɲ-]; 2ung *f* governo *m*

Regiment *n* *mil* reggimento [-dʒ-] *m*

Region *f* regione [-dʒo-]

Regisseur *m* regista [-dʒ-]

registrieren registrare [-dʒ-]

Regler *m* regolatore

regn|en piòvere; **es ~et** piove; ~erisch piovoso

regungslos immòbile

Reh *n* capriolo *m*

rehabilitieren riabilitare

Rehbraten *m* arrosto di capriolo

Reib|eisen *n* grattugia [-dʒa] *f*; 2en fregare; grattugiare [-dʒa-]; ~ung *f* fregamento *m*; *Tech* frizione

reich ricco

Reich *n* regno [-ɲo] *m*

403 — Reitstiefel

reich|en (geben) pòrgere [-dʒ-]; (bis D) arrivare a; s ausreichen; es ~t basta; ~lich abbondante; 2tum m ricchezza [-k-] f; 2weite f portata

reif maturo; 2e f maturità; ~en maturare

Reifen m cerchio [tʃerk-]; Kfz gomma f, pneumàtico, ~druck m pressione f delle gomme; ~panne f foratura

Reife|prüfung f esame m di maturità; 2e f maturità; ~zeugnis n certificato [tʃ-] m di maturità

Reihe f fila; serie; der ~ nach per órdine; die ~ ist an mir tocca a me

Reihen|folge f órdine m; 2weise in serie; in fila

reimen: sich ~ rimare

rein puro; netto; pulito

Reinemach|efrau f donna delle pulizìe; 2en fare le pulizìe

Reinheit f purezza

reinig|en pulire; chemisch: lavare a secco; 2ung f pulizìa; chemische: lavaggio [-dʒo] m a secco

reinlich pulito

Reis m riso

Reise f viaggio [-dʒo] m; gute ~! buon viaggio! [-dʒo]; ~andenken n ricordo m di viaggio [-dʒo]; ~apotheke f farmacia [-tʃ-] da viaggio [-dʒo]; ~bedarf m articoli m/pl da viaggio [-dʒo]; ~begleiter m compagno [-ɲo] di viaggio

[-dʒo]; ~büro n agenzìa [-dʒ-] f (di) viaggi [-dʒi]; ~führer m (Buch) guida f turìstica; ~gepäck n bagaglio [-ʎo] m; ~gepäckversicherung f assicurazione (di) bagaglio [-ʎo]; ~gesellschaft f compagnia [-ɲ-] di viaggi [-dʒi]; ~kosten pl spese f/pl di viaggio [-dʒo]; ~leiter m capocomitiva

reisen viaggiare [-dʒa-]; 2de(r) m viaggiatore [-dʒa-], turista

Reise|omnibus m autopullman; ~paß m passaporto; ~route f itinerario m; ~scheck m assegno [-ɲo] turìstico; ~tasche f borsa da viaggio [-dʒo]; ~unfallversicherung f assicurazione contro infortuni di viaggio [-dʒo]; ~verkehr m movimento turìstico; ~zeit f periodo m dei viaggi [-dʒi]; ~ziel n meta f del viaggio [-dʒo]

Reiß|brett n tavoletta f da disegno [-ɲo]; 2en v/t strappare; v/i strapparsi; ~feder f tiralinee m

Reissuppe f minestra di riso

Reiß|verschluß m chiusura [k-] f lampo; ~zwecke f punta da disegno [-ɲo]

reit|en andare a cavallo; 2er m cavalcatore; 2pferd n cavallo m da sella; ~sport m equitazione f; 2stiefel m/pl stivali da equitazione; ♀turnier *n* concorso *m* ippico; ♀weg *m* strada *f* cavalcàbile

Reiz *m* stimolo; *fig* attrattiva *f*; ♀en (*anregen*) stimolare; (*ärgern*) irritare; (*beim Skat*) chiamare [k-]; ♀end attraente

Reklam|ation *f* reclamo *m*; ~e *f* pubblicità [-tʃ-]; ♀ieren reclamare

Rekord *m* primato; ~zeit *f* tempo *m* record

Re|krut *m* recluta *f*; ♀lativ relativo; ~lief *n* rilievo *m*; ~ligion *f* religione [-dʒo-]; ♀ligiös religioso [-dʒo-]

Reling *f* parapetto *m*

Reliquie *f* reliquia *f*

Rendezvous *n* appuntamento *m*

Renn|bahn *f* pista; ~boot *n* barca *f* da corsa; ♀en córrere; ~en *n* corsa *f*; (*Wett*♀) corse *f/pl*; ~fahrer *m* corridore; ~pferd *n* cavallo *m* da corsa; ~strecke *f* percorso *m*; ~wagen *m* màcchina [-k-] *f* da corsa

renovieren rinnovare

Rente *f* rèndita

Rentner *m* pensionato

Reparatur *f* riparazione; ~kosten *pl* spese *f/pl* di riparazione; ~werkstatt *f* officina [-tʃ-] di riparazioni

reparieren riparare

Report|age *f* crònaca; ~er *m* cronista; reporter

Reproduktion *f* riproduzione

Republik *f* repùbblica

Reserve *f* riserva; ~rad *n* ruota *f* di ricambio; ~tank *m* depòsito di riserva

reservier|en riservare; prenotare; ~t riservato; ♀ung *f* riservamento *m*

resignieren rassegnarsi [-ɲ-]

Respekt *m* rispetto

Rest *m* resto

Restaurant *n* ristorante *m*

Rest|betrag *m* resto, saldo; ♀los totalmente

rett|en salvare; ♀er *m* salvatore

Rettich *m* ràfano

Rettung *f* salvataggio [-dʒo-] *m*

Rettungs|arbeiten *f/pl* lavori *m/pl* di salvataggio [-dʒo-]; ~boot *n* battello *m* di salvataggio [-dʒo-]; ~mannschaft *f* squadra di salvataggio [-dʒo-]; ~ring *m* salvagente [-dʒ-]; ~station *f* guardia mèdica; pronto soccorso *m*

Reue *f* pentimento *m*

revanchieren: sich ~ préndersi la rivincita [-tʃ-]

Revier *n* distretto *m*

Re|volution *f* rivoluzione; ~volver *m* rivoltella *f*; ~vue *f* rivista; ~zension *f* recensione [-tʃ-]

Rezept *n* ricetta [-tʃ-] *f*

Rhabarber *m* rabàrbaro

Rheuma *n* reuma(tismo) *m*

Rhythmus *m* ritmo

richten *Wort*: dirigere [-dʒ-]; *Blick*: vòlgere

[-dӡ]; *Waffe*: puntare; *Brief*: indirizzare; (*gerade machen*) drizzare; **sich ~ nach** (D) regolarsi secondo

Richt|er m giùdice [dӡu:-ditʃe]; **2ig** giusto [dӡu-]; **2igstellen** rettificare; **~linien** f/pl direttive; **~ung** f direzione

riechen v/i odorare; **nach et. ~** sapere di qc.; v/t sentire

Riegel m chiavistello [k-]

Riemen m cinghia [tʃiŋgia] f; (*Ruder*) remo

Riese m gigante [dӡ-]

riesig gigantesco [dӡ-]

Riff n scogliera [-ʎe-] f

Rille f solco m

Rind n manzo m

Rinde f corteccia [-tʃa]

Rind|erbraten m arrosto di manzo; **~fleisch** n (*carne* f di) manzo m

Ring m anello m; (*Boxen*) quadrato

ring|en lottare; **2en** n, **2kampf** m lotta f; **2er** m lottatore

Ringfinger m anulare

rings(her)um intorno

rinn|en scórrere; **2stein** m smaltitoio [zm-]

Rippe f còstola; **~nfell-entzündung** f pleurite

Risiko n rischio [-sk-] m

risk|ant arrischiato [-sk-]; **~ieren** arrischiare [-sk-]

Riß m strappo [-sk-]; (*Haut2*) scalfittura f

rissig screpolato

Ritt m cavalcata f

ritterlich cavalleresco

ritzen scalfire

Rivale m rivale

Rizinusöl n olio m di ricino [-tʃ-]

Roastbeef n rosbif [-zb-] m

Robbe f foca

robust robusto

röcheln rantolare

Rock m (*Damen2*) gonna f; (*Jacke*) giacca [dӡa-] f

Rodel|bahn f pista per slittini [zl-]; **2n** andare in slitta [zl-]; **~schlitten** m slittino [zl-]

roden diboscare

Rogen m uova f/pl di pesce [-ʃe]

Roggen m ségale f

roh crudo; *fig* rozzo; brutale; **2kost** f dieta cruda

Rohr n tubo m; *Bot* canna f; **~bruch** m scoppio di tubo

Röhre f tubo m; *Radio*: vàlvola

Rohr|leitung f tubazione; **~post** f posta pneumàtica

Rohstoff m materia f prima

Rolladen m saracinesca [-tʃ-] f

Roll|bahn f *Flgw* pista; **~e** f ròtolo m; *Thea* parte f; **2en** rotolare; **~er** m (*Tret2*) monopàttino; **~film** m pellicola f in ròtolo; **~mops** m aringa f arrotolata; **~schuhe** m/pl pàttini a rotelle; **~stuhl** m sedia f a rotelle; **~treppe** f scala mòbile

Roman m romanzo; **2tisch** romàntico

römisch romano
röntgen radiografare; 2-
aufnahme f radiografia;
2untersuchung f esame
m radioscòpico

rosa (color) rosa

Rose f rosa

Rosen|kohl m càvolo di
Brusselle; ~kranz m Rel
rosario; ~öl n essenza f di
rose

rosig ròseo

Rosinen f/pl uva f passa

Rosmarin m rosmarino
[-zm-]

Roßhaar n crine m

Rost¹ m rùggine [-dʒ-]

Rost² m Kochk graticola f;
~braten m bistecca f ai
ferri

rosten arruggginire [-dʒ-]

röst|en friggere [-dʒ-];
arrostire; 2er m (Brot2)
tostapane

rost|frei inossidàbile; ~ig
rugginoso [-dʒ-]; 2schutz-
mittel n anticorrosivo m

rot rosso; ~ werden arrossire; 2es Kreuz croce
[-tʃe] f rossa

Röte f rossore m

Rotkohl m càvolo rosso

rötlich rossiccio [-tʃo]

Rot|stift m matita f rossa;
~wein m vino rosso (od
nero)

Roulade f avvoltino m

Route f rotta; strada

Routine f pràtica

Rowdy m teppista

Rübe f rapa; rote ~ barbabiètola rossa

Rubin m rubino

Ruck m scossa f; colpo

Rückblick m sguardo [zg-]
retrospettivo

rücken v/t muòvere; spin-
gere [-dʒ-]; v/i muòversi;
scostarsi

Rücken m dorso; schiena
[sk-] f; ~lehne f spalliera;
~mark n midollo m spi-
nale; ~schwimmen n
nuoto m sul dorso; ~wind
m vento in poppa

Rück|erstattung f restitu-
zione; ~fahrkarte f bi-
glietto f [-ʎe-] m d'andata e
ritorno; ~fahrt f ritorno
m; ~flug m volo di ritorno
m; ~gabe f restituzione;
~grat n spina f dorsale;
~licht n riflettore m posteriore; ~porto m franco-
bollo m per la risposta;
~reise f viaggio [-dʒo] m di
ritorno

Rucksack m sacco da mon-
tagna [-ɲa]

Rück|schlag m contrac-
colpo; ~schritt m regres-
so; ~seite f rovescio [-ʃo]
m; tergo m; ~sendung f
rinvìo m

Rücksicht f riguardo m;
~ nehmen auf aver ri-
guardo a

rücksichts|los senza nes-
sun riguardo; ~voll ri-
guardoso

Rück|sitz m posto in fondo;
~spiegel m specchietto
[-k-] retrovisivo; ~stand m
resto; 2ständig arretrato;

~tritt m *Pol* dimissioni f/pl; **~trittbremse** f freno m contropedale; **2wärtig** di dietro; **2wärts** (all')indietro; **~wärtsgang** m marcia [-t∫a] f indietro; **~weg** m ritorno; **2wirkend** retroattivo; **~zahlung** f rimborso m; **~zug** m ritirata f

Ruder n remo m; (*Steuer*) timone m; **~boot** n barca f a remi; **2n** remare; **~sport** m canottaggio [-dʒo]

Ruf m grido; (*An2*) chiamata [k-] f; *fig* fama f; **2en** gridare; *j-n:* chiamare [k-]; **~name** m prenome; **~nummer** f nùmero m di telèfono

Ruhe f riposo m; quiete f; calma f; **2los** irrequieto; **2n** riposare; **~pause** f pausa; **~stand** m riposo; **~tag** m giornata [dʒo-] f di riposo

ruhig tranquillo

Ruhm m gloria f; fama f

rühmen elogiare [-dʒa-]

Ruhr f *Med* dissenteria

Rühr|eier n/pl uova f/pl strapazzate; **2en** (*um~*) rimestare; *fig* commuòvere; **2end** commovente; **~ung** f commozione

Ruine f rovine f/pl

rülpsen ruttare

Rumän|e m, **2isch** rumeno; **~ien** n Romania f

Rummel m, **~platz** m parco dei divertimenti

Rumpelkammer f ripostiglio [-ʎo] m

Rumpf m tronco

Rumpsteak n bistecca f ai ferri

rund rotondo; **~ um** attorno a; **2blick** m panorama f; **2e** f giro [dʒ-] m; **2fahrt** f giro [dʒo-] m turistico; **2flug** m volo circolare [t∫-]

Rundfunk m radio f; **~gebühr** f cànone m per la radio; **~gerät** n radio f; **~hörer** m radioascoltatore; **~programm** n radioprogramma m; **~sender** m stazione f radio

Rund|gang m giro [dʒ-]; **2herum** intorno; **2lich** grassotto; **~reise** f viaggio [-dʒo] m circolare [t∫-]; **~schreiben** n circolare [t∫-] f

Runzel f ruga

rupfen spennacchiare [-k-]

Ruß m fuliggine [-dʒ-] f

Russ|e m, **2isch** russo

Rußland n Russia f

rüst|en *mil* armare; **sich ~en** (**zu** *D*) prepararsi (a, per); **~ig** arzillo; **2ung** f armamento m

Rute f verga

Rutsch|bahn f scìvolo [∫-] m; **2en** scivolare [∫-]

rütteln scuòtere

S

Saal *m* sala *f*
Saat *f* sementa
Säbel *m* sciàbola [ʃa-] *f*
Sabotage *f* sabotaggio [-dʒo] *m*
Sach|e *f* cosa; ⁓en *pl* (*Besitz*) roba *f*; ⁓kenntnis *f* cognizioni [-ɲ-] *f/pl* in materia; ⁓lich ob(b)iettivo
sächlich neutro
Sach|schaden *m* danno materiale; ⁓verhalt *m* stato di cose; ⁓verständige(r) *m* esperto, perito
Sack *m* sacco; ⁓gasse *f* vicolo *m* cieco [tʃe-]
säen seminare
Safe *m* cassaforte *f*
Saft *m* sugo; (*Obst⁂*) succo; ⁂ig sugoso
Sage *f* fàvola
Säge *f* sega; ⁓mehl *n* segatura *f*
sagen dire
säge|n segare; ⁂späne *m/pl* segatura *f*; ⁂werk *n* segheria [-g-] *f*
Sahne *f* panna; crema; (*Schlag⁂*) panna montata
Saison *f* stagione [-dʒo-]; ⁓zuschlag *m* aumento stagionale [-dʒo-]
Saite *f* corda; ⁓ninstrument *n* strumento *m* a corda
Sakko *m* giacca [dʒa-] *f*
Salami *f* salame *m*
Salat *m* insalata *f*; grüner ⁓ insalata *f* verde

Salbe *f* unguento *m*
Salbei *m* salvia *f*
Saline *f* salina
Salmiakgeist *m* ammoniaca *f*
Salpeter *m* salnitro; ⁓säure *f* àcido [-tʃ-] *m* nìtrico
Salut *m* saluto
Salz *n* sale *m*; ⁂en salare; ⁂ig salato; ⁓kartoffeln *f/pl* patate lesse; ⁓säure *f* àcido [-tʃ-] *m* muriàtico; ⁓stange *f* grissino *m* salato; ⁓streuer *m* spargisale [-dʒ-]; ⁓wasser *n* acqua *f* salata
Same(n) *m* seme
sammel|n raccògliere [-ʎe-], ⁂punkt *m*, ⁂stelle *f* luogo *m* di raduno
Sammlung *f* raccolta; collezione; (*Geld⁂*) colletta
Samstag *m* sàbato
Samt *m* velluto
sämtlich intero; tutto
Sanatorium *n* sanatorio *m*
Sand *m* sabbia *f*
Sandale *f* sàndalo *m*
Sand|bank *f* banco *m* di sabbia; ⁂ig sabbioso; ⁓papier *n* carta *f* vetrata; ⁓stein *m* pietra *f* arenaria
sanft dolce [-tʃe]
Sänger(in) *m* cantante
Sanitäter *m* infermiere
Saphir *m* zàffiro
Sardelle *f* sardella
Sarg *m* cassa *f* (da morto)
Satellit *m* satèllite

Satire f sàtira

satt sazio; **et. ~ haben** èssere stufo di qc.

Sattel m sella f; **~gurt** m cignone [-ɲ-]; 2n sellare

sättigend saziante

Satz m Gr frase f; (Sprung) salto; (Garnitur) servizio; (Boden2) fondo; (Fracht2, Zins2) tasso; Sp (Tennis) gioco [dʒɔ-]; **~ung** f statuto m

Sau f porca; fig troia

sauber pulito; 2keit f pulizia; **~machen** = säubern pulire

sauer agro; àcido [-tʃ-]; F fig contrariato; **~ werden** inacidire [-tʃ-]; 2braten m arrosto in agro; 2kraut n crauti m/pl; 2milch f latte m rappreso; 2stoff m ossigeno [-dʒ-]

saufen bere

Säufer m beone

saugen succhiare

Säugetier n mammifero m; **~ling** m lattante

Säule f colonna

Saum m orlo

säumen orlare; (zögern) tardare

Säure f Chem àcido [-tʃ-] m; **sausen** rombare; fischiare [-sk-]; F (eilen) córrere

Schab|efleisch n carne f tritata; 2en raschiare [-sk-]

schäbig lógoro; fig sòrdido

Schach n **~spielen** giocare [dʒo-] agli [aʎi] scacchi [-ki]; **~brett** n scacchiera [-k-] f; **~figur** f pezzo m;

2matt scaccomatto; **~spiel** n scacchi [-ki] m/pl

Schacht m pozzo

Schachtel f scàtola

schade! peccato!; **es ist ~, daß ...** è peccato che [ke] ..

Schädel m cranio

schaden (D) nuòcere [-tʃ-] (a); 2 m danno; 2ersatz m indennizzo; **~froh** maligno [-ɲo]

schadhaft difettoso

schäd|igen danneggiare [-dʒa-]; **~lich** dannoso; 2ling m insetto nocivo [-tʃ-]

Schaf n pècora f

Schäfer m pecoraio; **~hund** m mastino

schaffen (arbeiten) lavorare; (tun) fare; (er~) creare; (bringen) portare; **es ~ riuscire** [-ʃ-] (a fare)

Schaffner m Esb controllore; (Omnibus2) bigliettario [-ʎe-]

Schaft m fusto; asta f; **~stiefel** m stivalone

schal insipido

Schal m scialle [ʃa-]

Schale f (Obst2) buccia [-tʃa]; (Eier2) guscio [-ʃo] m; (Gefäß) scodella

schälen sbucciare [zbut-tʃa-]

Schall m suono; **~dämpfer** m silenziatore; 2dicht ermètico [-k-] m; **~mauer** f muro m del suono; **~platte** f disco m

schalt|en El commutare; Auto: cambiare; 2er m

(Licht♦) interruttore;
(Bank♦, Post♦) sportello;
♦hebel m leva f del cambio; ♦jahr n anno m bisestile

Scham f vergogna [-ɲa]; pudore m

schämen: sich ~ vergognarsi [-ɲ-]

scham|haft pudibondo; **~los** spudorato

Schande f vergogna [-ɲa]

schändlich vergognoso [-ɲ-]

Schanktisch m banco

Schar f schiera [sk-]

scharf acuto; (beißend) acre; Speise: forte, piccante; Wind: tagliente [-ʎe-]; Fot nitido; fig (rauh) aspro, brusco

Schärfe f acutezza; **♦n** aguzzare

Scharfsinn m acume

Scharlach m Med scarlattina f

Scharnier n cerniera [tʃ-] f

scharren raspare

Scharte f tacca

Schatten m ombra f

schattig ombroso

Schatz m tesoro

schätzen stimare; valutare

Schau f vista; mostra; **zur ~ stellen** méttere in mostra

schauderhaft orribile

schauen guardare

Schauer m orrore; (Regen♦) acquazzone; **♦lich** orrendo

Schaufel f pala; **♦n** spalare

Schaufenster n vetrina f

Schaukel f altalena; **♦n**

dondolare; **~pferd** n cavallo m a dóndolo; **~stuhl** m sedia f a dóndolo

Schaum m schiuma [sk-] f; Wein, Meer: spuma f

schäumen spumeggiare [-dʒa-]

Schaum|gummi m gommapiuma f; **~wein** m s **Sekt**

Schauplatz m teatro

Schauspiel n spettàcolo m; **~er(in** f) m attore m, attrice [-tʃe] f

Scheck m assegno [-ɲo]; **~buch** n libretto m degli [-ʎi] assegni [-ɲi]

scheckig pezzato

Scheckkarte f tèssera f assegno [-ɲo]

Scheibe f disco m; (Glas♦) vetro m, cristallo m; **eine Brot** una fetta di pane

Scheiben|bremse f freno m a disco; **~wischer** m tergicristallo [-d-]

Scheid|e f guaina; Anat vagina; **~en** v/t separare; v/i separarsi; andàrsene; **sich ~en lassen** farsi divorziare; **~ung** f (Ehe♦) divorzio m

Schein m (Licht♦) luce [-tʃe] f; (Mond♦) chiaro [k-]; (Bescheinigung) certificato [tʃ-]; (Quittung) ricevuta [-tʃ-] f; (Geld♦) biglietto [-ʎe-]; **♦bar** apparente; **♦en** splèndere; fig parere; **~werfer** m faro

Scheitel m vèrtice [-tʃe]; (Haar♦) riga f

411 schimmeln

scheitern naufragare; *fig* fallire

Schema *n* schema [sk-] *m*; ♀tisch schemàtico [sk-]

Schemel *m* sgabello [zg-]

Schenke *f* osteria

Schenkel *m* coscia [-ʃa] *f*

schenken regalare

Scherbe *f* frantume *m*

Schere *f* fòrbici [-tʃi] *f/pl*

Scherereien *f/pl* seccature

Scherz *m* scherzo [sk-]; ♀en scherzare [sk-]; ♀haft scherzoso [sk-]

scheu timido

Scheuer|lappen *m* strofinaccio [-tʃo]; ♀n fregare

Scheune *f* granaio *m*

Scheusal *n* mostro *m*

scheußlich orribile

Schi *m* sci [ʃi]; ~ **laufen** sciare [ʃ-]; *vgl* **Ski**

Schicht *f* strato *m*; (*Arbeits*♀) **turno** *m*; ♀**arbeit** *f* lavoro *m* a turno

schick scicche [ʃik-ke]

schicken mandare; inviare

Schicksal *n* destino *m*

Schiebe|dach *n* tettuccio [-tʃo] *m* scorrévole; ♀**fenster** *n* finestra *f* scorrévole; ♀n spingere [-dʒ-]; muòvere; (*Hdl*) véndere di nascosto; ♀r *m Tech* cursore; ♀**tür** *f* porta scorrévole

Schiebung *f* frode, camorra

Schieds|gericht *n* tribunale *m* arbitrale; ♀**richter** *m* àrbitro

schief obliquo; inclinato; pendente; ♀**gehen** andare male

schielen èssere guercio [-tʃo]

Schien|bein *n* stinco *m*; ~e *f Esb* rotaia; *Med* stecca; ♀en steccare

schieß|en sparare; ♀**erei** *f* sparatoria; ♀**platz** *m* campo di tiro; ♀**scheibe** *f* bersaglio [-ʎo] *m*

Schiff *n* nave *f*; *Arch* navata *f*

Schiffahrt *f* navigazione; ♀**sgesellschaft** *f* società [-tʃe-] di navigazione

Schiff|bruch *m* naufragio [-dʒo]; ♀**er** *m* navigatore

Schiffs|agentur *f* agenzia [-dʒ-] navale; ♀**arzt** *m* mèdico di bordo; ♀**karte** *f* biglietto [-ʎe-] *m* per la nave; ♀**reise** *f* viaggio [-dʒo] *m* sul mare

Schigelände *n* campo *m* da sci [ʃi]

Schikan|e *f* vessazione; ♀**ieren** vessare

Schiläufer *m* sciatore [ʃ-]

Schild[1] *n* targa *f*; insegna [-ɲa] *f*; ~[2] *m* scudo [-ɲa] *f*; ♀**drüse** *f* glàndola tiròide; ♀**ern** descrivere; ♀**erung** *f* descrizione; ♀**kröte** *f* tartaruga

Schilf *n* canna *f*

Schilift *m* sciovia [ʃ-] *f*

schillernd iridescente [-ʃ-]

Schilling *m* scellino [ʃ-]

Schimmel[1] *m* (*Pferd*) cavallo bianco

Schimmel[2] *m* (*Pilz*) muffa *f*; ♀**ig** ammuffito; ♀**n** ammuffire

Schimmer m bagliore [-ʎo-]; ℒn scintillare [ʃ-]

schimpf|en gridare; ℒwort n ingiuria [-dʒu-]

Schinken m prosciutto [-ʃu-]

Schirm m (Regenℒ) ombrello; (Sonnenℒ) ombrellino; (Gartenℒ) ombrellone

Schlacht f battaglia [-ʎa]; ℒen macellare [-tʃ-]

Schlächter m macellaio [-tʃ-]

Schlaf m sonno; ⸗abteil n scompartimento m letto; ⸗anzug m pigiama [-dʒa-]

Schläfe f tempia

schlafen dormire; ⸗ gehen andare a letto

schlaflos senza sonno; ℒigkeit f insonnia

Schlafmittel n sonnifero m

schläfrig sonnolento

Schlaf|sack m sacco a pelo; ⸗tabletten f/pl pasticche di sonnifero; ⸗wagen m vagone letti; ⸗zimmer m càmera f da letto

Schlag m colpo; ⸗ader f arteria; ⸗anfall m colpo d'apoplessia; ℒartig di colpo; ⸗baum m barriera f; ℒen bàttere; (Uhr) sonare; ⸗er m Mus canzonetta f (popolare)

Schläger m Sp racchetta [-k-] f; mazza f; (Rowdy) teppista; ⸗ei f zuffa

schlag|fertig pronto a rispòndere; ℒloch n buca f; ℒring m tirapugni [-ɲi]; ℒsahne f panna montata;

ℒzeile f titolo m; ℒzeug n Mus batteria f

Schlamm m fango; ℒig fangoso

Schlampe f donna trascurata; ⸗rei f trascuratezza

schlampig trascurato

Schlange f serpente m; ⸗ stehen fare la coda

schlängeln: sich ⸗ serpeggiare [-dʒa-]

Schlangenlinie f linea serpeggiante [-dʒa-]

schlank snello [zn-]; slanciato [zlantʃa-]; ℒheitskur f cura dimagrante

schlapp fiacco; ℒe F f sconfitta; ⸗machen F arrèndersi

schlau furbo

Schlauch m tubo (di gomma); Kfz càmera f d'aria; ⸗boot n canotto m pneumàtico; ℒlos: ℒloser Reifen gomma f senza càmera d'aria

schlecht cattivo; (verdorben) guasto; **mir ist** ⸗ mi sento male; ⸗hin semplicemente [-tʃ-]; ℒigkeit f cattiveria

schleichen andare lentamente; ⸗d lento

Schleier m velo; ℒhaft oscuro

Schleif|e f cappio m; ℒen v/t trascinare [-ʃ-]; Messer: arrotare; v/i strisciare [-ʃa-]; ⸗maschine f arrotatrice [-tʃe]; ⸗mittel n abrasivo m; ⸗stein m mola f

Schleim m mucco; ⸗haut f

Schmalspurbahn

muccosa; ~ig viscoso; muccoso

schlemmen gozzovigliare [-Aa-]

schlendern andare a zonzo

schlenkern (mit D) dimenare (qc.)

Schlepp|e f stràscico [-ʃ-] m; ℚen trascinare [-ʃ-]; Kfz, Mar rimorchiare [-k-]; (schwer tragen) portare con fatica; ~er m trattore; ~kahn m barca f da rimorchio [-k-]; ~seil n cavo m da rimorchio [-k-]

Schleuder f fionda; ℚn v/t scagliare [-Aa-]; v/i (Auto) slittare [zl-]

Schleuse f cateratta

schlicht sémplice [-tʃe]; ~en Streit: appianare

schließ|en chiùdere [k-]; ℚfach n casella f postale; ~lich finalmente; ℚung f chiusura [k-]

schlimm cattivo; ~er peggiore [-dʒo-]

Schling|e f cappio m; laccio [-tʃo] m; ℚern v/i rollare; ~pflanze f pianta rampicante

Schlips m s Krawatte

Schlitten m slitta [zl-] f; ~fahrt f gita [dʒ-] in slitta [zl-]; ~lift m slittovia [zl-] f

Schlittschuh m pàttino f; ~laufen pattinare; ℚläufer m pattinatore

Schlitz m fessura f; (Einwurf) buca f

Schloß n (Tür℥) serratura f; Arch castello m

Schlosser m magnano [-ɲ-]

Schlucht f gola; burrone m

schluchzen singhiozzare [-g-]

Schluck m sorso; ~auf m singhiozzo [-g-]; ℚen inghiottire [-g-]; ~impfung f vaccinazione [-tʃ-] per via orale

schlummern sonnecchiare [-k-] (fig abisso)

Schlund m fauci [-tʃi] f/pl;

Schlüpf|er m mutandine f/pl; ℚrig lùbrico

Schlupfwinkel m nascondiglio [-Ao]

Schluß m chiusura [k-] f; (Ende) fine f; (Folgerung) conclusione f; zum ~ alla fine

Schlüssel m chiave [k-] f; ~bein n clavicola f; ~bund n mazzo m di chiavi [k-]; ~loch n buco m della serratura

Schluß|folgerung f conclusione; ~licht n fanale m posteriore; ~wort n ùltima parola

Schmach f ignominia [-ɲ-]

schmächtig gràcile [-tʃ-]

schmackhaft saporito; gustoso

schmal stretto

Schmalfilm m film a passo ridotto; ~kamera f màcchina [-k-] da presa a passo ridotto

Schmalspurbahn f ferrovia a scartamento ridotto

Schmalz n strutto m

Schmarotzer m parassita

schmeck|en v/i piacere [-tʃ-]; **nach et.** ~en sapere di qc.; **es** ~t gut è buono; v/t assaggiare [-dʒa-]

Schmeichel|ei f lusinga; ⏅haft lusinghiero [-g-]; ⏅n (D) lusingare (A)

schmeißen scaraventare

schmelzen v/t fóndere; v/i sciògliersi [-ʎe-]

Schmerz m dolore; ⏅en dolere; ⏅haft, ⏅lich doloroso; ⏅los senza dolore; ⏅stillend calmante; ~tablette f compressa contro il dolore

Schmetterling m farfalla f

schmettern scaraventare; (singen) cantare

Schmied m fabbro; ~e f fucina [-tʃ-]; ⏅en bàttere (il ferro); fig Pläne: ordire

schmier|en spalmare; ùngere [-dʒ-]; ~ig unto; sporco; ⏅öl n olio m lubrificante; ⏅seife f sapone m molle

Schminke f belletto m; ⏅n truccare; **sich** ⏅n darsi il belletto

Schmirgelpapier n carta f smeriglio [zmeri:ʎo]

Schmor|braten m stufato; ⏅en v/t stufare; v/i fig bruciare [-tʃa-]

schmuck lindo

Schmuck m ornamento; (Juwelen) gioielli [dʒo-] m/pl

schmücken ornare

Schmuggel m contrabbando; ⏅n contrabbandare

schmunzeln sorridere soddisfatto

Schmutz m sporcizia [-tʃ-] f; ⏅ig sporco

Schnabel m becco

Schnalle f fibbia

schnapp|en scattare; **nach Luft** ~en boccheggiare [-ked-dʒa-]; ⏅schuß m istantànea f

Schnaps m acquavite f; ~glas n bicchierino [-k-] m da liquore

schnarchen russare

schnattern schiamazzare [sk-]

schnauben sbuffare [zb-]; **sich die Nase** ~ soffiarsi il naso

Schnauze f muso m

Schnecke f chiòcciola [kiɔt-tʃo-]; lumaca

Schnee m neve f; ~ball m palla f di neve; ⏅bedeckt coperto di neve; ~fall m nevicata f; ⏅gestöber n nevischio [-sk-] m; ~höhe f spessore m della neve; ~ketten f/pl Kfz catene da neve; ~matsch m neve bagnata [-ɲ-]; ~pflug m spazzaneve; ~sturm m bufera f di neve; ~wehe f ammucchiata [-k-]; ⏅weiß bianco come la neve

Schneid|brenner m bruciatore [-tʃa-] tagliente [-ʎa-]; ~e f filo m, taglio [-ʎo] m; ⏅en tagliare [-ʎa-]; ~er(in f) m sarto m, sarta f

schnei|en: es ~t névica
schnell ràpido; veloce
[-tʃe]; adv presto; etwas
~er un po' più presto;
℈bahn f ferrovia urbana;
℈hefter m raccoglitore
[-ʎ-]; ℈igkeit f rapidità;
℈imbiß m spuntino; ℈-
straße f strada di grande
comunicazione; ℈zug m
direttissimo

Schnitt m taglio [-ʎo];
(Fasson) foggia [-dʒa] f;
~blumen f/pl fiori m/pl da
taglio [-ʎo]; ~e f tenaglia
[-ʎo]; ~fläche f sezione; ~lauch
m cipollina [tʃ-] f; ~-
punkt m punto d'interse-
zione; ~wunde f ferita di
taglio [-ʎo]

Schnitzel n braciola [-tʃo-]
f; Wiener ~ costoletta f
alla milanese
schnitz|en intagliare [-ʎa-];
℈erei f scultura in legno
[-ɲo] [ratorio]
Schnorchel m tubo respi-ʃ
schnüffeln fiutare
Schnuller m poppatoio
Schnupfen m raffreddore
schnuppern fiutare
Schnur f spago m; corda
schnüren allacciare [-tʃa-]
Schnurrbart m baffi m/pl
Schnür|schuh m scarpa f
da allacciare [-tʃa-]; ~sen-
kel m stringa f
Schock m collasso; ℈ieren
scandalizzare
Schöffe m scabino
Schokolade f cioccolata
[tʃo-]

Schokoladen|eis n gelato
[dʒ-] m alla cioccolata [tʃo-];
~torte f torta alla cioc-
colata [tʃo-]
Scholle f zolla; Zo sògliola
[-ʎo-]
schon già [dʒa]
schön bello; adv bene
schonen avere cura di;
sich ~ aversi riguardo
Schönheit f bellezza; ~s-
salon m istituto di bellezza
Schon|kost f dieta; ~ung f
riguardi m/pl; Wald: bosco
m di riserva; ~zeit f chiusura [k-] della caccia [-tʃa]
Schopf m ciuffo [tʃu-]
schöpf|en attingere [-dʒ-]
(a fig); ℈er m creatore
Schoppen m Wein: quar-
tino; Bier: pinta f
Schorf m crosta f
Schornstein m camino;
~feger m spazzacamino
Schoß m grembo
Schote f baccello [-tʃ-] m
Schotter m ghiaia [g-] f
schottisch scozzese
schräg obliquo
Schramme f scalfittura
Schrank m armadio
Schranke f barriera
Schraube f vite; ℈n avvitare
Schrauben|mutter f ma-
drevite; ~schlüssel f
chiave [k-] per viti; ~-
zieher m cacciavite [-tʃa-]
Schraubstock m morsa f
Schreck m terrore; vor ~
dallo spavento; ℈lich terri-
bile

Schrei *m* grido

schreib|en scrivere; **2en** in lèttera *f*; **2fehler** *m* errore di scrittura; **2maschine** *f* màcchina [-k-] da scrivere; **2papier** *n* carta *f* da scrivere; **2tisch** *m* scrivanìa *f*; **2waren** *f/pl* occorrente *m* per scrìvere; **2zimmer** *n* scrittoio *m*

schreien gridare

Schrift *f* scrittura; (*Text*) scritto *m*; **2lich** *adv* per iscritto; **~steller** *m* scrittore; **~stück** *n* documento *m*; **~wechsel** *m* corrispondenza *f*

schrill stridente

Schritt *m* passo; **~ fahren!** al passo!

schroff (*steil*) rìpido; *fig* brusco

Schrot *n* pallini *m/pl*; **~flinte** *f* fucile [-tʃ-] *m* da caccia [-tʃa]

Schrott *m* rottami *m/pl* di metallo

schrubb|en strofinare; **2er** *m* spàzzola *f* per strofinare

schrumpfen restringersi [-dʒ-]

Schub|fach *n* cassetto *m*; **~karre** *f* carriola

schüchtern tìmido; **2heit** *f* timidezza

Schuh *m* scarpa *f*; **~anzieher** *m* calzatoio; **~bürste** *f* spàzzola per scarpe; **~geschäft** *n* calzoleria *f*; **~größe** *f* nùmero *m* di scarpa; **~krem** *f* crema

da scarpe; **~macher** *m* calzolaio; **~sohle** *f* suola

Schul|arbeiten *f/pl* còmpito *m*; **~bank** *f* banco *m*; **~buch** *n* libro *m* scolàstico

schuld: ~ sein an (*D*) èssere responsàbile di

Schuld *f* colpa; **2en** (*j-m A*) dovere (qc. a qu.); **2ig** colpévole; (*gebührend*) débito; **2los** innocente [-tʃ-]; **~ner** *m* debitore; **~schein** *m* pagherò [-g-]

Schule *f* scuola; **2n** istruire

Schüler *m* scolaro; **~austausch** *m* scambio di allievi; **~in** *f* scolara

Schul|ferien *f/pl* vacanze *f/pl*; **2frei** di vacanza; **~freund** *m* compagno [-ɲo] di scuola; **~kind** *n* scolaretto *m*; **~leiter** *m* prèside; **~pflicht** *f* istruzione obbligatoria

Schulter *f* spalla

Schul|ung *f* istruzione; **~zeit** *f* anni *m/pl* di scuola

Schund *m* scarto

Schupo *m* vìgile [-dʒ-] urbano

Schuppen¹ *f/pl* fòrfora *f*

Schuppen² *m* rimessa *f*

schüren attizzare

Schurke *m* briccone

Schürze *f* grembiule *m*

Schuß *m* colpo; tiro; **ein ~ Essig** un goccio [-tʃo] di aceto [-tʃ-]

Schüssel *f* scodella

Schußwaffe *f* arma da fuoco

Schuster *m* calzolaio

Schutt *m* macerie [-tʃ-] *f|pl*

Schüttel|frost *m* brividi *m|pl*; ℒn scuòtere; Hand: stringere [-dʒ-]

schütten versare

Schutz *m* protezione *f*; ~blech *n* parafango *m*; ~brille *f* occhiali [-k-] *m|pl* di protezione

schützen protèggere [-dʒ-] (vor da)

Schutz|engel *m* àngelo [-dʒ-] custode; ~heilige(r) *m* patrono; ~hütte *f* rifugio [-dʒo] *m* alpino; ~impfung *f* vaccinazione [-tʃ-] preventiva; ℒlos senza protezione; ~mann *m* guardia *f*; vigile [-dʒ-]

schwäbisch svevo [zv-]

schwach débole

Schwäch|e *f* debolezza; ℒen indebolire; ℒlich debolùccio [-tʃo]

schwach|sinnig idiota; ℒstrom *m* corrente *f* a bassa tensione

Schwager *m* cognato [-ɲ-]

Schwägerin *f* cognata [-ɲ-]

Schwalbe *f* róndine

Schwamm *m* spugna [-ɲa] *f*

Schwan *m* cigno [tʃiːɲo]

schwanger gràvido; ℒschaft *f* gravidanza

schwanken barcollare

Schwanz *m* coda *f*

schwänzen: Schule ~ marinare la scuola

Schwarm *m* sciame [ʃa-]; *fig* ideale

schwärmen: für et. ~ èssere fanàtico di qc.

Schwarte *f* cotenna

schwarz nero; ~ werden annerirsi; ℒes Meer Mare *m* Nero; ℒbrot *n* pane *m* nero; ℒweißfilm *m* film (*Fot* pellicola *f*) in bianco e nero [kiak-ki-]

schwatzen chiacchierare

Schwebe|bahn *f* funivia; ~balken *m* Sp asse d'equilibrio; ~ *sein* èssere sospeso; pèndere; *fig* in Gefahr ℒn versare in pericolo

Schwed|e *m*, ℒisch svedese [zv-]; ~en *n* Svezia [zv-] *f*

Schwefel *m* zolfo

schweig|en tacere [-tʃ-]; ℒen in silenzio *m*; ~sam taciturno [-tʃ-]

Schwein *n* porco *m*, maiale *m*

Schweine|braten *m* arrosto di maiale; ~fleisch *n* carne *f* di maiale; ~stall *m* porcile [-tʃ-]

Schweiß *m* sudore; ~brenner *m* becco per saldare; ℒen Tech saldare; ℒtreibend sudorifero

Schweiz *f* Svizzera [zv-]; ~er *m* svizzero [zv-]

schwelen bruciare [-tʃa-] senza fiamma

Schwelle *f* soglia [-ʎa]

schwell|en gonfiarsi; ℒung *f* gonfiamento *m*

schwenken *v/t* agitare [-dʒ-]; *v/i* voltarsi

schwer pesante; *fig* (*schwierig*) difficile [-tʃ-]; (*ernst*) grave; ℒarbeit *f* lavoro *m* pesante; ℒathletik *f* atlè-

tica pesante; 2beschä-
digte(r) m gran mutilato;
~fällig pesante; tardo;
~hörig duro d'orecchio
[-k-]; 2industrie f indù-
stria pesante; ~krank
gravemente malato; 2punkt
m centro [tʃ-] di gravità
Schwert n spada f; ~lilie f
iris m
schwer|verdaulich indi-
gesto [-dʒ-]; ~verständ-
lich difficile [-tʃ-] a capire;
~wiegend molto grave
Schwester f sorella
Schwieger|eltern pl suò-
ceri [-tʃ-] m/pl; ~mutter f
suòcera [-tʃ-]; ~sohn m
gènero [dʒ-]; ~tochter f
nuora; ~vater m suòcero
[-tʃ-]
Schwiele f callosità
schwierig difficile [-tʃ-]
2keit f difficoltà
Schwimm|bad n piscina
[-ʃ-] f; 2en nuotare; ~er m
nuotatore; Tech galleg-
giante [-dʒa-]; ~flosse f
pinna; ~halle f piscina
[-ʃ-] coperta; ~weste f
giubbotto [dʒu-] m di
salvataggio [-dʒo]
Schwind|el m Med verti-
gine [-dʒ-] f; fig inganno;
2eln ingannare; ~ler m
imbroglione [-ʎo-]; 2lig:
mir wird 2lig mi vèngono
le vertigini [-dʒ-]
schwing|en v/t agitare
[-dʒ-]; v/i vibrare; (Pendel)
oscillare [-ʃ-]; 2ung f
vibrazione

Schwips F m: e-n ~ haben
èssere brillo
Schwitz|bad n bagno [-ɲo]
m a vapore; 2en sudare
schwören giurare [dʒu-]
schwül afoso; 2e f afa
Schwung m slancio [zlan-
tʃo]; fig brio; ~rad n
volano m; 2voll animato
Schwurgericht n corte f
d'assise
sechs sei; 2 f sei m;
2tagerennen n la sei
giorni [dʒo-]; 2tel n sesto m
See¹ m lago; ~² f mare m;
an der ~ al mare; ~bad n
stazione f balneare; ~gang
m mareggiata [-dʒa-] f;
~hund m foca f; ~klima n
clima m marittimo; 2-
krank che [ke] ha il mal
di mare; ~krankheit f mal
m di mare
See|e f ànima; 2isch
dell'ànima; ~sorge f cura
delle ànime
See|luft f aria di mare;
~mann m marinaio; ~-
meile f miglio [-ʎo] m
marittimo; ~not f pericolo
m di mare; ~reise f viag-
gio [-dʒo] m per mare;
~stern m stella f marina;
~wasser n acqua f di mare;
~zunge f sògliola [-ʎo-]
Segel n vela f; ~boot n
barca f a vela; ~flugzeug n
aliante m; 2n veleggiare
[-dʒa-]; ~schiff n nave f a
vela; ~sport m sport
vèlico; ~tuch n tela f da
vela

Seg|en *m* benedizione *f*;
♀nen benedire
sehen vedere; vom ♀
kennen conóscere [-ʃ-] di
vista
sehens|wert interessante;
♀würdigkeit *f* curiosità
Sehne *f* tèndine *m*
sehnen: sich nach et. ~
anelare qc.
Sehnenzerrung *f* stira-
mento *m* del tèndine
Sehn|sucht *f* nostalgìa
[-dʒ-]; ♀süchtig bramoso
sehr molto; ~ gern molto
volentieri
seicht basso
Seide *f* seta
Seife *f* sapone *m*
Seil *n* corda *f*; fune *f*;
~bahn *f* funicolare, funivia
sein[1] èssere; ich bin sono;
wir sind siamo
sein[2], ~e (i) suo, (la) sua;
pl (i) suoi, (le) sue
seiner|seits da parte sua;
~zeit tempo fa
seit (D) da, fin da; ~
wann? da quando?; =
~dem dacché [-ke]
Seite *f* parte; lato *m*
Seiten|stechen *n* fitte *f/pl*
al fianco; ~straße *f* strada
laterale
seitlich laterale
Sekretär *m* segretario; ~in
f segretaria
Sekt *m* (vino) spumante
Sekunde *f* secondo *m*
selbst stesso; von ~ da sé
selbständig indipendente
Selbst|auslöser *m* auto-

scatto; ~bedienung *f* autoservizio *m*; ♀bedienungs-
laden *m* negozio con
autoservizio
selbst|bewußt consapé-
vole di sé; ♀kosten *pl* costi
m/pl effettivi; ~los disin-
teressato; ♀mord *m* suicidio [-tʃ-]; ♀sicher sicuro
di ,sé stesso; ~süchtig
egoístico; ♀tätig automà-
tico; ♀unterricht *m* auto-
didàttica [-tt]; ~verständlich
òvvio; ♀wählverkehr *m*
Tel teleselezione *f*
Selch|fleisch *n* carne *f*
affumicata
Sellerie *m od f* sèdano *m*
selten raro; *adv* di rado;
♀heit *f* rarezza; rarità
Selterswasser *n* acqua *f* di
seltz
seltsam strano
Semester *n* semestre *m*
Seminar *n* seminario *m*
Semmel *f* rosetta, panino *m*
send|en inviare; spedire;
Rdf trasméttere [-zm-];
♀er *m* stazione *f* trasmittente [-zm-]; ♀ung *f* spedizione; *Rdf* trasmissione
[-zm-]
Senf *m* sènape; ~gurke *f*
cetriolo [tʃ-] *m* in conserva
sengen abbruciacchiare
[-tʃak-ki-]
Senk|blei *n* piombino *m*;
♀en abbassare; sich ♀en
(Boden) avvallarsi; ♀recht
verticale
Sensation *f* sensazione
Sense *f* falce [-tʃe]

sensibel sensibile
September *m* settembre
Serie *f* serie
Serpentine *f* serpentina
Serum *n* siero *m*
Serv|ice *n* servizio *m*;
 2ieren servire; **iererin** *f*
 cameriera; **iette** *f* tova-
 gliolo [-ʎ-] *m*
Sessel *m* poltrona *f*, **lift** *m*
 seggiovia [-dʒo-] *f*
setzen méttere, collocare,
 porre; **sich** sedersi
Seuche *f* epidemia
seufz|en sospirare; **2er** *m*
 sospiro
sexuell sessuale
Show *f* spettàcolo *m*
sich si; **für** per sé; **von**
 aus da sé
Sichel *f* falce [-tʃe]
sicher sicuro; (*gewiß*) certo
 [tʃ-]; **sein** (*vor D*) èssere
 al sicuro (da); **2heit** *f*
 sicurezza
Sicherheits|gurt *m* cintura
 [tʃ-] *f* di sicurezza; **2halb-**
 ber per maggiore [-dʒo-]
 sicurezza; **nadel** *f* spillo
 m di sicurezza; **polizei** *f*
 pùbblica sicurezza; ****
 schloß *n* serratura *f* di
 sicurezza
sicher|lich sicuramente;
 n, **stellen** assicurare;
 2ung *f* sicurezza; *El* vàlvola; fusibile *m*
Sicht *f* vista; *Wetter*: visi-
 bilità; **in** **kommen**
 apparire; **2bar** visibile;
 vermerk *n* visto *m*;
 weite *f* portata di vista

sickern trapelare
sie *3. Pers sg* lei, ella; *acc*
 la; *3. Pers pl* loro; *acc* li,
 le; **2** *sg* Lei; *pl* Loro
Sieb *n* staccio [-tʃo] *m*
sieben (*Zahl*) sette; **tägig**
 di sette giorni [dʒo-]
sieden bollire [colònia]
Siedl|er *m* colono; **ung** *f*
Sieg *m* vittoria *f*
Siegel|lack *m* ceralacca
 [tʃ-] *f*; **ring** *m* anello col
 sigillo [-dʒ-]
sieg|en vincere [-tʃ-] (*über*
 j-n qu.); **2er** *m* vincitore
 [-tʃ-]
Signal *n* segnale [-ɲ-] *m*
Silbe *f* sillaba
Silber *n* argento [-dʒ-] *m*;
 2n d'argento [-dʒ-]; (*Far-*
 be) argènteo [-dʒ-]
Silvester *n* vigilia [-dʒ-] *f*
 di capo d'anno
simulieren simulare
Sinfonie *f* sinfonia
sing|en cantare; **2vogel** *m*
 uccello [-tʃ-] canterino
sinken cadere; (*Sonne*) posarsi; (*Schiff*) affondare
Sinn *m* senso; (*Bedeutung*)
 significato [-ɲ-], *m*; **bild** *n*
 simbolo *m*; **2gemäß** conforme al senso; **2lich** sen-
 suale; **2los** senza senso;
 inùtile; **2voll** sensato
Siphon *m* sifone *f*
Sippe *f* parentado *m*
Sirup *m* sciroppo [ʃ-]
Sitte *f* costume *m*; uso *m*
sittlich morale; **2keits-**
 verbrechen *n* delitto *m*
 sessuale

Sitz m (~platz) posto; (e-r Firma usw) sede f; ~bad n semicupio m; 2en sedere; (Kleid) stare; ~platz m posto; ~ung f seduta

Skala f scala, gamma

Skandal m scàndalo

Skelett n schèletro [sk-] m

skeptisch scèttico [ʃ-]

Ski m s Schl; ~aufzug m s Schilift; ~hütte f rifugio [-dʒo] m per sciatori [ʃia-]; ~springen n salto m con gli [ʎi] sci [ʃi]; ~stiefel m scarpone da sci [ʃi]

Skizze f schizzo [sk-] m

Skulptur f scultura

Smaragd m smeraldo [zm-]

so così; betont: tanto; ~ daß così che [ke]; ~bald appena

Socke f calzino m

Sockel m zòccolo

Sodawasser n acqua f di seltz

Sodbrennen n bruciore [-tʃo-] m di stòmaco

soeben in questo momento

Sofa n sofà m

so|fort sùbito; ~gar persino; ~genannt cosiddetto; ~gleich sùbito

Sohle f (Schuh2) suola; (Fuß2) pianta

Sohn m figlio [-ʎo]

solange finché [-ke]

Solbad n bagno [-ɲo] m d'acqua salina

solch tale

Sold m soldo; ~at m soldato

solide sòlido

Solist(in f) m solista

Soll n dèbito m; 2en dovere

Sommer m estate f; im ~ d'estate; ~anzug m vestito da estate; ~fahrplan m orario estivo; ~frische f villeggiatura; 2lich estivo; d'estate; ~schlußverkauf m saldi m/pl d'estate; ~sprossen f/pl lentiggini [-dʒ-]

Sonder|angebot n offerta f speciale [-tʃa-]; ~ausgabe f edizione speciale [-tʃa-]; 2bar strano; ~flug m volo straordinario

sondern ma; nicht nur ..., ~ auch non solo ..., ma anche [-ke]

Sonder|preis m prezzo speciale [-tʃa-]; ~zug m treno speciale [-tʃa-]

Sonnabend m sàbato

Sonn|e f sole m; in der ~e al sole; 2en: sich 2en prèndere il sole

Sonnen|aufgang m levare del sole; ~bad n bagno [-ɲo] m di sole; ~blume f girasole [dʒ-] m; ~brand m scottatura f del sole; ~brille f occhiali m/pl da sole; ~dach n tenda f; ~deck n solario m; 2gebräunt abbronzato; ~öl n olio m abbronzante; ~schein m luce [-tʃe] f del sole; ~schirm m ombrellino; ~schutzkrem f crema solare; ~stich m insolazione f; ~terrasse f terrazza solaria; ~uhr f meridiana; ~untergang m tramonto

sonnig soleggiato [-dʒa-]

Sonntag m doménica f; **an Sonn- und Feiertagen** le doméniche [-ke] e feste

sonst altrimenti; ~ **jemand?** qualcun'altro?; ~ **noch etwas?** ancora qualcosa d'altro?; ~ **nichts** nient'altro

Sorg|e f cura; preoccupazione; **sich ~en machen (um** A) darsi pensiero (per); **~en (für** A) provvedere (a); **sich ~en (um** A) preoccuparsi (di); **Ɛfältig** accurato; **Ɛlos** noncurante

Sort|e f classe, specie [-tʃe]; **Ɛieren** assortire, **~iment** n assortimento m

Soße f salsa

so|viel tanto; ~ **weit** per quanto; **~wie** come anche [-ke]; **~wieso** lo stesso

sowjetisch soviètico

sowohl: ~ **...** als auch tanto ... quanto

sozial sociale [-tʃa-]; **~demokratisch** socialdemocràtico [-tʃa-]; **~istisch** socialista [-tʃa-]; **Ɛversicherung** f assicurazione sociale [-tʃa-]

Soziussitz m sellino posteriore

sozusagen per così dire

Spachtel, f spàtola f

Spalt m fessura f; **Ɛen** in spaccare; **sich Ɛen** dividersi

Span m scheggia [sked-dʒa] f; **Späne** pl trùcioli [-tʃo-] m/pl

Spange f fermaglio [-ʎo] m

Span|ien n Spagna [-ɲa] f; **~ier** m, **Ɛisch** spagnuolo [-ɲ-]

Spann m collo del piede; **~e** f (Zeit) spazio m; **Ɛen** v/t tèndere; v/i stringere [-dʒ-]; **Ɛend** interessante; **~ung** f tensione; El voltaggio [-dʒo] m

Spar|buch n libretto m di risparmio; **~büchse** f salvadanaio m; **Ɛen** risparmiare; **~er** m risparmiatore

Spargel m aspàrago

Sparkasse f cassa di risparmio

spärlich scarso [risparmio] **sparsam** ecònomo

Spaß m scherzo [sk-], burla f; **es macht (mir)** ~ mi diverte; **~vogel** m burlone

spät tardi; **wie** ~ **ist es?** che [ke] ora è?; **zu** ~ troppo

Spaten m vanga f [tardi]

spät|er più tardi; **~estens** al più tardi

Spatz m pàssero

spazier|en, ~engehen passeggiare [-dʒa-], andare a passeggio [-dʒo]; **Ɛgang** m passeggiata [-dʒa-]; **Ɛstock** m bastone

Specht m picchio [-kio]

Speck m lardo

Spedit|eur m spedizioniere; **~ion** f spedizione

Speer m giavellotto [dʒa-]; **~werfen** n lancio [-tʃo] m del giavellotto [dʒa-]

Speiche f raggio [-dʒo] m

Speichel m saliva f

Speicher m magazzino; **Ɛn** immagazzinare

Speise f cibo [tʃ-] m; (süße
~) dolce [-tʃe] m; **~eis** n
gelato [dʒ-] m; **~kammer**
f dispensa; **~karte** f lista
delle vivande; **~röhre** f
esòfago m; **~saal** m sala f
da pranzo; **~wagen** m
vagone ristorante; **~zim-
mer** n sala f da pranzo
Spelunke f spelonca
spend|abel f generoso
[dʒ-]; 2e f dono m; **~en**
donare (a Blut); 2er m
donatore; **~ieren** F offrire
Sperr|e f sbarramento [zb-]
m; (Bahnsteig2) cancello
[-tʃ-] m; **~en** chiùdere
[k-]; sbarrare [zb-]; **~ge-
biet** n zona f proibita;
~gut n merci [-tʃi] f/pl in-
gombranti; **~holz** n legno
[-ɲo] m compensato; 2ig
ingombrante; **~ung** f chiusura [k-]; blocco m
Spesen pl spese f/pl
Spezialität f specialità
[-tʃa-]
spezi|ell speciale [-tʃa-];
~fisch specifico [-tʃ-]
Spiegel m specchio [k-];
~bild n immàgine [-dʒ-] f
riflessa; **~ei** n uovo m al
tegame; 2n brillare; sich
2n (in D) specchiarsi [-k-]
(in)
Spiel n gioco [dʒɔ-] m,
giuoco [dʒu-] m; **~auto-
mat** m màcchina [-k-] f
da gioco [dʒɔ-]; **~bank** f
casa f da gioco [dʒɔ-]; **~
dauer** f durata del gioco
[dʒɔ-]; 2en v/t (Karten)

giocare [dʒɔ-] a; Thea
dare; v/i giocare [dʒɔ-];
Mus sonare; 2end con la
màssima facilità [-tʃ-]; **~er**
m giocatore [dʒɔ-]; **~feld** n
campo m; **~karte** f carta f
da gioco [dʒɔ-]; **~kasino** n
casa f da gioco [dʒɔ-];
~marke f gettone [dʒ-] m;
~plan m programma; **~
platz** m Sp campo di gioco
[dʒɔ-]; **~regel** f règola di
gioco [dʒɔ-]; **~zeug** n gio-
càttolo [dʒɔ-] m; **~zimmer**
n stanza f da gioco [dʒɔ-]
Spieß m spiedo m; **am ~** allo
spiedo
Spinat m spinaci [-tʃi] m/pl
Spinn|e f ragno [-ɲo] m;
2en filare [-ɲ-]; fig F fantasticare; **~gewebe** n ragnatela
[-ɲ-] f
Spion m spia f; **~age** f
spionaggio [-dʒo] m
Spirale f spirale
Spirituosen pl bevande
f/pl alcoòliche [-ke]
Spiritus m spirito; **~ko-
cher** m fornello a spirito
spitz appuntato, a punta;
acuto; 2e f punta; (Ge-
webe) merletto m; **an der**
2e in testa; 2el m spia f;
~en appuntare
Spitzenleistung f Sp primato m
spitz|findig cavilloso; 2-
hacke f piccone m; 2name
m nomignolo [-ɲo] m
Splitter m scheggia [sked-
-dʒa] f; 2n v/i scheggiarsi
[sked-dʒa-]

Sport m sport; ~ **treiben** praticare dello sport; ~**artikel** m/pl articoli di sport; ~**bericht** m crònaca f sportiva; ~**flugzeug** n aèreo m da turismo [-zmo]; ~**halle** f palestra; ~**kleidung** f abbigliamento [-ʎa] m sportivo; ~**lehrer** m maestro di sport; ~**ler** (in f) m sportivo (-a); 2**lich** sportivo; ~**platz** m campo sportivo; ~**veranstaltung** f manifestazione sportiva; ~**verein** m associazione [-tʃa-] f sportiva; ~**wagen** m vettura sport

Spott m beffa f; 2**billig** a prezzo derisorio; 2**en** beffarsi

spöttisch beffardo

Sprach|e f lingua; ~**führer** m manuale di conversazione; ~**kenntnisse** f/pl conoscenza [-ʃ-] f delle lingue; 2**los** senza parola

Spray n (Haar2) spruzzatore m (per i capelli)

sprech|en parlare; 2**er** m Radio: presentatore; [-tʃe]; 2**gebühr** f tariffa telefònica; 2**stunde** f ora d'udienza; 2**stunde haben** ricévere [-tʃ-]; 2**zimmer** n studio m; Arzt: gabinetto m di consultazione

spreizen spalancare

spreng|en far saltare; (mit Wasser) innaffiare; 2**stoff** m esplosivo; 2**ung** f il far saltare in aria

Sprichwort n proverbio m

Spring|brunnen m fontana f; 2**en** saltare; (bersten) crepare; ~**er** m Sp saltatore; (Schach) cavallo

Spritz|e f (Feuer2) pompa; Med siringa; (Einspritzung) iniezione; 2**en** spruzzare; Med inʃettare

spröde fràgile; fig ritroso

Sprosse f piolo m

Spruch m detto

Sprudel m gassosa f; 2**n** scaturire

Sprüh|dose f spruzzatore m; 2**en** schizzare [sk-]; ~**regen** m pioggerella [-dʒ-] f

Sprung m salto; (Riß) crepa f; ~**brett** n trampolino m; ~**tuch** n tela f di salvataggio [-dʒo]; ~**turm** m piattaforma f per tuffi

Spuck|e f sputo m; 2**en** sputare

Spule f bobina [sputare]

spül|en lavare; Med irrigare; 2**mittel** n detergente [-dʒ-] m lavastoviglie [-ʎe]; 2**ung** f lavaggio [-dʒo]

Spur f traccia [-tʃa]

spür|bar percettibile [-ʃ-]; ~**en** sentire

spurlos senza traccia [-tʃa]

Staat m Stato; 2**enlos** apòlide; 2**lich** statale

Staats|angehörigkeit f nazionalità; ~**anwalt** m procuratore dello Stato; ~**bürger** m cittadino [tʃ-]; ~**mann** m uomo di Stato

Stab m bastone; ~**hoch-sprung** m salto con l'asta

stabil stàbile

Stachel m spina f; ~beere f uva spina; ~draht m filo spinato; 2ig a punte; spinoso; ~schwein m porcospino

Stadion n stadio m

Stadt f città [tʃ-]; ~bahn f metropolitana; ~bezirk m rione

städtisch comunale

Stadt|plan m pianta f della città [tʃ-]; ~rundfahrt f giro [dʒ-] m della città [tʃ-]; ~teil m, ~viertel n quartiere m

Stahl m acciaio [-tʃa-]; ~werk n acciaieria [-tʃa-] f

Stall m stalla f

Stamm m tronco; fig stirpe f

stammeln balbettare

stamm|en (von, aus D) derivare (da); 2kunde f cliente abituale

stampfen v/t pestare; v/i (Schiff) beccheggiare [-ked-dʒa-]

Stand m stato; (Verkaufs2) bancarella f; (Höhe) altezza f; ~bild n stàtua f

Ständer m supporto

Stand|esamt n stato m civile [tʃ-]; 2haft costante; 2halten (D) resistere (a)

ständig permanente

Stand|licht n fanalino m di posizione; ~ort m posto; ~punkt m punto di vista

Stange f stanga, pèrtica

Stapel m catasta f; ~lauf m varo; 2n accatastare

Star m Zo stornello; Med grauer: cateratta f; grüner: glaucoma; (Film2) divo m, diva f

stark forte; (dick) grosso

Stärke[1] f forza; (Dicke) grossezza; (Anzahl) quantità

Stärke[2] f (Wäsche2) àmido m

stärk|en fortificare; sich ~en ristorarsi; ~er più forte

Starkstrom m corrente f ad alta tensione

Stärkung f rinforzamento m; ~smittel n corroborante m

starr rigido [-dʒ-]; Blick: fisso; 2krampf m tètano

Start m partenza f; ~bahn f pista di decollo; 2bereit pronto per la partenza; 2en partire; ~zeichen n segnale [-ɲ-] m di partenza

Station f stazione; (Krankenhaus) reparto m

Statist|(in f) m comparsa; ~ik f statistica

Stativ n treppiede m

statt invece [-tʃe]; ~finden avere luogo; ~lich imponente

Statue f stàtua f

Statut n statuto m

Staub m pólvere f

Staubecken n bacino [-tʃ-] m di raccolta

staub|en alzare pólvere; ~ig polveroso; 2sauger m aspirapólvere; 2tuch n cencio [tʃentʃo] m

Staudamm m àrgine [-dʒ-]

stauen: sich ~ congestionarsi [-dʒ-]

staunen (über A) stupirsi (di)

Stausee m lago artificiale [-tʃa-]

stech|en pùngere [-dʒ-]; v/i (Sonne) scottare; in See ~en méttersi in mare; ~end Schmerz: pungente [-dʒ-]; 2mücke f zanzara

Steck|brief m mandato d'arresto; ~dose f presa di corrente; 2en v/t méttere; v/i èssere; 2enbleiben rimanere preso; 2enlassen Schlüssel: lasciare [-ʃa-] nella toppa; ~er m spina f; ~nadel f spillo m

Steg m sentiero

stehen stare; im 2 in piedi; ~bleiben fermarsi; ~lassen lasciare [-ʃa-]

stehlen rubare

Stehplatz m posto in piedi

steif rigido [-dʒ-]

Steig|bügel m staffa f; 2en (auf A) salire (su), montare; (Flut, Fieber, Preise) aumentare, créscere [-ʃ-]; 2ern aumentare; ~ung f salita

steil erto; 2hang m pendìo ripido

Stein m pietra f, sasso; ~bruch m cava f; 2ig pietroso; ~kohle f carbone m fòssile; ~pilz m boleto giallo [dʒa-]; ~schlag m caduta f massi

Stell|dichein n appuntamento m; ~e f posto m;

(Amt, Posten) càrica; impiego m; auf der ~e immediatamente; 2en méttere, porre; Uhr: regolare; Frage: fare; ~enangebot n offerta f d'impiego; ~ung f posizione; (Dienst2) impiego m; ~vertreter m rappresentante

Stemm|eisen n scalpello m; 2en puntare (lare)

Stempel m bollo; 2n bol-f

Stengel m gambo

steno|graphieren stenografare; 2typistin f stenotipista

Steppdecke f coltrone m

sterben morire

Sterbe|sakramente n/pl sacramenti m/pl; ~urkunde f atto m di morte

Stereoplatte f disco m stereofònico

steril stèrile

Stern m stella f; ~bild n costellazione f; ~fahrt f rallye; 2förmig stellare; ~schnuppe f stella cadente; ~warte f osservatorio m

stet|ig continuo; ~s sempre

Steuer¹ f tassa, imposta

Steuer² n timone m; Auto: volante m; ~bord n tribordo m

Steuer|erklärung f dichiarazione [-k-] delle imposte; 2frei esente da tasse

Steuer|knüppel m leva f di comando; ~mann m pilota; 2n guidare, condurre; ~ung f timone m

incontrare; **~end** azzec-
cato; **2er** *m* buon colpo;
2punkt *m* punto di convegno [-ɲo]

treiben *v/t* (*tun*) fare;
Sport ~ praticare dello
sport; *v/i Mar* èssere in
balìa delle onde

Treib|haus *n* serra *f*;
~stoff *m* carburante

trenn|en separare; divì-
dere; **2ung** *f* separazione;
2wand *f* muro *m* divisorio

Treppe *f* scala; (*Stockwerk*) piano *m*; **~nhaus** *n*
scale *f/pl*

Tresor *m* cassaforte *f*

treten: auf et. ~ pestare
qc.; **über die Ufer ~** stra-
ripare

treu fedele; **2e** *f* fedeltà;
~los senza fede

Tribüne *f* tribuna

Trichter *m* imbuto

Trick *m* trucco; **~film** *m*
cartoni *m/pl* animati

Trieb *m Bot* germoglio
[dʒermɔːλo]; (*Natur*2)
istinto; **~kraft** *f* forza
motrice [-tʃe]; **~wagen** *m*
automotrice [-tʃe] *f*

triefen grondare

triftig fondato, buono

Trikot *n* maglia [-λa] *f*

trink|bar bevìbile; potà-
bile; **~en** bere; **2er** *m* bevi-
tore; **2geld** *n* mancia
[-tʃa] *f*; **2wasser** *n* acqua *f*
potàbile

Triptyk *n* trittico *m*

Tritt *m* passo; *s* **Fuß2**;
~brett *n* pedana *f*

trocken secco (*a Wein*);
(*nicht naß*) asciutto [-ʃu-];
2haube *f* casco *m* asciuga-
capelli [-ʃu-]; **2heit** *f* secchezza [-k-]; **~legen**
Sumpf: prosciugare; *Med
Kind*: cambiare i panni
(a); **2milch** *f* latte *m* in
pólvere; **2rasierer** *m* ra-
soio elèttrico

trocknen *v/t* seccare;
asciugare [-ʃu-]; *v/i* sec-
carsi

Trommel *f* tamburo *m*;
~fell *n Anat* timpano *m*;
2n sonare il tamburo

Trompete *f* tromba

Tropen *pl* tròpici [-tʃi]
m/pl; **~klima** *n* clima *m*
tropicale; **~krankheit** *f*
malattia tropicale

tropf|en gocciolare [-tʃo-];
2en *m* goccia [-tʃa] *f*; *Med
m/pl* gocce [-tʃe] *f/pl*

tropisch tropicale

Trost *m* conforto; consola-
zione *f*

trösten confortare

trost|los sconsolato; **2-
preis** *m* premio di conso-
lazione

trotz (*G*) nonostante (*A*);
~ allem malgrado tutto

Trotz *m* ostinazione *f*;
2dem *adv* ciononostante
[tʃo-]; *cj* sebbene; **2ig**
caparbio

trübe tòrbido; *Himmel*:
coperto

Trubel *m* confusione *f*

trübsinnig malincònico

Trüffel *f* tartufo *m*

trügerisch ingannévole
Truhe f cassapanca
Trümmer pl rovine f/pl;
~**haufen** m mucchio [-k-]
di macerie [-tʃ-]
Trumpf m trionfo
Trunk\|enheit f ubbriachez-
za [-k-]; ~**sucht** f vizio m
del bere
Trupp m gruppo; squadra
f; ~**e** f mil truppa; **Thea**
compagnia [-ɲ-]
Truthahn m tacchino [-k-]
Tschech\|e m, **♀isch** ceco
[tʃ-]
Tube f tubetto m
Tuberkulose f tubercolosi
Tuch n (Gewebe) tessuto m;
s Kopf~, Taschen**tuch**
tüchtig bravo
tückisch maligno [-ɲo]
Tugend f virtù
Tulpe f tulipano m
Tümpel m pozza f
Tumult m tumulto
tun fare; (nichts) **zu** ~

haben (non) avere (niente)
da fare
Tunke f salsa
Tunnel m galleria f
Tür f porta
Turban m turbante
Turbine f turbina
turbulent turbolento
Türk\|e m, **♀isch** turco;
~**is** m turchese [a-]
Türklinke f maniglia [-ʎa]
Turm m torre f
Turn\|anzug m tuta f spor-
tiva; **♀en** fare ginnàstica
[dʒ-]; **~er(in** f) m gin-
nasta [dʒ-]; ~**halle** f pa-
lestra
Turnier n tornèo m
Turnus m turno
Turnverein m società
[-tʃe-] f ginnàstica [dʒ-]
Tusche f inchiostro [-k-] m
di Cina [tʃ-]
Tüte f cartoccio [-tʃo] m
Typ m tipo
Typhus m tifo
typisch típico

U

U-Bahn f suburbana
übel cattivo; adv male; **mir**
wird ~ mi sento male;
♀keit f nàusea; ~**nehmen**
prèndersela a male
üben esercitare [-tʃ-]
über (A, D) (oberhalb von)
sopra; (mehr als) più di;
(reisen ~, gehen) per;
(sprechen ~) di; ~**all** dappertutto
überanstrengen: sich ~
affaticarsi troppo

über\|belasten sovraccari-
care; ~**belichtet** sovresposto; ~**bieten** offrire più
di (qu.); Rekord: sorpas-
sare; **♀blick** m resto
m; ~**blicken** abbracciare
[-tʃa-] con lo sguardo
[zg-]; ~**bringen** portare;
♀bringer m latore; ~
dauern durare di più
überdies oltracciò [-tʃo]
über\|drehen spanare; **♀-**

druck m sovrappressione f; **~eilt** avventato

überein|ander l'uno sull'altro; **~kommen** méttersi d'accordo; **~stimmen** èssere d'accordo; (Dinge) concordare

über|empfindlich ipersensibile; **~fahren** j-n: travòlgere [-dʒ-]; (über e-n Fluß) traversare; **2fahrt** f traversata

Überfall m aggressione f; **2en** assalire di sorpresa; **~kommando** n squadra f volante

über|fliegen sorvolare; (flüchtig lesen) scórrere; **~fließen** traboccare; **~flügeln** sorpassare; **2fluß** m abbondanza f; **~flüssig** supèrfluo; **~fluten** inondare; **~führen** (transportieren) trasportare; Verbrecher: convincere [-tʃ-]; **2führung** f Esb cavalcavia m; **~füllt** pieno zeppo; **2gabe** f consegna [-ɲa]; **2gang** m passaggio [-dʒo]; **2gangszeit** f mezza stagione [-dʒo-]

übergeben consegnare [-ɲ-]; **~ sich ~** vomitare

über|gehen (in A) cambiarsi (in); (übersehen) ignorare [-ɲ-]; **2gewicht** n soprappeso m; fig preponderanza f; **2griff** m abuso; **~handnehmen** prèndere il sopravvento

überhaupt in gènere [dʒ-];

del tutto; **~ nicht** (non ...) affatto

über|heblich arrogante; **~holen** sorpassare; (ausbessern) rivedere; **~holt** fig antiquato; **2holverbot** n divieto m di sorpasso; **~kleben** incollare sopra; **~kochen** traboccare (bollendo); **~laden** adj sovraccàrico; **~lassen** lasciare [-ʃa-]; cèdere [tʃ-]; **~laufen¹** v/i (zu voll sein) traboccare; **~laufen²** adj affollato; **~leben** sopravvivere; **2lebende(r)** m supèrstite; **~legen¹** v/t, v/i riflèttere; **~legen²** adj superiore; **2legung** f riflessione; **~listen** abbindolare; **~mäßig** eccessivo [-tʃ-]; **~mitteln** trasméttere [-zm-]; **~morgen** dopodomani; **~müdet** spossato; **~mütig** petulante

übernacht|en passare la notte; **2ung** f pernottamento m

Über|nahme f assunzione; **2nehmen** assùmere [-ɲ-]; **2prüfen** verificare; **2queren** traversare; **2ragen** dominare; fig sorpassare; **2raschen** sorprèndere; **2raschend** adv di sorpresa; **2raschung** f sorpresa; **2reden** persuadere; **2reichen** presentare; **2runden** oltrepassare; **~schallgeschwindigkeit** f velocità [-tʃ-] supersònica; **2schätzen** sopravvalutare

überschlagen *Kosten*: calcolare approssimativamente; *Seite*: saltare; **sich ~ ribaltarsi**

überschneiden: sich ~ incrociarsi [-tʃa-]

über|schreiten oltrepassare; **Ωschrift** *f* titolo *m*; **Ωschuß** *m* eccedenza [-tʃ-] *f*; **Ωschwemmung** *f* inondazione; **~seeisch** d'oltremare; **~sehen** (*nicht bemerken*) non osservare; s **überblicken**; **~senden** mandare

übersetz|en *v/t Text*: tradurre; (*mit der Fähre*) passare all'altra riva; **Ωer** *m* traduttore; **Ωung** *f* traduzione; *Tech* trasmissione [-zm-]

Übersicht *f* vista generale [dʒ-]; **Ωlich** chiaro [k-]

über|siedeln trasferirsi; **~springen** saltare; **~steigen** sormontare; **Ωstunden** *f/pl* ore straordinarie; **~stürzt** precipitato [-tʃ-]; **~tragbar** cedibile [tʃ-]; **~tragen** cèdere [tʃ-]; *Rdf* trasméttere [-zm-]; **Ωtragung** *f* trasmissione [-zm-]; **~treffen** superare; **~treiben** esagerare [-dʒ-]; **~treten** *fig Gesetz*: contravvenire a [-tʃ-]; **~wachen** sorvegliare [-ʎa-]; **Ωwachung** *f* sorveglianza [-ʎa-]; **~wältigen** vincere [-tʃ-]

überweis|en rimèttere; **Ωung** *f* rimessa

über|wiegend preponderante; **~winden** vincere [-tʃ-]; superare; **~zeugen** convincere [-tʃ-]; **sich ~zeugen (von** *D***)** accertarsi [-tʃ-] (di); **Ωzeugung** *f* convinzione; **~ziehen** *Anzug*: indossare; (*mit D*) rivestire (di); **Ωzug** *m* fòdera *f*

üblich usuale

U-Boot *n* sommergibile [-dʒ-] *m*

übrig restante; **~bleiben** restare; **~ens** del resto; **~lassen** lasciare [-ʃa-]

Übung *f* esercizio [-tʃ-] *m*; pràtica

Ufer *n* riva *f*

Uhr *f* orologio [-dʒo] *m*; *vgl* **spät**; **~macher** *m* orologiaio [-dʒa-]; **~zeiger** *m* lancetta [-tʃ-] *f*

Uhu *m* gufo

Ulk *m* scherzo [sk-]; **Ωig** buffo

Ultrakurzwellen *f/pl* onde ultracorte

um (*A*) *örtlich*: intorno a; *Grund, Zweck, Preis*: per; *zeitlich*: a; verso; **~ zwei Uhr** alle due; **~ jeden Preis** ad ogni costo; **~ ... ni** costo; **~ zu ...** per ...; *s* **besser, mehr**

um|arbeiten rifare; **~armen** abbracciare [-tʃa-]; **Ωarmung** *f* abbraccio [-tʃo] *m*; **~bilden** trasformare; **~binden** legare attorno; **~bringen** *F* uccìdere [-tʃ-]; **~buchen** *Reise*:

prenotarsi per un altro
volo (albergo usw); **~dis-
ponieren** prèndere altre
disposizioni

umdreh|en voltare; **sich
~en** voltarsi; **♀ung** f
rivoluzione m

um|fallen cadere; **♀fang** m
estensione f; **~fangreich**
voluminoso; **♀frage** f in-
chiesta [-k-]; **~füllen** travasare

Umgang m (Verkehr) rap-
porti m/pl; **~ haben (mit
j-m)** frequentare (qu.)

Umgangs|formen f/pl
buone maniere; **~sprache**
f lingua parlata

umgeb|en (mit D) circon-
dare [tʃ-] (di); **♀ung** f din-
torni m/pl

umgeh|en v/t girare [dʒ-];
(Gesetz: elùdere; v/i (mit
j-m) praticare (qu.);
♀ungsstraße f circon-
vallazione [tʃ-]

um|gekehrt inverso; op-
posto; **~gießen** travasare;
~graben vangare; **♀hang**
m mantellina f

umher attorno, intorno;
~blicken guardare attorno;
~streifen, ~wandern andare vagando

Umhüllung f invòlucro m

Umkehr f ritorno m; **♀en**
v/t rivoltare; v/i tornare
indietro; **~film** m pellicola
f invertibile

um|kippen v/t rovesciare
[-ʃa-]; v/i ribaltare; **~klam-
mern** avvinghiare [-g-]

Umkleide|kabine f cabina
per cambiarsi; **~raum** m
spogliatoio [-ʎa-]

umkommen perire

Umkreis m: **im ~ von** nel
giro [dʒ-] di

umleit|en deviare; **♀ung** f
deviazione; s **Umge-
hungsstraße**

um|liegend circonvicino
[-tʃ-]; **~packen** impac-
chettare [-k-] di nuovo;
~pflanzen trapiantare;
~quartieren far cambiare
alloggio [-dʒo] (a); **~rah-
men** incorniciare [-tʃa-]

umrechn|en cambiare;
♀ungskurs m tasso di
cambio

um|ringen accerchiare
[-tʃerk-]; **♀riß** m contorno;
~rühren rimestare; **♀satz**
m Hdl giro [dʒ-] d'affari;
~schalten commutare; **♀-
schlag** m Med compressa
f; (Buch♀) copertina f;
(Wetter♀) cambiamento; s
Brief♀; **~schlagen** v/i
ribaltare; **~schlingen** avvinghiare [-g-]; **~schütten**
travasare; **♀schwung** m
mutamento repentino

umsehen: sich ~ guardarsi
intorno; (besichtigen) visitare

um|sichtig circospetto
[tʃ-]; **~sonst** (gratis) gratuitamente; (vergebens) invano; **♀stand** m circostanza
[tʃ-] f

Umständ|e m/pl circostan-
ze [tʃ-] f/pl; **unter diesen**

~en stando così le cose;
keine ~e machen non
fare complimenti; in an-
deren ~en in stato interessante; 2lich complicato
Umstandskleid *n* vestito *m*
da maternità
Umsteige|fahrschein *m*
biglietto [-ſɛ-] di coincidenza [-tʃ-]; 2n *Esb* cambiare treno
umstellen méttere altrove;
(*umbilden*) trasformare;
sich ~ (auf *A*) adattarsi (a)
um|stoßen rovesciare
[-ſa-]; ~stritten discusso;
2sturz *m fig* sovversione *f*;
~stürzen *v/t* rovesciare
[-ſa-]; *v/i* crollare
Umtausch *m* cambio; 2en
cambiare
umwand|eln trasformare;
2lung *f* trasformazione
umwechseln cambiare
Umweg *m* giro [dʒ-]; e-n
~ machen fare la via più
lunga
um|wenden = umdrehen;
~werfen rovesciare [-ſa-];
~wickeln (mit *D*) avvòl-
gere [-dʒ-] (con)
umziehen *v/t* cambiare;
v/i cambiare casa; sich ~
cambiarsi
Umzug *m* trasloco [-zl-];
(*Festzug*) sfilata *f*
unab|hängig indipenden-
te; ~kömmlich indispen-
sàbile; ~lässig incessante
[-tʃ-]; ~sichtlich involontario
unachtsam sbadato [zb-]

unan|gebracht inoppor-
tuno; ~genehm spiacévole
[-tʃ-]; ~nehmbar inaccet-
tàbile [-tʃ-]; 2nehmlich-
keit *f* dispiacere [-tʃ-] *m*;
~sehnlich di poca pre-
senza; ~ständig indecente
[-tʃ-]
un|appetitlich poco appe-
titoso; ~artig maleducato
unauf|fällig poco appari-
scente [-ſ-]; ~findbar
irreperibile; ~haltsam ir-
resistibile; ~merksam
disattento; ~schiebbar im-
prorogàbile
unaus|führbar ineségui-
bile; ~stehlich insoppor-
tàbile
unbarmherzig spietato
unbe|absichtigt involon-
tario; ~baut incolto; 2-
denklich *adv* senza scrù-
poli; ~deutend insignifi-
cante [-ɲ-]; ~dingt *adv*
assolutamente; ~fahrbar
impraticàbile; ~fangen
senza pregiudizi [-dʒu-];
~friedigend poco sod-
disfacente [-tʃ-]; ~fugt
non autorizzato; ~greif-
lich inconcepibile [-tʃ-];
~gründet infondato; ~
haglich spiacévole [-tʃ-];
~kannt sconosciuto [-ſu-];
~kleidet nudo; ~liebt
malvisto; ~mannt senza
equipaggio [-dʒo]; ~merkt
inosservato
unbequem incòmodo; 2-
lichkeit *f* incòmodo *m*
unbe|rührt, ~schädigt in-

tatto; ~schränkt illimi-
tato; ~schreiblich inde-
scrivibile; ~ständig in-
costante; ~stechlich in-
corruttibile; ~stimmt in-
definito; incerto [-tʃ-];
~teilig estràneo; disin-
teressato; ~wacht incu-
stodito; ~weglich immò-
bile; ~wohnt inabitato;
~wußt inconscio [-ʃo];
~zahlbar impagàbile; ~
zahlt non pagato

unbrauchbar inservìbile
und e; ~ so weiter eccètera
[-tʃ-]; na ~? e con ciò
[tʃɔ]?

un|dankbar ingrato; ~
denkbar inconcepìbile
[-tʃ-]; ~deutlich indistinto; ~dicht permeàbile;
~durchlässig impermeà-
bile; ~durchsichtig opaco

un|eben ineguale; ~echt
falso; (künstlich) artificiale
[-tʃa-]; ~ehelich illegìttimo; ~eigennützig disin-
teressato; ~eingeschränkt
illimitato; ~einig discorde;
~empfindlich insensìbi-
le; ~endlich infinito

unent|behrlich indispen-
sàbile; ~schieden indeciso
[-tʃ-]; 2schieden n Sp
pareggio [-dʒo] m; ~
schlossen irresoluto
uner|fahren inesperto; ~
heblich irrilevante; ~hört
fig incredìbile; ~klärlich
inspiegàbile; ~läßlich indispensàbile; ~laubt illè-
cito [-tʃ-]; ~müdlich in-

stancàbile; ~reichbar ir-
raggiungìbile [-dʒundʒ-];
~setzlich irreparàbile; ~
träglich insopportàbile; ~
wartet inatteso; (plötz-
lich) all'improvviso; ~
wünscht indesiderato
un|fähig incapace [-tʃe];
~fair sleale [zl-]
Unfall m incidente [-tʃ-];
infortunio; ~kommando
n cèlere [tʃ-] f; ~station f
posto m di soccorso; ~ver-
sicherung f assicurazione
contro gli [ʎi] infortuni
un|faßbar incomprensì-
bile; ~fehlbar infallìbile;
~fertig incompiuto; ~för-
mig informe; ~frankiert
non affrancato; ~freund-
lich scortese

Unfug m abuso; grober ~
eccessi [-tʃ-] m/pl

Ungar m, 2isch ungherese
[-g-]; ~n n Ungheria f
unge|bildet ignorante
[-ɲ-]; ~bräuchlich inusi-
tato; ~duldig impaziente;
~eignet disadatto; ~fähr
circa [tʃ-]; ~fährlich non
pericoloso; ~heizt non
riscaldato; ~heuer enor-
me; 2heuer n mostro m;
~horsam disubbidiente;
~legen inopportuno; ~
mütlich incòmodo; ~nau
inesatto; ~nießbar im-
mangiàbile [-dʒa-], imbevi-
bile; ~nügend insufficien-
te [-tʃe-]; ~pflegt trascurato; ~rade Zahl: dispari;
~recht ingiusto [-dʒu-]

ungern malvolentieri
unge|schickt maldestro;
~schützt non protetto;
~setzlich illegale; ~stört
indisturbato; ~sund mal-
sano; ~wiß incerto [-tʃ-];
~wöhnlich, ~wohnt insò-
lito; 2ziefer *n* insetti *m/pl*;
~zogen maleducato; ~-
zwungen spontàneo
un|giftig non velenoso;
~glaublich incredibile; ~-
gleichmäßig ineguale
Unglück *n* sfortuna *f*; 2lich
infelice [-tʃe]; 2licher-
weise disgraziatamente
[-zg-]
un|gültig non vàlido, nullo;
~günstig sfavorévole; ~
haltbar insostenìbile; ~
handlich poco maneg-
gévole [-dʒ-]; 2heil *n* ma-
lanno *m*; ~heilbar incuràbile; ~höflich scortese;
~hygienisch antiigiènico
[-dʒe-]
Uni|form *f* divisa; ~on *f*
unione; ~versität *f* uni-
versità
un|klar poco chiaro [k-];
~klug imprudente; 2ko-
sten *pl* spese *f/pl*; 2kraut *n*
malerba *f*; ~leserlich illeg-
gibile [-dʒ-]; ~lösbar,
~löslich insolùbile; ~mä-
ßig smoderato [zm-]; 2-
menge *f* infinità; ~merk-
lich impercettìbile; ~-
mittelbar immediato; ~-
modern fuori moda; ~-
möglich impossibile; ~-
moralisch immorale;

~mündig minorenne;
~natürlich innaturale;
~nötig non necessàrio
[-tʃ-]; ~nütz inùtile
unord|entlich disordina-
to; 2nung *f* disórdine *m*
un|parteiisch imparziale;
~passend non conveniente-
te; ~päßlich indisposto;
~persönlich impersonale;
~pünktlich impuntuale;
~rasiert non sbarbato
[zb-]
Unrat *m* lordume
Unrecht *n* ingiustizia
[-dʒu-] *f*; 2 haben avere
torto; 2mäßig illegittimo
[-dʒ-]
un|regelmäßig irregolare;
~reif immaturo; ~richtig
falso; inesatto; 2ruhe *f*
irrequietezza; *fig* inquietù-
dine; ~ruhig irrequieto;
inquieto
uns ci [tʃi]; *betont:* (*A*) noi,
(*D*) a noi; **ein Freund**
von ~ un nostro amico
un|sauber sporco; ~schäd-
lich innòcuo; ~scharf *Fot*
sfocato; ~schlüssig irresoluto
Unschuld *f* innocenza
[-tʃ-]; 2ig innocente [-tʃ-]
unser (il) nostro; ~e (la)
nostra; ~e *pl* (i) nostri, (le)
nostre
unsicher malsicuro; (*unge-*
wiß) incerto [-tʃ-]; 2heit *f*
mancanza di sicurezza;
incertezza [-tʃ-]
Un|sinn *m* nonsenso; 2-
sinnig insensato; 2sitt-

lich immorale; ℒsympa- thisch antipàtico; ℒtätig inattivo; ℒteilbar indivisi- bile

unten giù [dʒu]; von oben bis ~ dall'alto in basso

unter (A, D) sotto; (zwi- schen) fra, tra; (weniger als) meno di; ℒarm m avam- braccio -[tʃo]; ℒbelichtet sottoesposto; ℒbewußt- sein n subcosciente [-ʃɛ-] m; ℒbieten offrire di meno unterbrech|en interróm- pere; ℒer m Kfz interrut- tore; ℒung f interruzione unter|bringen collocare; ℒdeck s ponte m inferiore; ℒdessen frat- tanto; ℒdrücken oppri- mere; ℒe, ℒer, ℒes infe- riore; ℒeinander tra di loro (noi, voi); ℒentwik- kelt sottosviluppato [-zv-]; ℒernährt denutrito; ℒ- führung f sottopassaggio [-dʒo] m; ℒgang m (Schiffsℒ) naufragio [-dʒo]; s Sonnenuntergang; ℒ- gebene(r) m dipendente; ℒgehen (Schiff) andare a fondo; (Sonne) tramon- tare

Untergrund|bahn f s U- Bahn; ℒbewegung f mo- vimento m di resistenza

unterhalb (G) al di sotto di Unterhalt m sostentamen- to; ℒen mantenere; (zer- streuen) divertire; sich ℒen (plaudern) conversare; (sich zerstreuen) divertirsi; ℒung

f mantenimento m; conver- sazione; divertimento m

Unter|hemd n maglia [-ʎa] f; ℒhose f mutande f/pl; ℒkunft f alloggio -[dʒo] m; ℒlage f base; ℒlassen tra- lasciare [-ʃa-]; ℒleib m basso ventre; ℒlippe f labbro m inferiore; ℒmie- ter m subaffittuario

unternehm|en intraprèn- dere; ℒen n impresa f (a Betrieb) ℒer m imprendi- tore; ℒungslustig intra- prendente

Unter|offizier m sottuffi- ciale [-tʃa-]; ℒredung f colloquio m; ℒricht m in- segnamento [-ɲ-]; istru- zione f; ℒrichten istruire; (informieren) informare; ℒrock m sottana f; ℒschei- den distinguere; ℒschen- kel m gamba f; ℒschied m differenza f; ℒschlagung f sottrazione; ℒschreiben sottoscrivere; ℒschrift f firma; ℒseeboot n som- mergibile [-dʒ-] m; ℒsetzt tozzo

unterste(r) infimo; il più basso

unter|stellen méttere sot- to; Auto: posteggiare [-dʒa-]; ℒstreichen sotto- lineare; ℒstützen soste- nere; ℒstützung f appog- gio [-dʒo] m; (Beihilfe) sussidio m

untersuch|en esaminare; Med visitare; ℒung f esame m; jur indàgine [-dʒ-];

Med visita; **Qungshaft** *f* detenzione durante l'istruttoria; **Qungsrichter** *m* giùdice [dʒuːdiʃe] istruttore

Unter|tasse *f* piattino *m*; **Qtauchen** *v/t* sommèrgere [-dʒ-]; tuffare; *v/i* tuffarsi; **~teil** *n od m* parte *f* inferiore; **~wäsche** *f* biancheria [-k-] intima

Unterwassersport *m* sport subàcqueo

unterwegs per via

unter|würfig sottomesso; **~ziehen** *Hemd*: méttere sotto; **sich ~ziehen** (*D*) sottoporsi (a)

Un|tiefe *f* bassofondo *m*; **Qtragbar** intolleràbile; **Qtrennbar** inseparàbile; **Qtreu** infedele; **~treue** *f* infedeltà; **~tröstlich** inconsolàbile

unüber|legt sconsiderato; **~sichtlich** poco chiaro [k-]; **~troffen** insuperato

ununterbrochen ininterrotto

unver|änderlich invariàbile; **~ändert** invariato; **~antwortlich** irresponsàbile; **~besserlich** incorreggìbile [-dʒ-]; **~bindlich** senza impegno [-ŋo]; **~daulich** indigesto [-dʒ-]; **~geßlich** indimenticàbile; **~gleichlich** incomparàbile; **~heiratet** *Mann*: cèlibe [tʃ-]; *Frau*: nùbile; **~käuflich** invendibile; **~meidlich** inevitàbile; **~**

nünftig irragionévole [-dʒo-]; **~packt** non imballato

unverschämt impertinente; **Qheit** *f* impertinenza

unver|sehrt sano e salvo; **~ständlich** inintelligìbile [-dʒ-]; **~zollt** non sdoganato [zd-]; **~züglich** immediato

unvoll|endet incompiuto; **~kommen** imperfetto; **~ständig** incompleto

unvor|bereitet impreparato; **~hergesehen** impervisto; **~sichtig** incauto; **~stellbar** inconcepìbile [-tʃ-]; **~teilhaft** svantaggioso [zvantad-dʒo:so]

unwahr falso; **Qheit** *f* falsità; **~scheinlich** inverosìmile

un|weit (*G*) non lontano da; **~wesentlich** irrilevante; **Qwetter** *n* maltempo *m*; (*Gewitter*) temporale *m*; **~wichtig** irrilevante; **~widerstehlich** irresistìbile; **~willkürlich** involontario; **~wirksam** inefficace [-tʃe]; **~wissend** ignorante [-ɲ-]; **~wohl** indisposto; **Qwohlsein** *n* indisposizione *f*; **~würdig** indegno [-ɲo]; **~zählig** innumerévole; **~zerbrechlich** infrangìbile [-dʒ-]; **~zertrennlich** inseparàbile; **~züchtig** impùdico [-tʃ-]; **~zweideutig** non ambìguo; **~zweifelhaft** indubitàbile

unzu|frieden scontento; **~gänglich** inaccessìbile [-tʃ-]; **~rechnungsfähig**

irresponsàbile; ~verlässig
non fidato

üppig rigoglioso [-ʎo-];
Mahl: opulento

Ur|aufführung f *Thea*
prima rappresentazione;
Kino: prima visione; ~en-
kel m pronipote; ~groß-
mutter f bisnonna [-zn-];
~großvater m bisnonno
[-zn-]; ~heber m autore

Urin m orina f; 2ieren
orinare; ~untersuchung f
anàlisi dell'orina

Urkunde f documento m

Urlaub m vacanze f/pl; *mil*
congedo [-dʒ-]

Urne f urna

Ursache f causa; motivo m;
keine ~! non c'è [tʃe] di
che [ke]!

Ur|sprung m origine [-dʒ-]
f; 2sprünglich originario
[-dʒ-]; ~teil n giudizio
[dʒu-] m; *jur* sentenza f;
2teilen giudicare [dʒu-];
~wald m foresta f vèrgine
[-dʒ-]

Utensilien pl utènsili m/pl

utopisch utopìstico

V

Vanille f vaniglia [-ʎa];
~eis n gelato [dʒ-] m di
vaniglia [-ʎa]

Varieté n teatro m di
varietà

Vase f vaso m

Vaseline f vaselina

Vater m padre; ~land n
patria f

väterlich paterno

Vegetar|ier m, 2isch vege-
tariano [-dʒ-]

Veilchen n violetta f

Vene f vena

venezianisch veneziano

Ventil n vàlvola f; ~ator m
ventilatore

verabred|en combinare;
sich ~en darsi un appun-
tamento; 2ung f accordo
m; *(Stelldichein)* appuntamento m

verabschieden congedare
[-dʒ-]; sich ~ accomiatarsi

ver|achten disprezzare;
~ächtlich spregévole
[-dʒ-]; 2achtung f di-
sprezzo m; ~allgemei-
nern generalizzare [dʒ-];
~altet antiquato

veränder|lich variàbile;
~n cambiare; sich ~n
cambiarsi; 2ung f cambia-
mento m

veranlass|en cagionare
[-dʒo-]; 2ung f motivo
m

veranstalt|en organizzare;
2er m organizzatore; 2ung
f organizzazione; 2ungskalen-
der m calendario delle
manifestazioni

verantwort|en rispóndere
di; sich ~en giustificarsi
[dʒu-]; ~lich responsà-
bile; 2ung f responsabilità;
~ungslos incosciente [-ʃe-]

446

verarbeit|en lavorare;
♀ung *f* lavorazione

Verband *m* (*Verein*) lega *f*;
Med fasciatura [-ʃa-] *f*;
~kasten *m* cassetta *f* di
medicazione; **~zeug** *n* bendaggi [-dʒi] *m/pl*
ver|bannen esiliare; **~bau-**
en ostruire; **~bergen** nascóndere
verbesser|n migliorare
[-ʎo-]; ♀ung *f* miglioramento [-ʎo-] *m*; (*Berichtigung*) correzione
verbeug|en: sich ~ inchinarsi [-k-]; ♀ung *f* inchino [-k-] *m*
ver|biegen stòrcere [-tʃ-];
~bieten proibire, vietare;
~billigt a prezzo ridotto;
~binden legare; connèttere; *Wunde*: fasciare
[-ʃa-]; **~bindlich** obbligatorio; (*höflich*) obbligante; ♀bindung *f* collegamento
m; *Esb, Tel* comunicazione;
Chem combinazione
ver|bissen accanito; **~**
blassen impallidire; **~**
blüfft perplesso; **~blühen**
sfiorire; **~bluten** dissanguarsi; **~borgen** (*versteckt*) nascosto
Verbot *n* divieto *m*; ♀en
proibito, vietato; **~sschild**
n cartello *m* di divieto
verbrannt bruciato [-tʃa-]
Verbrauch *m* consumo *m*;
♀en consumare; **~er** *m*
consumatore
Verbrech|en *n* delitto *m*;
~er *m* delinquente; criminale; ♀erisch delittuoso
verbreit|en diffóndere;
~ern allargare; ♀ung *f*
diffusione
verbrenn|en bruciare
[-tʃa-]; ♀ung *f* combustione; (*Brandwunde*) scottatura
ver|bringen *Zeit, Urlaub*:
passare; **~brühen** scottare
verbürgen garantire; **sich**
~ für (*A*) rispóndere di
Verdacht *m* sospetto
verdächtig sospetto; **~en**
sospettare di; ♀ung *f*
sospetto *m*
ver|dammen condannare;
~danken (*j-m A*) dovere
(qc. a qu.)
verdau|en digerire [-dʒ-];
~lich digeribile [-dʒ-];
♀ung *f* digestione [-dʒ-];
♀dauungsbeschwerden
f/pl disturbi *m/pl* intestinali
Ver|deck *n Auto*: cappotta
f; ♀decken coprire; ♀derb
en *v/t* guastare; *v/i*
(*schlecht werden*) andare a
male; ♀derblich deterioràbile; ♀deutlichen chiarire [k-]
verdien|en in *Geld*: guadagnare [-ɲ-]; *Lob*: meritare;
♀st¹ *n* mèrito *m*; ♀st² *m*
guadagno [-ɲo]
ver|doppeln raddoppiare;
~dorben guasto; **~drän-**
gen spostare; **~drehen**
stòrcere [-tʃ-]; **~drießlich**
di malumore; **~duften** *F*
svignàrsela [zviɲ-]; **~dun-**

keln oscurare; **∼dünnen** diluire; *Wein:* allungare; **∼dunsten** evaporare; **∼dursten** morire di sete; **∼dutzt** confuso; **∼edeln** *Bot* innestare; *Tech* raffinare

verehr|en venerare; adorare; **≈er** *m* adoratore; **≈ung** *f* venerazione

vereidig|en far giurare [dʒu-]; **∼t** giurato [dʒu-]

Verein *m* società [-tʃe-] *f*; **≈baren** méttersi d'accordo su; **∼barung** *f* accordo *m*; **≈fachen** semplificare; **≈igen** unire; **∼igung** *f* unione

ver|einzelt in casi isolati; **∼eiteln** sventare [zv-]; **∼engen: sich ∼engen** restringersi [-dʒ-]; **∼erben** lasciare [-ʃa-] (in eredità); **∼fahren** procédere [-tʃ-]; **sich ∼fahren** smarrirsi [zm-]; **≈fahren** *n* procedimento [-tʃ-] *m*; *jur* processo [-tʃ-] *m*

Verfall *m* decadenza *f*; **≈en** (*Haus*) rovinare; (*Gutschein*) decadere; *adj* decaduto; **∼tag** *m* giorno [dʒo-] di scadenza

ver|fänglich insidioso; **∼fassen** scrivere; **≈fasser** *m* autore; **≈fassung** *f Pol* costituzione; **∼fault** marcito [-tʃ-]

verfehl|en *Ziel:* fallire; *Weg:* sbagliare [zbaʎa-]; *Zug:* pèrdere; *j-n:* non

trovare; **∼t** (*falsch*) sbagliato [zbaʎa-]

ver|filmen filmare; **∼fliegen** (*Duft*) svanire [zv-]; **∼fließen** (*Zeit*) scórrere; **∼flossen** passato; scorso; **∼flucht** maledetto

verfolg|en (per)seguire; **≈er** *m* inseguitore; **≈ung** *f* persecuzione

ver|formen deformare; **∼früht** prematuro

verfüg|bar disponibile; **∼en** disporre (**über** *A* di); **≈ung** *f* disposizione

verführ|en sedurre; **∼erisch** seduttore

vergangen passato; **≈heit** *f* passato *m*

Vergaser *m* carburatore

vergeb|en perdonare; *Amt:* conferire; **∼ens** invano; **∼lich** inùtile

vergehen (*ablaufen*) passare; **sich ∼ an** (*D*) violare (qu., qc.); **≈** *n* delitto *m*

vergelt|en rèndere; ripagare; **≈ung** *f* rappresaglia [-ʎa]

ver|gessen dimenticare; **∼geuden** sciupare [ʃu-]; **∼gewaltigen** violentare

vergewissern: sich ∼ accertarsi [-tʃ-]

ver|gießen versare; **∼giften** avvelenare; **≈giftung** *f* intossicazione; **≈gißmeinnicht** *n Bot* non ti scordar di me *m*; **≈gleich** *m* confronto; *jur* transazione *f*; **∼gleichen** confrontare, paragonare

vergnüg|en: sich ∼en di-

vertirsi; ♀en n piacere
[-tʃ-] m; divertimento m;
♂t contento; allegro;
♀ungspark m parco di
divertimenti; ♀ungsreise
f viaggio [-dʒo] m di
piacere [-tʃ-]
ver|goldet (in)dorato; ♀
graben v/t sotterrare;
♀griffen Buch: esaurito;
♀größern ingrandire; ♀
größerung f ingrandi-
mento m (a Fot); ♀gün-
stigung f favore m; ♀gü-
tung f rimborso m
verhaft|en arrestare; ♀ung
f arresto m
verhalten: sich ~ (Person)
comportarsi; (Sache)
stare; ♀ n condotta f
Verhältnis n rapporto m;
~se pl condizioni f/pl;
♀mäßig relativamente
verhand|eln negoziare; ♀-
lung f trattativa; jur dibattimento m
ver|hängnisvoll fatale;
~haßt odiato; ~heimli-
chen celare [tʃ-]
verheiraten sposare; sich
~ (Mann) ammogliarsi
[-ʎa-]; (Frau) maritarsi
verhinder|n impedire; ~t
sein essere impedito
Verhör n interrogatorio m;
♀en interrogare; sich ♀en
capire male
ver|hüllen coprire; ~hun-
gern morire di fame;
~hüten evitare
verirren: sich ~ smarrirsi
[zm-]

Verjährung f prescrizione
Verkauf m véndita f; ♀en
véndere; zu ♀en in véndita
Verkäuf|er m venditore;
~erin f venditrice [-tʃe];
♀lich vendibile
Verkaufs|preis m prezzo
di véndita; ~stand m
bancarella f
Verkehr m movimento;
(Straßen2) tráffico; ♀en
circolare [tʃ-]; (mit j-m)
frequentare (qu.)
Verkehrs|ampel f semà-
foro m; ~amt n ufficio
[-tʃo] m comunicazioni;
~flugzeug n aèreo m pas-
seggeri [-dʒ-]; ~hindernis
n impedimento m del trâf-
fico; ~insel f salvagente
[-dʒ-] m; ~mittel n mezzo
m di comunicazione; ~ord-
nung f regolamento m
della circolazione [tʃ-];
~polizei f polizia stradale;
~polizist m vigile [-dʒ-]
urbano; ~schild n cartello
m stradale; ~sicherheit f
sicurezza del tráffico; ~
stockung f congestione
[-dʒ-] del tráffico; ~teil-
nehmer m partecipante
[-tʃ-] al tráffico; ~unfall m
incidente [-tʃ-] stradale;
~zeichen n cartello m in-
dicatore
verkehrt rovesciato [-ʃa-];
(falsch) falso
ver|klagen querelare; ~
kleiden Tech rivestire;
sich ~kleiden travestirsi;
~kleinern rimpicciolire;

~körpern personificare;
~kraften sopportare

ver|krampft convulsivo;
~künden öffentlich: pro-
clamare; ~kürzen accor-
ciare [-tʃa-]

verlad|en caricare; Mar
imbarcare; Qerampe f
rampa di caricamento;
Qung f caricamento m;
Mar imbarco m

Verlag m casa f editrice
[-tʃe]

verlangen domandare; Q n
desiderio m

verläng̱er|n allungare;
Qung f allungamento m;
Qungsschnur f cavo m
d'allungamento; Qungs-
woche f prolungamento m
di una settimana

ver|langsamen rallentare;
~lassen abbandonare;
sich ~lassen (auf A)
fidarsi (di); ~läßlich fidato

verlaufen: sich ~ smarrirsi
[zm-]

ver|legen Wohnsitz usw:
trasferire; Termin: rimandare; et: smarrire [zm-];
adj impacciato [-tʃa-]; Q-
legenheit f imbarazzo m;
Qleger m editore; Qleih m
noleggio [-dʒo]; ~leihen
prestare; dare a noleggio
[-dʒo]

verletz|en ferire; sich ~en
ferirsi; Qte(r) m ferito;
Qung f ferita

verleumd|en calunniare;
Qung f calunnia

verlieb|en: sich ~en (in A)

innamorarsi (di); ~t in-
namorato

verlieren pèrdere

verlob|en: sich ~en fidan-
zarsi; Qte f fidanzata;
Qte(r) m fidanzato; Qung f
fidanzamento m

ver|lorengehen pèrdersi;
~losen sorteggiare [-dʒa-];
Qlosung f sorteggio [-dʒo]
m

Verlust m pèrdita f; ~an-
zeige f annuncio [-tʃo] m
di pèrdita

ver|machen legare; ~meh-
ren aumentare; sich ~
mehren moltiplicarsi;
~meiden evitare

Vermerk m nota f

vermessen Strecke: misu-
rare

vermiet|en affittare; dare
a nolo; Qer m locatore;
Qung f locazione

ver|mindern diminuire;
~missen non trovare; ~
mitteln v/i (zwischen D)
intervenire (in); Qmittler
m intermediario; Qmitt-
lung f mediazione; Tel
centralino [tʃ-] m; Qmögen
n (Besitz) fortuna f

vermut|en supporre; ~lich
presumibile; Qung f sup-
posizione

ver|nachlässigen trascu-
rare; ~nehmen (hören) in-
tèndere; s verhören; Q-
nehmung f interrogatorio
m; ~neigen: sich ~neigen
inchinarsi [-k-]; ~neinen
negare; ~nichten distrùg-

gere [-dʒ-]; ℒnunft f ragione [-dʒo-]; ℒnünftig ragionévole [-dʒo-]; ℒöffentlichen pubblicare
verordn|en ordinare; ℒung f ordinanza; *Med* ordinazione
ver|pachten appaltare; ℒpacken imballare; ℒpackung f imballaggio [-dʒo] m; ℒpassen *Zug*: pèrdere; ℒpfänden impegnare [-ɲ-]
verpfleg|en alimentare; ℒung f alimentazione
verpflicht|en impegnare [-ɲ-]; **sich ℒen zu** obbligarsi a; ℒung f òbbligo m
ver|pfuschen sciupare [ʃu-]; ℒprügeln bastonare; ℒputz m intònaco; ℒrat m tradimento; ℒraten tradire; ℒräter m traditore
verrechn|en méttere in conto; **sich ℒen** sbagliare [zbaʎa-] i càlcoli; ℒung f compensazione; ℒungsscheck m assegno [-ɲo] per conteggio [-dʒo]
ver|reisen partire; ℒrenken slogare [zl-]; ℒrenkung f slogatura [zl-]; ℒriegeln chiùdere [k-] col chiavistello [k-]; ℒringern diminuire [-dʒ-]; ℒrosten arrugginire [-dʒ-]
verrückt pazzo; ℒ werden diventare pazzo; ℒe(r) m pazzo
ver|rufen adj malfamato; ℒrutschen spostarsi
Vers m verso

ver|sagen *j-m et*: rifiutare; (*Kräfte usw*) venire a mancare; (*Motor usw*) non funzionare; ℒsalzen adj salato troppo
versamm|eln radunare; **sich ℒeln** riunirsi; ℒlung f riunione
Versand m spedizione f
ver|säumen (*unterlassen*) ométtere; (*verpassen*) pèrdere; ℒschaffen procurare; ℒschenken dare in regalo; ℒscheuchen scacciare [-tʃa-]; ℒschicken spedire; ℒschieben spostare; (*zeitlich*) differire
verschieden diverso, differente; ℒartig svariato [zv-]; ℒfarbig multicolore; ℒheit f diversità
ver|schiffen imbarcare; ℒschimmeln ammuffire; ℒschlafen *Zeit*: alzarsi troppo tardi; adj assonnato
verschlechter|n peggiorare [-dʒo-]; ℒung f peggioramento [-dʒo-] m
ver|schleiern fig occultare; ℒschleppen *Krankheit*: non curare; (*deportieren*) deportare; ℒschleudern dilapidare; ℒschließen chiùdere [k-]; ℒschlimmern s verschlechtern; ℒschlossen chiuso [k-]
verschluck|en inghiottire [-g-]; **sich haben mich ℒt** mi è anc'ato qc. di traverso
Ver|schluß m chiusura f; *Fot* otturatore; ℒschmähen** sdegnare [zdeɲ-];

♀schmelzen v/t fóndere; v/i fóndersi; ♀schmerzen consolarsi di; ♀schmieren imbrattare; *Loch*: turare; ♀schneit coperto di neve; ♀schnüren legare; ♀-schollen scomparso; ♀-schönern abbellire

verschreiben *Med* prescrìvere; **sich** ~ sbagliarsi [zba⌃a] nello scrivere

ver|schrotten véndere come ferro vecchio [-k-]; ~schütten versare; ~schweigen tacere [-tʃ-]

verschwend|en dissipare; ~erisch pròdigo; ♀ung f dissipazione

ver|schwiegen taciturno [-tʃ-]; ~schwinden sparire, scomparire

Verschwör|er m congiurato [-dʒu-]; ~ung f congiura [-dʒu-]

versehen *Amt usw*: fùngere (da); (**mit** *D*) provvedere (di); **sich** ~ sbagliarsi [zba⌃a]; ♀ n svista [zv-] f; **aus** ♀, ~tlich per sbaglio [zba⌃o]

ver|senden spedire; ~sengen abbruciacchiare [-tʃak-]; ~senken immèrgere [-dʒ-]; ~setzen spostare; *Beamte*: trasferire; *Schüler*: promuòvere; *in e-e Lage*: méttere; *s* **ver-pfänden**; *F* (*nicht erscheinen*) piantare (qu.); ~seucht infestato

versicher|n (**gegen** *A*) assicurare (contro); (*be-*

teuern) affermare; ♀ung f assicurazione

Versicherungs|beitrag m premio d'assicurazione; ~gesellschaft f compagnia [-ɲ-] d'assicurazione; ~karte f *Kfz* carta d'assicurazione; ~police f pòlizza d'assicurazione

ver|siegeln sigillare [-dʒ-]; ~sinken sprofondare

versöhn|en riconciliare [-lʃ-]; ♀ung f riconciliazione [-tʃ-]

versorg|en mantenere; (**mit** *D*) provvedere (di); ♀ung f provvedimento m

verspät|en: **sich** ~ en ritardarsi; ♀ung f ritardo m

ver|sperren sbarrare [zb-]; ~spielen pèrdere al gioco [dʒo-]; ~spotten schernire [sk-]

versprech|en prométtere; **sich** ~ en sbagliarsi [zba⌃a] parlando; ♀ung f promessa

ver|sprühen spruzzare; ~spüren sentire; ~staatlichen nazionalizzare; ♀stand m intelletto

verständ|ig intelligente [-dʒ-]; ~en informare; **sich** ~ en intèndersi; ♀ung f intesa

verständ|lich comprensibile; ♀nis n comprensione f

verstärk|en rinforzare; ♀er m amplificatore; ♀ung f rinforzo m; *Radio*: amplificazione

verstauch|en: **sich den Fuß** ~ en stòrcersi [-tʃ-] un

piede; ℓung *f* storcimento
[-tʃ-] *m*
verstauen *Mar* stivare
Versteck *n* nascondiglio
[-ʎo] *m*; ℓen nascóndere
verstehen capire, comprèndere; **sich ~** intèndersi
Versteigerung *f* asta
verstell|bar regolàbile,
~en regolare; **sich ~en**
fingere [-dʒ-]
ver|stimmt *Mus* scordato;
fig di malumore; **~stohlen**
furtivo; **~stopfen** tappare;
~stopft *Med* costipato;
Tech otturato; ℓstopfung
f Med costipazione; **~stor-**
ben defunto
Verstoß *m* mancanza *f*; ℓen
(gegen *A*) mancare (contro)
ver|streichen (*Frist*) sca-
dere; **~streuen** sparpa-
gliare [-ʎa-]; **~stümmeln**
mutilare; **~stummen** ammutolire
Versuch *m* tentativo; esperimento; ℓen tentare
ver|tagen aggiornare
[-dʒo-]; **~tauschen** cambiare
verteidig|en difèndere; ℓer
m difensore; *Fußball:* terzino; ℓung *f* difesa
ver|teilen distribuire; **~**
tiefen approfondire; ℓtie-
fung *f* approfondimento
m; **~tilgen** sterminare
Vertrag *m* contratto; ℓen
sopportare; **er kann nicht**
viel ℓen non sopporta

molto; **sich** ℓen andare
d'accordo
vertrau|en: j-m ~en fidarsi
di qu.; ℓen *n* fiducia [-tʃa]
f; **~lich** confidenziale;
~t familiare; intimo
ver|treiben cacciare [-tʃa-];
sich die Zeit ~ passare il
tempo
vertret|en *j-n:* rappresen-
tare; ℓer *m* rappresentante;
ℓung *f* rappresentanza
Vertrieb *m* véndita *f*;
distribuzione *f*
ver|trocknen seccare;
~üben commèttere; **~un-**
glücken perire in una
disgrazia [-zg-]; **~unrein-**
igen sporcare; **~ursachen**
causare (ℓung *f* condanna)
verurteilen condannare; ℓ
ver|vielfältigen moltepli-
care; *Fot, Typ* riprodurre;
~vollkommnen perfezio-
nare; **~vollständigen**
completare; **~wackelt** *Fot*
mosso; **~wahrlost** trascurato; ℓwahrung *f* custo-
dia; **in ℓwahrung geben**
dare in depòsito
verwalt|en amministrare;
ℓer *m* amministratore;
ℓung *f* amministrazione
verwand|eln trasformare;
cambiare; **sich ~eln** tras-
formarsi; ℓlung *f* trasformazione
verwandt (mit *D*) parente
(di); ℓe(r) *m* parente;
ℓschaft *f* parentela
Verwarnung *f* ammoni-
zione

verwechs|eln scambiare; ℒlung *f* equivoco *m*

ver|weigern rifiutare; ℒweis *m* (*Tadel*) rimpròvero; (*Hinweis*) rinvìo; **~welkt** appassito; **~wenden** impiegare; adoperare; ℒwendung *f* impiego *m*; uso *m*; **~werfen** rigettare [-dʒ-]; **~werten** utilizzare; **~wickeln** (*in*) implicare (*in*); **~wirklichen** realizzare

verwirr|en confóndere, **~t** confuso; ℒung *f* confusione

ver|wischen cancellare [-tʃ-]; **~witwet** *Mann*: védovo; *Frau*: védova; **~wöhnen** viziare; **~worren** imbrogliato [-ʎa-]; ℒwunderung *f* stupore *m*; **~wundet**, ℒwundete(r) *m* ferito; ℒwundung *f* ferita; **~wünschen** maledire; **~wüsten** devastare

verzählen: sich ~ sbagliare [zbaʎa-] contando

verzaubern incantare

Verzehr *m* consumo; ℒen consumare; **~zwang** *m* òbbligo di consumazione

Verzeichnis *n* lista *f*; elenco *m*

verzeih|en perdonare; ℒung *f* perdono *m*

verzerrt contorto

Verzicht *m* rinuncia [-tʃa] *f*; ℒen (**auf** *A*) rinunciare [-tʃa-] a

Verzierung *f* ornamento *m*

verzöger|n ritardare; **sich ~n** tardare; ℒung *f* ritardo *m*

verzollen sdoganare [zd-]; **haben Sie et. zu ~?** ha qualcosa da dichiarare [-k-]?

verzweif|eln disperare; ℒlung *f* disperazione

Vetter *m* cugino [-dʒ-]

Viadukt *n* viadotto *m*

Vieh *n* bestiame *m*; **~zucht** *f* allevamento *m* di bestiame

viel molto; tanto; **sehr ~** moltìssimo; **nicht ~** poco; **~ zu ...** troppo ...; **~besucht** frequentato; **~deutig** ambiguo; **~fach**, **~fältig** moltéplice [-tʃe]

vielleicht forse

viel|mals spesso; **~mehr** piuttosto; **~sagend** espressivo; **~seitig** versàtile

vier quattro; ℒbettkabine *f* cabina a quattro letti; ℒeck *n* quadrilàtero *m*; **~eckig** quadrangolare; **~fach** quàdruplo; ℒtaktmotor** *m* motore a quattro tempi

Viertel *n* quarto *m*; (*Stadt*ℒ) quartiere *m*; **~jahr** *n* trimestre *m*; **~stunde** *f* quarto *m* d'ora

violett violetto

Violine *f* violino *m*

Visitenkarte *f* biglietto [-ʎe-] *m* di visita

Visum *n* visto *m*

Vogel *m* uccello [-tʃ-]; **~futter** *n* becchime [-k-] *m*; ~scheuche *f* spauracchio [-k-] *m*

Vokabel *f* vocàbolo *m*

Vokal *m* vocale *f*

Volk *n* pòpolo *m*

volks|eigen di proprietà pùbblica; 2fest *n* festa *f* popolare; 2kunst *f* arte popolare; 2lied *n* canzone *f* popolare; 2republik *f* repùbblica popolare; 2schule *f* scuola elementare; 2tanz *m* danza *f* popolare; ~tümlich popolare; 2wirtschaft *f* economia politica

voll pieno; (~ besetzt) completo, gremito; halb ~ pieno a metà; ~ und ganz totalmente; ~automatisch interamente automàtico; 2bad *n* bagno [-ɲo] *m* in vasca; 2bart *m* barba *f* piena; ~enden terminare; ~füllen colmare

Vollgas *n*: ~ geben dare tutto gas

völlig interamente

voll|jährig maggiorenne [-dʒo-]; 2kaskoversicherung *f* assicurazione contro tutti i rischi [-ski]; ~kommen (ganz) intero; (ohne Makel) perfetto; 2macht *f* procura; 2milch *f* latte *m* intero; 2mond *m* luna *f* piena; 2pension *f* pensione completa; ~schlank corpacciuto [-tʃu-]; ~ständig *s* völlig, vollzählig; ~tanken fare il pieno; ~-

wertig di valore completo; ~zählig completo

Volumen *n* volume *m*

von (D) di; (Herkunft und Passiv) da; ~ mir (ihm) da parte mia (sua); ~einander uno dall'altro

vor (A, D) davanti a; zeitlich: prima di

Vorabend *m*: am ~ (G) alla vigilia [-dʒ-] di

voran avanti; ~gehen andare avanti; 2meldung *f* preavviso *m* [dra *m*]

Vorarbeiter *m* caposquadra

voraus avanti; im ~ anticipatamente [-tʃ-]; ~gehen andare avanti; ~gesetzt, daß ... supposto che [ke] ...; ~sagen predire; ~sehen prevedere; 2setzung *f* presupposto *m*; ~sichtlich probàbile; 2zahlung *f* pagamento *m* anticipato [-tʃ-]

Vorbehalt *m* riserva *f*; ohne ~ senza riserve

vorbei örtlich: ~ an davanti a; zeitlich: passato; ~fahren, ~gehen passare; ~lassen lasciar [-ʃa-] passare

vorbe|reiten preparare; 2reitung *f* preparazione; ~stellen prenotare; 2stellung *f* prenotazione

vorbeug|en prevenire; sich ~en chinarsi [k-] in avanti; 2ungsmaßnahme *f* misura preventiva

Vorbild *n* modello *m*; esempio *m*; 2lich esemplare

vorder... anteriore; ℓ**achse** f asse anteriore; ℓ**grund** m primo piano; ℓ**haus** n casa f anteriore; ℓ**rad** n ruota f anteriore; ℓ**seite** f parte anteriore; ℓ**sitz** m posto davanti; ℓ**teil** m od n parte f anteriore

Vor|druck m mòdulo; ℓ**eilig** precipitato [-tʃ-]; ℓ**eingenommen** prevenuto; ℓ**erst** dapprima; ℓ**fahrt** f precedenza [-tʃ-]; ℓ**fall** m accaduto; ℓ**finden** trovare

Vorführ|dame f manichino [-k-] m; ℓ**en** produrre; presentare; ℓ**ung** f produzione; rappresentazione

Vor|gang m (Ereignis) evento; (Fall) precedente [-tʃ-]; ℓ**gänger** m predecessore [-tʃ-]; ℓ**garten** m giardinetto [dʒa-] sul davanti; ℓ**gehen** (handeln) procèdere [-tʃ-]; (Uhr) andare avanti; ℓ**gericht** n antipasto m; ℓ**gesetzte(r)** m superiore; ℓ**gestern** ieri l'altro; ℓ**haben** intèndere; ℓ**haben** n intenzione f; ℓ**halle** f atrio m

vorhanden esistente; ℓ**sein** èsserci [-tʃi]

Vor|hang m (Fenster ℓ) tenda f; Thea sipario; ℓ**hängeschloß** n lucchetto [-k-] m

vorher prima; ℓ**gehend** precedente [-tʃ-]; ℓ**sehen** prevedere

vorhin or ora, poco fa

vorig precedente [-tʃ-]; passato; ℓ**es Jahr** l'anno scorso

Vorkenntnisse f/pl: ℓ haben èssere pràtico

vorkomm|en (sich finden) trovarsi; (scheinen) parere; (geschehen) accadere; ℓ**en** n esistenza f; ℓ**nis** n accaduto m [m]

Vorkriegszeit f anteguerra)

vorlad|en citare [tʃ-]; ℓ**ung** f citazione [tʃ-]

Vor|lage f (Muster) modello m; ℓ**lassen** far passare; ℓ**läufig** provvisorio; adv per ora; ℓ**legen** presentare; ℓ**leger** m (Bett ℓ) pedana f; ℓ**lesen** lèggere [-dʒ-]; ℓ**lesung** f lettura; lezione; ℓ**letzt** penùltimo; ℓ**liebe** f (für A) predilezione (per)

vorliebnehmen: ℓ **mit** (D) contentarsi di

vor|liegen èsserci [-tʃi]; ℓ**malig** anteriore; ℓ**mals** per l'addietro; ℓ**marsch** m avanzata f; ℓ**merken** prenotare

Vormittag m mattina(ta) f; **am** ℓ, ℓ**s** di mattina

Vormund m tutore

vorn davanti; **nach** ℓ in avanti; **von** ℓ dal davanti

Vor|name m nome di battésimo; ℓ**nehm** distinto

vornehm|en: sich et. ℓ**en** proporsi qc.; ℓ**lich** particolarmente

vornherein: von ℓ fin dal principio [-tʃ-]

vornüber in avanti

Vorort m sobborgo; **~bahn** f linea suburbana; **~zug** m treno locale

Vor|rang m precedenza [-tʃ-] f; **~rat** m provviste f|pl; **2rätig** disponibile; **~recht** n privilegio [-dʒo] m; **~richtung** f preparativo m; **~runde** f Sp eliminatoria; **~saison** f bassa stagione [-dʒo-]; **~satz** m proponimento; **2sätzlich** intenzionale; **~schau** f (auf A) previsione (di)

Vorschein n: zum ~ kommen venire fuori

Vor|schiff n prua f; **~schlag** m proposta f; **2~schlagen** proporre; **~schlußrunde** f Sp semifinale; **2schreiben** prescrivere; **~schrift** f prescrizione; **~schuß** m anticipo [-tʃ-]

vorschlag|en (planen) prevedere; **sich ~en** (vor D) guardarsi (da); **2ung** f provvidenza

Vorsicht f precauzione; **2ig** prudente, cauto

Vor|silbe f prefisso m; **~sitz** m presidenza f; **~sitzende(r)** m presidente; **2sorglich** adv per precauzione; **~speise** f antipasto m; **~spiel** n preludio m; **~sprung** m Arch sporto; fig vantaggio [-dʒo-]; **~stadt** f sobborgo m; **~stand** m presidenza f

vorstell|en j-n: presentare; Uhr: méttere avanti; **sich ~en** j-m: presentarsi; (denken) figurarsi; **2ung** f presentazione; (Idee) idea; Thea rappresentazione

Vor|stoß m avanzata f; **~strafen** f|pl precedenti [-tʃ-] m|pl penali; **~teil** m vantaggio [-dʒo]; **2teilhaft** vantaggioso [-dʒo-]; **~trag** m conferenza f; **2tragen** (berichten) riferire; Gedicht: recitare [-tʃ-]; **2trefflich** eccellente [-tʃ-]; **2treten** farsi avanti

vorüber s vorbei; **~gehend** passeggero [-dʒ-]; transitorio

Vor|urteil n pregiudizio [-dʒu-]; **~verkauf** m véndita f anticipata [-tʃ-]; **~wahlnummer** f Tel prefisso m; **~wand** m pretesto

vorwärts avanti; **~kommen** progredire

vor|weisen mostrare; **~werfen** (j-m A) rimproverare; **~wiegend** prevalente; **2wort** n prefazione f; **2wurf** m rimpròvero; **2zeichen** n indizio m; **~zeigen** presentare; **~zeitig** anticipato [-tʃ-]; **~ziehen** (bewegen) tirare in avanti; (lieber mögen) preferire; **2zimmer** n anticàmera f; **2zug** m preferenza f; **~züglich** eccellente [-tʃ-]; **2zugspreis** m prezzo di) vulgär volgare [favore]

Vulkan m vulcano; **2isieren** vulcanizzare

W

Waage f bilancia [-tʃa];
ℒrecht orizzontale
wach desto, sveglio [zve:-
ʎo]; ~ **werden** destarsi;
ℒe f guardia; ~**en** (*nicht
schlafen*) vegliare [-ʎa-];
(**über** A) vigilare [-dʒ-]
(qc.)
Wacholder m ginepro [dʒ-]
Wachposten m sentinella f
Wachs n cera [tʃ-] f
wachsam vigile [-dʒ-];
ℒkeit f vigilanza [-dʒ-]
wachs|en v/i créscere [-ʃ-];
fig (*steigen*) salire; v/t dare
la cera [tʃ-] a; ℒtum n
crescenza [-ʃ-] f
Wächter m guardiano
wack|(e)lig malfermo;
~**eln** tentennare
Wade f polpaccio [-tʃo] m
Waffe f arma
Waffel f cialda [tʃa-]
Waffenschein m porto
d'armi
wage|mutig audace [-tʃe];
~**n** *zu tun*: osare di; *et:*
arrischiare [-sk-]; **sich** ~**n**
arrischiarsi [-sk-]
Wagen m carrozza f; vettura f; (*Auto*) màcchina
[-k-] f; *Esb* vagone; ~**he-
ber** m cricco; ~**schlag** m
sportello; ~**wäsche** f lavaggio [-dʒo] m
Waggon m vagone
wag|halsig temerario;
ℒnis n rischio [-sk-] m
Wahl f scelta [ʃ-]

wähl|en scégliere [ʃeʎe-];
Tel fare il nùmero; ℒer m
elettore; ~**erisch** schifil-
toso [sk-]
Wahl|kampf m lotta f elet-
torale; ~**lokal** n seggio
[-dʒo] m elettorale; ℒlos
senza distinzione; ~**recht** n
diritto m elettorale; ~**versammlung** f adunanza
elettorale
Wahnsinn m pazzia f; ℒig
pazzo
wahr vero; **das ist** (**nicht**)
~ (non) è vero; **nicht** ~?
(non è) vero?; ~**en** preservare
während *prp* (G) durante
(A); *cj* mentre; ~**dessen**
frattanto
wahr|haft vero; ℒheit f
verità; ~**nehmen** perce-
pire [-tʃ-]; (*nutzen*) cògliere
[-ʎe-]
wahrsag|en divinare; ℒe-
rin f indovina
wahrscheinlich probàbile;
ℒkeit f probabilità
Währung f valuta
Wahrzeichen n segno
[-ɲo] m
Waise f òrfano m, òrfana
Wal m balena f
Wald m foresta f; bosco;
~**brand** m incendio [-tʃ-]
forestale; ~**hüter** m guardaboschi [-ski]; ℒig, ℒ-
reich boscoso; ~**weg** m
sentiero nel bosco

Wall m baluardo

Wallfahrt f pellegrinaggio [-dʒo] m

Walnuß f noce [-tʃe]

Walze f cilindro [tʃ-] m, rullo m

wälzen rotolare; *Buch*: compulsare; **sich ~** rotolarsi

Walzwerk n laminiera f

Wand f parete; muro m; (*Fels♀*) dirupo m

Wandel m cambiamento; ♀**bar** variàbile; **~halle** f atrio m; ♀**n** v/t mutare; v/i camminare

Wander|ausstellung f esposizione ambulante; **~fahrt** f gita [dʒ-]; **~karte** f carta stradale; ♀**n** fare delle escursioni a piedi; **~ung** f escursione; **~weg** m sentiero

Wandlung f mutamento m

Wand|schirm m paravento; **~schrank** m armadio a muro; **~teppich** m tappeto a muro

Wange f guancia [-tʃa]

wanken vacillare [-tʃ-]

wann quando; **seit ~?** da quando?

Wanne f vasca

Wanze f cimice [tʃi:mitʃe]

Wappen n stemma m

Ware f merce [-tʃe]

Waren|automat m distributore automàtico; **~haus** n grandi magazzini m/pl; **~zeichen** n marca f di fàbbrica

warm caldo; *fig* caloroso

Wärm|e f calore m; ♀**en** scaldare; **~flasche** f bottiglia [-ʎa] d'acqua calda

warmlaufen: ~ lassen *Kfz* lasciar [-ʃa-] riscaldare

Warn|dreieck n triàngolo m di avvertimento; ♀**en** avvertire; ♀**en vor** méttere in guardia contro; **~ung** f avvertimento m; **~zeichen** n segnale [-ɲ-] m d'avviso

Warte|halle f sala d'aspetto; **~liste** f lista d'attesa; ♀**n** v/i (**auf** A) aspettare (qu., qc.); v/t (*pflegen*) assistere a; **~n** in attesa f

Wärter m guardiano; (*Kranken♀*) infermiere

Warte|saal m, **~zimmer** n sala f d'aspetto; anticàmera f; **~zeit** f tempo m d'attesa

Wartung f assistenza f; *Tech* manutenzione

warum perché [-ke]

Warze f verruca

was che [ke], che cosa; (*wieviel*) quanto; **~ für** (ein) che [ke]; quale

Wasch|anstalt f s Wäscherei; ♀**bar** lavàbile; **~becken** n lavabo m

Wäsche f biancheria [-k-]; (*das Waschen*) bucato m; **~geschäft** n camiceria [-tʃ-] f; **~klammer** f morsetta

wasch|en lavare; avere bucato; **sich ~en** lavarsi; ♀**en** n bucato m; *Tech* lavaggio [-dʒo] m

Wäsche|rei f lavanderia

~schrank *m* armadio della biancheria [-k-]

Wasch|korb *m* cesta [tʃ-] *f* da bucato; **~lappen** *m* cencio [tʃentʃo] per lavarsi; **~maschine** *f* lavatrice [-tʃe]; **~mittel** *n* detergente [-dʒ-] *m*; **~raum** *m* toeletta *f* [-tʃe]; lavabo *m*; **~schüssel** *f* catinella; **~tisch** *m* lavabo

Wasser *n* acqua *f*; fließendes **~** acqua *f* corrente; zu **~** per mare; **~ball** *m* palla *f* da nuoto; **~dicht** impermeàbile; **~fall** *m* cascata *f*; **~flugzeug** *m* idrovolante *m*; **~hahn** *m* rubinetto dell'acqua; **~kraftwerk** *n* centrale [tʃ-] *f* idroelèttrica; **~kühlung** *f* raffreddamento *m* ad acqua; **~leitung** *f* condotto *m* dell'acqua; **~melone** *f* cocómero *m*

wässern annaffiare

wasser|scheu idròfobo; **2schi** *m*, **2ski** *m* sci [ʃi] *m* nàutico; **2sport** *m* sport nàutico; **2stoff** *m* idrògeno [-dʒ-]; **2versorgung** *f* rifornimento *m* dell'acqua; **2welle** *f* (*beim Friseur*) messa in piega

wäßrig acquoso

waten guazzare

Watte *f* ovatta; **~bausch** *m* fiocco di ovatta

web|en tèssere; **2stuhl** *m* telaio

Wechsel *m s* **Veränderung, Umtausch**; *Hdl*

cambiale *f*; tratta *f*; **~geld** *n* moneta *f* spicciola [-tʃo-]; **~getriebe** *n* cambio *m*; **~kurs** *m* corso di cambio; **2n** cambiare; **~strom** *m* corrente *f* alternata; **~stube** *f* ufficio [-tʃo] *m* cambi

weck|en svegliare [zveʎa-]; **2er** *m* sveglia [zveʎa] *f*

wedeln scodinzolare

weder: ~ ... noch ... né ... né ...

weg *su.* (*abwesend*) assente; (*verschwunden*) scomparso; (*fortgegangen*) uscito [-ʃ-]

Weg *m* via *f* (*a fig*); strada *f*; sentiero

weg|bleiben non venire; **~bringen** portare via

wegen (*G*) a causa di; per

weg|fahren partire; **~fallen** èssere soppresso; **~geben** dare via; **~jagen** cacciare [-tʃa-] via; **~lassen** omèttere; **~laufen** córrere via; **~nehmen** tògliere [-ʎe-]; **~räumen** rimuòvere; **~rücken** scostare; **~schaffen** portare via; **~schicken** mandare via; **~schieben** scostare; **~tun** méttere via

Wegweiser *m* indicatore stradale

weg|werfen gettare [dʒ-] via; **~ziehen** *v/t* scostare; *v/i* andare via

weh: ~ tun dolere; *j-m:* far male; **2** *n* dolore *m*; **2en** *f/pl* doglie [-ʎe]

wehen spirare

wehmütig mesto

Wehr n diga f

Wehrdienst m servizio militare; **~verweigerer** m obiettore di coscienza [-ʃ-]

wehr|en: sich **~en** difendersi; **~los** inerme; **2-pflicht** f òbbligo m del servizio militare

Weib n donna f; **~chen** n Zo fèmmina f; **2lich** femminile

weich molle; mòrbido; Ei: à la coque [kɔk]

Weiche f Esb scambio m

weichen[1] (vor D) cèdere [tʃ-] (a)

weich|en[2] (im Wasser) méttere a molle; **~gekocht** bazzotto

Weide f pàscolo m; Bot sàlice [-tʃe] m

weiger|n: sich **~n** rifiutarsi; **2ung** f rifiuto m

weihen consacrare

Weihnachten n Natale m; fröhliche **~**! buon Natale!

Weihnachts|abend m vigilia [-dʒ-] f di Natale; **~baum** m àlbero di Natale; **~geschenk** n regalo m di Natale; **~mann** m Babbo Natale

Weih|rauch m incenso [-tʃ-]; **~wasser** n acqua f

weil perché [-ke] [santa]

Weile f pezzo m

Wein m vino m; Bot vite f; **~bau** m viticultura f; **~berg** m vigna [-ɲa] f; **~brand** m brandy

wein|en piàngere [-dʒ-]; **2en** n pianto m

Wein|flasche f bottiglia [-ʎa] da vino; **~glas** n bicchiere [-k-] m da vino; **~gut** n vigneto [-ɲ-] m; **~handlung** f negozio m di vini; **~karte** f lista dei vini; **~keller** m cantina f; **~lese** f vendemmia; **~lokal** f osteria f; **~probe** f saggio [-dʒo] m di vino; **~traube** f (gràppolo m di) uva

weise saggio [-dʒo]

Weise f (Art) modo m; maniera; (Lied) aria [(qc.)]

weisen (auf A) indicare

weiß bianco; 2brot n pane m bianco; **~haarig** canuto; 2wein m vino bianco

Weisung f órdine m

weit (entfernt) lontano; (groß) ampio; (breit) largo; (ausgedehnt) esteso; Weg, Reise: lungo; **wie ~ ist es nach ...?** quanto ci [tʃi] vuole fino a ...?; **von ~em** da lontano

weiter avanti; **und so ~** e così via; **~gehen** andare avanti; continuare; **~kommen** avanzare; **~machen** continuare (a fare); **~reisen** continuare il viaggio [-dʒo]

weit|gehend ampio; **~her** da lontano; **~läufig** lontano; esteso; **~sichtig** prèsbite [-zb-]; fig prevegente [-dʒ-]; **~verbreitet** molto diffuso

Weizen m grano

welch|e, **~er**, **~es** che [ke], (il, la) quale

461   wert

welken appassire
Well|blech n lamiera f on-
  dulata; **~e** f onda
wellen|förmig ondulato;
  2länge f Phys lunghezza
  d'onde; **2linie** f linea
  ondeggiante [-dʒa-]; **2rei-
  ten** n sci [ʃi] m nàutico;
  2sittich m pappagallo on-
  dato
wellig ondulato
Welt f mondo m; **~all** n
  universo m; **~anschau-
  ung** f ideologia [-dʒ-];
  2berühmt di fama mondiale; **~karte** f mappa-
  mondo m; **~krieg** m guerra
  f mondiale; **2lich** mondano; **~meister** m campione mondiale; **~mei-
  sterschaft** f campionato m
  mondiale; **~raumflug** m
  volo spaziale; **~reise** f
  viaggio [-dʒo] m attorno al
  mondo; **~rekord** m primato mondiale; **~teil** m
  parte f del mondo; **2weit**
  universale
wem a chi [ki]; **~ gehört
  das?** a chi [ki] appartiene
  questo?
wen chi [ki]
Wende f svolta [zv-]; **~-
  kreis** m Geogr tròpico;
  Kfz cerchio [tʃerkio] m di
  virata
Wend|eltreppe f scala a
  chiòcciola [kiɔt-tʃo-]; **2en**
  voltare; vòlgere [-dʒ-];
  sich 2en an (A) rivòlgersi
  [-dʒ-] a qu.; **~ung** f svolta
  [zv-]

wenig poco; **ein ~** un po';
  ~e pl pochi [-ki], poche
  [-ke]; **~er** meno; **am
  ~sten** meno di tutto;
  ~stens almeno
wenn Bedingung: se; Zeit:
  quando; **selbst ~** anche
  [-ke] se
wer chi [ki]
Werbe|abteilung f reparto
  m pubblicità [-tʃ-]; **~film**
  m film pubblicitario [-tʃ-];
  ~funk m trasmissioni
  [-zm-] f/pl pubblicitarie
  [-tʃ-]; **~material** n materiale m pubblicitario
  [-tʃ-]; **2n** (um A) corteg-
  giare [-dʒa-] (qu.); **(für** A)
  fare propaganda (per)
Werbung f propaganda,
  pubblicità [-tʃ-]
werd|en diventare; dive-
  nire; (entstehen) farsi; Passiv: èssere, venire; **ich ~e
  kommen** verrò; **was will
  er ~en?** che [ke] vuol fare?
werfen gettare [dʒ-]; buttare
Werft f cantiere m navale
Werk n òpera f; (Arbeit)
  lavoro m; (Fabrik) stabilimento m; **~meister** m
  capomastro; **2statt** f officina [-tʃ-]; **~stoff** m materiale di fabbricazione; **~-
  stück** n pezzo m; **~tag** m
  giorno [dʒo-] di lavoro;
  2tags nei giorni [dʒo-] di
  lavoro; **~zeug** n strumento
  m; utènsile m
Wermut m vermut
wert (würdig) degno [-ɲo];

es ist nichts ~ non vale nulla

Wert *m* valore; *fig* pregio [-dʒo]; **~angabe** *f* valore *m* dichiarato [-k-]; **~brief** *m* lèttera *f* assicurata; **~gegenstand** *m* oggetto [-dʒ-] di valore; **2los** senza valore; **2voll** prezioso

Wesen *n* (*Geschöpf*) èssere *m*; (*Natur*) natura *f*; **~wesentlich** essenziale

weshalb perché [-ke]

Wespe *f* vespa

wessen di chi [ki]; di che [ke]

Weste *f* gilè [dʒ-] *m*

West|en *m* ovest; **2lich** occidentale [-tʃ-]; **2lich von** (*D*) a ovest di

Wett|bewerb *m* *Sp* competizione *f*; *Hdl* concorrenza *f*; **~e** *f* scommessa; **2en** scommèttere

Wetter *n* tempo *m*; **~bericht** *m* bollettino meteorològico [-dʒ-]; **~dienst** *m* servizio meteorològico [-dʒ-]; **~lage** *f* stato *m* del tempo; **~vorhersage** *f* previsioni *f*/*pl* del tempo

Wett|kampf *m* lotta *f*; gara *f*; **~kämpfer** *m* concorrente; **~lauf** *m* corsa *f*; **~streit** *m* gara *f*

wichtig importante; **2keit** *f* importanza

wickeln avvòlgere [-dʒ-]; *Kind*: fasciare [-ʃa-]

wider (*A*) contro; **2haken** *m* uncinetto [-tʃ-]; **~legen** confutare; **~lich** ribut-

tante; **~rechtlich** contrario al diritto; **~rufen** ritrattare; **~setzen: sich ~setzen** (*D*) opporsi a; **~sinnig** assurdo; **~spenstig** ricalcitrante [-tʃ-]; **~sprechen** (*D*) contraddire (qu.); **2spruch** *m* contraddizione *f*; **2stand** *m* resistenza *f*; **~strebend** riluttante; **~wärtig** avverso; **2wille** *m* avversione *f*; **~willig** di mala voglia [-ʎa]

widm|en dedicare; **2ung** *f* dèdica

wie come

wieder di nuovo; *s* hin; **2aufbau** *m* ricostruzione *f*; **~bekommen** riavere; **2belebungsversuch** *m* tentativo di richiamare [-k-] in vita; **~bringen** riportare; **~erkennen** riconóscere [-ʃ-]; **~finden** ritrovare; **2gabe** *f* *fig* riproduzione *f*; **~geben** rèndere

wiedergutmach|en riparare; **2ung** *f* riparazione *f*; **wieder|herstellen** restaurare; **~holen** ripètere; **2holung** *f* ripetizione; **~sehen** rivedere; **auf 2sehen** arrivederci [-tʃi], arrivederLa

Wiege *f* culla; **2n**[1] *Kind*: cullare; **sich 2n** cullarsi

wiegen[2] (*auf der Waage*) pesare

Wiese *f* prato *m*

wieso perché [-ke]

463   **wissen**

wieviel quanto; **~mal**
quante volte
wild selvaggio [-dʒo]
Wild n selvaggina [-dʒ-] f;
~dieb m bracconiere; **~le-
der** n camoscio [-ʃo] m;
~nis f contrada selvaggia
[-dʒa]; **~schwein** n cinghiale [tʃiŋg-] m; **~west-
film** m (film) western
Wille m volontà f
willkommen benvenuto
Willkür f arbitrio m; **Qlich**
arbitrario
wimmeln (**von** D) brulicare (di)
wimmern gèmere [dʒ-]
Wimper f ciglio [tʃiʎo] m
Wind m vento; **~beutel** m
Kochk sgonfiotto [zg-]
Winde f (Seil♀) àrgano m
Windel f fascia [-ʃa]
winden (wickeln) tòrcere
[-tʃ-]; **sich ~** contòrcersi
[-tʃ-]
wind|geschützt riparato
dal vento; **~ig** ventoso;
Qmühle f mulino m a
vento; **Qpocken** pl varicella [-tʃ-] f; **Qschutz-
scheibe** f parabrezza m;
Qstärke f intensità del
vento; **Qstille** f calma;
Qstoß m ràffica f
Windung f voluta
Wink m cenno [tʃ-]; (Tip)
avvertimento
Winkel m àngolo m
wink|en (j-m mit A) fare
cenno [tʃ-] (a qu. con qc.);
Qer m Kfz lampeggiatore
[-dʒa-]

winseln guaire
Winter m inverno; **~fahr-
plan** m orario invernale;
~garten m giardino [dʒa-]
d'inverno; **~kurort** m stazione f invernale; **Qlich**
invernale; **~mantel** m
cappotto da inverno
Wintersport m sport invernale; **~platz** m centro
[tʃ-] di sports invernali
Winzer m viticultore
winzig minùscolo
Wipfel m vetta f
wir noi
Wirbel m Anat vèrtebra f;
(Strudel) vòrtice [-tʃe]; **Qn**
turbinare; **~säule** f colonna
vertebrale; **~sturm** m ci-
clone [tʃ-]
wirken (tätig sein) agire
[-dʒ-]; (Wirkung haben)
fare
wirklich reale; **Qkeit** f realtà
wirk|sam efficace [-tʃe];
Qung f effetto; **~ungslos**
senza effetto
Wirkwaren f/pl maglierìe
[-ʎe-]
wirr confuso
Wirsing(kohl) m càvolo
verzotto
Wirt m oste; **~in** f ostessa
Wirtschaft f economia;
Qen amministrare; **~erin** f
governante; **Qlich** econòmico
Wirtshaus n ristorante m
wisch|en pulire; **Qlappen**
m cencio [tʃentʃo]
wissen sapere; **nicht ~**

ignorare [-ɲ-]; ~ **lassen**
far sapere; ♀ *n* sapere *m*
Wissenschaft *f* scienza
[ʃɛ-]; ~**ler** *m* scienziato
[ʃe-]; ♀**lich** scientifico [ʃe-]
witter|n fiutare; ♀**ung** *f*
fiuto *m*; *s* **Wetter**
Witwe *f* védova; ~**r** *m*
védovo
Witz *m* scherzo [sk-]; bar-
zelletta *f*; ~**blatt** *n* giornale
[dʒo-] *m* umoristico
wo dove; ~**anders** altrove
Woche *f* settimana
Wochen|ende *n* fine *f* setti-
mana; ~**endhaus** *n* casetta
f per la fine settimana; ♀**lang**
per settimane intere;
~**markt** *m* mercato settimanale; ~**schau** *f* cinegiornale [tʃined3o-] *m*;
~**tag** *m* giorno [dʒo-] feriale
wöchentlich settimanale
wo|durch in che [ke] modo;
(*relativ*) con cui; ~**gegen**
contro che [ke]; contro
cui; ~**her** di dove; ~**hin**
dove
wohl bene; (*vermutlich*)
forse; **sich nicht** ~ **fühlen**
non sentirsi bene; **leben**
Sie ~! stia bene!
Wohl *n* bene *m*; **auf Ihr** ~!
alla Sua salute!; ~**befin-**
den *n* benèssere *m*; ♀**be-**
halten sano e salvo; ♀**ha-**
bend benestante; ♀**rie-**
chend fragrante; ♀-
schmeckend gustoso;
~**tätigkeit** *f* beneficenza
[-tʃ-]; ♀**tuend** benèfico;
~**wollen** *n* benevolenza *f*

Wohn|block *m* caseggiato
[-dʒa-] *m*; ♀**en** abitare;
♀**haft in** (*D*) residente a;
~**haus** *n* casa *f* di abita-
zione; ~**ort** *m* residenza *f*;
~**raum** *m* vano; ~**sitz** *m*
domicilio [-tʃ-]; ~**ung** *f*
appartamento *m*; ~**wagen**
m roulotte *f*; ~**zimmer** *n*
stanza *f* di soggiorno [-dʒo-]
Wölbung *f* inarcamento *m*;
volta
Wolke *f* nùvola
Wolken|bruch *m* nubi-
fragio [-dʒo]; ♀**los** sereno
wolkig nuvoloso
Woll|decke *f* coperta di
lana; ~**e** *f* lana
wollen volere
Woll|kleid *n* àbito *m* di
lana; ~**stoff** *m* tessuto di
lana
wo|mit con che [ke]; (*rela-
tiv*) con cui; ~**nach** dopo
di che [ke]
Wonne *f* delizia
wor|an a che [ke]; (*relativ*)
a cui; ~**auf** su che [ke]; su
cui; ~**aus** di dove; ~**in**
che [ke]; in cui
Wort *n* parola *f*; **in** ~**en**
in lèttere
Wörterbuch *n* dizionario *m*
Wortlaut *m* tenore; **im** ~
testualmente
wörtlich testuale; *adv* alla
lèttera
wort|los senza dire parola;
♀**wechsel** *m* diverbio
wor|über su che [ke];
(*relativ*) su cui; ~**um** di
che [ke]; di cui

wo|von di che [ke]; di cui; ~vor da che [ke]; da cui; ~zu a che [ke]; a cui

Wrack n rottami m/pl di una nave

wringen strizzare

Wucher m usura f; $\mathfrak{L}$n esercitare [-tʃ-] l'usura; (*Pflanze*) lussureggiare [-dʒa-]; ~ung f Med escrescenza [-ʃ-]

Wucht f impeto m; $\mathfrak{L}$ig veemente

wühlen scavare

Wulst m rigonfio

wund impiagato; **sich ~ reiben** escoriarsi; $\mathfrak{L}$e f ferita; piaga

Wunder n miràcolo m; $\mathfrak{L}$bar meraviglioso [-ʎo-]; $\mathfrak{L}$n: **sich** $\mathfrak{L}$n (**über** A) meravigliarsi [-ʎa-] (di)

Wundstarrkrampf m tètano

Wunsch m desiderio; **auf ~** a richiesta [-k-]

wünschen desiderare; (*wollen*) volere; **j-m et. ~** augurare qc. a qu.

wunsch|gemäß come desiderato; $\mathfrak{L}$zettel m lista f dei desideri

Würd|e f dignità [-ɲ-]; $\mathfrak{L}$evoll dignitoso [-ɲ-]; $\mathfrak{L}$ig (*G*) degno [-ɲo] (di); $\mathfrak{L}$igen apprezzare

Wurf m getto [dʒ-]; lancio [-tʃo]; Zo figliata [-ʎa-] f

Würfel m dado (*a Spiel*$\mathfrak{L}$); Math cubo; $\mathfrak{L}$n giocare [dʒo-] ai dadi; ~zucker m zùcchero [-k-] in quadretti

Wurm m verme; $\mathfrak{L}$stichig tarlato; bacato

Wurst f salsiccia [-tʃa]

Würstchen n salsicciotto [-tʃo-] m

Würze f condimento m

Wurzel f radice [-tʃe]

würz|en condire; ~ig aromàtico

wüst (*leer*) deserto; (*unordentlich*) dissoluto; $\mathfrak{L}$e f deserto m

Wut f rabbia; furia

wütend furioso; ~ **werden** arrabbiarsi

Z

Zacke f punta; dente m

zaghaft tìmido

zäh(e) tenace [-tʃe]; *Fleisch*: tiglioso [-ʎo-]

Zahl f nùmero m; $\mathfrak{L}$bar pagàbile; $\mathfrak{L}$en pagare

zähl|en contare; $\mathfrak{L}$er m Tech contatore; Math numeratore

Zahl|karte f giro [dʒ-] m

postale; $\mathfrak{L}$los innumerévole; $\mathfrak{L}$reich numeroso; *adv* in gran nùmero; ~ung f pagamento m

Zählung f numerazione

Zahlungs|anweisung f mandato m di pagamento; ~bedingungen f/pl condizioni di pagamento; ~frist f tèrmine m di pagamento;

~mittel n/pl mezzi m/pl di pagamento

Zählwerk n meccanismo [-zmo] m contatore

zahm addomesticato

zähmen addomesticare

Zahn m dente; ~arzt m dentista; ~bürste f spazzolino m per i denti; ~ersatz m pròtesi f dentaria; ~fleisch n gengiva [dʒendʒ-] f; ~lücke f vuoto m nella dentatura; ~paste f pasta dentifricia [-tʃa]

Zahnrad n ruota f dentata; ~bahn f ferrovia a cremagliera [-ʎe-]

Zahn|schmerzen m/pl mal m di denti; ~stocher m stuzzicadenti; ~techniker m tècnico dentista

Zander m luccioperca [-tʃo-]

Zange f tenaglie [-ʎe] f/pl

Zank m lite f; ~apfel m pomo della discordia; Ʃen: sich Ʃen litigare

zänkisch litigioso [-dʒo-]

Zäpfchen n Med supposta f

Zapfen m Tech caviglia [-ʎa] f; (Tannen Ʃ) pina f

Zapfsäule f distributore m

zart (weich, fein) tènero; (schwach) delicato; Ʃge-fühl n delicatezza f

zärtlich affettuoso; Ʒkeit f tenerezza

Zauber m incanto; (Reiz) fàscino [-ʃ-]; Ʒhaft incantévole; ~künstler m prestigiatore [-dʒa-]; Ʒn praticare la magia [-dʒ-]; fare

giochi [dʒɔːki] di prestigio [-dʒo]

zaudern esitare

Zaum m briglia [-ʎa] f; fig freno

Zaun m siepe f

Zebrastreifen F m passaggio [-dʒo] pedonale

Zehe f dito m del piede; große ~ àlluce [-tʃe] m

zehn dieci [-tʃi]; Ʒ f dieci [-tʃi] m; Ʒtel n dècimo [-tʃ-] m

Zeichen n segno [-ɲo] m; ~block m blocco da disegno [-ɲo]; ~papier n carta f da disegno [-ɲo]; ~stift m lapis

zeichn|en disegnare [-ɲ-]; Ʒung f disegno [-ɲo] m

Zeige|finger m indice [-tʃe]; Ʒn (j-m A) mostrare; ~r m indicatore; (Uhr Ʒ) lancetta [-tʃ-] f

Zeile f lìnea

Zeit f tempo m; keine ~ haben non avere tempo; ~angabe f data; ~ansage f segnale [-ɲ-] m orario; ~aufnahme f Fot fotografia a posa; Ʒgemäß attuale; Ʒig adv per tempo; ~karte f abbonamento m; ~punkt m momento; ~raum m spazio di tempo; ~schrift f rivista

Zeitung f giornale [dʒo-] m

Zeitungs|kiosk m, ~stand m edicola f; ~papier n carta f da giornali [dʒo-]; ~verkäufer m giornalaio [dʒo-]

Zeit|unterschied *m* scarto orario; **~verlust** *m* pèrdita *f* di tempo; **~vertreib** *m* passatempo; **~weise** *adj* quando in quando; **~wort** *n* verbo *m*

Zell|e *f* cella [tʃ-]; *organisch:* cèllula [tʃ-]; *Tel* cabina; **~stoff** *m* cellulosa [tʃ-] *f*

Zelt *n* tenda *f*; **2en** campeggiare [-dʒa-]; **~lager** *n*, **~platz** *m* campeggio [-dʒo] *m*

Zement *m* cemento [tʃ-]

Zensur *f* censura [tʃ-]; *(Note)* voto *m*

Zentimeter *n* centimetro [tʃ-] *m*; **~maß** *n* misura *f* mètrica

Zentner *m* mezzo quintale

zentral, **2e** *f* centrale [tʃ-]; **2heizung** *f* riscaldamento *m* centrale [tʃ-]

Zentrum *n* centro [tʃ-] *m*

zer|beißen rómpere coi denti; **~brechen** *v/t* rómpere; *v/i* rómpersi; **~brechlich** fràgile [-dʒ-]; **~drücken** schiacciare [skiat-tʃa-]

Zeremonie *f* cerimònia [tʃ-]

zer|fallen sfasciarsi [-ʃa-]; **~fressen** *v/t* (cor)ródere; *adj* corroso; **~kleinern** sminuzzare [zm-]; **~knittern** sgualcire [zgualtʃ-]; **~kratzen** graffiare; **~legbar** decomponìbile; **~legen** scomporre; **~platzen** scoppiare; **~quetschen**

schiacciare [skiat-tʃa-]; **~reißen** *v/t* lacerare [-tʃ-]; *v/i* lacerarsi [-tʃ-]

zerren (an *D)* tirare (qc.); *Med* stòrcere [-tʃ-]

zerrissen làcero [-tʃ-]

Zerrung *f Med* strappo *m*

zer|schlagen fracassare; **~schneiden** tagliare [-ʎa-] a pezzi; **~setzen** decomporre; **~splittern** *v/t* scheggiare [sked-dʒa-]; *v/i* andare in schegge [sked-dʒe]; **~springen** scoppiare

zerstäub|en polverizzare; **2er** *m* polverizzatore

zerstör|en distrùggere [-dʒ-]; **2ung** *f* distruzione

zerstreu|en dispèrdere; *fig* distrarre; **~t** *fig* distratto; **2ung** *f* dispersione; *fig* distrazione

zer|stückeln sminuzzare [zm-]; **~teilen** dividere; **~treten** calpestare; **~trümmern** fracassare

Zerwürfnis *n* dissidio *m*

zerzaust arruffato

Zettel *m* biglietto [-ʎe-]

Zeug *n* roba *f*; *(Sachen)* cose *f/pl*; *F* *(Minderwertiges)* robaccia [-tʃa] *f*; **dummes ~** stupidàggini [-dʒ-] *f/pl*

Zeug|e *m*, **~in** *f* testimone; **2en** *v/i* (von *D*) èssere la prova (di qc.); **~nis** *n jur* testimonianza *f*; *(Schein)* certificato [tʃ-] *m*; *(Schul2)* pagella [-dʒ-] *f*

Zickzack *m*: **im ~** a zigzag

Ziege f capra

Ziegel m mattone; (Dach2) tégola f; **ei** f mattonaia; **rot** rosso mattone

Ziegenbock m caprone

ziehen v/t tirare; Zahn: cavare; Strich: tracciare [-tʃa-]; v/i (an D) tirare qc.; **sich in die Länge ** andare per le lunghe [-ge]; **es zieht** c'è [tʃɛ] corrente

Zieh|harmonika f fisarmònica; **ung** f estrazione

Ziel n meta f; (Zweck) scopo m; (Ende) fine m; **2bewußt** enèrgico [-dʒ-]

zielen (auf A) mirare (a)

Ziel|linie f Sp linea d'arrivo; **scheibe** f bersaglio [-ʎo] m [bastanza]

ziemlich adv assai, ab-]

**zieren: sich ** farsi pregare

zierlich grazioso

Ziffer f cifra [tʃ-]; **blatt** n mostra f

Zigarette f sigaretta

Zigaretten|automat m distributore di sigarette; **etui** n portasigarette m

Zigarre f sigaro m

Zigeuner(in f) m zíngaro m, zíngara f

Zimmer n càmera f; **kellner** m cameriere da càmera; **mädchen** n cameriera f

Zimmermann m carpentiere

Zimmer|nachweis m agenzia [-dʒ-] f alloggi [-dʒi]; **telefon** n teléfono m di càmera

Zimt m cannella f

Zink n zinco m

Zinke f punta

Zinn n stagno f [-ɲo] m

Zins|en m/pl interessi; **fuß** m tasso d'interesse

Zipfel m cocca f; (Rock2) lembo

Zirkel m compasso; fig circolo [tʃ-]

Zirkus m circo [tʃ-]

zischen fischiare [-sk-]

Zisterne f cisterna [tʃ-]

Zitadelle f cittadella [tʃ-]

Zitat n citazione [tʃ-] f

Zitrone f limone m

zitronen|gelb giallo [dʒa-] limone; **2limonade** f limonata; **2saft** m succo di limone; **2schale** f buccia [-tʃa] di limone

Zitrusfrüchte f/pl agrumi m/pl

zittern tremare; 2 n trèmito m

zivil civile [tʃ-]; **in** 2 in borghese [-g-]; **2bevölkerung** f popolazione civile [tʃ-]; **2ist** m borghese [-g-]

zögern esitare

Zoll¹ m (Maß) pòllice [-tʃe]

Zoll² m (Grenz2) dogana f; **abfertigung** f visita doganale; **amt** n ufficio [-tʃo] m di dogana; **beamte(r)** m doganiere; **erklärung** f dichiarazione [-k-] doganale; **2frei** esente da dogana; **grenze** f confine m doganale; **kontrolle** f controllo m doganale; 2**pflichtig** soggetto [-dʒ-] a dogana; ~**tarif** *m* tariffa *f* doganale; ~**ver-waltung** *f* amministrazione doganale

Zone *f* zona

Zoo *m* giardino [dʒa-] zoològico [-dʒ-]

Zopf *m* treccia [-tʃa] *f*

Zorn *m* còllera *f*, ira *f*; 2**ig** adirato; 2**ig werden** arrabbiarsi

zu (*D*) a; con; in; per; (~ *j-m*) da; *vor Infinitiv*: di; da; a; ~ **Hause** a casa; ~ **Beginn** al principio [-tʃ-]; ~ **viel** troppo; ~ **lang** troppo lungo; (*geschlossen*) chiuso [k-]

Zubehör *n* accessori [-tʃ-] *m/pl*

zubereit|en preparare; 2**ung** *f* preparazione

zubinden legare

Zubringer|(auto)bus *m* àutobus di collegamento; ~**dienst** *m* servizio di collegamento; ~**straße** *f* strada di collegamento

Zucht *f* (*Aufz*) allevamento *m*; (*Disziplin*) disciplina [-ʃ-]

züchten allevare

Zuchthaus *n* reclusorio *m*

zucken palpitare; **mit den Achseln** ~ stringersi [-dʒ-] nelle spalle

Zucker *m* zùcchero [-k-]; ~**dose** *f* zuccheriera [-k-]; ~**krankheit** *f* diabete *m*; 2**n** (in)zuccherare [-k-]

Zuckung *f* convulsione

zudecken coprire

zudem inoltre

zudrehen *Hahn*: chiùdere [k-]

zudringlich indiscreto

zuerst prima; dapprima; (*als erster*) primo

Zu|fall *m* caso; 2**fällig** per caso; ~**flucht** *f* rifugio [-dʒo] *m*

zufrieden contento; 2**heit** *f* contentezza; ~**stellen** contentare

Zufuhr *f* rifornimento *m*

Zug *m* (*Ziehen*) tiro, tratto (*a fig*); *Esb* treno; (*beim Spiel*) mossa *f*; (*Luft2*) corrente *f* d'aria; (*beim Rauchen*) tirata *f*; (*Schluck*) sorso; *s* Atem-, Festzug

Zu|gabe *f* giunta [dʒu-]; ~**gang** *m* accesso [-tʃ-]; 2**gänglich** accessibile [-tʃ-]; 2**geben** aggiùngere [-dʒundʒ-]; (*gestehen*) amméttere; 2**gehen (auf j-n)** andare incontro (a qu.); (*Tür*) chiùdersi [k-]; (*geschehen*) accadere; ~**gehörigkeit** *f* appartenenza

Zügel *m* rèdine *f*; *fig* freno; 2**los** sfrenato; 2**n** imbrigliare [-ʎa-]; *fig* frenare

Zuge|ständnis *n* concessione *f*; 2**stehen** (*j-m A*) concèdere [-tʃ-]

Zugführer *m* capotreno

zugießen versare ancora

zugig esposto alla corrente d'aria

zügig di buona lena

Zugkraft *f* forza di trazione

zugleich nello stesso tempo
Zug|luft f corrente d'aria; ~maschine f trattore m
zugreifen cògliere [-ʎe-] l'occasione
zugrunde: ~ gehen andare in rovina; ~ richten mandare in rovina
Zugschaffner m conduttore del treno
zugunsten (G) in favore di
Zug|verbindung f coincidenza [-tʃ-]; ~verkehr m tràffico ferroviario; ~vogel m uccello [-tʃ-] di passo
zu|halten turare; ~hören (D) ascoltare (qu.); ~hörer m uditore; ~jubeln (D) acclamare (qu.); ~kleben incollare; ~knöpfen abbottonare
Zukunft f avvenire m; Gr futuro m
zukünftig futuro; adv in avvenire
Zulage f aumento m
zu|lassen ammèttere; Tür: lasciare [-ʃa-] chiuso [k-]; ~lässig ammissibile; 2lassung f ammissione; Kfz libretto m di circolazione [tʃ-]; 2leitungsschnur f filo conduttore; ~letzt in ùltimo
zuliebe (D) per amore di
zu|machen chiùdere [k-]; ~muten (j-m A) pretèndere (qc. da qu.); 2mutung f pretesa; ~nächst (erstens) in primo luogo; 2nahme f aumento m; 2name m cognome [-ɲ-]

zünd|en accèndere [-tʃ-]; 2holz n fiammifero m; 2kerze f candela d'accensione [-tʃ-]; 2schlüssel m chiavetta [k-] d'accensione [-tʃ-]; 2ung f accensione [-tʃ-]
zu|nehmen (an D) aumentare (di); (dicker werden) ingrassare; 2neigung f affetto m
Zunge f lingua
zunichte: ~ machen annientare
zupacken afferrare
zupfen tirare
zurechtfinden: sich ~ raccapezzarsi
zurecht|legen preparare, ~machen preparare
zu|reden (D) consigliare [-ʎa-] (qu.); ~richten approntare
zurück indietro; ~bekommen riavere; ~bleiben rimanere indietro; ~bringen riportare; ~drängen respingere [-dʒ-]; ~drehen girare [dʒ] indietro; ~erstatten restituire; ~fahren andare indietro; ~fliegen ritornare (volando); ~führen ricondurre; ~geben restituire, rèndere; ~gehen andare indietro; (sich vermindern) diminuire; ~gezogen ritirato
zurückhalten ritenere; sich ~ moderarsi; ~d riservato
zurück|holen andare a riprèndere; ~kommen ri-

tornare; **lassen** lasciare [-ʃa-] indietro; **legen** *Ware*: méttere da parte; *Weg*: percórrere; **nehmen** riprèndere; *fig* ritirare; **prallen** rimbalzare; **rufen** richiamare [-k-]; **schicken, senden** rimandare; **schlagen** ribàttere; **setzen** méttere indietro; *fig (j-n)* trascurare; **stellen** *Uhr*: méttere indietro; *(aufschieben)* rimandare; **stoßen** respingere [-dʒ-]; **treten** *(v Amt)* diméttersi; **weisen** respingere [-dʒ-]; **werfen** buttare indietro; **zahlen** rimborsare

zurückziehen ritirare; **sich ~** ritirarsi

Zuruf *m* chiamata [-k-] *f*; acclamazione

Zusage *f* promessa (di fare); **≈n** *v/t* accettare [-tʃ-]; *et*: prométtere; *v/i (gefallen)* piacere [-tʃ-]

zusammen insieme; **≈arbeit** *f* collaborazione; **bauen** montare; **binden** legare; **brechen** crollare; *Person*: stramazzare; **bruch** *m* crollo; *Hdl* fallimento; **drücken** comprimere; **fallen** *zeitlich*: (mit *D*) coincidere [-tʃ-]; **fassen** *fig* riassùmere; **fügen** congiùngere [-dʒundʒ-]; **gehören** formare un insieme; **≈hang** *m* connessione *f*

zusammenklapp|bar pie-

ghévole [-g-]; **en** chiùdere [k-] a scatto

zusammen|kommen riunirsi; **≈kunft** *f* incontro *m*

Zusammenprall *m* urto; **≈en** (mit *D*) urtarsi (con)

zusammen|rechnen sommare; **rücken** *v/t* avvicinare [-tʃ-]; *v/i* stringersi [-dʒ-]

zusammensetz|en comporre; montare; **sich ~en** (aus *D*) comporsi (di); **≈ung** *f* composizione; montaggio [-dʒo] *m*

zusammenstell|en porre insieme; **≈ung** *f* composizione; compilazione

Zusammenstoß *m* urto; scontro; **≈en** (mit *D*) scontrarsi (con); *s* **zusammenprallen**

zusammen|stürzen crollare; **treffen** incontrarsi; **zählen** sommare

zusammenziehen contrarre; **sich ~** restringersi [-dʒ-]

Zu|satz *m* aggiunta [-dʒu-] *f*; **≈sätzlich** addizionale

zu|schauen (D) stare a guardare; **≈er** *m* spettatore; **≈erraum** *m* sala *f* (per gli [ʎi] spettatori)

zuschicken mandare

Zuschlag *m* supplemento; **≈en** *Tür*: sbàttere [zb-]; **karte** *f* biglietto [-ʎe-] *m* di supplemento

zu|schließen chiùdere [k-] a chiave [k-]; **schnappen** chiùdersi [k-] scattando;

~schneiden tagliare [-ʃa-]; ~schnüren legare; *Schuhe*: allacciare [-tʃa-]; ~schrauben avvitare; ℓschrift *f* lèttera; ℓschuß *m* sovvenzione *f*; ~sehen stare a vedere; ~sehends a vista d'òcchio [-k-]; ~senden mandare; ~setzen *v/t* aggiùngere [-dʒundʒ-]; *Geld*: pèrdere; *v/i fig j-m*: sollecitare [-tʃ-] (qu.)

zusicher|n (*j-m A*) assicurare; ℓung *f* assicurazione

zuspitzen appuntare; sich ~ *fig* farsi crìtico

Zustand *m* stato; ℓe: ℓe bringen riuscire [-ʃ-] a fare; ℓe kommen venire realizzato

zu|ständig competente; ~stehen spettare

zustell|en rimèttere; recapitare; ℓgebühr *f* tassa di recàpito; ℓung *f* consegna [-ɲa]

zustimm|en (*D*) aderire; ℓung *f* adesione

zu|stopfen turare; ~stoßen (*D*) capitare; ℓtaten *f/pl* ingredienti *m/pl*

zuteil|en (*j-m A*) distribuire; ℓung *f* ripartizione

zutragen: sich ~ accadere

zutrau|en: j-m et. ~en crèdere qu. capace [-tʃe] di qc.; ~lich fiducioso [-tʃo-]

zutreffen avverarsi; ~d giusto [dʒu-]

zu|trinken (*D*) bere alla

salute (di); ℓtritt *m* accesso [-tʃ-]; ~unterst in fondo

zuver|lässig fidato; ℓlässigkeit *f* fidatezza; ℓsicht *f* sicurezza; ~sichtlich sicuro

zuviel troppo

zuvor prima; ~kommen (*D*) prevenire; ~kommend premuroso

Zu|wachs *m* incremento; ℓweilen talvolta; ℓweisen (*j-m A*) assegnare [-ɲ-]; ~wenden *Rücken*: vòlgere [-dʒ-]; ~wenig troppo poco; ~widerhandeln contravvenire (a); ~winken (*D*) fare cenno [tʃ-] (a qu.)

zuziehen *Vorhang*: tirare; *j-n*: chiamare [k-]; sich ~ tirarsi addosso

zuzüglich più

Zwang *m* òbbligo; (*Gewalt*) violenza *f*; ℓlos lìbero

Zwangs|jacke *f* camicia [-tʃa] di forza; ~lage *f* situazione forzata; ~maßnahme *f* misura coercitiva [-tʃ-]; ℓweise per forza

zwar è vero che [ke]; und ~ e precisamente [-tʃ-]

Zweck *m* fine, scopo

Zwecke *f* bulletta

zweck|los senza scopo; ~mäßig opportuno

zwecks allo scopo di

zwei due; ℓ *f* due *m*

Zwei|bett|kabine *f* cabina a due letti; ~zimmer *n* càmera *f* a due letti

zwei|deutig equivoco; **~erlei** di due specie [-tʃe]; **~fach** doppio

Zweifel m dubbio; **2haft** dubbioso; **2los** senza dubbio; **2n (an** D) dubitare (di)

Zweig m ramo; **~geschäft** n, **~stelle** f succursale f

zwei|händig a due mani; **~jährig** di due anni; **2kampf** m duello; **~mal** due volte; **~motorig** bimotore; **~reihig** a due file; **~seitig** bilaterale; **2sitzer** m biposto; **~spurig** a doppio binario; **~stöckig** di due piani

zweit: **zu ~** in due

zwei|teilig in due parti; **~tens** in secondo luogo

zweitrangig secondario

Zwerchfell n diaframma m

Zwerg m nano

Zwetsch(g)e f prugna [-ɲa]

zwicken pizzicottare

Zwieback m biscotto

Zwiebel f cipolla [tʃ-]

Zwie|licht n luce [-tʃe] f crepuscolare; **~tracht** f discordia

Zwillinge pl gemelli [dʒ-] m|pl

zwingen (zu D) costringere [-dʒ-] (a)

zwinkern ammiccare

Zwirn m refe

zwischen (D, A) fra, tra; **2deck** n traponte m; **~durch** di quando in quando; **2fall** m incidente [-tʃ-]

Zwischenlandung f scalo m intermedio; **ohne ~** senza scalo

Zwischen|raum m spazio; intervallo; **~ruf** m interruzione f; **~stück** n intermezzo m; **~wand** f tramezza

Zwischenzeit f: **in der ~** nel frattempo

zwitschern cinguettare [tʃ-]

Zwölffingerdarm m duodeno

Zyankali n cianuro [tʃa-] m di potassio

Zylinder m cilindro [tʃ-]; **2förmig** cilindrico [tʃ-]

zynisch cinico [tʃ-]

Zypresse f cipresso [tʃ-] m

Italienische Abkürzungen

Abbreviazioni italiane

Acc.	accelerato *Eilzug*
A.C.I.	Automòbile Club d'Italia *Italienischer Automobilklub*
A.G.	Alberghi per la gioventù *Jugendherberge*
arr.	arrivo *Ankunft*
A.V.I.	Aviolinee Italiane *Italienische Fluggesellschaft*
Avv.	Avvocato *Rechtsanwalt*
C.A.I.	Club Alpino Italiano *Italienischer Alpenverein*
Cav.	Cavaliere *Ritter (bürgerlicher Ehrentitel)*
C.d.Co.	Còdice di Commercio *Handelsgesetzbuch*
C.E.	Consiglio d'Europa *Europarat*
C.E.E.	Comunità Econòmica Europea *Europäische Wirtschaftsgemeinschaft*
C.I.T.	Compagnia Italiana del Turismo *Italienische Reiseverkehrsgesellschaft*
cl.	classe *Klasse*
Comm.	Commendatore *(bürgerlicher Ehrentitel)*
C.P.	Casella Postale *Postfach*
C.P.C.	Còdice Penale *Strafgesetzbuch*
C.P.C.	Còdice di Procedura Civile *Bürgerliches Gesetzbuch*
C.R.I.	Croce Rossa Italiana *Italienisches Rotes Kreuz*
C.V.	cavalli vapore *Pferdestärke*
D.C.	Democrazia Cristiana *(Christlich-Demokratische Union)*
Dott.	Dottore *Doktor*
E.	Est *Osten*
ecc.	eccètera *und so weiter*

E.N.I.T.	Ente Nazionale Industrie Turistiche *Staatliches Fremdenverkehrsamt*
F.I.A.T.	Fàbbrica Italiana Automòbili Torino *Italienische Autofabrik Turin*
F.S.	Ferrovie dello Stato *Staatsbahnen*
G.V.	Grande Velocità *Eilgut*
Ing.	Ingegnere *Ingenieur*
L	Lira *Lira*
L.A.I.	Linee Aèree Italiane *Italienische Fluggesellschaft*
M.	Monte *Berg*
M.E.C.	Mercato Comune Europeo *Europäische Wirtschaftsgemeinschaft*
N.	Nord *Norden*
N.E.	Nord Est *Nordosten*
N.O.	Nord Ovest *Nordwesten*
N.U.	Nettezza urbana *Stadtreinigung*
O.	Ovest *Westen*
Omn.	(Treno) òmnibus *Personenzug*
O.N.U.	Organizzazione delle Nazioni Unite *Vereinte Nationen*
p.	pàgina *Seite*
Prof.	Professore *Professor*
P.S.	Pùbblica Sicurezza *Polizei*
P.V.	Pìccola Velocità *Frachtgut*
RP	Risposta pagata *Antwort bezahlt*
S.	Sud *Süden* santo *heilig*
S.A.	Società Anònima *Aktiengesellschaft*
S.E.	Sud Est *Südosten*
s.l.m.	sul livello del mare *über dem Meeresspiegel*
sig.	signore *Herr*
S.O.	Sud Ovest *Südwesten*
S.r.l.	Società a responsabilità limitata *Gesellschaft mit beschränkter Haftung*
S.S.	Sua Santità *Seine Heiligkeit* Santa Sede *der Heilige Stuhl*
v.	vedi *siehe*
V.d.F.	Vigili del Fuoco *Feuerwehr*
vol.	volume *Band*

Speisekarte

Lista delle vivande

Antipasti *Vorspeisen*

acciughe *Anschovis*
affettato *Aufschnitt*
alici piccanti *Sardellen in pikanter Soße*
anguilla affumicata *Räucheraal*
carciofi *Artischocken*
carciofini e funghetti sott'olio *junge Artischocken und Pilze in Öl*
carne fredda *kaltes Fleisch*
caviale *Kaviar*
cervellata *Zervelatwurst*
cetrioli *Gurken*
chiocciole *Weinbergschnecken*
gamberi *Krebse*
gelatina di carne *Fleischsülze*
granchiolini *Krabben*
insalata di cetrioli *Gurkensalat*; ~ di gamberi

Krebsschwanzsalat; ~ russa *italienischer Salat*
lingua salmistrata *gepökelte Zunge*
melone e prosciutto *Melone mit Schinken*
olive *Oliven*
ostriche *Austern*
pasticcio di fegato d'oca *Gänseleberpastete*
prosciutto *Schinken*; ~ cotto *gekochter Schinken*; ~ crudo *roher Schinken*; ~ con fichi freschi *Schinken mit frischen Feigen*
salsiccia *Wurst*; ~ di fegato *Leberwurst*
sanguinaccio *Blutwurst*
sfogliatino *Blätterteigpastete*
tonno con fagioli *Thunfisch mit weißen Bohnen*

Minestre *Suppen*

brodo *Fleischbrühe*; ~ all'uovo *Fleischbrühe mit Ei*; ~ di pollo *Hühnerbrühe*
minestra *dicke Suppe*; ~ di riso *Reissuppe*; ~ di verdura *Gemüsesuppe*

minestrone *dicke Gemüsesuppe mit Nudeln*
zuppa *Suppe*; ~ alla marinara *Suppe aus Seefischen*; ~ alla pavese *Fleischbrühe mit Brot und Ei*; ~ di pesce *Fischsuppe*

Paste e riso *Nudeln und Reis*

agnellotti *Teigklößchen mit Fleischfüllung*
gnocchi *Klößchen*
lasagne *Bandnudeln*; ~ verdi *grüne Nudeln*
maccheroni *Makkaroni*
pasta asciutta *Nudelgericht (al burro mit Butter; al sugo mit Fleisch- und Tomatensoße; con parmigiano mit Parmesankäse; in bianco mit Butter und Parmesankäse)*

polenta *Maisbrei*
ravioli *Ravioli (Pasteten aus Nudelteig)*
riso *Reis*
risotto *Reisgericht*; ~ alla milanese *Reis mit Safran*; ~ con piselli *Reis mit Erbsen*
spaghetti *Spaghetti*
tagliatelle *Bandnudeln*
tortellini *mit Fleisch gefüllte Teigringe*
vermicelli *Fadennudeln*

Pesci ed animali marini *Fische und Seetiere*

anguilla *Aal*
aragosta *Languste*
aringa *Hering*
calamaretto *Tintenfisch*
carpione *Karpfen*
datteri di mare *Dattelmuscheln*
dentice *Zahnfisch*
fritto di pesce *gebackener Fisch*
frutti di mare *Gericht aus Meerestieren*
gambero *Krebs*
granchi *Garnelen*
granchiolini *Krabben*

luccio *Hecht*
luccioperca *Zander*
nasello *Schellfisch*
pesce *Fisch*; ~ passera *Flunder*; ~ persico *Barsch*; ~ ragno *Seespinne*
rombo *Steinbutt*
salmone *Lachs*
sgombro *Makrele*
sogliola *Scholle*; ~ finta *Seezunge*
tinca *Schlei(e)*
tonno *Thunfisch*
trota *Forelle*
vongole *Muscheln*

Volatili *Geflügel*

anitra *Ente*
cappone *Kapaun*
frattaglie d'oca *Gänseklein*
oca *Gans*
petto di pollo *Hühnerbrust*

piccione *Taube*
pollastrino *Backhuhn*
pollastro *junges Huhn*
pollo *Huhn*; ~ novello *Hähnchen*
tacchino *Truthahn, Puter*

Piatti di carne *Fleischgerichte*

agnello *Lamm*
arrosto *Braten*
bistecca *Beefsteak*; ~ ai ferri *Rumpsteak*; ~ alla milanese *Schnitzel*
braciuola *Rostbraten*
bue *Ochse*
cervello *Hirn*
cibreo *Ragout*
coscia di vitello *Kalbskeule*
costoletta *Kotelett*; ~ alla milanese *Wiener Schnitzel*
fegato *Leber*
filetto *Filet*
fricassea *Frikassee*
involtino *Roulade*
lingua *Zunge*

lombata *Lendenbraten*
lombatina di vitello *Kalbsnierenbraten*
maiale *Schwein*
manzo *Rind*
montone *Hammel*
petto di vitello *Kalbsbrust*
polmone *Lunge*
polpetta *Fleischkloß*
polpettone *Hackbraten, falscher Hase*
ragù *Ragout*
rognoni *Nieren*
rosbif *Roastbeef*
spezzatino *Gulasch*
stufato *Schmorbraten*
vitello *Kalb*
zampone *Schweinshachse*

Legumi *Gemüse*

asparagi *Spargel*
carciofi *Artischocken*
carote *Mohrrüben*; ~ corte *Karotten*
cavolfiore *Blumenkohl*
cavolo *Kohl*; ~ di Brusselle *Rosenkohl*; ~ verzotto *Wirsingkohl*
cicoria *Chicorée*
crauti acidi *Sauerkraut*
crescione *Kresse*
fagiolini *Schnittbohnen*
fagiuoli *Bohnen*

funghi *Pilze*
lenticchie *Linsen*
melanzane *Auberginen*
patate *Kartoffeln*
peperoni *Paprikaschoten*
pomodori *Tomaten*
piselli *Erbsen*
purè di patate *Kartoffelpüree*
ravanelli *Radieschen*
sedano *Sellerie*
spinaci *Spinat*
zucca *Kürbis*

Dolci *Süßspeisen*

budino *Pudding*
cassata *Cassata (Eis mit kandierten Früchten)*
crema caramella *Karamelpudding*

frutta cotta *Kompott*
gelato *Eis*
macedonia *Obstsalat*
torta *Torte*
zabaione *Eierkrem mit Wein*

Zahlwörter

Numerali

Nùmeri cardinali *Grundzahlen*

0 zero	32 trentadue
1 uno, una, un, un'	38 trentotto
2 due	39 trentanove
3 tre	40 quaranta
4 quattro	50 cinquanta [tʃ-]
5 cinque [tʃ-]	60 sessanta
6 sei	70 settanta
7 sette	80 ottanta
8 otto	90 novanta
9 nove	100 cento [tʃ-]
10 dieci [-tʃi]	101 centuno [tʃ-]
11 ùndici [-tʃi]	102 centodue [tʃ-]
12 dódici [-tʃi]	108 centotto [tʃ-]
13 trédici [-tʃi]	109 centonove [tʃ-]
14 quattòrdici [-tʃi]	110 centodieci
15 quindici [-tʃi]	111 centoùndici
16 sédici [-tʃi]	120 centoventi
17 diciassette [-tʃa-]	200 duecento [-tʃ-]
18 diciotto [-tʃo-]	300 trecento [-tʃ-]
19 diciannove [-tʃa-]	400 quattrocento [-tʃ-]
20 venti	500 cinquecento [-tʃ-]
21 ventuno, ...a	600 seicento [-tʃ-]
22 ventidue	700 settecento [-tʃ-]
23 ventitré	800 ottocento [-tʃ-]
24 ventiquattro	900 novecento [-tʃ-]
25 venticinque [-tʃ-]	1000 mille
26 ventisei	1001 mille uno
27 ventisette	2000 due mila
28 ventotto	10 000 dieci mila
29 ventinove	100 000 cento mila
30 trenta	1 000 000 un milione
31 trentuno	2 000 000 due milioni

Nùmeri ordinali *Ordnungszahlen*

1°, 1ᵃ il primo, la prima
2° il secondo
3° il terzo
4° il quarto
5° il quinto
6° il sesto
7° il sèttimo
8° l'ottavo
9° il nono
10° il dècimo [-tʃ-]
11° l'undicèsimo [-tʃ-], il dècimo primo
12° il dodicèsimo, dècimo secondo
13° il tredicèsimo, dècimo terzo
14° il quattordicèsimo, dècimo quarto
15° il quindicèsimo, dècimo quinto
16° il sedicèsimo, dècimo sesto
17° il diciassettèsimo [-tʃa-], dècimo sèttimo
18° il diciottèsimo [-tʃɔ-], dècimo ottavo
19° il diciannovèsimo [-tʃa-], dècimo nono
20° il ventèsimo
21° il ventunèsimo, ventèsimo primo
22° il ventiduèsimo, ventèsimo secondo

23° il ventitreèsimo, ventèsimo terzo
24° il ventiquattrèsimo, ventèsimo quarto
25° il venticinquèsimo, ventèsimo quinto
26° il ventiseièsimo, ventèsimo sesto
27° il ventisettèsimo, ventèsimo sèttimo
28° il ventottèsimo, ventèsimo ottavo
29° il ventinovèsimo, ventèsimo nono
30° il trentèsimo
40° il quarantèsimo
50° il cinquantèsimo [tʃ-]
60° il sessantèsimo
70° il settantèsimo
80° l'ottantèsimo
90° il novantèsimo
100° il centèsimo [tʃ-]
101° il centunèsimo, centèsimo primo
103° il centotreèsimo, centèsimo terzo
200° il duecentèsimo
1000° il millèsimo
1001° il millèsimo primo
2000° il duemillèsimo
1 000 000° il milionèsimo

Frazioni *Bruchzahlen*

$1/2$ un mezzo *ein halb*; la metà *die Hälfte*
$1/3$ un terzo *ein Drittel*
$2/3$ due terzi *zwei Drittel*

$1/4$ un quarto *ein Viertel*
$3/4$ tre quarti *drei Viertel*
$1/5$ un quinto *ein Fünftel*
$1/10$ un dècimo *ein Zehntel*